W9-BAX-406

# VERGINITÀ

## e Vedovanza

## I

# TUTTE LE OPERE
# DI
# SANT'AMBROGIO

edizione bilingue
a cura della Biblioteca Ambrosiana

promossa dal cardinale
**GIOVANNI COLOMBO**
arcivescovo di Milano

in occasione del XVI centenario
dell'elezione episcopale di Sant'Ambrogio

SANCTI AMBROSII EPISCOPI MEDIOLANENSIS
OPERA
14/1

# DE VIRGINIBVS
# DE VIDVIS

textum post Egnatium Cazzaniga et
Maurinam editionem F. Gori recognouit

Mediolani
Bibliotheca Ambrosiana

Romae
Città Nuova Editrice

MCMLXXXIX

SANT'AMBROGIO

# Opere morali II/I

# VERGINITÀ

## E VEDOVANZA

introduzione, traduzione, note e indici
di
Franco Gori

Milano
Biblioteca Ambrosiana

Roma
Città Nuova Editrice

1989

Questo volume è pubblicato con il contributo della Fondazione S. Ambrogio per la Cultura Cristiana, sostenuta dal Dr. Ing. Aldo Bonacossa


ISBN 88-311-9171-3

*A mia madre*
*e alla memoria di mio padre*

# INTRODUZIONE

*Nella vasta e varia produzione letteraria di Ambrogio gli scritti sulla verginità e la vedovanza sono quelli che maggiormente hanno contribuito a meritargli la fama di cui ha goduto nei secoli successivi. La ragione è duplice.*

*In primo luogo bisogna considerare che il tema della verginità ha avuto un grande rilievo nella predicazione e nell'azione del vescovo milanese. E tanto impegno e spazio per l'argomento hanno fatto sí che fossero questi scritti a delinearci con piú vigore e chiarezza sia i fondamenti dottrinali che gli orientamenti pragmatici della sua concezione ascetica del cristianesimo. Se è vero che Ambrogio non offre il meglio di sé sul piano del pensiero puramente speculativo, ma, come vescovo, predicatore e scrittore, predilesse il governo pastorale della Chiesa e l'animazione della vita cristiana, ebbene è proprio sotto questo aspetto che i suoi scritti sulla verginità sono da ritenere assai importanti. Non a caso, fra le opere ambrosiane, sono quelli che principalmente, e a volte quasi esclusivamente, hanno attirato l'attenzione degli studiosi della spiritualità dei Padri della Chiesa* [1].

*La loro fortuna, in secondo luogo, oltre che favorita dall'intrinseco valore e dalla personalità dell'Autore, è stata di fatto esaltata, in Occidente, dal successivo orientamento della spiritualità del cristianesimo e, in specie, delle istituzioni monastiche e religiose, che dall'età di Ambrogio in poi sono andate crescendo in numero e dimensione. E cosí per il movimento ascetico, soprattutto femminile, di epoca medievale e poi moderna, Ambrogio ha rappresentato la piú valida fonte d'ispirazione.*

*Non è possibile, del resto, trovare in tutta l'antichità cristiana, che pure è ricca di trattazioni sull'argomento, una sintesi tanto felice e completa, che raccolga — direttamente o mediatamente — gli spunti desumibili dai testi dell'A.T. e del N.T., il contributo degli scritti patristici anteriori, l'eredità della mistica origeniana, e faccia anche tesoro di taluni aspetti della sapienza pagana antica e tardoantica. Una sintesi per nulla sistematica, ben inteso, ma esauriente e facilmente accessibile, anche perché conserva la semplicità e l'imme-*

[1] M. VILLER - K. RAHNER, *Askese und Mystik in der Väterzeit*, Freiburg 1939, pp. 55-59; L. BOUYER, *Histoire de la spiritualité du Nouveau Testament et des Pères*, Paris 1960, pp. 543-546; G. BARDY, art. *Ambroise*, in *Dict. de sp.* 1, 426 s.; G. CERIANI, *La spiritualità di Sant'Ambrogio*, in *Sant'Ambrogio nel XVI centenario della nascita*, Milano 1940, pp. 159-207.

*diatezza dell'originaria comunicazione orale. Un'esposizione che unisce ad una forte tensione spiritualistica una non comune umana sensibilità, capace ancor oggi di toccare i sentimenti del lettore.*

## 1. Le radici remote e prossime del pensiero di Ambrogio

*Ma quali erano i precedenti? Nel solco di quale tradizione si poneva Ambrogio? Lo sguardo retrospettivo, succinto e schematico, che intendiamo proporre, non è tanto motivato dall'utilità di una preventiva generica informazione, ma ha la sua ragione nelle conclusioni del nostro studio. E cioè, che in tema di verginità il vescovo milanese ha ben poco creato o innovato, invece ha saputo raccogliere, selezionare e fondere i materiali portati dai rivoli d'una tradizione ricca e plurisecolare, la cui ricognizione, pertanto, è essa stessa introduttiva ai suoi scritti sulla verginità e sulla vedovanza, anche perché li avremo sempre sullo sfondo come costante termine di confronto. In questa prospettiva, la nostra indagine si limita a ricercare nella tradizione lumi su temi e questioni posti dai testi di Ambrogio* [2].

### 1.1. Verginità prima e al di fuori del cristianesimo?

*Lo stato di vita verginale consacrata, con i caratteri che riscontriamo nell'antica tradizione cristiana e quale è teologicamente motivato, ad esempio, nelle opere del nostro Autore, trae immediata e forte ispirazione dai testi del N.T. Perciò non può avere che superficiali parallelismi al di fuori di questa sua precisa ascendenza. Sarà tuttavia utile — oltretutto per definire meglio le connotazioni originali della verginità cristiana — esaminare se e come nell'A.T. e nel mondo greco-romano fosse praticata la verginità o l'astinenza sessuale per motivazioni filosofiche, etiche, religiose, cultuali* [3].

#### 1.1.1. Nell'A.T.

*Era normale per i Padri della Chiesa cercare nell'A.T. possibili punti di riferimento ogni qual volta affrontavano un tema dottrinale o riguardante la prassi cristiana. Lo richiedeva, se non altro, l'urgen-*

[2] Per una piú ampia indagine che investe anche le correnti dell'encratismo gnostico e dualistico rinviamo al recente studio di G. SFAMENI GASPARRO, *Enkrateia e antropologia. Le motivazioni protologiche della continenza e della verginità nel cristianesimo dei primi secoli e nello gnosticismo* (Studia Ephemeridis «Augustinianum» 20), Roma 1984.

[3] Per questo breve capitolo dedicato alla pratica della castità nell'A.T. e nel mondo pagano greco-romano teniamo presenti, tra l'altro, alcune valide indicazioni di V. CAPORALE, *Celibato e verginità senza Cristo?*, in «La Civiltà Cattolica», 153, 3 (1982), pp. 12-26.

*za di difendere una certa continuità fra i due Testamenti, che eretici di vario genere volevano negare. Ambrogio riproduce questa tendenza. All'inizio della sua prima opera sulla verginità* [4], *dopo aver affermato che tale forma di vita ha avuto origine dall'Incarnazione di Cristo, all'obiezione di chi gli ricorda la verginità di Elia* [5], *di Maria sorella di Mosè* [6] *e delle vergini deputate al servizio del tempio di Gerusalemme* [7], *risponde dicendo che quelli erano esempi che prefiguravano la realtà del tempo futuro della Chiesa: pur considerevoli, non realizzavano ancora la pienezza della verginità cristiana.*

*Ma, anche a prescindere dalle idee che su questo argomento possiamo trovare nella patristica, ci chiediamo se nell'A.T. fosse tenuta in considerazione la castità votata per motivazioni ascetiche. La risposta deve essere sostanzialmente negativa* [8]. *Il contesto sociale culturale religioso dell'A.T. aveva nell'imperativo della procreazione* [9] *uno dei suoi massimi valori: vi si considerava benedizione divina una prole numerosa e disonore la sterilità. Era del tutto estranea alla mentalità ebraica l'idea che la rinuncia al matrimonio e l'astinenza dall'attività sessuale potessero favorire una piú intensa comunione con Dio. Tuttavia vi sono alcune, poche e tenui, testimonianze che sono in contrasto con tale orientamento generale. La piú importante è quella del celibato di Geremia* [10]. *Sono poi da ricordare Giuditta e Anna, entrambe vedove in giovane età, che, secondo il libro di Giuditta e Lc 2, 36-38, alla libera scelta della castità univano un forte impegno di vita religiosa. E questo basta ad Ambrogio per proporle come esempi alle vedove cristiane professe* [11].

*Esiste poi un ambito specifico, che è quello cultuale, per il quale la Legge prevedeva la continenza periodica. In Ex 19, 15 si prescrive agli Israeliti una continenza di tre giorni in preparazione alla promulgazione della Legge. L'attività sessuale era causa di impurità rituale per i sacerdoti e impediva loro di svolgere le funzioni di culto. Dettagliate norme, che vietavano di contrarre questo tipo di*

[4] Cf. *uirgb.* 1, 3, 12.

[5] La convinzione che Elia fosse celibe è assai diffusa nel cristianesimo antico, che la deriva da una tradizione giudaica (in proposito si vedano i riferimenti in una mia nota relativa a *uirgb.* 1, 3, 12), che non ha fondamento nel testo biblico, come già osservò AGOSTINO, *Gen. ad litt.* 9, 6 (CSEL 28, 1, p. 274, 17 ss.) *creditur* (sc. *Helia*) *enim non habuisse* (sc. *uxorem*), *quia hoc scriptura non dixit, quamuis et de celibatu eius nihil dixerit.*

[6] Su Maria, sorella di Mosè, e sul coro di supposte vergini da lei guidate attraverso il Mar Rosso (Ex 15, 20), nella tradizione antica e nell'interpretazione di Ambrogio, si vedano J. DOIGNON, *Miryam et son tambourin dans la prédication et l'archéologie occidentales au IVe siècle*, TU 79, Berlin 1961, pp. 71-77; C.W. NEUMANN, *The Virgin Mary in the Works of Saint Ambroise*, Fribourg (Switz.) 1962, pp. 51-60.

[7] Di tali vergini non mi è stato possibile trovare sicuro riscontro nei libri dell'A.T.

[8] Cf. G. VAIDA, *Continence, mariage et vie mystique selon la doctrine du Judaïsme*, in *Mystique et continence*. Travaux scientifiques du VIe Congrès international d'Avon (Les Études Carmélitaines), Bruges-Paris 1952, pp. 82-92.

[9] Gen 1, 28; 9, 1.7.

[10] Ier 16, 1-4. Su cui si veda L. LEGRAND, *La virginité dans la Bible*, Paris 1964, pp. 21-25.

[11] Per Anna cf. *uid.* 2, 12 e 4, 21; per Giuditta cf. *uid.* 7, 38-42 e anche *uirgb.* 2, 4, 25.

*inabilità, sono contenute nel Levitico, ove è previsto anche un rito di purificazione per la donna che ha partorito e per il figlio nato (capitoli 12 e 15 e anche 21-22). Sono, ben inteso, disposizioni che si mantengono sul piano formalistico rituale e non attribuiscono alcun particolare intrinseco valore alla pratica della castità*[12]*: il sacerdote era contaminato dalle funzioni sessuali — lecite o illecite che fossero — non diversamente da come poteva esserlo per altri motivi (assunzione di cibi immondi, contatto con cadaveri, ecc.) e allo stesso modo ne era purificato; tuttavia, in epoca patristica non è mancato chi vi ha visto un'anticipazione del celibato ecclesiastico*[13].

*A partire dal II secolo a.C., ai margini del giudaismo ortodosso, si svilupparono tendenze religiose favorevoli al celibato. È il caso degli Esseni, che conducevano una vita religiosa organizzata in comunità di tipo monastico*[14]*. Secondo notizie tramandateci da Filone*[15]*, Giuseppe Flavio*[16] *e Plinio*[17]*, gli Esseni praticavano il celibato. Quanto ai testi rinvenuti a Qumrān, la loro interpretazione su questo punto è controversa*[18]*. Filone ci informa anche su una setta di asceti giudei dell'Egitto, detti Terapeuti, che riuniti in una sorta di monasteri, maschili e femminili, praticavano la continenza perpetua*[19].

### 1.1.2. Nel mondo greco

*Presso i Greci la verginità aveva un qualche rilievo in ambito religioso cultuale. Fra le divinità, Artemide è detta vergine*[20]*. Ricordiamo anche la dea Vergine dello zodiaco e, soprattutto, Atena, alla quale furono attribuiti diversi ruoli, a seconda dei tempi e dei luoghi, ma che principalmente fu connotata come vergine*[21].

*Nella mitologia greca le due doti tipiche della verginità, la giovinezza e l'innocenza incontaminata, sono considerate le qualità*

[12] LEGRAND, *La virginité dans la Bible*, pp. 66-72, sostiene che la continenza periodica dell'A.T. aveva anche una positiva funzione di santificazione.

[13] SIRICIO PAPA, *epist. ad Him.* 1 (JAFFÉ-WATTEMBACH, p. 255).

[14] Cf. A. GUILLAUMONT, *À propos du célibat des Esséniens*, in *Hommages à A. Dupont-Sommer*, Paris 1971, pp. 395-404; J.J. GUNTHER, *St. Paul's Opponents and their Background. A Study of Apocalyptic and Jewish Sectarian Teaching*, NTS 35, Leiden 1973, pp. 112-128; JOSE DEL NIÑO JESÙS, *El voto de verginidad y los tiempos de Christo*, in «Est. Jos.», 21 (1967), pp. 57-76; R. LAURENTIN, *Structure et Théologie de Lc I-II*, Paris 1957, pp. 176-188; A. MARX, *Les racines du célibat essénien*, in «Revue de Qumrān», 7 (1969-1971), pp. 323-342.

[15] *Apol.* 14.

[16] *Bell. Iud.* 2, 119-121 e 160-161; *ant. Iud.* 18, 21.

[17] *Nat. hist.* 5, 15, 73.

[18] Cf. B. PROIETTI, *La scelta celibataria alla luce della S. Scrittura*, in *Il celibato per il Regno*, Milano 1977, pp. 17-23.

[19] FILONE, *uit. cont.*, 32-34 e 68.

[20] Cf. PLATONE, *Crat.* 406 b «Artemide significa integrità (da ἀρτεμές) e decoro, a motivo del suo amore per la verginità». Per piú ampie informazioni cf. K. WERNICKE, art. *Artemis*, in RE 2, 1, 1375 ss.

[21] Cf. ARTEMIDORO, *oneirocr.* 2, 35 «Atena non è favorevole alle donne etere e adultere, e nemmeno a quelle che hanno preferito il matrimonio: la dea infatti è vergine»; PLUTARCO, *Demetr.* 26 e inoltre F. HÖFER, art. *Parthenos*, in W.H. ROSCHER (*Ausführliches Lexikon der griechischen und römischen Mytologie*), 3, 1, 1663.

*ideali della vittima di un sacrificio di eccezionale efficacia nei confronti della divinità: ne danno ripetute testimonianze i grandi della tragedia greca. In proposito viene spontaneo ricordare quanto spesso Ambrogio, anche se muovendo da altri presupposti e con diversa prospettiva, associ la verginità al sacrificio e al martirio* [22].

*Nella religione ellenica erano piú rilevanti che nell'A.T. le prescrizioni che imponevano l'astinenza sessuale di sacerdoti, di sacerdotesse e di altre persone addette al culto di certe divinità. Si tratta di prescrizioni che avevano forse motivazioni religiose o piú semplicemente rituali* [23].

*Anche tra i filosofi c'era chi apprezzava la verginità, o almeno la continenza sessuale. La vergine, nella quale Platone indica un esempio del bello* [24], *non è da mettere in relazione con l'esercizio della virtú cristiana della castità; tuttavia non si può escludere che il valore semantico del termine comprenda, oltre la giovinezza e il bell'aspetto, anche lo stato di integrità fisica e morale in senso lato.*

*Per trovare riflessioni piú vicine al nostro tema bisogna giungere agli inizi dell'era cristiana. Plutarco applica il concetto di verginità all'anima* [25], *svelando una valenza del termine che gli autori cristiani indicheranno come* uirginitas *(o* integritas*)* mentis [26].

*I neopitagorici, a partire dal I secolo a.C., insegnavano un'ascesi fondata sul dominio di ogni istinto passionale e, principalmente, vedevano nella continenza sessuale una condizione di libertà che permette all'anima di contemplare Dio* [27]. *Essi facevano coincidere la* σωφροσύνη, *che libera l'uomo dai piaceri e dalle passioni del corpo, con la castità* [28], *e adducevano l'esempio di castità del mitico eroe greco Bellerofonte* [29]. *Filostrato narra di Apollo di Tiana, famoso taumaturgo del I secolo d.C., che praticava la completa continenza sessuale, per la quale si era dominato fin dalla giovinezza* [30]. *Importanti testimonianze sull'encratismo religioso neopitagorico sono le* Sentenze *di Sesto Pitagorico* [31] *(fine II sec. d.C.).*

[22] Cf. *uirgb.* 1, 7, 32; 1, 11, 65; 2, 2, 18; *uirgt.* 3, 13; *inst. u.* 1, 2-3; *exh. u.* 14, 96.

[23] Cf. E. FEHRLE, *Die kultische Keuschheit in Altertum* (Religiongeschichtliche Versuche und Vorarbeiten 6), Giessen 1910, pp. 75-154; H. STRATHMANN, *Die Askese in der Umgebung der werdenden Christentum,* Leipzig 1914, pp. 172-180 e 201-204. Sulle profetesse di Apollo — tra cui la piú celebre era quella di Cuma — il cui potere divinatorio dipendeva dalla continenza sessuale, cf. H. JEANMARIE, *Sexualité et mysticisme dans les anciennes cités hellenistiques,* in *Mystique et continence,* cit., p. 53.

[24] PLATONE, *Hipp. mai.* 287e-297d.

[25] PLUTARCO, *Pyth. or.* 22.

[26] Cf. CIPRIANO, *hab. uirg.* (CSEL 3, 1, p. 200); in Ambrogio il tema dell'integrità della mente è ricorrente: cf. per es. *uirgb.* 2, 2, 7; 2, 4, 24; *uirgt.* 3, 13; 4, 15; *uid.* 2, 7; 2, 11.

[27] Cf. H. CHADWICK, art. *Encrateia,* in RAC 5, 346.

[28] GIAMBLICO, in STOBEO, *ecl.* 5, 45-46 (HENSE, p. 270).

[29] Bellerofonte, ospite del re Preto a Tirinto, respinse Antea, moglie del re, che si era invaghita dell'eroe: cf. OMERO, *Il.* 6, 160 s. Anche Celso adduceva l'esempio di Bellerofonte, ma ORIGENE, *c. Cels.* 4, 46 (SCh 136, pp. 302 ss.) gli oppose l'esempio di superiore virtú di Giuseppe che respinse le lusinghe della moglie di Putifarre.

[30] FILOSTRATO, *uit. Apoll.* 1, 13; 6, 11.

[31] Sull'encratismo di Sesto Pitagorico cf. C. TIBILETTI, *Verginità e matrimonio in antichi scrittori cristiani,* Napoli 1969, pp. 38 s.; CHADWICK, art. cit., 356.

*Non molto diversa era la dottrina dello stoicismo che manifestava un reale aspetto di spiritualismo nell'indicare l'ideale dell'*ἀπάθεια *da raggiungere attraverso la* σωφροσύνη *che soprattutto comporta la continenza* (ἐγκράτεια) *come strumento del dominio che la ragione esercita sui sensi.*

*In un'epoca percorsa da simili correnti di pensiero* [32] *non meraviglia che il famoso medico e filosofo pagano Galeno (129-201 d.C.) nella sua opera* Platonis rei publicae synopsis, *scritta intorno al 180, esprimesse ammirazione per la verginità praticata tra i cristiani. La ragione della sua stima è che con la continenza essi dimostravano di non essere da meno dei filosofi: «I cristiani osservano una condotta degna dei veri filosofi. In effetti noi vediamo che essi hanno il disprezzo della morte e di ciò che accade dopo e che aborriscono dai rapporti sessuali. Vi sono fra di loro non solo uomini, ma anche donne, che durante tutta la vita si astengono dall'atto sessuale»* [33]. *Si dirà, e giustamente, che la convergenza, su questo punto, di filosofia pagana e cristianesimo è insinuata da un pagano che non aveva chiare le autonome motivazioni della verginità cristiana. Eppure l'interesse di Galeno per quella forma di vita cristiana è ritenuto importante* [34].

*Qui non possiamo approfondire aspetti particolari della pratica dell'astinenza sessuale o della verginità nel mondo greco; piuttosto vorremmo cogliere in sintesi il significato filosofico antropologico che tale pratica aveva in quell'ambito culturale. Un significato che ci pare sia stato ben delineato da G. Delling* [35]: *«Nella parola* παρθένος *il greco può dunque sentire... l'immutabilità, l'autosufficienza, la separazione; e in tutti questi aspetti c'è qualcosa di divino e c'è una ragione di superiorità. Forse si può persino affermare che qui* παρθένος *è l'espressione mitica di quell'*ἀπάθεια, *cosí importante per l'uomo greco». Sono valori di fondo, che l'idea della verginità ha contribuito a tramandare nel tempo e che possiamo rintracciare qua e là negli autori cristiani che hanno trattato il tema. Per quanto riguarda Ambrogio, mi sembra di poterli riscoprire — sia pure amalgamati in un quadro di spiritualità sostanzialmente mutato — ove egli parla, piú volte come vedremo, della verginità che ha la sua dimora nel cielo e che scende tra gli uomini per comunicare, a coloro che l'accolgono, sovranità, libertà e l'originaria autenticità.*

[32] Sull'influenza della filosofia greca in tema di celibato ecclesiastico si veda H. CROUZEL, *Le célibat et la continence*, in *Mariage et divorce, célibat et caractères sacerdoteaux dans l'église ancienne*, Torino 1982, pp. 352-356.

[33] Cf. *Corpus Platonicorum Medii Aevi, Plato Arabus*, 1, p. 99.

[34] A. HARNACK, *Mission und Ausbreitung des Christentums in den ersten drei Jahrhundert*, 1, Leipzig 1906², pp. 183 s., della testimonianza di Galeno diceva: «Ein unbestocheneres und glänzenderes Zeugnis für die Sittlichkeit der Christen kann kaum gedacht werden»; analogo giudizio espresso da H.J. MARROU, *L'idéale de la virginité et la condition de la femme dans la civilisation antique*, in *La chasteté*, Paris 1953, p. 39; cf. anche R. WALZER, *Galen on Jews and Christians*, London 1949, pp. 15.65.69.

[35] Cf. art. παρθένος, in GLNT 9, 758.

### 1.1.3. Le vestali romane nell'opinione di Ambrogio

*Nel* De uirginibus *di Ambrogio, in una parte dedicata all'apologia della verginità cristiana, troviamo un polemico raffronto con l'istituzione religiosa pagana delle vergini vestali*[36]*: un argomento di scottante attualità in quel tempo. La controversia, almeno ufficialmente, esplode alcuni anni piú tardi, quando, nel 382, l'imperatore Graziano, su sollecitazione di Ambrogio, insieme ad altri provvedimenti, decreta l'abolizione dei privilegi e delle immunità riconosciuti alle vestali e la confisca dei loro beni. La lettera, con la quale Ambrogio due anni piú tardi chiede ed ottiene da Valentiniano II che sia respinta la petizione di Simmaco che domandava la restaurazione dell'altare della Vittoria nella curia del Senato romano e la restituzione dei benefici tolti alle vestali*[37]*, riprende i temi della pagina del* De uirginibus[38]*. La polemica con il partito conservatore pagano durava, dunque, da diversi anni. Al vescovo premeva sgomberare il terreno da ogni possibile analogia fra la famosa istituzione delle sacerdotesse di Vesta e la professione della verginità cristiana. Su questa analogia facevano leva coloro che si opponevano all'imminente dissolvimento*[39] *di uno dei simboli piú luminosi della romanità*[40]*. Essi pretendevano di rivendicare alla religione di Roma il primato dell'istituzione della verginità, di per sé universalmente apprezzata da cristiani e pagani.*

*Le vestali erano sacerdotesse che facevano parte del* collegium pontificum. *Il loro compito principale era la conservazione del fuoco sacro nel tempio di Vesta e la custodia dei* pignora imperii, *oggetti emblematici della potenza di Roma e garanti della sua perpetuità. Il* pontifex maximus, *in base al suo potere sovrano, le sceglieva nell'ambito dell'aristocrazia in età compresa fra i 6 e i 10 anni. La legge Papia modificò in parte tale consuetudine, stabilendo che da una lista di venti giovinette, designate dal pontefice massimo, fossero tratte a sorte le sei vestali. Piú anticamente esse erano quattro; al tempo di Ambrogio erano sette. Il pontefice massimo provvedeva anche alla loro consacrazione con una formula che ci è stata tramandata*[41]*. La durata del loro sacerdozio era di 30 anni: 10 dedicati all'iniziazione, 10 al servizio sacerdotale, 10 alla preparazione delle novizie. Conducevano una sorta di vita claustrale in un edificio annesso al tempio (*atrium Vestae*), da dove uscivano solo per svolgere mansioni ufficiali: erano precedute da un littore, i consoli dovevano cedere loro il passo e, se un condannato a morte le incontrava, veniva graziato. Secondo Plinio*[42]*, le loro preghiere avevano un potere prodigioso. Godevano di privilegi sociali ed economici. L'ob-*

[36] *Virgb.* 1, 4, 15.
[37] SIMMACO, *relatio* 3 (MGH, AA 6, 1, pp. 280-283).
[38] *Epist.* 73, 11-12 (CSEL 82, 3, pp. 39 s.).
[39] Il collegio delle vestali verrà definitivamente soppresso da Teodosio nel 392.
[40] Sulle vestali cf. G. GIANNELLI, *Il sacerdozio delle vestali*, Firenze 1933; R. SCHILLING, *Vestales et vierges Chrétiennes dans la Rome antique*, in «Rev. Sc. Rel.», 35 (1961), pp. 113-129.
[41] GELLIO, 1, 12, 14.
[42] *Nat. hist.* 28, 12.

*bligo della castità era temporaneo, cessava al termine dei 30 anni di consacrazione, ma la sua osservanza in quel periodo doveva essere rigorosa. L'infrazione (*incestum*) comportava che la vestale colpevole fosse sepolta viva nel* campus scelestus, *presso Porta Collina, e che il seduttore fosse fustigato a morte nel foro.*

*In questo quadro gli autori cristiani potevano trovare facilmente elementi che, confrontati con i caratteri della verginità cristiana, risaltavano come altrettanti motivi di discredito per l'istituto delle vestali pagane.*

*Un'istituzione che aveva ben poco di autenticamente religioso: senza l'anima delle personali interiori convinzioni, senza mete ideali al di là della formalistica funzione, apparentemente religiosa, in realtà politica, di rievocare le origini dello Stato romano e di auspicarne la perennità — diremmo noi. Ma la polemica di Ambrogio è piú aspra. Nel* De uirginibus *e nell'*epistula *73 (18 Maur.) egli impegna a fondo le sue risorse di stile e di retorica per dipingere a forti tinte il contrasto fra vergini cristiane e vergini vestali*[43]*. Con toni che sfiorano il sarcasmo rimprovera a queste ultime di professare una verginità temporanea e di attendere la scadenza per poterla violare*[44]*, di essere, per di piú, costrette in tale stato dalle leggi e dal timore delle sanzioni*[45]*, infine di essere motivate solo dalla ricompensa in benefici economici: cosa questa che accende l'indignazione del vescovo contro la castità venduta*[46]*.*

*La verginità cristiana, invece, è perpetua. È libera e mossa dallo zelo personale. Al piccolo numero di vestali contrappone le sue schiere di vergini*[47]*. Non si attende un compenso di ricchezze, perché è gratuita*[48]*; anzi, sopporta perdite economiche e si rivela genuina virtú dell'animo dominando innanzi tutto la cupidigia di ricchezza*[49]*.*

*Nel* De uirginitate *Ambrogio torna ad alludere all'istituzione delle vestali, ma con tono ormai meno polemico e in un contesto*

[43] Ad Ambrogio fa eco PRUDENZIO, *c. Symm.* 2, 1064 ss. (CCL 126, p. 248).

[44] *Virgb.* 1, 4, 15 *qualis ista est non morum pudicitia, sed annorum, quae non perpetuitate, sed aetate praescribitur? Petulantior est talis integritas, cuius corruptela seniori seruatur aetati*; *epist.* 73, 11 (CSEL 82, 3, p. 40) *praescripta denique pudicitiae tempora coegerunt.*

[45] *Virgb.* 1, 4, 15 *sed nec illa pudica est quae lege retinetur, et illa impudica quae lege dimittitur. O mysteria, o mores, ubi necessitas imponitur castitati, auctoritas libidini datur! Itaque nec casta est quae metu cogitur, nec honesta quae mercede conducitur.*

[46] *Ibid.*: *conferuntur immunitates, offeruntur pretia, quasi non hoc maximum petulantiae sit indicium castitatem uendere. Quod pretio promittitur pretio soluitur, pretio addicitur, pretio adnumeratur. Nescit redimere castitatem quae uendere solet*; *epist.* 73, 12 (CSEL 82, 3, p. 40) *non est uirginitas quae pretio emitur, non uirtutis studio possidetur; non est integritas quae tamquam in auctione nummario ad tempus licitatur compendio.*

[47] *Epist.* 73, 11 (p. 40) *uix septem uestales capiuntur puellae*; *ibid.*, 12 *uideant plebem pudoris, populum integritatis, concilium uirginitatis.*

[48] *Ibid.*, 11 (p. 40) *dicant hoc qui nesciunt credere quod possit esse gratuita uirginitas.*

[49] *Ibid.*, 12 (p. 40) *suis castitas cumulatur dispendiis*; *ibid.* (p. 41) *prima castitatis uictoria est facultatum cupiditates uincere*: Ambrogio ha probabilmente in mente la possibilità che i genitori non consenzienti neghino la dote alla figlia che sceglie la vita consacrata (cf. *uirgb.* 1, 11, 62).

assai diverso. Per difendersi dalle accuse di eccessivo zelo per la vita consacrata, ricorda ai suoi oppositori che la verginità era in onore anche presso i pagani, sebbene essi ne conoscessero solo l'aspetto fisico (carnis uirginitas) e ne trascurassero del tutto il valore interiore e spirituale (mentis integritas) [50].

## 1.2. Le vergini in età precostantiniana [51]

Credo che non sia arbitrario né convenzionale assumere la data della pace costantiniana come fattore di periodizzazione anche per quanto riguarda lo sviluppo del nostro tema fino all'età di Ambrogio. I mutamenti avvenuti nella Chiesa, per quell'avvenimento, hanno toccato anche le forme di vita religiosa, o consacrata, favorendo la loro regolamentazione sotto i diversi aspetti, giuridico, disciplinare e rituale.

### 1.2.1. I Padri apostolici e gli apologisti

Anche se, come pare certo, Apoc 14, 1-5 non si riferisce a vergini in senso proprio, ma a quanti sono dediti all'ascesi cristiana, le prime testimonianze della pratica della verginità nella Chiesa antica sono comunque della prima ora. Da Clemente Romano sappiamo che fra i cristiani di Corinto si osservava la continenza: «Colui che è casto nel corpo, non se ne faccia un motivo di gloria perché sa che è un altro che gli fa il dono della continenza» [52]. Vi si può vedere abbozzata la concezione che la verginità, come modo di vivere proprio degli esseri celesti, viene dall'alto, portata da Cristo al momento dell'Incarnazione, come diranno altri Padri della Chiesa, compreso Ambrogio. La lettera di Ignazio d'Antiochia alla Chiesa di Smirne contiene i saluti per un gruppo di vedove, pare, che sono chiamate vergini per la loro continenza [53]. In Occidente, a Roma,

[50] *Virgt.* 3, 13.

[51] Su verginità e ascetismo nei primi secoli del cristianesimo si vedano: J. Wilpert, *Die Gottgeweihten Jungfrauen in den ersten Jahrhunderten der Kirche*, Freiburg 1892; S. Schiwietz, *Das morgenländische Mönchtum*, Mainz 1904; H. Achelis, *Virgines subintroductae*, Leipzig 1902; H. Koch, *Virgines Christi. Die Gelübde der Gottgeweihten Jungfrauen in den ersten drei Jahrhunderten*, TU 31, 2, Leipzig 1907, pp. 59-112; F. Martinez, *L'ascetisme chrétien pendant les trois premiers siècles de l'Église*, Paris 1913; H. Koch, *Quellen zur Geschichte der Askese und des Mönchtum in der alten Kirche*, Tübingen 1931; H. Leclercq, art. *Monachisme*, in DACL; M. Viller - M. Olphe Galliard, *L'ascèse chrétienne*, in *Dict. de sp.* 1, 960-968; M. Viller - K. Rahner, *Askese und Mystik in der Väterzeit*, Freiburg 1939; T. Camelot, *Virgines Christi. La virginité aux premiers siècles de l'église*, Paris 1944; E. Peterson, *L'origine dell'ascesi cristiana*, in «Euntes docete», 1 (1948), pp. 195-204; F. De B. Vizmanos, *Las virgines cristianas de la iglesia primitiva*, BAC 45, Madrid 1949; O. Rousseau, *Virginité et chasteté consacrée chez les Pères grecs*, in *La chasteté*, Paris 1953, pp. 51-69; M. Olphe-Galliard, *La virginité consacrée dans l'occident latin*, *ibid.*, pp. 71-90; R. Metz, *La consécration des vièrges dans l'église romaine*, Paris 1954; G. Turbessi, *Ascetismo e monachesimo prebenedettino*, Roma 1961; G.M. Colombas, *El monacato primitivo*, 1, Madrid 1974.

[52] Clemente Romano, 1, 38, 2.

[53] Ignazio d'Antiochia, *Smyrn.* 13, 1 (Funk-Bihlmeyer, p. 110).

*Erma fa professione di continenza* [54] *e segnala la presenza di altri continenti nella sua Chiesa* [55]. *Verso la metà del II secolo, l'adesione a tale forma di vita doveva essersi diffusa, se Giustino poteva affermare: «E molti, di entrambi i sessi, sessantenni e settantenni, che fin da piccoli si sono fatti discepoli di Cristo, sono rimasti vergini»* [56]; *«fin da principio non abbiamo fatto uso del matrimonio, se non per allevare i figli, oppure, avendolo rifiutato, abbiamo osservato la perfetta continenza»* [57]. *Atenagora conforta le attestazioni di Giustino e, precisando i contenuti e gli scopi puramente religiosi della professione verginale, osserva che molti sono i cristiani, uomini e donne, che si astengono dal matrimonio per una piú stretta unione con Dio, e che essi piú che l'integrità fisica ricercano la purezza interiore che libera dai desideri e dai pensieri malvagi* [58]. *Alla fine del II secolo, Minucio Felice ribadisce che molti sono quelli che osservano la verginità perpetua* [59].

*Queste testimonianze, pur succinte, sono importanti, perché coprono il periodo che va dall'età apostolica al III secolo, durante il quale la letteratura sulla verginità avrà una prima consistente fioritura. Prendiamo dunque in considerazione gli autori di quest'epoca — prima quelli occidentali, poi quelli greci.*

### 1.2.2. Tertulliano

*In passato c'è stato chi non solo ha visto negli scritti di Tertulliano testimoniata a piú riprese l'istituzione delle vergini nella Chiesa antica, ma ha anche creduto di identificarvi passi ove lo scrittore africano avrebbe alluso al voto solenne di verginità perpetua* [60]. *L'opera che piú spesso veniva chiamata in causa era il* De uirginibus uelandis. *Successivamente, un piú meditato esame dei testi e dei contesti ha convinto gli studiosi che Tertulliano ben poco di sicuro offre circa l'istituzione della verginità perpetua e ancor meno circa la pratica del voto solenne di verginità* [61]. *Non per questo, tuttavia, è da ritenere trascurabile quanto egli ha scritto sull'argomento. Esaminiamo perciò alcuni passi che dal nostro punto di vista sembrano piú interessanti.*

*Il* De uirginibus uelandis *è stato composto prima del 207: quando, cioè, a Cartagine non era ancora avvenuta la rottura fra cattolici e montanisti, e Tertulliano era ancora nella comunione della Chiesa. Tuttavia lo scritto dimostra già chiari segni di estremi-*

[54] ERMA, *uis.* 1, 2, 4 (GCS 48², p. 3); 2, 3, 2 (p. 6). Erma è sposato, ma convive con la moglie come con una sorella: cf. *ibid.* 2, 2, 3 (p. 5).

[55] ID., *sim.* 9, 29, 1 (p. 97); 9, 31, 3 (p. 100).

[56] *Apol.* 1, 15 (OTTO, p. 48). Per «vergini» non usa παρθένοι, ma ἄφθοροι che in questo caso ha il medesimo significato.

[57] *Ibid.*, 1, 29 (OTTO, p. 88).

[58] ATENAGORA, *suppl.* 33 (OTTO, p. 172).

[59] MINUCIO FELICE, *Octauius* 31 (CSEL 2, pp. 44 s.).

[60] Cf. WILPERT, *Die Gottgeweihten Jungfrauen*, pp. 8 s.; SCHIWIETZ, *Das morgenländische Mönchtum*, 1, p. 19.

[61] Cf. in particolare KOCH, *Virgines Christi*, pp. 65-76.

*smo. Di questa tendenza si deve tener conto per ben intendere certe espressioni sulle vergini cristiane.*

*L'autore non si rivolge alle vergini che liberamente avevano scelto tale stato di vita, ma a tutte le* uirgines *(noi diremmo «ragazze» o, comunque, «donne nubili») che avessero superato l'età della fanciullezza. Ad esse dimostra l'obbligo di portare il velo. Le vergini sono tenute a coprirsi il capo come le sposate: il precetto di 1 Cor 11, 5-6 non fa distinzione fra le une e le altre. Ecco un segno del rigorismo che muoveva lo scrittore africano. Le vergini, tutte le vergini, debbono velarsi in quanto spose di Cristo. Il mistico sposalizio con Cristo non è privilegio di alcune volonterose, ma lo stato di tutte le vergini cristiane. L'insistenza sull'obbligo del velo cela una posizione rigorista di piú ampia portata: la svalutazione, prima, e il rifiuto, poi, del matrimonio.*

*A volte si ha l'impressione che il discorso di Tertulliano sia rivolto ad un gruppo particolare di vergini che avevano consacrato a Dio la loro verginità:* uirg. uel. *14, 2* prolatae enim in medium et publicato bono suo elatae et fratribus omni honore et caritate et operatione cumulatae, dum non latent ubi quid admissum est, tantum dedecoris cogitant quantum honoris habuerunt [62]. *Il passo fa pensare alla presentazione delle vergini alla comunità da parte del vescovo, e allude al prestigio e ai sussidi di cui esse godevano, ma certamente non parla dell'emissione di voti solenni. La manifestazione della loro condizione di verginità è piuttosto dovuta al fatto che esse si presentavano pubblicamente a capo scoperto. In* uirg. uel. *15, 2* gaudebit (uirgo) sibi soli et deo nota [63], *è ormai assodato che non si allude al voto segreto di verginità, in opposizione al voto solenne, ma si vuol dire che una ragazza, che porta il velo, nasconde il suo vero stato di verginità e cosí può sottrarsi all'ostilità del diavolo.*

*Vediamo ancora* orat. *22, 9* nupsisti enim Christo. Illi carnem tuam tradidisti: age pro mariti tui disciplina. Si nuptas alienas uelari iubet, suas utique multo magis [64]; uirg. uel *16, 4* nupsisti enim Christo, illi tradidisti carnem tuam, illi sponsasti maturitatem tuam. Incede secundum sponsi tui uoluntatem. Christus est et qui alienas sponsas et maritatas uelari iubet, utique multo magis suas [65]; resurr. carn. *61, 6* quot uirgines Christi maritatae [66].

*Questi ed altri passi, come ha mostrato Kock [67], a prima vista sembrano supporre un voto di castità perpetua, ma un loro attento e contestuale esame suggerisce altre spiegazioni. La raccomandazione di portare il velo in* orat. *22, 9 è rivolta non ad una ben determinata categoria di vergini consacrate, ma a tutte le ragazze che hanno superato l'età della fanciullezza, indipendentemente dalla successiva*

[62] CCL 2, p. 1223.
[63] *Ibid.*, p. 1224.
[64] CCL 1, p. 271.
[65] CCL 2, p. 1225.
[66] CCL 2, p. 1010, 27 s.
[67] KOCH, *Virgines Christi*, p. 71.

*loro decisione di conservarsi vergini o di sposarsi. Certo, di fronte a tale scelta Tertulliano dimostra di non essere per nulla neutrale, ma le sue parole prescindono dall'opzione definitiva dello stato di verginità. Tutte le vergini devono portare il velo, come lo portano le donne sposate, come se anche le vergini fossero sposate. In effetti non mentono, perché sono spose di Cristo. Tertulliano non distingue fra vergini consacrate e non consacrate, ma solo fra vergini e donne sposate. E ancora, egli non distingue — come farà, per esempio, Ambrogio — fra il dovere della castità valido per tutti i cristiani, compresi gli sposati, e il consiglio evangelico e paolino di continenza perpetua scelta liberamente, ma fa distinzione fra la completa e perpetua continenza, che dovrebbe essere praticata da tutti, e un inferiore, insoddisfacente livello di castità delle persone sposate. In questo senso, credo, vanno intese le parole dell'ultimo capitolo del* De uirginibus uelandis*:* Sed et uos admonemus, alterius pudicitiae mulieres, quae in nuptias incidistis [68]. *L'autentica castità presuppone la completa rinuncia all'uso della sessualità. Tertulliano infatti concepisce tre tipi o tre gradi di castità dai quali è esclusa la castità matrimoniale: sono la verginità dalla nascita, la verginità che data dal battesimo e la castità vedovile* [69].

*Se anche i passi sopra esaminati non si riferiscono ad una specifica istituzione religiosa — quella che per noi è la verginità consacrata con voto perpetuo ufficialmente riconosciuto dalla Chiesa —, tuttavia bisogna osservare che in essi compare per la prima volta un concetto molto importante, quello del mistico sposalizio fra la vergine e Cristo* [70]*, che dopo Tertulliano sarà fondamentale per le numerose trattazioni sulla verginità. Oltre ogni sua intenzione, Tertulliano ha lasciato un'impronta non trascurabile nella successiva riflessione mistica e teologica sul voto di castità.*

*Unitamente al tema delle mistiche nozze, egli ha indicato alla tradizione cristiana, in particolare al monachesimo, il valore escatologico della verginità. Questa forma di vita anticipa nel mondo la condizione della vita futura celeste. Per Tertulliano la vita del regno dei cieli si caratterizza come «angelica»* [71]*, e angelica è la vita di coloro che vivono sulla terra in perfetta castità:* Malunt enim deo nubere... sic aeternum sibi bonum, donum domini occupauerunt, ac iam in terris non nubendo de familia angelica deputantur [72].

[68] *Virg. uel.* 17, 1 (CCL 2, p. 1225).

[69] *Exh. cast.* 1, 4 (CCL 2, p. 1015) *prima species est uirginitas a natiuitate; secunda uirginitas a secunda natiuitate, id est a lauacro, quae aut in matrimonio purificato ex compacto aut in uiduitate perseuerat ex arbitrio; tertius gradus superest monogamia, cum post matrimonium unum interceptum exinde sexui renuntiatur.*

[70] Il tema del matrimonio mistico è già presente in Paolo, ma riguarda Cristo e la Chiesa (2 Cor 11, 2; Eph 5, 23).

[71] *Ad uxor.* 1, 1, 5 (CCL 1, p. 374) *ceterum Christianis saeculo digressis sicut nulla restitutio nuptiarum in die resurrectionis repromittitur, translatis scilicet in angelicam qualitatem et sanctitatem*; *c. fem.* 1, 2, 5 (p. 346) *nam et uobis eadem tunc substantia angelica repromissa*; *adu. Marc.* 3, 24, 6 (p. 542).

[72] *Ad uxor.* 1, 4, 4 (p. 377).

### 1.2.3. Cipriano

*La visione che Cipriano ci offre della pratica della verginità nel corso del III secolo è importante, perché rappresenta l'opinione di un personaggio molto autorevole nella Chiesa, che esprime, a differenza di Tertulliano, una posizione moderata e ponderata, alla quale, nell'insieme, si ispira tutta la Chiesa occidentale.*

*Cipriano ha dedicato un'opera al tema della verginità, il* De habitu uirginum, *scritto nel 249. Di qui traiamo alcune espressioni utili a delineare il suo magistero e anche indicative della situazione storica della Chiesa africana di quel periodo. La verginità è definita come il fiore della Chiesa, lo splendore della grazia divina, l'immagine che può riprodurre nel mondo la santità stessa di Dio*[73]*. Lo stretto legame religioso delle vergini con Cristo consiste nell'avergli consacrato non solo il corpo, ma anche lo spirito*[74]*. Il concetto di* uirginitas mentis, *come abbiamo già accennato, in seguito sarà sempre fondamentale nelle riflessioni sulla verginità.*

*Cipriano fa scuola anche quando biasima i comportamenti non degni delle vergini cristiane, in particolare l'abbigliamento lussuoso, l'uso di gioielli e di belletti*[75]*: cose che possono portare alla rovina; nel qual caso le vergini sono da considerare vedove di Cristo*[76]*. Il tema dello sposalizio spirituale fra la vergine e Cristo è dunque fatto proprio da Cipriano. Le vergini cadute devono essere allontanate per evitare che il loro errore contagi il gruppo*[77]*.*

*In Cipriano troviamo un altro tema caratteristico della letteratura sulla verginità, quello del valore escatologico della verginità, ovvero il tema della «vita angelica»*[78]*. Il passo da citare è* hab. uirg. *22*[79]*. Commentando Lc 20, 35-36, Cipriano spiega che la verginità anticipa nel mondo quello stato di vita che sarà proprio della vita futura. Essa è vita risorta prima ancora della risurrezione. Perciò le vergini passano attraverso il mondo senza temerne il contagio, come degli angeli.*

*Abbiamo visto che nelle opere di Tertulliano non si parla di una particolare istituzione religiosa caratterizzata dal voto perpetuo di verginità, bensí di verginità come condizione di fatto di tutte le*

[73] *Hab. uirg.* 9 (CSEL 3, 1, p. 189) *flos est ille ecclesiastici germinis, decus atque ornamentum gratiae spiritalis, laeta indoles, laudis et honoris opus integrum atque incorruptum, dei imago respondens ad sanctimoniam domini, inlustrior portio gregis Christi.*

[74] *Ibid.*, 4 (pp. 189, 25-190, 1) *...ut quae se Christo dicauerint et a carnali concupiscentia recedentes tam carne quam mente se deo uouerint.*

[75] *Ibid.*, 13-14 (pp. 196 s.).

[76] *Ibid.*, 20 (p. 201) *uiduae antequam nuptae, non mariti sed Christi adulterae, quam fuerant praemiis ingentibus uirgines destinatae, tam magna supplicia pro amissa uirginitate sensurae.*

[77] *Ibid.*, 17 (p. 200, 5-7) *...sed tamquam contactas oues et morbidas pecudes a sancto et puro grege uirginitatis arceri.*

[78] Per il tema della «vita angelica» in Cipriano si veda FRANK, Ἀγγελικὸς βίος, pp. 168 ss.

[79] CSEL 3, 1, p. 203, 12-16 *quod futuri sumus, iam uos esse coepistis. Vos resurrectionis gloriam in isto saeculo iam tenetis, per saeculum sine saeculi contagione transitis: cum castae perseueratis et uirgines, angeli dei estis aequales.*

*donne cristiane non sposate. È opportuno chiedersi se Cipriano ci presenta, al riguardo, un quadro diverso; se, cioè, egli si rivolge ad una particolare categoria di vergini, consacrate e riconosciute come tali dalla Chiesa. Alcuni passi sopra esaminati sembrerebbero suggerire una risposta affermativa, particolarmente* hab. uirg. *4 e 20, a cui aggiungiamo anche 18* [80]. *Ma contro l'esistenza di un voto irrevocabile di verginità perpetua sta un brano dell'*epist. *4* ad Pomponium, *che riguarda le cosiddette* uirgines subintroductae [81], *in cui si legge:* Quod si se ex fide Christo dicauerunt, pudicae et castae sine ulla fabula perseuerent, ita fortes ac stabiles praemium uirginitatis exspectent: si autem perseuerare nolunt uel non possunt, melius nubant quam in ignem delictis suis cadant [82]. *Dunque nemmeno Cipriano conosce un voto di verginità irrevocabile. Quella delle vergini è una scelta perpetua, ma solo nel proposito personale, senza alcun valore giuridico ufficiale, tanto che non si vieta loro di contrarre matrimonio qualora costatino di non essere in grado di perseverare nell'intento.*

*Su Tertulliano e Cipriano sono da condividere le conclusioni di Kock* [83]. *Essi non documentano l'esistenza di un'istituzione religiosa costituita da vergini che abbiano scelto definitivamente lo stato di verginità con l'obbligo della perpetua fedeltà. Il termine* uotum, *con cui si indica la loro scelta, non significa l'impossibilità di ripensamento e di avviarsi al matrimonio, anche se tale eventualità è severamente giudicata sul piano morale come* adulterium, *come violazione della mistica unione sponsale fra la vergine e Cristo. Rispetto a Tertulliano i testi di Cipriano rappresentano un progresso verso il «voto» quale sarà recepito ufficialmente dalla Chiesa. Ma la professione solenne nel corso di un rito pubblico presieduto dal vescovo sarà prassi della seconda metà del IV secolo.*

*Invece, per quanto riguarda la parenesi e l'ascesi, i due autori africani preannunciano con precisione alcuni dei piú importanti temi che diverranno patrimonio della tradizione cristiana.*

### 1.2.4. Clemente d'Alessandria

*Clemente Alessandrino non ha mai espressamente trattato nei suoi scritti l'argomento della verginità. Possiamo tuttavia ricavare il suo pensiero dalla polemica contro l'encratismo gnostico che esercitava la sua influenza anche in certi ambienti cristiani. In questo campo, il principale rappresentante dell'eresia, contro cui Clemente combatteva, era Marcione.*

[80] CSEL 3, 1, p. 200, 17-19 *cui animus ad nuptias non est... ubi et studia et uota diuersa sunt.*

[81] Si tratta di un'usanza largamente diffusa dal III secolo in poi, soprattutto presente, sembra, in Oriente e in Africa. Forse rappresentava un primo tentativo di vita comune di coloro che professavano la verginità. Consisteva nella coabitazione di una vergine con un asceta: una sorta di matrimonio spirituale con l'intento della mutua assistenza sia materiale che spirituale. Ma la Chiesa guardò tale forma di convivenza con grande sospetto e la riprovò come particolarmente scandalosa; cf. ACHELIS, *Virgines subintroductae.*

[82] *Epist.* 4, 2 (CSEL 3, 2, p. 474, 15-18).

[83] KOCH, *Virgines Christi,* p. 86.

*Per la concezione dualistica di Marcione la materia e il mondo materiale sono cattivi, perché prodotti da un dio inferiore, il demiurgo cattivo. Il matrimonio e la procreazione rappresentano una sorta di complicità con l'opera creatrice del demiurgo. Lo gnostico, dunque, deve osservare la completa continenza. Nella chiesa marcionita erano ammessi solo i non sposati e il matrimonio era vietato.*

*La dottrina di Clemente è, invece, basata sul presupposto che la creazione è un'opera buona dell'unico vero e santo Dio: la castità, quale è predicata dagli gnostici, è un atto di empietà, di odio verso il creatore*[84]*. Oltre all'encratismo, vi era in alcune sette gnostiche un'opposta tendenza al piú sfrenato libertinismo sessuale. Il giudizio di Clemente non è meno severo con costoro*[85]*. Contro gli uni e gli altri egli difende una concezione del matrimonio volto esclusivamente alla procreazione e insieme propone la pratica della perfetta castità. Ma non la castità degli eretici, osservata contro voglia, motivata da odio contro il creatore, bensí una castità scelta per amore di Dio e in vista del regno dei cieli*[86]*: la vera* ἐγκράτεια *è virtú dell'anima*[87]*. Esiste dunque anche una castità matrimoniale che è raccomandabile come la perfetta continenza. Cosí la posizione equilibrata di Clemente, che per esaltare una forma di vita non deprime l'altra, sembra essere piú corrispondente ad una corretta interpretazione di 1 Cor 7, 33-34*[88].

*Per quanto riguarda la verginità, l'Alessandrino non parla di un voto in senso proprio, né dell'esistenza di un'istituzione ufficiale di vergini consacrate*[89].

### 1.2.5. Origene[90]

*Chi volesse cercare in Origene documentazione storica sull'organizzazione della verginità consacrata nella Chiesa primitiva, resterebbe deluso. Eppure i suoi scritti, particolarmente alcuni, sono importanti anche in relazione al nostra tema, per chi intenda considerare la verginità sul piano non della prassi, ma della teologia mistica, nella quale l'Alessandrino fu insuperato maestro. Pur senza trattare espressamente dell'argomento e con pochi accenni espliciti alla vergi-*

[84] CLEMENTE ALESSANDRINO, *strom.* 3, 45, 1 (GCS 52, p. 216, 32 ss.); 3, 12, 1-3 (p. 200, 32 ss.).

[85] *Ibid.*, 3, 70, 4 (p. 228, 4 ss.).

[86] *Ibid.*, 3, 51, 1 (p. 219, 26 s.) «neppure la castità è commendevole, se non è praticata per amore verso Dio»; 3, 59, 4 (p. 223, 17 s.).

[87] *Ibid.*, 3, 48, 3 (pp. 218 s.).

[88] *Ibid.*, 3, 88, 2-3 (pp. 236-237) «non sarà possibile che anche quelli che piacciono, conforme a Dio, alla propria moglie, siano grati a Dio? Non è concesso, a colui che è sposato, di aver cura, insieme alla sposa, anche delle cose del Signore? Ma, come colei che non è sposata, pensa alle cose del Signore per essere santa nel corpo e nello spirito, cosí anche colei che è andata sposa si occupa, nel Signore, delle cose sia del marito, sia del Signore, affinché sia santa nel corpo e nello spirito. Entrambe infatti sono sante nel Signore, l'una come donna sposata, l'altra come vergine» (trad. di TIBILETTI, *Verginità e matrimonio*, p. 66).

[89] Cf. KOCH, *Virgines Christi*, pp. 96 s.

[90] Per una completa informazione sulla posizione di Origene rinviamo a H. CROUZEL, *Virginité et mariage selon Origène*, Paris-Bruges 1963.

*nità, egli ha dato a questa forma di vita solide motivazioni teologiche fondate sull'esegesi biblica. È stato giustamente detto che «les commentaires et les homélies d'Origène sur le Cantique des Cantiques, sources de toute la théologie mystique posterieure, ne sont au fond qu'un traité de la chasteté parfaite»* [91].

*Nell'ambito dell'esegesi del Cantico dei Cantici, ma anche altrove, quando gli si presenta l'occasione, Origene espone la dottrina mistica dello sposalizio dell'anima con il Verbo. La ricerca, l'incontro, l'amore dell'anima per lo sposo divino descrivono la dimensione spirituale della vita verginale. La dote richiesta all'anima per essere sposa di Cristo è infatti la castità, secondo 2 Cor 11, 2 («vi ho fidanzati a un solo sposo, per presentarvi a Cristo quale vergine casta»). Si è detto che Origene si occupa soprattutto della dimensione spirituale della verginità. Dunque alla sposa di Cristo non basta la verginità del corpo, le si richiede una piú completa purità spirituale* [92]*; ma è proprio di tale stato di perfezione che la verginità corporale è segno e premessa.*

*Quando la sposa di Cristo non è l'anima, ma la Chiesa, analogamente la condizione dello sposalizio spirituale è la castità, quella che le vergini nella Chiesa professano in modo perfetto, e che è la vera circoncisione della Nuova Alleanza, il segno dell'unione sponsale fra Cristo e la Chiesa* [93]*, la cui castità è nei costumi e anche nella dottrina* [94]*. La verginità è anche feconda: in un frammento a commento di Mt 12, 46-50, Origene dice che l'anima vergine — riproducendo il modello della Vergine Maria — concepisce da Spirito Santo e genera Gesú* [95]*. Altri temi che ritroveremo in seguito, sono: verginità e libertà* [96]*, verginità e contemplazione* [97]*. E non mancano negli scritti di Origene considerazioni piú specifiche rivolte alle vergini cristiane. Nel* Commento a Giovanni, *riferendosi ad Apoc 14, 1-5, mette al primo posto i vergini* [98]*. Nel primo libro del* Contra Celsum *parla della superiorità del culto che nella Chiesa i continenti tributa-*

[91] ROUSSEAU, *Virginité et chasteté chez les pères grecs*, pp. 57 s.

[92] ORIGENE, *hom. in Gen.* 10, 4 (SCh 7 bis, p. 268) *sicut Christus animae uir dicitur cui nubit anima cum uenit ad fidem, ita et huic contrarius uir ille est cui nubit anima cum declinat ad perfidiam, ipse ille qui et inimicus homo dicitur, cum lolium superserit tritico. Non ergo sufficit animae ut casta sit corpore; opus est ut et uir hic pessimus non cognouerit eam. Potest enim fieri ut habeat quis in corpore uirginitatem et cognoscens istum uirum pessimum diabolum atque ab eo concupiscentiae iacula in corde suscipiens animae perdiderit castitatem*; *serm. in Matt.* 24 (GCS 11, p. 39, 23; p. 40, 15); *comm. in Matt.* 12, 7 (GCS 10, p. 78, 9).

[93] *Hom. in Gen.*, 3, 6 (SCh 7 bis, p. 134) *uerum ecclesia Christi, gratia eius qui pro se crucifixus est roborata, non solum ab illicitis nefandisque cubilibus, uerum etiam a concessis et licitis temperat et tamquam uirgo sponsa Christi castis et pudicis uirginibus floret, in quibus uera circumcisio carnis praeputii facta est et uere testamentum dei et testamentum aeternum in eorum carne seruatur.*

[94] *Fragm. in Io.* 45 (GCS 10, p. 520, 13).

[95] *In Matt. fragm.* 221, 11 ss. (GCS 41, p. 126).

[96] *Fragm. in Rom.* 1 (K. STAAB, in «Bibl. Zeitschr.», 18 [1927-1928], pp. 74-75).

[97] *Comm. in Cant.* 1 (GCS 33, p. 91, 14).

[98] *In Io.* 1, 7 (SCh 120, p. 60) «perciò non si allontanerà dalla verità chi affermerà che le primizie di ogni tribú sono i vergini». Invece, nell'*hom. in Ios.* 2, 1 (GCS 30, p. 297, 5) e nel *comm. in Rom.* 9, 1 (PG 14, 125 A) l'ordine è quello piú consueto, con i martiri al primo posto.

*no alla divinità* [99], *e nel settimo confronta le vergini cristiane con le vergini sacerdotesse delle divinità pagane con toni polemici che ritroveremo in Ambrogio* [100].

### 1.2.6. Metodio d'Olimpo

*La prima trattazione espressamente dedicata alla verginità, nella patristica greca, è il* Conuiuium decem uirginum *di Metodio d'Olimpo. Il tenore mistico dell'esposizione e dell'esegesi biblica che la sostiene, l'inclinazione a trattare della verginità spirituale piú che del corpo, a considerare la verginità come qualità dell'anima sposa di Cristo, sono aspetti che fanno pensare ad un'influenza origeniana, anche se sappiamo che Metodio non può essere considerato nell'insieme discepolo di Origene.*

*L'unione con il Verbo divino è per Metodio la meta del cammino di redenzione, che porta le vergini a far parte della schiera dei 144.000, di cui parla Apoc 14, 1-5, che seguono il Verbo ovunque vada* [101]. *Il tema della vergine, sposa del Verbo, si sviluppa sull'esegesi del Cantico dei Cantici. Per Metodio, nel Cantico è Cristo stesso che fa l'elogio della vergine perfetta e sintetizza ogni lode nella parola «sposa»* [102]. *L'ultimo discorso del* Simposio *contiene un canto* [103], *che le vergini indirizzano allo sposo divino e alla Chiesa sua sposa perfetta, alla quale le vergini possono essere assimilate in virtú della loro perfetta castità.*

*Ma l'importanza dell'opera di Metodio è determinata dalla novità e dall'ampiezza d'orizzonte della sua visione della verginità. La verginità si inquadra nella storia dell'umanità e, in un certo senso, ne determina il progresso verso la salvezza. Verginale era la condizione dell'uomo prima della caduta, quando l'unione dell'uomo e della donna era simbolo dell'unione fra Cristo e la Chiesa. Il peccato ha privato l'umanità di tale capacità di unione incontaminata e da quel momento l'uomo è precipitato nella corruzione abbandonando nel paradiso la castità. Ma Dio ha voluto ricondurlo alla vita celeste. Il cammino di redenzione verso tale meta corrisponde al progresso nell'osservanza della castità. Non è solo un cammino individuale, bensí universale. Attraverso le successive fasi della sua storia, l'umanità progredisce verso la perfezione, che è la verginità: l'originaria condizione dell'uomo. Il momento decisivo di tale processo coincide*

[99] *C. Celsum* 1, 26 (SCh 132, p. 148, 50 ss.) «...alcuni di loro per amore di una purezza superiore e per tributare alla divinità un culto piú puro, non gustano nemmeno i piaceri ammessi dalla legge».

[100] *Ibid.*, 7, 48 (SCh 150, p. 128) «presso altri cosiddetti dèi, vergini assai poco numerose, sorvegliate o meno da uomini — non è questo il luogo per indagare su ciò — sembrano trascorrere la vita nella purità per onorare la divinità. Presso i cristiani si osserva la perfetta castità non per onori umani, non per compensi e per denaro né per un po' di gloria». Si veda sopra il capitolo dedicato alle vestali.

[101] METODIO D'OLIMPO, *symp.* 6, 5 (BONWETSCH, pp. 69 s.).

[102] *Ibid.*, 7, 1 (p. 72), ove è citato e commentato Cant 4, 9-12.

[103] *Ibid.*, 11 (pp. 131-137).

*con la venuta di Cristo, il principe delle vergini (ἀρχιπάρθενος* [104]*), il coltivatore della pianta della verginità, l'innamorato della verginità, lo sposo delle vergini* [105]*, il cui regno è regno di castità* [106]*. Le vergini camminano in questo mondo guardando il cielo, ove la verginità ha la sua patria naturale, nel luogo dell'incorruttibilità* [107]*.*

*In questa impostazione è ovvio che il valore della castità sia soprattutto escatologico. La castità è virtú celeste; come apparteneva all'uomo nel paradiso, cosí è condizione di vita propria del regno dei cieli. La verginità è datrice del regno dei cieli* [108]*, di immortalità* [109]*, di risurrezione. Tutto questo è definito con un'espressione che già abbiamo visto appartenere alla tradizione cristiana, «vita angelica»* [110]*. La verginità per sua natura porta l'anima verso il cielo, l'avvicina agli angeli; e gli angeli vanno incontro a coloro che hanno deciso di abbandonare la corruzione di questo mondo e hanno intrapreso il cammino della verginità* [111]*: un incontro che prelude alla trasformazione definitiva che avverrà al termine del regno millenario, quando le vergini muteranno le loro fattezze nella grandezza e nella bellezza degli angeli* [112]*.*

*Metodio considera della verginità la dimensione soterica e spirituale, il valore globale e universale, ma non manca di fare qualche riferimento ai caratteri dell'istituzione verginale nella sua Chiesa. Afferma che la verginità è l'offerta piú perfetta, che non deve essere ritirata* [113]*; tuttavia, sull'autorità di Paolo (1 Cor 7, 28), alle vergini che non hanno la forza di perseverare, permette di sposarsi* [114]*.*

## 1.3. Il IV secolo [115]

1.3.1. *Gli autori di epoca precostantiniana, sopra esaminati, ci hanno tratteggiato un quadro dell'ascesi cristiana non ben definito*

[104] *Ibid.*, 1, 4 (p. 12, 20). Il termine è probabilmente da correlare anche con un concetto platonico: Cristo sarebbe l'archetipo dei vergini, o la sua immacolatezza verginale sarebbe l'idea archetipica della verginità terrena; su questo punto e in genere sull'influenza platonica nel *Simposio* si veda C. TIBILETTI, *Metodo d'Olimpo: verginità e platonismo*, in «Orpheus», n.s., 8 (1987), pp. 127-137.

[105] *Ibid.*, 7, 1 (pp. 70-72).

[106] *Ibid.*, 10, 2 (p. 122, 19); 10, 5 (p. 127, 10).

[107] Per un piú ampio e puntuale esame di questi concetti rinviamo a TIBILETTI, *Verginità e matrimonio*, pp. 34 ss.

[108] *Symp.* 2, 7 (p. 25, 18).

[109] *Ibid.*, 4, 2 (p. 46, 9-13).

[110] Al riguardo si veda FRANK, Ἀγγελικὸς βίος, pp. 166-168.

[111] *Symp.* 8, 2 (p. 87, 7-9).

[112] *Ibid.*, 9, 5 (p. 120, 19 ss.).

[113] Anche le *Epistole alle vergini* pseudoclementine (ed. FUNK-DIEKAMP, pp. 1-49) considerano la professione verginale uno stato nel quale bisogna perseverare tutta la vita (*epist. I ad uirg.* 5, 1), frutto di una decisione che si prende di fronte a Dio (*ibid.*, 3, 1), come se si trattasse di un voto vero e proprio.

[114] *Symp.* 3, 14 (pp. 42 ss.).

[115] Segnaliamo uno studio, che ci sarà utile: P.-T. CAMELOT, *Les traités De virginitate au IVe siècle*, in *Mystique et continence*. Travaux scientifiques du VIIe Congrès international d'Avon, Bruges-Paris 1952, pp. 273-292.

*dal punto di vista istituzionale, ma sostanzialmente abbozzato per quanto riguarda le idee ispiratrici.*

*Abbiamo notato una serie di concetti basilari che in seguito saranno chiariti, correlati e sistemati in una visione meglio definita della verginità consacrata.*

*Pensiamo di non divagare se ora, sia pur celermente e per sommi capi, diamo uno sguardo agli sviluppi che nel IV secolo ha avuto la precedente tradizione, allorché ad un piú preciso quadro dottrinale si accompagna una graduale pratica regolamentazione della professione verginale. A partire da quest'epoca si può parlare di voto di verginità perpetua riconosciuto dalla Chiesa, di un rito pubblico durante il quale la vergine faceva la promessa solenne di fronte al vescovo e riceveva il velo, e di iniziale vita cenobitica: le vergini, che vivevano la professione della verginità nella propria famiglia, cominciano ora a raggrupparsi e a condurre vita comunitaria sull'esempio dei monaci.*

*Precisare la situazione dell'ascesi nella Chiesa del tempo, particolarmente nella Chiesa orientale, da dove venivano forti influssi all'Occidente anche in questo campo, è importante per valutare meglio le opere di Ambrogio sulla verginità. Dobbiamo tener presente che Ambrogio è stato uno dei massimi protagonisti del suo tempo, interamente coinvolto nelle vicende della Chiesa, sia sul piano della politica che su quello della spiritualità. Il suo dinamismo, la buona conoscenza della lingua greca, la posizione di vescovo di una delle capitali dell'Impero gli consentivano di essere ben informato su quanto accadeva nella Chiesa orientale. Vedremo che proprio là ha trovato, anche per il tema della verginità, la sua fonte.*

1.3.2. *La nostra ricognizione inizia con un'omelia greca anonima, edita per la prima volta nel 1953* [116], *che a giudizio degli editori potrebbe risalire a poco prima del Concilio di Nicea* [117]. *L'omelia vuole spiegare ai genitori, particolarmente al padre, come comportarsi con i figli che desiderano votarsi alla professione verginale. Il problema era fortemente sentito in un'epoca in cui la verginità consacrata era vissuta in famiglia. Il padre che ha un figlio che ha scelto questo stato di vita, deve considerarsi custode del tempio di Dio e suo sacerdote* [118]. *È compito suo difendere la propria abitazione dai pericoli del mondo esteriore e dai tentativi del demonio di insinuarvisi* [119], *e custodire il figlio consacrato come un «santuario di Dio», «tempio di Cristo», «altare immacolato», «Spirito Santo incarnato»* [120].

*Ritroviamo nell'omelia la consueta affermazione della superiorità della verginità rispetto al matrimonio* [121] *e, secondo la medesima*

[116] D. AMAND DE MENDIETA - M. MONS, *Une curieuse homélie grecque sur la virginité*, RB, 63 (1953), pp. 18-69; 211-238.
[117] Cf. *ibid.*, p. 238.
[118] *Hom. de uirg.* 2, 19-20 (*ibid.*, p. 20).
[119] *Ibid.*, 2, 27-28 (p. 41).
[120] *Ibid.*, 2, 41 (pp. 43-45).
[121] *Ibid.*, 1, 4 (pp. 35-37).

*consuetudine, si rammentano i pesi e le afflizioni della vita matrimoniale*[122]*. Al padre di un consacrato l'anonimo predicatore ricorda che egli è un nuovo Abramo disposto a sacrificare il figlio come fosse un nuovo Isacco*[123]*. Tra i temi dell'omelia che piú di frequente sono ripresi dalla tradizione posteriore, ricordiamo la verginità come sposalizio con Cristo e come vita angelica*[124].

1.3.3. *Ancora delle omelie ci documentano la concezione di Eusebio di Emesa sulla verginità consacrata*[125]*. Come la precedente anonima, queste rappresentano la situazione della verginità professata nell'ambito familiare, con attenzione al ruolo dei genitori nei confronti delle figlie vergini e ai pericoli che in tale ambiente corre la verginità consacrata. Eusebio, come sostegno alla perseveranza, raccomanda il digiuno e le letture sacre*[126]*. Ribadisce la superiorità della verginità sul matrimonio e difende la bontà delle nozze, in quanto da esse hanno origine le vergini:* Bonae igitur nuptiae. Sunt enim radices uirginum, sed radix ob fructus est sollicita[127]. *Secondo quello che ormai è un luogo comune, all'esortazione alla vita verginale accompagna la descrizione dei pesi della vita matrimoniale*[128]*. A coloro che sono sposati raccomanda di recedere e di darsi alla continenza*[129].

*Eusebio ha una concezione assai pessimistica della vita terrena: la giudica piena di sofferenze e di miserie materiali e morali — fra le ultime la piú grave è il peccato contro la castità. A questa visione del mondo oppone l'esaltazione della vita verginale consacrata. La verginità, secondo Eusebio, è dono di Dio, portato da Cristo*[130]*, affinché per essa gli uomini siano trasformati in angeli*[131] *e resi capaci di vivere secondo una condizione di vita che trascende la natura umana*[132]*. Le vergini sono tempio di Dio*[133] *e spose di Cristo*[134]*. Sono questi i principali tratti della visione luminosa che Eusebio ha della verginità, tratti che già conoscevamo e che ritroveremo tutti in Ambrogio.*

[122] *Ibid.*, 3, 55-56 (p. 49).

[123] *Ibid.*, 5, 61-62 (p. 53). Sulla relazione fra il sacrificio di Isacco e il sacrificio di verginità tornerà AMBROGIO, *uirgt.* 2, 7.

[124] *Ibid.*, 2 (pp. 38 s.); 3 (p. 49); 6 (p. 57); 8 (p. 63); 7, 78-80 (p. 57). Cf. FRANK, Ἀγγελικὸς βίος, pp. 149-150.

[125] E.M. BUYTAERT, *Eusèbe d'Emèse. Discours conservés en latin*, Louvain 1953; D. AMAND DE MENDIETA, *La virginité chez Eusèbe d'Emèse et l'ascétisme familial dans la première moitié du IVe siècle*, RHE, 50 (1955), pp. 722-780.

[126] *Hom. de uirg.* 6, 9 (p. 156); 6, 12 (p. 158); 6, 13 (p. 159).

[127] *Ibid.*, 6, 6 (p. 155); cf. anche 6, 17 (p. 162).

[128] *Ibid.*, 6, 4 (pp. 153 s.); 6, 14 (p. 159).

[129] *Ibid.*, 7, 9 (p. 181).

[130] Cf. *ibid.*, 6, 10 (p. 157); 6, 8 (pp. 155 s.).

[131] *Ibid.*, 6, 8 (p. 156). Cf. FRANK, Ἀγγελικὸς βίος, pp. 151-153.

[132] *Ibid.*, 7, 5 (p. 178).

[133] *Ibid.*, 6, 18 (p. 162); 7, 21 (p. 189); 7, 24 (p. 192); 7, 27 (p. 193).

[134] *Ibid.*, 6, 16 (p. 161).

1.3.4. *Un interessante trattato* De uirginitate [135] *è stato da tempo riconosciuto opera di Basilio d'Ancira* [136]. *L'autore, prima di diventare vescovo, era stato medico. Di questa sua scienza l'opera conserva tracce in alcune parti, ove tratta della sessualità dal punto di vista anatomico e fisiologico con un linguaggio crudo e veristico che scandalizzò gli editori Maurini. Ma, per poter dare alle vergini consigli utili a dominare gli istinti del corpo, Basilio ritiene necessario esaminare ogni aspetto della sessualità. Del resto anche la vergine piú pura conosce le funzioni del proprio corpo e di quello dell'uomo, e conosce la loro reciproca attrazione* [137].

*Basilio sottolinea quanto sia forte e radicata nella natura tale inclinazione. L'unione di maschio e femmina in tutte le specie di viventi, al fine della procreazione, è legge naturale, voluta da Dio. La professione della verginità, dunque, che si oppone alla legge di natura, esige una virtú straordinaria, richiede di fare violenza all'istinto: è proprio vero che il regno dei cieli appartiene ai violenti. Per vincere questa lotta la vergine deve avere un'idea giusta della verginità. Innanzi tutto non creda che la verginità sia una qualità del corpo che poi viene trasmessa all'anima, ma viceversa: la verginità dell'anima è garanzia dell'integrità del corpo* [138]. *La verginità è incorruzione che consente all'anima di unirsi a Dio incorruttibile: l'unione di simile con simile* [139].

*La concezione antropologica di Basilio è sostanzialmente dualistica: mente e corpo sono due entità contrapposte. L'obiettivo della verginità sarà raggiungibile solo quando la prima avrà acquisito il dominio sul secondo, quando la razionalità dell'anima avrà vinto gli istinti del corpo. Il che è possibile attraverso la pratica dell'ascesi, soprattutto sottomettendo il ventre con il digiuno. Basilio dà anche altri consigli pratici, utili per frenare la concupiscenza del corpo: la vergine deve badare a controllare i discorsi, l'aspetto, l'atteggiamento, l'ornamento esteriore, l'abito, l'incedere. È importante la custodia dei sensi, particolarmente degli occhi* [140]. *La vergine cura il decoro non del corpo, ma della mente, ornandola della bellezza del Verbo di cui è sposa* [141]. *Conduce una vita modesta, ritirata, schiva delle compagnie. Questi comportamenti e queste virtú fanno della vergine il simulacro di Dio, l'immagine della castità per l'edificazione di tutti* [142]. *Il corpo della vergine diventa cosí tempio e talamo dello sposo celeste. Essa perciò deve evitare di commettere adulterio non solo con la mente, ma anche con la lingua, con l'udito, con gli occhi, con il tatto e con qualsiasi altro senso del corpo* [143].

[135] PG 30, 669-809.
[136] F. CAVALLERA, *Le De virginitate de Basile d'Ancyre*, RHE, 6 (1905), pp. 5-14.
[137] BASILIO D'ANCIRA, *uirg.* 65 (PG 30, 801 B).
[138] *Ibid.*, 2 (672 B).
[139] *Ibid.*
[140] *Ibid.*, 13 (693 C-697 B).
[141] *Ibid.*, 50 (768).
[142] *Ibid.*, 22 (713 D-716 C); 58 (785 C).
[143] *Ibid.*, 27 (725 B).

*Basilio conosce la verginità violata. Perciò ammonisce sulla gravità di tale sacrilegio* [144].

*Ribadito è anche il valore escatologico della verginità, quale «purissimo seme di risurrezione e di vita immortale»* [145].

*Quanto al matrimonio, Basilio ripropone consuete considerazioni sui pesi e sulle afflizioni che devono sopportare coloro che sono legati da nozze mortali, cui oppone i vantaggi e le delizie delle nozze immortali che uniscono la vergine a Dio* [146]. *Il matrimonio non è vietato, ma implicitamente escluso con un ragionamento che ha piú di un sostenitore tra i Padri: il precetto di Gen 1, 28 («crescete e moltiplicatevi») era valido in antico, quando c'era la necessità di accrescere il genere umano, il cui sviluppo era impedito dalle guerre, ma con la venuta di Cristo è iniziata l'era della pace, il genere umano riempie la terra, al precetto antico subentra il consiglio della verginità. È un consiglio, e non un precetto, solo perché la verginità è una condizione superiore alla natura e si pone al di fuori dell'ambito delle leggi* [147]. *Su questo punto la consonanza con Ambrogio è evidente:* Praeceptum non habet (apostolus), consilium habet: non enim praecipitur quod supra legem est, sed magis dato suadetur consilio [148].

1.3.5. *La dottrina del* De uirginitate *di Gregorio di Nissa — cui qui accenniamo solamente* [149] *— poggia sul concetto originale della verginità di Dio. Come l'uomo è fatto «a immagine e somiglianza» di Dio, cosí la verginità umana riproduce nel mondo l'idea archetipa della verginità di Dio. Questo concetto, che, cosí come è formulato, è nuovo, sintetizza in realtà i due noti attributi della incorruttibilità e della impassibilità propri della natura divina, ma comprende anche la nozione della generazione eterna e verginale del Verbo, avvenuta senza passione e mutazione: «Si richiede infatti grande intelligenza per poter comprendere l'eccellenza di questa grazia che si accompagna all'incorruttibilità del Padre, perché è certamente un paradosso che la verginità sia trovata presso un padre che ha anche un figlio e l'ha generato senza passioni»* [150]. *Ma la caduta ha rovinato l'immagine autentica della verginità divina impressa nella prima coppia umana, sprigionando le passioni della sessualità, che l'uomo, secondo il primitivo disegno di Dio, non avrebbe dovuto sperimentare. Come conseguenza del peccato è sorto il matrimonio, che, anzi, «è*

[144] *Ibid.*, 43 (753 B). La vergine è ἐξώτατόν τι ἀνάθημα θεοῦ.

[145] *Ibid.*, 51 (772 A).

[146] *Ibid.*, 23-24 (716 C-724 B).

[147] *Ibid.*, 55 (777 D-781 A).

[148] AMBROGIO, *epist. ex. c.* 14, 35 (CSEL 82, 3, p. 253).

[149] Per una piú ampia esposizione si veda M. AUBINEAU, *Grégoire de Nysse. Traité de la virginité*, SCh 119, Paris 1966 (l'introduzione) e inoltre J. DANIÉLOU, *Platonisme et Théologie mystique. Essai sur la doctrine spirituelle de saint Grégoire de Nysse*, Paris 1954²; H. MERKI, Ὁμοίωσις θεῷ. *Von der Platonischen Angleichung an Gott zur Gottähnlichkeit bei Gregor von Nyssa*, Freiburg (Schw.) 1952; W. VÖLKER, *Virginität und Apathie als Höhepunkte des asketischen Strebens bei Gregor von Nyssa*, in *Festschrift für D. Čyževškyj*, Berlin 1954, pp. 301-306.

[150] GREGORIO DI NISSA, *uirg.* 2, 1 (SCh 119, p. 262).

*l'ultimo gradino nell'allontanamento dalla vita del paradiso»* [151]. *Matrimonio e sessualità non sono principi di vita, ma premesse di morte, perché dal peccato non può che derivare la morte* [152], *e di fatto alla morte sono destinati i frutti del matrimonio. Ecco le fasi della degradazione: peccato, sessualità, morte. Per cessare di alimentare il potere della morte, per invertire il cammino che ha portato l'umanità in questa condizione disgraziata, bisogna rinunciare al matrimonio.*

*Se il matrimonio è produttore di morte, la verginità, interrompendo la catena generazionale, costituisce un argine al dilagare della morte* [153]. *Il primo e principale ostacolo al progresso della morte è stato posto dalla Vergine Maria. Il concepimento verginale di Cristo e Cristo stesso incarnatosi in una vergine sono la fonte della rinnovata incorruttibilità* [154].

*Come nel grembo di Maria è cessato il regno della morte, iniziato con il peccato di Adamo, cosí in ogni anima, che abbandona la vita carnale per vivere nella verginità, la morte si dissolve: la verginità cristiana è strettamente connessa con l'Incarnazione verginale di Cristo. Ma c'è di piú: come la verginità di Maria ha concepito Cristo, cosí in ogni vergine abita spiritualmente Cristo e tutta la Trinità* [155].

*La dottrina di Gregorio sulla corruzione dell'umanità e sul suo ritorno all'originaria incorruttibilità è fortemente influenzata dalla filosofia platonica. Alla scuola filosofica, in quest'opera giovanile, si deve in buona misura la visione drasticamente pessimistica della vita terrena e la concezione della redenzione attraverso la verginità, intesa principalmente come continenza sessuale, come assenza di passioni, insomma come* ἀπάθεια. *Conseguente è la netta contrapposizione fra matrimonio e verginità: il primo è fonte di passioni* [156]; *la verginità, invece, sta lontana dalle passioni* [157].

*Platonizzante è anche la concezione della vita verginale come premessa alla visione del mondo intelligibile, alla contemplazione di Dio, Padre dell'incorruttibilità* [158]. *La verginità consente di vedere Dio* [159], *secondo l'assioma dell'antica filosofia greca: il simile conosce*

[151] *Ibid.*, 13, 1 (p. 422).

[152] *Ibid.*, 13, 3 (p. 428) «nella generazione secondo la carne è insita la potenza che porta il generato alla dissoluzione»; 14, 1 (p. 436) «la potenza della morte cesserà la sua attività, quando il matrimonio non gli fornirà piú la materia e non gli preparerà persone destinate alla morte come dei condannati».

[153] *Ibid.*, 14, 1 (p. 432) «la corruzione ha inizio con la generazione, ma coloro che hanno messo fine alla generazione, hanno posto in se stessi, con la verginità, un limite alla morte, impedendole con la propria resistenza di avanzare e, ponendosi come confine fra la morte e la vita, hanno arginato la morte nella sua avanzata. Dunque, se la morte non può oltrepassare la verginità, ma in questa trova il suo limite e la sua dissoluzione, chiaramente è dimostrato che la verginità è superiore alla morte e giustamente è detto incorrotto il corpo che non ha operato al servizio della vita corrotta e che non ha accettato di diventare strumento di successione mortale».

[154] *Ibid.*, 2, 2 (p. 266).

[155] *Ibid.*, (p. 268).

[156] *Ibid.*, 4, 2 (p. 454).

[157] *Ibid.*, 16, 2 (p. 454).

[158] *Ibid.*, 4, 8 (p. 330); 6, 1 (p. 340); 10, 2 (p. 376).

[159] *Ibid.*, 11, 6 (p. 396).

*il simile. Essa è come uno specchio in cui si riflette l'incorruttibilità verginale di Dio* [160].

*La corrispondenza fra la verginità incorrotta e la fonte divina dell'incorruttibilità conduce Gregorio a parlare di matrimonio fra la vergine e Dio (o Cristo)* [161] *e a indicare nella verginità l'anticipazione della vita angelica ed escatologica* [162].

1.3.6. *Ad Antiochia, alla fine del IV secolo, il numero delle vergini era assai elevato. Lo scopo del* De uirginitate *di Giovanni Crisostomo* [163] *non è di propagandare questo stato di vita, quanto piuttosto di difenderlo sia dagli avversari esterni, gli eretici* [164], *che predicavano la necessità della continenza e condannavano il matrimonio, che dai critici interni alla Chiesa, che sostenevano che la verginità è una pratica di vita difficile e inutile. Dunque l'intento, principalmente apologetico, è quello di mostrare il grande valore della verginità, di farne l'elogio. Il che comportava inevitabilmente, in quelle circostanze storiche e culturali, una svalutazione del matrimonio.*

*Le considerazioni del Crisostomo hanno sempre presente la situazione concreta della Chiesa e della pratica ascetica: raramente toccano temi filosofici. Egli tiene conto delle esigenze dottrinali e insieme pastorali nel difendere la concezione cristiana della verginità da quella degli eretici. Contro di essi bisognava sostenere il valore del matrimonio. La continenza, imposta senza moderazione, senza rispetto della libera scelta, è una macchinazione diabolica che porta alla perdizione* [165]. *Il disprezzo del matrimonio è offesa alla volontà di Dio che lo ha voluto* [166]. *Inoltre svilisce la grandezza stessa della verginità chi ritiene che il suo termine di paragone, il matrimonio, sia una pratica riprovevole, invece che giudicarlo come un bene minore* [167].

[160] *Ibid.*, 11, 5 (pp. 292-294).

[161] *Ibid.*, 3, 8 (p. 294); 16, 1 (p. 452); 20, 1 (p. 494).

[162] *Ibid.*, 14, 4 (p. 441) «la vita nella verginità è immagine della beatitudine del secolo futuro, perché essa porta in sé numerosi indizi dei beni tenuti in serbo dalla speranza»; *ibid.*, p. 442 «egli coglie nella vita presente il migliore dei beni riservati alla risurrezione, perché, se la vita promessa ai giusti dal Signore per dopo la risurrezione è uguale a quella degli angeli e se è proprio della vita angelica essere liberi dal matrimonio, allora egli ha già ricevuto i beni della promessa».

[163] Per una piú dettagliata informazione sull'opera di Giovanni Crisostomo rinviamo all'introduzione di B. GRILLET in SCh 125; cf. anche J. DUMORTIER, *Le mariage dans les milieux chrétiens d'Antioche et de Byzance d'après Jean Chrysostome*, in «Lettres d'humanité», 6 (1947), pp. 102-166; D. GORCE, *Mariage et perfection chrétienne chez Jean Chrysostome*, in «Études Carmelitaines», 21 (1936); H.J. AUF DER MAUR, *Mönchtum und Glaubens Verkündigung in den Schriften des hl. J. Chrysostomus*, Freiburg (Schw.) 1959; L. MEYER, *Jean Chrysostome, maître de perfection chrétienne*, Paris 1933; A. MOULARD, *Saint Jean Chrisostome, le défenseur du mariage et l'apôtre de la virginité*, Paris 1923.

[164] Il Crisostomo li nomina in *uirg.* 3 (SCh 125, p. 100): Marcione, Valentino, Mani, Marcioniti, gnostici e manichei erano ancora attivi nel IV secolo.

[165] *Virg.* 2-3 (pp. 98-102).

[166] *Ibid.*, 8 (pp. 114 ss.).

[167] *Ibid.*, 10 (p. 122) «chi denigra il matrimonio diminuisce anche la gloria della verginità. Chi ne fa l'elogio, ne esalta l'ammirazione e ne accresce lo splendore.

*Dalla polemica contro la concezione eretica della continenza, Giovanni passa a controbattere le obiezioni degli avversari della verginità all'interno della Chiesa. Questa parte del trattato scorre sull'interpretazione di 1 Cor 7, da dove attinge gli argomenti in difesa della verginità. Innanzi tutto si deve tener conto che Paolo consiglia la verginità non in base alla propria autorità, ma all'autorità del Signore che parla per suo tramite. Quanto all'obiezione secondo cui la verginità sarebbe inutile e porterebbe il genere umano all'estinzione, Giovanni ricorda che la condizione della prima coppia umana era la verginità e che solo a seguito del peccato è venuto il matrimonio. Esso è la conseguenza della disobbedienza e della morte: «Dove è la morte, là è il matrimonio. Se manca quella, mancherà anche questo. Invece la verginità non ha questa compagnia, ma è sempre utile, sempre bella e felice, sia prima che dopo la morte, sia prima che dopo il matrimonio»* [168].

*E perché aver paura dell'estinzione del genere umano? È piú facile per Dio creare senza matrimonio, come ha creato Adamo ed Eva e milioni di angeli* [169]. *Non si deve, però, denigrare il matrimonio, perché evita situazioni peggiori: salva i deboli dalla corruzione della fornicazione. Ma chi è virtuoso deve avere l'ardire di praticare la verginità* [170], *di tendere al bene migliore. E la verginità è superiore al matrimonio come il cielo è superiore alla terra e gli angeli sono superiori agli uomini* [171]. *In effetti la vergine supera la natura umana per uguagliare quella degli angeli* [172].

*La verginità è una pratica difficile — affermavano gli oppositori. E Giovanni ribatte elencando i fastidi della vita matrimoniale, assai piú pesanti delle difficoltà che comporta la vita verginale* [173].

1.3.7. *Il tema della verginità e del matrimonio negli scritti di Girolamo è assai rilevante. Principalmente lo troviamo trattato nell'*Aduersus Heluidium, *nell'*Aduersus Iouinianum *e in alcune lettere. Qui ci limiteremo a qualche indicazione, seguendo l'antologia di passi selezionati da Nodet* [174]. *In sintesi, Girolamo, muovendosi all'interno della dottrina tradizionale della Chiesa, che affermava la superiorità della verginità sul matrimonio, accentua la distanza fra le due forme di vita con conseguente grave deprezzamento del matrimonio, che in certi casi nasconde un sostanziale rifiuto della sessualità.*

Infatti ciò che appare un bene in confronto ad un male non può essere veramente un bene. Invece ciò che è migliore di altri beni riconosciuti, questo è il bene per eccellenza, quale noi dimostriamo essere la verginità».

[168] *Ibid.*, 14, 5 (p. 142).

[169] *Ibid.*, (pp. 142-143).

[170] *Ibid.*, 15-16 (pp. 174-176).

[171] *Ibid.*, 10, 3 (p. 124).

[172] *Ibid.*, 11 (p. 126) «il genere umano, inferiore per natura a questi esseri beati, si sforza e lotta con ardore secondo la sua possibilità per uguagliarli. Come? Gli angeli non si sposano e non sono sposati, ma nemmeno la vergine. Stanno sempre alla presenza di Dio e lo servono: cosí pure la vergine...».

[173] *Ibid.*, 57 (pp. 306-316); 65 (p. 332).

[174] CH.-H. NODET, *Position de saint Jerôme en face des problèmes sexuels*, in *Mystique et continence*, cit., pp. 308-356.

*Non mancano buone ragioni per giudicare severamente questa posizione, anche se bisogna tener presente da un lato che essa rappresenta solo la punta piú avanzata di una tendenza che abbiamo riscontrato in diversi autori fra quelli fin qui esaminati, e dall'altro che Girolamo discuteva di verginità e di matrimonio da un angolo visuale assolutamente unilaterale, quello di chi si era dato con zelo irruente all'ascesi. Si aggiunga anche che nella mentalità cristiana del IV secolo la pratica della verginità andava prendendo il posto del sacrificio dei martiri, gloria ormai di un'epoca trascorsa. E ancora, la verginità era il principale e piú vistoso segno distintivo del cristianesimo nei confronti delle consuetudini di vita pagane ancora assai diffuse. Circostanze queste che richiedevano di difendere la verginità senza compromessi, che a volte spingevano ad esaltarla con un estremismo che ci lascia attoniti, ma che non può essere giudicato con i criteri del nostro secolo. Altre circostanze, attinenti alla composizione, ai destinatari, al clima polemico dei singoli scritti, possono spiegare le diverse accentuazioni, o contraddizioni di giudizio, sul valore del matrimonio.*

*Nodet presenta un primo gruppo di passi, ove Girolamo sostiene la superiorità della verginità sul matrimonio, ma non nega a questo il valore che gli è proprio* [175]*. Vi si nota, infatti, che l'apostolo Paolo non ha impartito un comandamento circa la verginità, lasciando a ciascuno la libertà di sceglierla, perché uno stato di vita superiore alla natura umana, corrispondente alla natura degli angeli, non può essere imposto con un precetto. Dunque la verginità è preferibile, ma il matrimonio, come condizione naturale di vita, non può essere vietato. Chi lo condanna si pone contro l'ordine della creazione* [176]*. Oltre a richiamare gli ormai tradizionali tre gradi di perfezione — il 100, il 60, il 30 della parabola del seminatore (Mt 13, 8) corrispondono a verginità, vedovanza e matrimonio* [177] *—, Girolamo ripropone il confronto fra ciò che è buono e ciò che è migliore* [178]*. Il maggior pregio della verginità è dato, oltre tutto, dalla libera scelta di questo stato di perfezione* [179]*.*

*Accanto ai passi che esprimono questa concezione abbastanza equilibrata nel contesto della letteratura ascetica del IV secolo,*

[175] *Ibid.*, pp. 314 s.

[176] *Adu. Helu.* 21 (PL 23, ed. 1883, 215 A) *et quanquam de uirginitate praeceptum domini non habeat, quia ultra homines est; et quodammodo impudentis erat, aduersum naturam cogere, alioque modo dicere. Volo uos esse, quod angeli sunt: unde et uirgo maioris est mercedis, dum id contemnit, quod si fecerit non delinquit*; *epist.* 22, 20 (LABOURT 1, pp. 130 s.) *quare ergo non habet domini de uirginitate praeceptum? quia maioris est mercis quod non cogitur et offertur, quia, si fuisset uirginitas imperata, nuptiae uidebantur ablatae et durissima erat contra naturam cogere angelorumque uitam ab hominibus extorquere, et id quodam modo damnare quod conditum est.*

[177] Sull'argomento cf. A. QUACQUARELLI, *Il triplice frutto della vita cristiana = 100, 60, 30*, Roma 1953.

[178] *Adu. Iou.* 1, 3 (PL 23, 223 B) *centesimus et sexagesimus et trigesimus fructus quanquam de una terra, et de una semente nascatur, tamen multum differt in numero. Triginta referuntur ad nuptias*; *ibid.*, 13 (243 B) *tantum est igitur inter nuptias et uirginitatem, quantum inter non peccare et bene facere; imo ut leuius dicam, quantum inter bonum et melius.*

[179] *Ibid.*, 1, 12 (238 C).

*troviamo anche una serie di affermazioni che si spingono fino al rifiuto della vita matrimoniale. Al confronto fra il bene e il meglio subentra la contrapposizione delle due forme di vita, che comporta una pesante svalutazione del matrimonio, di cui vengono sottolineati gli aspetti piú negativi con la ripetizione dei soliti luoghi comuni sulle* molestiae nuptiarum [180]. *In alcuni testi la posizione di Girolamo oscilla fra una formale concessione e un sostanziale rifiuto del matrimonio:* ... — habent enim et maritatae ordinem suum, honorabiles nuptias et cubile immaculatum —, sed ut intellegeres tibi exeunti de Sodoma timendum esse Loth uxoris exemplum [181]; *e questo non è l'unico passo che paragona il matrimonio a Sodoma.*

*La contrapposizione fra matrimonio e verginità ha fondamento nella storia della salvezza: il matrimonio è la condizione di vita dell'A.T., la verginità corrisponde al Vangelo* [182]. *Dal punto di vista antropologico si tratta di contrapposizione fra sapienza della carne e sapienza dello spirito* [183].

*Altro drastico modo di contrapporre matrimonio e verginità è quello di rapportarli rispettivamente alla morte e alla vita eterna* [184], *oppure di concepire il matrimonio come conseguenza del peccato di Adamo ed Eva e di vedere in Cristo rappresentate verginità e castità perfetta* [185].

## 1.4. Atanasio, principale fonte di Ambrogio

*Atanasio merita una considerazione a parte. Egli rappresenta il movimento ascetico d'Egitto, che si sviluppò prima e piú che altrove. Durante i suoi esili diede notevole impulso all'ascetismo occidentale. Inoltre per noi è particolarmente importante perché una sua opera sulla verginità è stata utilizzata da Ambrogio.*

*In Egitto era grande il numero dei monaci, ma anche la verginità femminile aveva numerose seguaci. Sull'esempio di quanto avveniva in quella provincia, anche altrove crebbe la folla di coloro che si consacravano alla vita religiosa. Atanasio stesso ci informa sul fervore religioso che animava la Chiesa d'Alessandria nel periodo di relativa pace fra il 346 e il 356: «C'era una grande letizia fra il popolo durante le celebrazioni eucaristiche e si esortavano a vicenda alla pratica della virtú. Quante donne nubili, dapprima inclini al*

[180] *Adu. Helu.* 20 (p. 214); *epist.* 22, 2 (LABOURT 1, p. 112) *nec enumeraturum molestias nuptiarum, quomodo uterus intumescat, infans uagiat, cruciet paelex, domus cura sollicitet, et omnia quae putantur bona mors extrema praecidat.*

[181] *Epist.* 22, 2 (LABOURT 1, p. 112).

[182] *Adu. Iou.* 1, 29 (262 B) *peperimus in lege cum Moyse, moriamur in euangelio cum Christo. Plantauimus in nuptiis, euellamus per pudicitiam quod plantatum est.*

[183] *Ibid.*, 1, 29 (262 C).

[184] *Ibid.*, 1, 37 (273 C) *puto quod et nuptiarum finis mors sit. Fructus autem sanctificationis, qui uel ad uirginitatem, uel ad continentiam pertinet, uita pensatur aeterna*: un concetto analogo abbiamo visto sviluppato da Gregorio di Nissa e da Giovanni Crisostomo.

[185] *Ibid.*, 1, 16 (246 A).

*matrimonio, restarono vergini per Cristo. Quanti giovani, vedendo gli altri, abbracciarono la vita monastica. Quanti padri esortarono i figli, quanti ottennero dai figli di non essere impediti nel darsi all'ascesi in Cristo. Quante donne convinsero i mariti, quante furono convinte dai mariti a dedicarsi alla preghiera, come dice l'Apostolo (1 Cor 7, 5)»* [186].

*In un passo dell'*Epistola a Costanzo *troviamo sintetizzate le principali componenti della sua concezione della verginità, quelle che egli sviluppa negli scritti espressamente dedicati al tema:*

*1) la verginità è apparsa nel mondo con Gesú Cristo, che ha liberato l'umanità dalla morte e dalla schiavitú della corruzione; la verginità può essere dunque considerata la somma espressione della salvezza;*

*2) infatti essa è sulla terra un'immagine della santità degli angeli;*

*3) la Chiesa considera coloro che praticano la virtú della verginità spose di Cristo;*

*4) i pagani le ammirano come templi del Verbo;*

*5) solo fra i cristiani si pratica questa forma di vita sublime e celeste;*

*6) essa è la dimostrazione della verità posseduta dalla Chiesa, contro l'eresia che oltraggia le vergini consacrate* [187].

*Ritroveremo tutte queste idee in Ambrogio, anche l'ultima* [188]*, forse, sebbene sia legata alla particolare situazione della Chiesa alessandrina, investita con veemenza dalle lotte ariane.*

*Tra gli scritti atanasiani sulla verginità, il piú importante — la cui autenticità è stata tra l'altro dimostrata con piú sicurezza — è l'*Epistola alle vergini [189]*, utilizzata da Ambrogio nel* De uirginibus. *Atanasio si rivolge direttamente alle vergini che gli avevano sollecitato lo scritto. Inizia subito con quello che è il punto cardine e il* Leitmotiv *della sua esposizione sulla verginità: le vergini sono spose del Verbo, unite a lui con un vincolo sponsale indissolubile e immortale* [190]. *Mentre il matrimonio umano, che pure è indissolubile, fa*

[186] *Hist. Ar.* 25 (OPITZ, p. 196).

[187] *Apol. ad Const.* 33 (SCh 56, p. 128).

[188] In *exh. u.* 10, 67 Ambrogio allude alla purezza della fede, quando contrappone la Sinagoga (*incredula, immitis, sacrilega*) alla Chiesa (*decora in uirginibus quia uirgo sine ruga est*). La corrispondenza fra ortodossia e verginità della Chiesa è affermata da ORIGENE, *frag. in Io.* 45 (GCS 10, p. 520) «...chiamando tutta la Chiesa vergine, perché è una vergine pura a motivo della rettitudine della sua dottrina sulla fede e sulla morale». Cf. EUSEBIO, *hist. eccl.* 4, 22, 4 (SCh 31, p. 200) «la Chiesa era detta vergine, perché non era ancora contaminata da discorsi sconsiderati»; BASILIO DI CESAREA, *epist.* 114 (PG 32, 529).

[189] Gli scritti sulla verginità attribuiti ad Atanasio, ma la cui autenticità non è stata per lo piú chiaramente accertata, sono una mezza dozzina. Per l'*Epistola alle vergini* utilizziamo l'edizione di L. TH. LEFORT, *S. Athanase. Lettres festales et pastorales en copte*, CSCO 150, Louvain 1955, pp. 73-99 (testo); CSCO 151, Louvain 1955, pp. 55-80 (trad. fr.) = ID., *S. Athanase «Sur la virginité»*, in «Le Muséon», 42 (1929), pp. 197-264.

[190] CSCO 151, p. 55 «si donc le mariage humain a pour base cette loi, à savoir la parole écrite: "que l'homme ne sépare pas ce que Dieu a uni", à fortiori, si le Verbe a uni les vierges, faut-il que cette union soit indissoluble et immortelle».

*parte della realtà naturale, la verginità supera l'ordine naturale e si fa simile agli angeli* [191]. *Non è possibile dunque trovare esempi di verginità fra i pagani* [192] *e anche nell'A.T. era assai rara, perché si è diffusa nel mondo con l'Incarnazione di Cristo* [193]*: cosí questa qualità propria della natura angelica è scesa fra gli uomini.*

*Atanasio indica poi in Maria Vergine il modello di verginità a cui si debbono conformare le vergini. Esse vedono riflessa in lei, come in uno specchio, la propria verginità. Maria è anche esempio di tutte quelle virtú che accompagnano la verginità* [194]. *Secondo Atanasio, anche l'apostolo Paolo si è ispirato a quel modello nel parlare della verginità in 1 Cor 7, 25* [195]. *Con Maria per la prima volta è apparsa sulla terra la verginità. Infatti, la Legge non raccomandava la verginità, che è al di sopra della natura: si limitava a considerare il matrimonio, che è secondo natura e secondo la Legge, e che lo stesso Paolo, pur dichiarando superiore la verginità, giudica lecito* [196].

*Nell'*Epistola, *le argomentazioni in difesa del matrimonio occupano ampio spazio e hanno di mira l'eretico encratita Ieraca, che negava la liceità delle nozze. Contro di lui Atanasio sostiene che chi nega il matrimonio si oppone di fatto anche alla verginità, perché è lo stesso Signore che ha legiferato sul matrimonio ed ha consigliato la verginità* [197].

*Quando l'Alessandrino passa a trattare delle virtú della vergine, compaiono nel testo le citazioni del Cantico dei Cantici: le virtú della vergine, sposa di Cristo, sono illustrate attraverso l'esegesi allegorica delle qualità della sposa del Cantico* [198].

*Quanto ai pregi della verginità, Atanasio confessa la propria inadeguatezza a trattarne degnamente. Perciò si affida all'autorità del suo predecessore vescovo di Alessandria, Alessandro. Secondo una nota finzione retorica, gli attribuisce un sermone sulla verginità, che riferisce* [199]. *L'ultima parte della lettera contiene un inno alla verginità* [200].

[191] *Ibid.*, p. 56 «la virginité, elle qui a dépassé la nature humaine, et s'est fait semblable aux anges, s'empresse et s'efforce d'adhérer au Seigneur, afin, comme l'a dit Paul, de devenir un seul esprit avec lui».

[192] *Ibid.*, pp. 56-58. Sulla pretesa verginità di sacerdotesse pagane Atanasio si esprime in modo drastico: «elles ont, en effet, extérieurement un masque qui les fait passer pour vierges, mai dans leur coeur elles sont fantômes et apparences parmi les méchants. Elles sont fantômes en ceci, qu'elles ne persévèrent pas dans la virginité; mais de même que les idoles qu'elles possèdent sont mensongèrement appelées dieux, de même mensonge est la virginité qu'on dit exister chez elles. Antérieurement, donc, comme je l'ai dit, on n'entend pas dire qu'un voeu de ce genre ait existé autrefois chez les Grecs ou chez les barbares» (*ibid.*, pp. 57-58).

[193] *Ibid.*, p. 58.

[194] *Ibid.*, pp. 59-61.

[195] *Ibid.*, p. 62.

[196] *Ibid.*, pp. 62-63.

[197] *Ibid.*, p. 69.

[198] *Ibid.*, pp. 69 s.

[199] *Ibid.*, pp. 72-76.

[200] *Ibid.*, pp. 77-78.

## 1.5. Il monachesimo a Roma e a Milano nel IV secolo

Sulle origini del monachesimo occidentale e sui suoi sviluppi nel corso del IV secolo abbiamo conoscenze molto scarse [201]. In passato si è insistito sull'origine copta. È stata sottolineata forse eccessivamente l'influenza esercitata da Atanasio in Gallia e anche a Roma, durante i suoi esili. Si è dato troppo credito a Girolamo, secondo il quale intorno al 340, quando comparve a Roma Atanasio, il monachesimo vi era pressoché sconosciuto — «nessuna donna nobile conosceva in quel tempo a Roma l'istituzione dei monaci» [202]. Il patriarca di Alessandria, con la narrazione degli esempi di vita di monaci copti, soprattutto con la diffusione della *Vita Antonii*, avrebbe suscitato fervore per la vita monastica. Sempre secondo Girolamo, fu una nobildonna romana, Marcella, che per prima fece la scelta della verginità consacrata. Il suo esempio fu seguito da Sofronia, da Paola e dalla figlia di questa, Eustochio. Si formò cosí la prima comunità monastica femminile a Roma. Questa narrazione, un po' semplicistica, è oggi considerata con molte riserve. La scoperta che Ambrogio nel *De uirginibus* ha attinto abbondante materiale dall'*Epistola alle vergini* di Atanasio, conferma l'influenza di quest'ultimo, ma è inverosimile che prima della sua venuta il monachesimo orientale non fosse conosciuto a Roma e non avesse esercitato alcun influsso in questa città, come in tutto l'Occidente. In secondo luogo, bisogna tener conto dei caratteri tipicamente latini del monachesimo occidentale, che non può essere considerato semplicemente come una forma di vita importata dall'Egitto. Esisteva nell'area latina, particolarmente in Africa, un'autonoma tradizione, se non di monachesimo in senso stretto, di valorizzazione della verginità.

A Roma il monachesimo maschile e femminile cominciò a diffondersi intorno alla metà del IV secolo, ma non si trattava ancora di vita «regolare» cenobitica in monasteri, bensí di gruppi di monaci, di vedove e di vergini che vivevano insieme con il comune impegno dell'osservanza perfetta della castità, di una vita austera, trascorsa nel digiuno, nella lettura della Sacra Scrittura, nella preghiera e nel lavoro. Solo all'inizio del V secolo cominceranno a sorgere monasteri veri e propri.

A Milano le vergini professe sembra che per lo piú restassero nelle proprie famiglie. Molte delle raccomandazioni che Ambrogio

[201] Cf. R. LORENZ, *Die Anfänge des abendländischen Mönchtums im 4. Jahrhundert*, in «Zeitschr. f. Kirchengesch.», 77 (1966), pp. 1-61; J. GRIBOMONT, *L'influence du monachisme oriental sur le monachisme latin à ses débuts*, in *L'Oriente cristiano nella storia della civiltà*, Accademia Nazionale dei Lincei 361, Roma 1964, pp. 119-128; G. PENCO, *Storia del monachesimo in Italia dalle origini alla fine del Medio Evo*, Milano 1983; ID., *La vita monastica in Italia all'epoca di S. Martino di Tours*, in *Saint Martin et son temps. Mémorial du XVIe centenaire des débuts du monachisme en Gaule*, Roma 1961, pp. 67-83; E. SPETZENHOFER, *Die entwicklung des Alten Mönchtums in Italien von seine ersten Anfängen bis zum Auftreten des Heiligen Benedict*, Wien 1904; A. ROBERTI, *S. Ambrogio e il monachesimo*, in «La scuola catt.», 68 (1942), pp. 140-159 e 231-252; COLOMBAS, *Il monachesimo delle origini*, pp. 223-246.

[202] GIROLAMO, *epist.* 127, 5 (LABOURT 7, pp. 140 s.).

rivolge loro suppongono l'ambiente familiare. Per convincere i genitori a non spingere le loro figlie al matrimonio e a favorirne la consacrazione verginale, Ambrogio indica il duplice vantaggio di non dover pagare la dote e di poter conservare il loro sostegno [203]. Ai genitori, particolarmente alla madre, è demandato il compito di curare la formazione delle figlie consacrate e di proteggere la loro castità [204]. Ma doveva anche esistere una qualche forma di vita comunitaria. Le vergini che venivano da lontano — anche dalla Mauritania [205] — a prendere il velo a Milano, probabilmente sapevano di trovarvi stabili e appropriate istituzioni che potessero accoglierle [206]. Dell'esistenza di comunità di vergini è un indizio anche la funzione di *magistra*, che Ambrogio attribuisce all'anziana sorella Marcellina [207]. A Bologna, poi, è sicura l'esistenza di una sorta di monastero (*sacrarium uirginitatis*), ove conducevano vita comune 20 vergini [208]. Di un *monasterium* a Milano parla Agostino, ma non è ben chiaro che cosa fosse esattamente [209].

## 2. La sintesi di Ambrogio

Prima di esaminare singolarmente gli scritti ambrosiani sulla verginità e sulla vedovanza, cercheremo di individuare in essi i temi comuni e di comporre di ciascuno un quadro sintetico, con l'intento di delineare, nei suoi vari aspetti, il pensiero di Ambrogio, ove vedremo confluire abbondantemente la precedente tradizione patristica [210].

### 2.1. Natura soprannaturale della verginità

Gli antichi con il termine «natura», quando lo usavano senza altra specificazione, esprimevano la realtà concreta, quella che è

[203] *Virgb.*, 1, 7, 32; ma poco piú oltre (*ibid.*, 1, 11, 62) Ambrogio parla dell'eventualità che i genitori neghino la dote alla figlia che vuole consacrarsi: il che fa supporre che essa lasci la casa al momento della consacrazione.

[204] *Exh. u.* 10, 71 *nullus sit tuus sine matre processus, quae sit anxia custos pudoris*; *uirgb.* 2, 2, 9 *prodire domo nescia, nisi cum ad ecclesiam conueniret, et hoc ipsum cum parentibus aut propinquis.*

[205] *Virgb.* 1, 10, 57.

[206] Cf. G. DOSSETTI, *Il concetto giuridico dello «status religiosus» in sant'Ambrogio*, in *Sant'Ambrogio nel XVI centenario della nascita*, Milano 1940, pp. 430-483.

[207] *Virgb.* 3, 4, 16.

[208] *Virgb.* 1, 10, 60.

[209] AGOSTINO, *conf.* 8, 6, 4 (CSEL 33, p. 182) *et erat monasterium Mediolani plenum bonis fratribus extra urbis moenia sub Ambrosio nutritore.*

[210] Su alcuni dei temi che toccheremo in questo capitolo, ha sviluppato interessanti riflessioni, sia pur con diversa prospettiva, L.F. PIZZOLATO, *La coppia umana in sant'Ambrogio*, in *Etica sessuale e matrimonio nel cristianesimo delle origini*, a cura di R. Cantalamessa, Milano 1976, pp. 180-211.

*sotto gli occhi di tutti: mutevole, corruttibile, tutto ciò che è coinvolto nel divenire del mondo, che è soggetto alla nascita e alla morte. Essi sentivano forte il senso etimologico della parola, che facevano derivare da* nascor. *Orbene, il fulcro ideologico-teologico, che sostiene ogni riflessione ambrosiana sulla verginità, è che tale condizione di vita trascende la natura*[211]. *Non vi è nulla di piú naturale dell'attività generativa dell'uomo, perciò la vita verginale appartiene ad un altro ambito. Si pone una domanda ovvia: da dove viene tale modo di vivere? Se non è dal mondo, non può che essere dal cielo*[212].

*La verginità è stata portata nel mondo da Cristo. L'Incarnazione è stata la prima autentica apparizione della verginità, ovvero della vita non contaminata dalla natura del mondo*[213]. *Cristo, infatti, è stato concepito e generato in maniera non conforme alle leggi della natura. La sua divinità ha potuto cosí unirsi ad una umanità «immacolata», cioè non prodotta dalla natura corrotta dal peccato. Il suo corpo immacolato è il primo perfetto termine di confronto*[214], *cui viene assimilata la corporeità delle vergini cristiane. La vera natura della verginità è dunque quella dell'umanità immacolata di Cristo. Una natura piú celeste che terrestre, per la quale le vergini costituiscono un* genus *diverso*[215]. *Questa impostazione di fondo porta chiaro il segno della dipendenza dall'*Epistola alle vergini *di Atanasio; tuttavia gli sviluppi del pensiero di Ambrogio non sono semplicemente ripetitivi di quello atanasiano*[216].

## 2.2. Il corpo immacolato di Cristo paradigma e sacramento di verginità

*Cristo è autore e archetipo della verginità, perché la sua carne non fu contaminata dal modo di generazione secondo natura. Ambrogio applica alla nascita di Cristo un'espressione di Ps 15, 10 (*cuius caro non uidit corruptionem[217]*), che solitamente viene riferita alla sua risurrezione. Eppure ben conosceva questa applicazione*

[211] *Virgb.* 1, 2, 5 *uirtus supra naturam*; 1, 2, 8 *quod ultra naturam est de auctore naturae est*; *1, 3, 11 quam nec natura suis inclusit legibus... quod supra usum naturae sit*; *uirgt.* 13, 83 *ultra naturae propemodum terminos alis ad caelum docet spiritalibus euolandum*; *uid.* 7, 37 *haec enim uera est fortitudo (uiduae), quae naturae usum... transgreditur.* Bisogna tenere anche conto di altre espressioni di significato analogo, anche se non vi ricorre esplicitamente la parola «natura»: per es. *epist. ex. c.* 14, 35 (CSEL 82, 3, p. 253).

[212] *Virgb.* 1, 3, 11 *e caelo arcessiuit quod imitaretur in terris*; 1, 7, 32 *uirgo dei donum est.*

[213] *Virgb.* 1, 3, 13 *at uero posteaquam dominus in corpus hoc ueniens contubernium diuinitatis et corporis sine ulla concretae confusionis labe sociauit, tunc toto orbe diffusus corporibus humanis uitae caelestis usus inoleuit.*

[214] *Ibid.*: *plenitudinem professionis a Cristo.* Dopo Cristo il modello della verginità è Maria Vergine, come vedremo.

[215] *Ibid.*: *hoc illud est quod ministrantes in terris angeli declararunt futurum genus, quod ministerium domino immaculati corporis obsequiis exhiberet.*

[216] Il raffronto con i corrispondenti passi atanasiani sarà dettagliato nelle note *ad loc.*

[217] *Virgb.* 1, 5, 21.

*piú consueta del luogo biblico* [218]. *Siamo dunque autorizzati a supporre che egli concepisse un'equazione, o un rapporto di causa-effetto fra la generazione verginale e la risurrezione, cosí come, per converso, fra la corruzione della generazione naturale e il disfacimento del corpo dopo la morte. L'*immaculatus dei filius *è un concetto importante nella cristologia di Ambrogio e rappresenta il fondamento teologico della sua concezione della verginità:* Quid autem est castitas uirginalis nisi expers contagionis integritas? Atque eius auctorem quem possumus aestimare nisi immaculatum dei filium, cuius caro non uidit corruptionem, diuinitas non est experta contagionem? *Con il termine* immaculatus, *detto di Cristo, Ambrogio si riferisce sempre al suo concepimento e alla sua generazione umana verginale* [219], *in opposizione al concepimento naturale, per il quale ogni uomo è contaminato (*contagio maculamur [220]*).* Immaculatus *esprime sia il modo della nascita verginale* [221] *che la conseguente immacolatezza del corpo di Cristo immune dal peccato* [222]. *In Mt 4, 11 si dice che gli angeli servivano Gesú; in realtà, secondo Ambrogio, essi servivano il suo corpo immacolato, che la nascita verginale aveva unito in maniera incontaminata alla divinità. Quel corpo, in quanto immacolato, meritava di essere servito da creature angeliche, che preannunciavano il futuro ruolo delle vergini cristiane nella Chiesa* [223].

*Il corpo immacolato di Cristo ha una duplice relazione con la verginità. Esso è frutto della verginità — la sua immacolatezza dipende dall'immacolatezza della vergine che lo ha generato* [224] *—, ma è anche autore e paradigma di ogni verginità:* Ipsius enim est integritas, qui immaculatus aduenit [225]. *Cristo è autore della verginità individuale, come anche di quella della Chiesa, sua vergine sposa e vergine madre dei cristiani* [226].

*Mentre la carne comune degli uomini non può che essere peccatrice, il corpo di Cristo è definito «tempio del Verbo»* [227]*: la sua*

[218] Cf. per es. *exp. Luc.* 6, 32 (CCL 14, p. 185) e 6, 106 (p. 213).

[219] Su questo valore di *immaculatus* si veda C.W. NEUMANN, *The Virgin Mary*, Freiburg (Schw.) 1962, pp. 118-120 e 162.

[220] *Apol.* 1, 11, 56 (CSEL 32, 2, p. 337, 12 ss.).

[221] *Exp. Luc.* 2, 56 (CCL 14, p. 55) *solus enim per omnia ex natis de femina sanctus dominus Iesus, qui terrenae contagia corruptelae immaculati partus nouitate non senserit et caelesti maiestate depulerit.*

[222] *Expl. ps. 36* 64 (CSEL 64, p. 123, 2 ss.) *carnem sine peccato, carnem assumptam ex uirgine...*

[223] *Virgb.* 1, 4, 13.

[224] *Inst. u.* 16, 98 *sine ulla uirilis seminis admistione, diuinae gratia dispositionis, quod erat carnis assumpsit ex uirgine atque in illa nouissimi Adam immaculati hominis membra formauit.*

[225] *Exh. u.* 7, 44. Il nesso della vita verginale con l'Incarnazione di Cristo è senza dubbio primario, ma poiché la verginità è, come vedremo, anche sacrificio, viene anche messa in relazione con la croce di Cristo, né è ignorata l'azione promotrice dello Spirito Santo: cf. *inst. u.* 1, 3.

[226] *Virgb.* 1, 5, 22 *Christus uirgineae castitatis; uirginitas enim Christi, non uirginitatis est Christus. Virgo est ergo quae nupsit, uirgo quae nos suo utero portauit.*

[227] *Exp. ps. 118* 2, 8 (CSEL 62, pp. 23 s.) *constitue dominum Iesum recumbentem in conuiuio, reclinantem se Iohannem supra pectus eius, mirantes alios, quod seruus se supra dominum reclinaret, quod caro illa peccatrix supra templum uerbi recumberet, quod anima illa carnis uinculis innexa aulam diuinae plenitudinis scrutaretur.*

*perfetta immacolatezza, dall'origine, rende possibile tale sublime funzione. La carne non è piú strumento di peccato, ma luogo della presenza divina. Individuiamo qui la ragione cristologica di uno dei temi piú ricorrenti nella riflessione ambrosiana: le vergini sono templi di Dio. Il modello è il corpo di Cristo.*

*Ma come non riusciamo a concepire l'umanità di Cristo se non unita alla divinità, cosí è ovvio che la vergine tenda alla medesima congiunzione. Abbiamo visto quanto i Padri insistano nell'assimilare la verginità alla vita angelica: Ambrogio con una frase di straordinario vigore espressivo ci propone la visione della vergine che vola al di sopra degli angeli stessi alla ricerca del Verbo di Dio:* Haec nubes aera angelos sideraque transgrediens uerbum dei in ipso sinu inuenit patris et toto hausit pectore [228].

*Il rapporto fra la verginità e l'Incarnazione merita ancora un approfondimento. L'immacolatezza dell'umanità di Cristo è fonte e termine di paragone non solo per il modo verginale e incontaminato della sua generazione, ma anche quale sacramento* [229]. Sacramentum *è un vocabolo usuale in Ambrogio per indicare l'umanità o il corpo di Cristo* [230]. *Crediamo che si possa stabilire un certo parallelismo fra il* sacramentum *dell'Incarnazione di Cristo e il* sacramentum uirginitatis [231] *che riscatta il corpo umano dalla soggezione alla natura materiale. Volendo insistere sull'analogia, si potrebbe dire che la verginità è un modo di vivere celeste incorporato, sull'esempio del* mysterium incorporationis *di Cristo* [232].

## 2.3. Vita angelica ed escatologica

*La precedente tradizione patristica sulla vita angelica delle vergini consacrate confluisce tutta negli scritti ambrosiani. Ma qui il tema acquista una sua particolare fisionomia. Non è piú soltanto in riferimento al passo evangelico di Mt 22, 30 che viene proposto, ma si struttura in uno sviluppo che ha alla base le ragioni teologiche cristologiche che abbiamo appena cercato di delineare. La verginità è vita angelica in quanto viene dal cielo, ed è ovvio che le vergini siano assimilate agli angeli, dal momento che il loro sposo è il Signore degli angeli* [233]. *La vita angelica delle vergini è considerata sotto un duplice aspetto: quello della sua origine — dal cielo attraverso l'Incarnazione di Cristo — e quello di una condizione*

[228] *Virgb.* 1, 3, 11.

[229] Cf. V. GROSSI, *La verginità negli scritti dei Padri. La sintesi di S. Ambrogio: gli aspetti cristologici antropologici ecclesiali*, in *Il celibato per il Regno*, Milano 1977, pp. 146 s.

[230] Cf. *uirgb.* 1, 8, 46; *uid.* 3, 20; *exp. ps. 118* 3, 8 (CSEL 62, p. 44); *fid.* 2, 10, 85 (CSEL 78, p. 88); 3, 7, 50 (p. 126); 5, 14, 177 (p. 281, 72); *Spir. s.* 2, 6, 59 (CSEL 79, p. 109); 3, 17, 126 (p. 204); rammentiamo anche il titolo dell'opera *Incarnationis dominicae sacramentum* e *incarn.* 2, 11 (CSEL 79, p. 229).

[231] *Virgb.* 3, 1, 1.

[232] *Ibid.*, 1, 8, 46.

[233] *Ibid.*, 1, 3, 11.

*presente che si proietta nel futuro escatologico:* Quae non nubunt neque nubentur erunt sicut angeli in caelo [234].

*È già stato notato* [235] *come Ambrogio solleciti il testo evangelico in funzione del proprio pensiero. In Mt 22, 30 non si allude minimamente alla vita verginale, ma si descrive, senza intendimenti ascetici, il modo di vita dopo la risurrezione: Ambrogio riferisce il versetto alla vita terrena delle vergini* [236]. *Il Vangelo dice che dopo la risurrezione non ci si sposerà e si vivrà come gli angeli in cielo: Ambrogio gli fa dire che le vergini, che non si sposano (*quae non nubunt*), vivono la vita angelica già sulla terra* [237], *come anticipazione della vita dopo la risurrezione. Il regno dei cieli sulla terra è fatto di vergini* [238] *e già appartiene loro. Esse infatti vengono dal mondo, ma non stanno nel mondo: la terra ha potuto averle, ma non può possederle* [239]. *In sostanza questa interpretazione del passo di Mt (e dei suoi paralleli) non è originale: appartiene ad una tradizione che risale alle origini del cristianesimo* [240]. *Noi l'abbiamo incontrata in Tertulliano* [241], *ma è piú probabile che Ambrogio l'abbia letta in Cipriano* [242]. *Significativo è l'adattamento di Mc 12, 25 in* exh. u. *4, 19:* Quae non nubunt et qui uxores non ducunt, sicut angeli in terris sunt; *vi leggiamo* in terris *in luogo di* in caelis *del testo biblico. Il tema di Ambrogio è principalmente la vita presente delle vergini, quella durante la quale esse, come esercito di angeli che si sia trasferito sulla terra, praticano la* militia castitatis [243].

*Per ribadire il nesso fra castità e vita angelica, il vescovo milanese fa sua un'esegesi di Gen 6, 2, che risale a Filone, secondo la quale fu l'intemperanza sessuale a far precipitare gli angeli e trasformarli in demoni* [244]. *Gli angeli che hanno osservato la castità conservano lo stato di vita paradisiaco, quello medesimo che le vergini sulla terra hanno recuperato con la loro virtú* [245]. *Il tema della vita angelica nella storia dell'ascetica cristiana è molto antico, come abbiamo visto, ma mai fu cosí arditamente proposto:* Castitas enim angelos fecit [246]. *Ovviamente l'annunciazione alla Vergine Maria non poteva essere fatta che da un angelo, anzi dal principe degli angeli* [247].

[234] *Ibid.*
[235] R. D'Izarny, *La virginité selon Saint Ambroise* (tesi datt.), 1, Lyon 1952, p. 38.
[236] Analogamente in *uirgt.* 6, 27.
[237] *Virgb.* 1, 8, 48 *et quoniam non humanis iam, sed caelestibus, quorum uitam uiuis in terris.*
[238] *Exh. u.* 4, 19.
[239] *Virgb.* 1, 8, 52.
[240] Cf. P.F. Beatrice, *Continenza e matrimonio nel cristianesimo primitivo (secc. I-II)*, in *Etica sessuale e matrimonio*, cit., pp. 14 s.
[241] Cf. sopra nr. 1.2.2 e nota 71.
[242] Cf. sopra nr. 1.2.3 e nota 79.
[243] *Virgb.* 1, 8, 51.
[244] Cf. *ibid.*, 1, 8, 53 (inizio) e la mia nota *ad loc.*; cf. anche *exp. ps. 118* 4, 8 (CSEL 62, p. 71, 16).
[245] *Inst. u.* 17, 104.
[246] *Virgb.* 1, 8, 52.
[247] *Vid.* 1, 3.

*Come quotidianamente si esprima la vita angelica dei vergini è detto qua e là nelle opere sulla verginità, ma piú compiutamente in un paragrafo dell'*Epistola alla Chiesa di Vercelli. *Ambrogio si rivolge a dei discepoli del defunto vescovo di quella città, Eusebio, che il maestro aveva avviati alla vita monastica, e spiega loro che la* angelorum militia *consiste nell'esercizio dell'ascesi nei suoi vari momenti: preghiera, lettura delle Scritture, lavoro; e, poi, clausura e digiuno* [248].

*Quando al riferimento evangelico subentra l'ispirazione paolina, allora, sul piano espressivo, la verginità è assimilata non piú alla «vita angelica», ma alla vita «secondo lo spirito» (Rm 8, 9). All'antitesi angelico/umano, celeste/terrestre, subentra con efficacia anche maggiore l'antinomia paolina spirito/carne* [249].

*Si è detto dell'interpretazione forzata di Mt 22, 30 e Mc 12, 25. Altrove Ambrogio ne propone la lezione esatta e vi intende correttamente la descrizione della vita dopo la risurrezione, della realtà escatologica di cui la verginità vissuta sulla terra è anticipazione* [250]. *Con vigore afferma che la verginità è vita degli angeli, e chi la disprezza, disprezza anche la risurrezione: respinge la realtà escatologica chi ne rifiuta l'anticipazione sulla terra* [251]. *In* uirgt. *12, 73 il nesso fra verginità e risurrezione è espresso con una metafora tratta dal Cantico dei Cantici: il profumo, simbolo di immortalità — il corpo della vergine emana profumo di risurrezione. Sul medesimo simbolismo del profumo, con sommessa allusione alla verginità si insiste in* uirgt. *9, 49-50.*

## 2.4. *Sponsa Christi*

*A partire da Tertulliano, in Occidente, e da Origene, in ambito greco, la verginità viene sempre piú spesso definita con l'ausilio di simbologia e terminologia nuziali: la vergine è chiamata «sposa* [252] *di Cristo». Il concetto, dai solidi fondamenti biblici, esprime bene, sul piano mistico, l'essenza della verginità, ed è facile individuarvi la coerenza con il carattere di soprannaturalità dello stato verginale. Il simbolismo nuziale è usato nell'A.T. per indicare la relazione di*

[248] *Epist. ex. c.* 14, 82 (CSEL 82, 3, p. 279).

[249] *Exp. ps. 118* 4, 8 (CSEL 62, p. 71) *et merito expertes libidinis angelis comparantur, caro non sunt, quia non sunt in carne sed in spiritu; inst. u.* 16, 97.

[250] *Virgb.* 1, 8, 52.

[251] *Virgt.* 6, 27.

[252] Noi useremo sempre la parola «sposa», anche se il latino *sponsa* è detto non della donna sposata, già *deducta in domum*, ma della fidanzata, dopo l'avvenuto contratto di matrimonio, prima del rito di nozze propriamente dette. Usiamo «sposa» perché, al confronto, il nostro termine «fidanzata» sarebbe troppo inadeguato a esprimere un vincolo che per Ambrogio è definitivo ed equiparabile a quello matrimoniale. In particolare lo studio di D'IZARNY, *Mariage et consécration virginale au IVe siècle*, in «La vie spir.», Suppl. 24 (1953), pp. 92-118, ha dimostrato che la *uelatio uirginalis*, che faceva parte del rito di consacrazione di una vergine, non era altro che la trasposizione della *uelatio coniugalis*, in cui consisteva il rito delle nozze vere e proprie.

*fedeltà fra il popolo ebreo e Dio. Nel N.T. occupa un posto di rilievo nell'ecclesiologia paolina. Ambrogio non tarderà a incentrare la sua riflessione, in tema di verginità, sull'esegesi del linguaggio e dei contenuti nuziali del Cantico dei Cantici e ad assimilare la vergine alla Chiesa, onde far proprio il tema paolino della Chiesa, sposa di Cristo.*

*Quando, intorno alla metà del IV secolo, la professione verginale assunse nella Chiesa caratteri di ufficialità e solennità, il rito di consacrazione fu strutturato sul modello del rito matrimoniale: i due momenti della cerimonia consistevano nella* uelatio *e in una preghiera di benedizione, che riproducevano le analoghe due fasi della cerimonia nuziale* [253].

*Negli scritti ambrosiani troviamo un'interessante documentazione del rito di consacrazione* [254]. *Solitamente aveva luogo nelle feste di Natale e di Pasqua* [255], *probabilmente durante la celebrazione dell'eucarestia* [256], *dopo il sermone del vescovo. Di Ambrogio conserviamo due di tali discorsi: il primo, fittiziamente attribuito a papa Liberio, che lo avrebbe pronunciato in occasione della consacrazione di Marcellina, sorella di Ambrogio* [257]; *il secondo, tenuto in occasione della velazione di Ambrosia* [258], *di seguito al quale troviamo anche una preghiera di benedizione, ove sono condensati tutti i principali aspetti della concezione ambrosiana della verginità, con prevalente insistenza sul simbolismo nuziale.*

*Al momento della velazione, dopo il sermone e prima della preghiera di benedizione* [259], *il vescovo prendeva il velo dall'altare, ove era stato posto per essere santificato* [260], *e lo metteva sul capo della vergine. Era probabilmente rosso, cosicché la corrispondenza anche nel colore con il* flammeum nuptiale *rendesse piú esplicito il significato simbolico, cioè l'amore sponsale* [261], *oltre che la virtú redentrice del sangue di Cristo* [262].

[253] Non ci dilungheremo qui nei dettagli del parallelismo fra *uelatio uirginalis* e *uelatio coniugalis*, assai ben spiegati e documentati da D'IZARNY, *ibid.*

[254] L'età minima per la consacrazione era di 12 anni. Tanti ne aveva Agnese (*uirgb.* 1, 2, 7) quando affrontò il martirio, unendo al sacrificio della vita l'offerta della verginità. Alla medesima età fece professione di verginità Asella: cf. GIROLAMO, *epist.* 24, 2 (LABOURT 2, p. 11) *quae post duodecimum annum sudore proprio elegit, arripuit, tenuit, coepit, inpleuit.*

[255] *Virgb.* 3, 1, 1 *cum saluatoris natali ad apostolum Petrum uirginitatis professionem uestis quoque mutatione signares* (per altre date in cui poteva avvenire la consacrazione cf. la mia nota *ad loc.*); *exh. u.* 7, 42 *uenit Paschae dies, in toto orbe baptismi sacramenta celebrantur, uelantur sacrae uirgines.*

[256] Cf. METZ, *La consécration des uierges*, pp. 126 s.

[257] *Virgb.* 1, 1, 1-3, 14.

[258] *Inst. u.* 9, 58 - 16, 103.

[259] Cf. *inst. u.* 16, 100-103. Vi si parla anche di una *stola*, ma non è certo se il termine — attinto da Gen 27, 15, ove indica la tunica indossata da Giacobbe per ricevere la benedizione paterna — sia usato in luogo di *uelamen*, oppure significhi una tunica che veniva fatta indossare alla vergine (cf. D'IZARNY, *Mariage et consécration*, pp. 101 s.). Se anche fosse vera la seconda ipotesi, bisogna supporre che in quel medesimo momento della cerimonia veniva imposto anche il velo.

[260] *Virgb.* 1, 11, 65.

[261] Cf. R. SCHILLING, *Le voile de consécration dans l'ancien rit romain*, in *Mélanges en l'honneur de Monsieur M. Andrieu*, Strasbourg 1956, p. 409.

[262] *Inst. u.* 17, 109.

*Al tema fondamentale della* sponsa Christi *fa da corollario tutta una terminologia simbolica della medesima area semantica che, oltre al* flammeum, *comprende anche il* caelestis thalamus [263], *il* torus caelestis [264], *il* dominicum iugum [265] *(con allusione al nesso etimologico di* coniugium *con* iugum*), il* cubiculum dei [266], *i* fidei partus [267], *il* dies sponsalium [268]. *Cosí pure ricorrono in senso metaforico* adulterium *e* adulterinus amor [269].

## 2.5. L'allegoria del Cantico dei Cantici

*Il tema della vergine, sposa di Cristo, è presente anche nel* De uirginibus, *che è la prima delle opere ambrosiane sulla verginità* [270]. *E già in questo scritto essa è in relazione ad alcuni passi del Cantico dei Cantici, per l'esegesi dei quali Ambrogio attinge direttamente da Atanasio* [271]. *Ma è nel* De uirginitate *che notiamo un salto di qualità, un notevole approfondimento favorito dall'influenza dell'esegesi origeniana del Cantico. L'approfondimento non è in relazione diretta con la verginità, ma riguarda la spiritualità in genere. Il piú delle volte, infatti, la sposa del Cantico rappresenta l'anima, che nella tensione verso lo sposo celeste si libera dai lacci del corpo, rifiuta i piaceri mondani, le passioni, le vanità terrene. Un'esegesi che ha forti tinte platoniche — anche queste mediate dall'esegesi origeniana —, tanto che l'ascesa della sposa verso lo sposo è assimilata al volo ultramondano dell'anima platonica* [272]. *In questo quadro, la vergine, anche se di essa si parla poco in modo esplicito, rappresenta*

[263] *Inst. u.*, 17, 107.110.
[264] *Virgb.* 2, 6, 41.
[265] *Inst. u.* 17, 107.
[266] *Ibid.*
[267] *Ibid.*, 17, 109.
[268] *Ibid.*, 17, 114.
[269] *Virgb.* 1, 8, 48; *uirgt.* 13, 79.
[270] Al riguardo cf. F.E. CONSOLINO, «*Veni huc a Libano*»*: La «sponsa» del Cantico dei Cantici come modello per le vergini negli scritti esortatori di Ambrogio*, in «Athenaeum», 62 (1984), pp. 399-415. Vi si sostiene che già il *De uirginibus* attesta chiaramente l'influenza dell'esegesi origeniana del Cantico, mentre secondo la tesi di E. DASSMANN, *La sobria ebbrezza dello spirito. La spiritualità di S. Ambrogio vescovo di Milano* (trad. it.), Varese 1975, pp. 153-156, Ambrogio conobbe l'esegesi origeniana del Cantico dei Cantici piú tardi, negli anni 387-390. La Consolino dimostra effettivamente la presenza di tracce origeniane nel *De uirginibus*, a proposito dell'esegesi di alcuni versetti del Cantico; tuttavia, a mio avviso, esse non sono tali da far supporre necessariamente un'influenza origeniana diretta.
[271] Cf. sopra nr. 1.4. Sulla dipendenza dell'esegesi del Cantico nel *De uirginibus* dall'*Epistola alle vergini* di Atanasio si veda Y.-M. DUVAL, *Originalité du «De uirginibus» dans le mouvement ascétique occidental. Ambroise, Cyprien, Athanase*, in *Ambroise de Milan, XVIe Centenaire de son élection épiscopale*, Paris 1974, pp. 39-43. Stando all'apparato dell'edizione del *Commento al Cantico dei Cantici* di Ippolito edito da G.N. BONWETSCH, TU N.F. 8, 2, Leipzig 1902, di tale commento non si notano tracce nel *De uirginibus* di Ambrogio, che invece sono individuabili nelle opere piú tarde (*De Isaac, Expositio ps. 118, De uirginitate*). Avverto anche che la CONSOLINO, «*Veni huc a Libano*», p. 405, riconosce nel *De uirginibus*, insieme all'influenza di Atanasio, anche quelle di Origene e di Metodio d'Olimpo.
[272] *Virgt.* 15, 93-96; 17, 108.109.

*la concretizzazione dell'ideale della spiritualità ambrosiana ispirata al Cantico dei Cantici. La vergine è colei che ha raggiunto la vetta della mistica ascensione: lo sposo, che è il Verbo di Dio.*

*Vediamo qualche dettaglio. La sposa del Cantico va in cerca dello sposo. Anche l'anima, o la vergine, deve cercare lo sposo: lo si deve cercare di giorno, non di notte, in chiesa, non nelle piazze* [273]. *Oppure lo si può cercare di notte, ma nella preghiera; lo si può cercare nelle piazze, dove siede come giudice della giustizia divina; nelle strade, perché dalle strade furono radunati gli invitati alla cena del Signore* [274]. *Le vergini devono cercare Cristo «sui monti del buon odore», cioè sulla vetta delle virtú e sulla vetta della fede, nella sua morte e risurrezione* [275]. *Egli vuole essere cercato a lungo* [276], *finché colei che lo cerca trova la strada che conduce alla città celeste ove egli abita. Là la vergine potrà entrare in virtú della sua castità, per la quale può liberarsi dal peso della carne, abbandonare il mondo e salire in spirito fino al cielo* [277].

*Vi è anche un altro modo di incontrare lo sposo: con la vigilanza continua. Quando lo sposo passa e bussa, la vergine lo attende desta e in preghiera* [278], *in costante vigilanza perché lo sposo passa in fretta* [279], *e l'occasione dell'incontro potrebbe svanire* [280]. *Deve essere pronta ad afferrarlo e stringerlo a sé con i lacci dell'amore, con le briglie della mente, con l'affetto dell'anima. Cosí non sarà abbandonata fino alla fine del mondo* [281]. *Se lo sposo passa oltre, la vergine esce per seguirlo* [282], *come colei che lo sposo ha dolcemente ferita d'amore e legata a sé* [283].

*La vergine è come il «giardino chiuso», la «fonte sigillata» di Cant 4, 12: è cioè silenziosa, non si perde in chiacchiere, parla solo a Cristo. Conduce vita ritirata, in una sorta di clausura, per tenere lontano ogni insidia al suo pudore. Non cosí riservata fu Eva, che invece di tacere accettò il colloquio con il serpente e aprí la porta alla morte* [284].

## 2.6. Il tempio di Dio

*Anche l'immagine del «tempio di Dio» applicata alla verginità deriva ad Ambrogio dalla tradizione* [285]. *L'abbiamo incontrata in*

[273] *Ibid.*, 8, 46.

[274] *Ibid.*, 14, 89; *exh. u.* 9, 58. L'arricchimento del significato mistico può avvalersi anche di diverse e, sul piano letterale, inconciliabili interpretazioni di un medesimo versetto.

[275] *Virgt.* 9, 49-50.

[276] *Ibid.*, 13, 84; *exh. u.* 9, 60.

[277] *Virgt.* 13, 84-86; *exh. u.* 9, 59.

[278] *Exh. u.* 9, 58; *uirgt.* 11, 60; 12, 69; 13, 80; *inst. u.* 17, 111.

[279] *Virgt.* 12, 74.

[280] *Ibid.*, 12, 75.

[281] *Ibid.*, 13, 77-78.

[282] *Exh. u.* 9, 59.

[283] *Ibid.*, 9, 60-61.

[284] *Virgt.* 13, 80-81.

[285] Bisogna tener conto che la definizione della verginità come tempio di Dio è implicitamente iscritta nel piú ampio tema della Chiesa - tempio di Dio (su

*un'anonima omelia greca sulla verginità*[286]*, in Eusebio d'Emesa*[287] *e in Basilio d'Ancira*[288]*; ricorre anche negli* Acta Pauli et Theclae*: «Beati quelli che conservano casta la carne: diverranno tempio di Dio»*[289]*. Ambrogio potrebbe aver letto questo* μακαρισμός*, perché dal medesimo scritto apocrifo ha tratto — ma non sappiamo se direttamente o mediatamente — il racconto della* passio *di Tecla in* uirgb. *2, 3, 19-21. Con piú sicurezza, però, possiamo pensare che abbia attinto l'idea dalla fonte atanasiana. Nel testo frammentario dell'*Epistola alle vergini *a noi pervenuto non troviamo esplicita l'espressione «tempio di Dio», che ci è, però, tramandata in una citazione dell'*Epistola *in Scenute: «O virginité, temple de Dieu et maison du grand roi»*[290]*. Nell'*Epistola *di Atanasio troviamo quel che piú conta, la ragione teologica del tema del «tempio di Dio», che non è diversa da quella che abbiamo già considerato come fondamento della verginità stessa; cioè l'Incarnazione di Cristo: «Si le Verbe ne s'était pas fait chair, comment pourrait-on maintenant vous unir et vous attacher à lui? Mais lorsque le Seigneur se fut revêtu du corps humain, le corps devint susceptible de recevoir le Verbe; voilà pourquoi maintenant vous, vous êtes devenues vierges et fiancées du Christ»*[291]*. Il parallelismo fra il corpo umano che ha accolto il Verbo di Dio e le vergini non poteva essere piú netto. Grazie all'Incarnazione, il Verbo di Dio può ora trovare la sua abitazione, il suo tempio, in ogni corpo verginale. Ambrogio non ci offre un passo cosí sintetico e limpido, ma almeno una volta definisce il corpo di Cristo come «tempio del Verbo di Dio»*[292]*. L'applicazione, invece, della medesima definizione alla verginità è frequente. In Ambrogio non manca, dunque, la giustificazione cristologica del tema del «tempio di Dio», che, però, presenta un piú evidente collegamento con la verginità di Maria: lei è stata l'*aula caelestis*, il* sacrarium immaculatae castitatis*, il* templum dei, templum pudoris, corporale dei templum, sancti spiritus templum*, ove il Figlio di Dio ha abitato*[293].

*L'immagine del* templum *è anche all'origine del parallelismo fra la consacrazione di un tempio materiale e la consacrazione delle*

questo argomento rinviamo a R. GRYSON, *Le prêtre selon saint Ambroise*, Louvain 1958, pp. 77-84): del resto vedremo che il nostro Autore pone un nesso stretto fra verginità e Chiesa.

[286] Si veda sopra nr. 1.3.2 e nota 120.

[287] Si veda sopra nr. 1.3.3 e nota 133.

[288] Si veda il passo indicato sopra in nota 143.

[289] Cf. *Acta Pauli et Theclae* 5 (M. ERBETTA 2, p. 259).

[290] Ed. L. TH. LEFORT, CSCO 151, p. 85, 20. La frase potrebbe essere caduta dal testo dell'*Epistola* a causa della lacuna segnalata dall'editore a p. 77. La relazione fra verginità e tempio di Dio è anche attestata in un sermone *De uirginitate* attribuito al medesimo autore: cf. J. LEBON, *Athanasiana Syriaca*, in «Le Muséon», 40 (1927), p. 219, 18; e l'abbiamo notata nell'*Epistola a Costanzo*: cf. sopra nr. 1.4 e nota 187.

[291] CSCO 151, p. 75, 35 ss.

[292] Cf. *exp. ps. 118* 2, 8 (CSEL 62, pp. 23): testo citato sopra in nota 227.

[293] *Inst. u.* 5, 33; 17, 105. Per altri riferimenti e altre considerazioni sul tema del «tempio di Dio» si veda una mia nota a *uirgb.* 2, 2, 18, a proposito dell'espressione *corpus uirginis dei templum est.*

*vergini*[294]*, fra il sacrificio di Cristo, che la liturgia eucaristica celebra nei templi di pietra, e il sacrificio delle «vittime di castità», che sono le vergini.*

## 2.7. Verginità e martirio

*Le considerazioni sul «tempio di Dio» ci introducono cosí in un altro dei temi attraverso i quali Ambrogio esprime il senso e il valore della verginità: il sacrificio. Il concetto comprende sia il sacrificio del martirio che quello della professione verginale.*

*Dopo la pace costantiniana — l'abbiamo accennato — la Chiesa si rese conto che un'epoca gloriosa della propria storia si era chiusa, quella segnata dall'eroismo dei martiri. Nella saldezza della loro fede riconosceva la propria essenziale caratteristica. Lo stimolo del loro esempio, il pericolo della sempre possibile persecuzione, o comunque l'atteggiamento ostile dell'opinione pubblica favorivano nei cristiani dei primi tre secoli la disponibilità ad affrontare con serenità la prova. Questo pressoché costante atteggiamento di vita e i casi di martirio reale dimostravano che i cristiani non vivevano per questo mondo, ma nell'attesa escatologica. Cessate le persecuzioni e la condizione di isolamento in un ambiente ostile, la Chiesa considerò sempre di piú la verginità consacrata come il segno distintivo piú evidente — non unico — di una concezione della vita diversa da quella pagana. Il sacrificio incruento della verginità prendeva il posto del sacrificio cruento del martirio*[295]*. Se il martirio rappresentava la rinuncia alla vita terrena per amore del regno dei cieli, la verginità attestava la rinuncia al modo di vivere terreno per il medesimo scopo*[296].

*Abbiamo parlato di rinuncia: per Ambrogio si tratta in entrambi i casi di «sacrificio» o di «immolazione». Accanto, cioè, all'aspetto negativo della rinuncia egli sottolinea l'aspetto positivo di offerta a Dio. Ovviamente si ha la massima offerta quando la vittima unisce in sé il sacrificio della verginità al sacrificio della vita per la fede:* in una hostia duplex martyrium, pudoris et religionis[297]*, è detto della martire Agnese, ma anche Tecla è vittima del duplice martirio*[298]*, lo stesso si dica di Teodora*[299]*, di Pelagia*[300] *e Sotere*[301].

[294] *Exh. u.* 2, 10.

[295] In *exp. ps. 118* 20, 47 istituisce un parallelismo fra martirio e diverse virtú del cristiano fra cui la castità: *uerum ut multae persecutiones, ita multa martyria... temerandam mentis et corporis castimoniam non putasti: martyr es Christi* (CSEL 62, p. 467).

[296] Sopra (cf. nr. 1.1.2 e nota 33) abbiamo citato Galeno che metteva insieme disprezzo per la morte e pratica della continenza perpetua, come i due atteggiamenti dei cristiani che maggiormente impressionavano un pagano.

[297] *Virgb.* 1, 2, 9; 1, 3, 10: la verginità fa i martiri.

[298] *Ibid.*, 2, 3, 19-20.

[299] *Ibid.*, 2, 4, 22-33.

[300] *Ibid.*, 3, 7, 33.

[301] *Ibid.*, 3, 7, 38; *exh. u.* 12, 82. Per altre considerazioni sul rapporto fra verginità e martirio cf. E. DASSMANN, *Ambrosius und die Martyrer*, in «Jahrbuch für Antike und Christentum», 18 (1975), pp. 67-68.

*Per mettere in luce il valore sacrificale insito nella verginità dovremo esaminare — come ha ben fatto il D'Izarny*[302] *— il rito di consacrazione delle vergini. Nella preghiera di consacrazione della vergine Ambrosia il vescovo milanese ce lo presenta come un rito sacrificale:* quam sacerdotali munere offero*; il sacerdote che compie il sacrificio è il vescovo, la vittima è la vergine, il luogo è di fronte all'altare*[303]*. Un'altra vergine, anonima, cui i genitori volevano imporre il matrimonio, si rifugiò presso l'altare: quale luogo migliore — commenta Ambrogio — di quello ove si offre il sacrificio di verginità*[304]*?*

*La consacrazione verginale è assimilata all'offerta di Abele*[305] *e messa in relazione sia al sacrificio di Cristo in croce*[306] *che al suo mistico sacrificio nell'eucarestia*[307]*.*

*Ma la vergine non è solo la vittima del sacrificio, è essa stessa sacerdote che ogni giorno fa l'offerta della propria castità*[308]*. La verginità esprime esistenzialmente una funzione sacerdotale: la vergine, come il sacerdote, è unita a Dio con vincolo particolare. Da tale «legame» la parola* religio *deriverebbe il suo significato etimologico*[309]*.*

*Ambrogio si rivolge anche ai genitori, non solo per vincerne le resistenze, ma per sottolinearne il ruolo nell'offerta sacrificale della verginità dei figli e per promuovere la consuetudine di votare i figli alla vita consacrata anche prima che nascano*[310]*. La madre deve essere felice di offrire la propria figlia che con il sacrificio quotidiano della verginità plachi la potenza divina*[311]*. Al riguardo il nostro Autore rievoca alcuni esempi biblici: Iefte fu fedele al voto fatto, e per questo Ambrogio lo elogia, anche se disapprova il sacrificio cruento della figlia*[312]*; Abramo fu pronto a immolare il figlio Isacco*[313]*; Samuele fu consacrato dalla madre prima che nascesse*[314]*.*

## 2.8. Servitú del matrimonio e libertà della verginità

*Abbiamo già notato come la letteratura patristica sulla verginità insista, inevitabilmente, sul confronto con il matrimonio e come*

[302] D'IZARNY, *La virginité*, pp. 30-32; cf. anche GRYSON, *Le prêtre*, pp. 91-94.

[303] *Ibid.*: *tuis assistat altaribus.*

[304] *Virgb.* 1, 11, 65 *stabat ad aram dei pudoris hostia, uictima castitatis; exh. u.* 14, 94 *respicias ad has piae hostias castitatis.*

[305] *Inst. u.*, 1, 2.

[306] *Ibid.*, 1, 3.

[307] *Exh. u.*, 14, 94.

[308] *Virgb.* 1, 7, 32.

[309] *Ibid.*, 2, 8, 52.

[310] *Exp. ps. 118* 6, 20 (CSEL 62, p. 118, 20) *ipse filiam tuam offeras, ut pio consecretur uelamine.* Giuliana insieme a suo marito aveva consacrato il figlio prima che nascesse: cf. *exh. u.* 3, 15.

[311] *Virgb.* 1, 7, 32.

[312] *Virgt.* 2, 5; *exh. u.* 8, 51.

[313] *Virgt.* 2, 7.

[314] *Exh. u.*, 8, 52.

*abbia ereditato, sotto questo aspetto, alcuni spunti da correnti della filosofia pagana del tempo, che predicavano l'*ἀπάθεια *e l'*ἐγκράτεια. *L'attesa dell'imminente parusia favorí inizialmente fra i cristiani la scelta celibataria; poi, non senza incertezze, si è andato affermando nella Chiesa un orientamento piú moderato, avverso a encratiti, marcioniti, montanisti, gnostici, novaziani, manichei. Un atteggiamento che si ispirava alla dottrina di Paolo, ma che, sulla scia dell'Apostolo, tendeva ad accentuare la superiorità della verginità. Su questa china di una pressoché generale svalutazione del matrimonio si sono non di rado manifestate opinioni di fatto contrarie al matrimonio, tra cui quella di Girolamo che giudicava l'atto coniugale tollerabile solo perché peccato meno grave della fornicazione* [315].

*Diciamo subito che la posizione di Ambrogio è piú moderata, non certamente nel senso di un'equidistanza fra matrimonio e verginità, ma perché si pone in quel filone della tradizione che si rifà ad una equilibrata interpretazione del pensiero paolino e che, pur esaltando lo stato verginale, difende la validità del matrimonio* [316]*:* Docemur itaque triplicem castitatis esse uirtutem: unam coniugalem, aliam uiduitatis, tertiam uirginitatis; non enim sic aliam praedicamus, ut excludamus alias... ita igitur uirginitatem praedicauimus, ut uiduas non reiceremus; ita uiduas honoramus, ut suus honos coniugio reseruetur [317]. *E ancora:* Non itaque dissuadeo nuptias, si fructus uirginitatis enumero. Paucarum quippe hoc munus est, illud omnium. Nec potest esse uirginitas, nisi habet unde nascatur. Bona cum bonis comparo, quo facilius quid praestet eluceat [318]. *Il campo fertile della Chiesa produce sia i frutti della verginità e della vedovanza che quelli del matrimonio* [319].

*A questa posizione Ambrogio si mantiene sostanzialmente fedele, ma spesso le circostanze lo portano a marcare l'esaltazione della verginità sul matrimonio. La predicazione alle vergini e lo zelo nel propagandare la professione verginale in effetti spingevano verso tale accentuazione. E allora il suo atteggiamento nei confronti del matrimonio appare anche meno favorevole di quanto non lo sia il modello paolino* [320]*. Egli ribadisce l'opinione di Paolo (1 Cor 7, 25) che la verginità non è un precetto, ma un consiglio. Fa però seguire un'interpretazione di* consilium *alquanto restrittiva — del resto sulla scia della tradizione* [321]*. La verginità non è un precetto, perché il precetto lo si impartisce ai sudditi, il consiglio invece è per gli amici. Il precetto riguarda la sfera della natura, della Legge che regola la natura e del peccato che infrange la Legge. La verginità, appartenendo al piano soprannaturale della grazia, può essere solo consigliata.*

[315] *Adu. Iou.*, 1, 7 (PL 23, 229 B).
[316] Sulla concezione ambrosiana del matrimonio si veda W.J. DOOLEY, *Marriage according to St. Ambrose*, Washington 1948, partic. pp. 119-129.
[317] *Vid.* 4, 23.
[318] *Virgb.* 1, 7, 35.
[319] *Virgt.* 6, 34; *uid.* 14, 83.
[320] È anche l'opinione di D'IZARNY, *La virginité*, p. 53, nota 4.
[321] Rammentiamo Basilio d'Ancira: cf. sopra nr. 1.3.4 e nota 147.

*Ma se il matrimonio non deve essere condannato perché, nell'ambito naturale, è buono, la verginità, in quanto bene migliore, deve essere scelta* [322].

*Vi è poi un'altra ragione che fa sí che il confronto fra matrimonio e verginità si risolva necessariamente e pesantemente a sfavore del primo: la convinzione che il rapporto sessuale comporti una contaminazione (*concreta confusio, contagio o contagium [323]*) sia in chi lo pratica che nel frutto del concepimento* [324].

*Abbiamo già rammentato che l'esercizio della funzione sessuale era causa di impurità rituale secondo la Legge dell'A.T.* [325]. *Ambrogio espone la sua opinione sulla contaminazione provocata dai rapporti sessuali prendendo lo spunto, precisamente, da un passo veterotestamentario del salmo* Miserere, *dai noti accenti pessimisti: Ps 50, 7 (*ecce in iniquitatibus conceptus sum et in delictis peperit me mater mea*). Il commento di Ambrogio* [326] *traccia un quadro della condizione umana assai miserevole* [327]. *Tuttavia, se egli parla di* peccatum, *non intende una colpa morale personale, piuttosto un dato di fatto dovuto alla condizione dell'uomo e al modo naturale di generazione. Un modo di generazione che comporta nella donna, oltre che mescolanze di elementi estranei, e perciò impuri, anche la perdita dell'integrità fisica: l'adulterazione, cioè, dello stato originario e nativo* [328].

*Questa concezione pesa negativamente sul matrimonio, ma il confronto con la professione verginale non si esaurisce nell'opposizione fra impurità e purità: piú spesso è condotto sul diverso parametro biblico di 1 Cor 7, 32.34* [329]. *Ben quattordici volte nelle sole opere sulla verginità e sulla vedovanza Ambrogio cita o allude al passo*

[322] *Vid.* 12, 72-73; *exh. u.* 3, 17; *epist. ex. c.* 14, 35 (CSEL 82, 3, p. 253). Sul contributo di Ambrogio alla formazione del concetto di *consilium*, quale sarà recepito dalla dottrina della Chiesa occidentale, si veda G. DOSSETTI, *Il concetto giuridico dello «status religiosus» in Sant'Ambrogio*, in *Sant'Ambrogio nel XVI Centenario della nascita*, Milano 1940, pp. 458-463.

[323] *Virgb.* 1, 3, 13; 1, 5, 21; *apol.* 1, 11, 56 (CSEL 32, 2, p. 337, 13).

[324] Si veda il capitolo dedicato a questo tema da H. CROUZEL, *Le célibat et la continence*, Torino 1982, pp. 356-360.

[325] Cf. sopra nr. 1.1.1.

[326] Sull'esegesi origeniana di Ps 50, 7 cf. G. SFAMENI GASPARRO, *Enkrateia e antropologia. Le motivazioni protologiche della continenza e della verginità nel cristianesimo dei primi secoli e nello gnosticismo* (Studia Ephemeridis «Augustinianum», 20), Roma 1984, pp. 187-189; sull'esegesi di Atanasio cf. *ibid.*, pp. 264 ss.

[327] *Apol.* 1, 11, 56 (CSEL 32, 2, p. 337, 12 ss.) *antequam nascimur, maculamur contagio et ante usuram lucis originis ipsius excipimus iniuriam. In iniquitate concipimur — non expressit utrum parentum an nostra — et in delictis generat unumquemque mater sua... concipimur ergo in peccato parentum et in delictis eorum nascimur. Sed et ipse partus habet contagia sua.* In relazione a tale miserevole condizione dell'uomo, Ambrogio valuta il privilegio della nascita verginale di Cristo: cf. *Noe* 3, 7b (CSEL 32, 1, p. 417); *inst. u.* 6, 44. Sul tema della purità e della contaminazione sessuale si veda D'IZARNY, *La virginité*, pp. 52-57.

[328] *Exh. u.* 6, 35.

[329] Rammentiamone il testo nella lezione ambrosiana di *uirgb.* 1, 5, 23: *Sed uolo uos sine sollicitudine esse. Nam qui sine uxore est sollicitus est quae domini sunt, quomodo placeat deo, et uirgo cogitat quae sunt domini, ut sit sancta corpore et spiritu.*

*paolino, che sempre gli suggerisce l'opposizione fra la libertà della verginità, o della vedovanza, e la servitú del matrimonio.*

*Su questo punto Ambrogio ricalca i luoghi comuni della tradizione sulle* molestiae nuptiarum. *La* miserabilis condicio *della donna si manifesta ancor prima delle nozze, al momento della stipulazione del contratto matrimoniale. Genitori o tutori aggiudicano la futura sposa al pretendente con trattative analoghe a quelle della vendita di schiavi* [330]. *La piú grave* molestia *della vita coniugale è, poi, il vincolo stesso del matrimonio, che è come un giogo che opprime entrambi i coniugi, ma comporta una piú pesante sudditanza della donna:* Alligatur uiro nupta, et ei in subiectionem astringitur [331]. *Questo aspetto è marcato con un'espressione che il riferimento a Gen 3, 16 rende appena meno sconcertante:* quas (feminas) ante iussit deus seruire quam seruos [332]. *Bisogna poi considerare le sofferenze del parto, la fatica di educare i figli, i lutti per la loro perdita* [333] *e anche i disagi morali:* Licet bona coniugia, tamen habent quod inter se ipsi coniuges erubescant [334]. *E questa è la condizione di un matrimonio felice* [335]*!*

*La libertà della verginità non va valutata soltanto in estrinseco rapporto con i* uincula coniugii, *bensí anche come valore personale interiore.* Sola uirginitas potest libertatem dare [336]. *È la libertà di chi sa dominare gli istinti del proprio corpo, sa tenere a freno le passioni. La vergine incarna cosí anche l'ideale del* uir sapiens. *Per sottolineare questo aspetto filosofico della libertà, Ambrogio evoca il concetto stoico dello* ἡγεμονικόν *e lo applica alla donna casta (*quasi regina dominaris [337]*): verginità e vedovanza sono i titoli della riconquistata sovranità femminile (*feminei principatus [338]*).*

*Un ideale di libertà che le vergini cristiane difendono anche con il martirio — come Pelagia* [339] *—, perché sono convinte che ha il valore dell'originaria libertà dell'uomo prima che peccasse* [340]. *Infatti prima del peccato originale vigeva la verginità, dopo subentrò l'uso del matrimonio* [341].

*Tutti i principali tradizionali argomenti a sostegno dell'eccellenza della verginità ricorrono nelle opere di Ambrogio* [342]. *C'è risposta*

[330] *Virgb.* 1, 9, 56; *exh. u.* 4, 20.23.
[331] *Exh. u.* 4, 21; cf. *uirgt.* 6, 33; *uid.* 13, 81.
[332] *Virgb.* 1, 6, 27.
[333] *Virgb.* 1, 6, 32; *uid.* 15, 86-87.
[334] *Exh. u.* 6, 36.
[335] *Vid.* 11, 69 *si igitur bonum coniugium seruitus est, malum quid est...?*
[336] *Exh. u.* 4, 23.
[337] *Virgb.* 1, 7, 37.
[338] *Exh. u.* 8, 54.
[339] *Epist.* 7, 38 (CSEL 82, 1, p. 62) *Pelagia Christum sequitur, libertatem nemo auferet, nemo captiuam uidebit liberam fidem insignemque pudicitiam et prosapiam prudentiae. Quod seruum est, hic manebit, nullos in usus debitum. Magna igitur piae uirginitatis libertas, quae saepta agminibus persecutorum inter maxima pericula integritatis et uitae nequaquam inclinata est.*
[340] *Noe* 9, 30 (CSEL 32, 1, p. 432, 16 s.) *quae innocentiae libertatem amiserit.*
[341] *Exh. u.* 6, 36.
[342] Cf. F. BOURASSA, *Excellence de la virginité. Arguments patristiques,* in «Sc. Eccl.», 5 (1953), pp. 29-41.

*anche per la vecchia obiezione, secondo cui la verginità farebbe regredire il genere umano. Ambrogio, che aveva forte il senso di appartenenza alla romanità, percepiva piú di altri che l'obiezione era grave, perché il regresso del genere umano avrebbe avuto come conseguenza diretta la crisi dell'Impero romano. Ma il pericolo non esiste, perché il nostro Autore crede di poter sostenere che ove piú praticata è la verginità, piú numerosa è la popolazione. E perché nessuno dubiti del suo attaccamento alla romanità, afferma che una vergine partorí colui che rigenerò il mondo romano, in sostanza il genere umano* [343].

## 2.9. Verginità feconda

*La vergine feconda per eccellenza è Maria, madre di Cristo, la quale è tipo della fecondità verginale della Chiesa* [344]. *Alla Chiesa è riferita la profezia di Is 54, 1: è la Chiesa, vergine sposa* [345], *o vedova di Cristo, la donna che partorisce una moltitudine di figli* [346].

*Ma anche le vergini cristiane rinunciano alla generazione naturale per la maternità spirituale. Tale fecondità non è esclusiva dei vergini, è in genere dell'anima cristiana* [347], *ma la tipologia di Maria ha nei vergini un piú ovvio termine di riferimento* [348]*: in* inst. u. *14, 91 - 15, 93 è delineato un parallelismo per il quale il* lilium conuallium *di Cant 2, 1, cioè Cristo, può germogliare nel grembo di Maria come in ogni vergine cristiana, e in* inst. u. *17, 109, nella preghiera di benedizione per la consacrazione di Ambrosia, l'analogia fra la maternità di Maria e quella delle vergini cristiane risulta completa. La fecondità di queste va poi correlata con la fecondità verginale della Chiesa* [349].

*Ambrogio paragona la vergine alla casta ape virgiliana che non conosce accoppiamenti, ma raccoglie con la bocca la prole dalle erbe. Cosí la vergine, senza violare l'integrità della propria natura, genera con le labbra una parola piena di dolcezza, genera la parola divina che è scesa in lei come rugiada celeste* [350], *la rugiada del Verbo di Dio* [351].

[343] *Virgt.* 7, 36.

[344] *Exp. Luc.* 2, 7 (CCL 14, p. 33) *bene desponsata, sed uirgo, quia est ecclesiae typus, quae est immaculata, sed nupta. Concepit nos uirgo de spiritu, parit nos uirgo sine gemitu.*

[345] *Virgb.* 1, 5, 22; 1, 6, 31; *exh. u.* 5, 28; 10, 67. Sul simbolismo nuziale applicato a Cristo e alla Chiesa vergine e sul rapporto Maria-Chiesa si veda A. MÜLLER, *Ecclesia-Maria. Die Einheit Marias und der Kirche,* Freiburg (Schw.) 1955, pp. 170-180.

[346] *Vid.* 3, 15-16; *uirgb.* 1, 6, 31; *uirgt.* 14, 91; *exp. Luc.* 2, 67 (CCL 14, p. 59); 3, 23 (p. 88) *uidua sterilis quae uiro parere non norit absente — uenit uir et hunc populum plebemque generauit — uirgo fecunda, quae hanc genuit multitudinem cum fructu amoris, sine usu libidinis.*

[347] *Virgt.* 4, 20 *est enim anima quae spiritaliter parit Christum.*

[348] *Exp. Luc.* 10, 25 (CCL 14, p. 353) *multi partus per euangelium et multae matres, quae Christum pariunt.*

[349] *Virgb.* 1, 6, 30-31.

[350] *Virgb.* 1, 8, 40.41.

[351] *Vid.* 3, 18-19.

## 2.10. La Vergine Maria

*Già nel secondo libro del* De uirginibus *Ambrogio, seguendo la traccia di Atanasio, propone all'imitazione delle vergini l'esempio di Maria* [352]. *Nel* De institutione uirginis *un'ampia sezione (5, 12 - 9, 62) è dedicata al tema mariano.*

*L'abbiamo visto, la verginità di Maria è in funzione dell'Incarnazione di Cristo. Il Figlio di Dio non poteva altrimenti nascere uomo che da una vergine. In tal modo Cristo è nato immacolato. E senza la sua immacolatezza non poteva esserci salvezza per l'uomo. Colui che per la nascita verginale fu esente da contaminazione, poté portare la salvezza a coloro che erano soggetti a tale condizione. Colui che nacque libero poté portare aiuto ai prigionieri* [353]. *Ecco la ragione per la quale il Verbo di Dio scelse di essere generato da una vergine. E l'evento ebbe già di per sé una specifica rilevanza soterica, come momento fondamentale del riscatto del sesso femminile:* Quantum proficit sexus qui Christum, salua tamen uirginitate, generauit! [354].

*Ma vi è un valore piú strettamente teologico della nascita verginale di Cristo, che a piú riprese viene sottolineato, soprattutto nel* De fide [355]. *A Milano, ove Ambrogio era succeduto al vescovo filoariano Aussenzio, quel partito era ancora consistente. Uno degli argomenti su cui gli ariani poggiavano il loro subordinazionismo era la generazione divina del Figlio: colui che è generato non può che essere inferiore al Padre che lo ha generato. Ambrogio ribatte che tale ragionamento si basa su una concezione umana della generazione e che non si può applicare all'ambito divino l'analogia della generazione secondo natura; tanto piú che nemmeno il corpo di Cristo è stato concepito e generato alla maniera naturale, ma è nato da una vergine* [356]. *È la generazione verginale — non naturale —*

[352] Il raffronto dei passi mariologici del *De uirginibus* con i corrispondenti dell'*Epistola alle vergini* di Atanasio è condotto da DUVAL, *Originalité du «De uirginibus»*, pp. 43-48; cf. anche L. DOSSI, *S. Ambrogio e S. Atanasio nel «De uirginibus»*, in «Acme», 4 (1951), pp. 251-253. Ma il primo e piú dettagliato confronto era stato proposto in una dissertazione inedita da A. SPANN, *Essai sur la théologie mariale de Saint-Ambroise*, Lyon 1931, pp. 107-115.

[353] Per illustrare questo concetto, D'IZARNY, *La virginité*, pp. 65 s., note 3 e 4, cita due interessanti passi: *Noe* 3, 7b (CSEL 32, 1, p. 417) *per unum igitur dominum Iesum salus uentura nationibus declaratur, qui solus non potuit iustus esse, cum generatio omnis erraret, nisi natus ex uirgine generationis obnoxiae priuilegio minime teneretur*; *exp. ps. 118* 6, 22 (CSEL 62, p. 119) *omnes retibus tenebamur, nullus alium eruere poterat cum se ipsum non posset exuere. Talis ergo necessarius fuit, quem uincula generationis humanae delictis obnoxia non tenerent, non cepisset auaritia, non ligasset dolus. Is solus erat Iesus, qui cum huius carnis se circumdedisset uinculis, captus non erat, non erat alligatus.*

[354] *Inst. u.* 5, 33.

[355] Sul significato teologico della verginità di Maria in Ambrogio si veda SPANN, *Essai sur la théologie*, pp. 9-22; J. HUHN, *Das Geheimnis der Jungfrau-Mutter Maria nach dem Kirchenvater Ambrosius*, Würzburg 1954, pp. 37-94; NEUMANN, *The Virgin Mary*, pp. 73 ss.

[356] *Fid.* 1, 12, 78 (CSEL 78, p. 34) *si igitur in uirgine usus defuit generationis humanae, quemadmodum in deo patre propriae generationis usum requiris?*

*di Gesú che ha una certa analogia con quella eterna del Figlio*[357]*: come ogni atteggiamento umano di Gesú trova corrispondenza nella sua divinità, cosí la nascita verginale è segno della sua generazione divina*[358]*. Contro i Giudei, che pure negavano la divinità di Gesú, dà di Is 7, 14 un'interpretazione cristologica, secondo la quale il concepimento verginale di Gesú è prova della sua divinità*[359].

*Dunque, sia per sottolineare il valore soterico dell'Incarnazione verginale che per metterne in evidenza quello teologico, Ambrogio si appella spesso alla verginità* ante partum *di Maria. Del resto questo punto, di prevalente interesse dogmatico rispetto alla verginità* in partu *e* post partum, *apparteneva da sempre alla dottrina ortodossa della Chiesa*[360] *che lo aveva attinto direttamente dalla Scrittura.*

*Se il concepimento verginale di Cristo non è mai stato in discussione, la sua nascita verginale, invece, è stata chiaramente affermata solo nella seconda metà del IV secolo.*

*Omettiamo qui di riferire una lunga serie di testi anteriori al IV secolo, riguardanti l'evoluzione della dottrina sulla verginità* in partu, *per i quali rinviamo allo studio di Neumann*[361]*. Ricordiamo invece Zenone di Verona, l'autore di quelle che sembrano essere le prime attestazioni esplicite, nella Chiesa, del parto verginale di Maria*[362]*, le sole anteriori ad Ambrogio, se consideriamo a parte un interessante passo di Clemente Alessandrino, che contiene la prima testimonianza dell'esistenza tra gli apocrifi di sostenitori del parto prodigioso di Maria*[363].

### 2.10.1. Gioviniano

*Negli ultimi decenni del IV secolo, la controversia intorno alla dottrina di Gioviniano offre l'occasione per dibattere il tema della verginità* in partu. *Gioviniano, che la negava, fu condannato all'ini-*

[357] *Ibid.*, 1, 12, 78 (p. 33) *non sola admirabilis ex patre generatio Christi, admirabilis etiam ipsa generatio eius ex uirgine.*

[358] *Ibid.*, 5, 4, 54 (p. 237) *multa ergo secundum incarnationis legimus et credimus sacramentum, sed in ipsa naturae humanae adfectione maiestatem licet spectare diuinam. Fatigatur «ex itinere Iesus», ut reficiat fatigatos, petit bibere daturus, esurit cibum salutis esurientibus traditurus, moritur uiuificaturus, sepelitur resurrecturus... creatur ex uirgine, ut ex deo natus esse credatur*; cf. anche *uirgb.* 3, 1, 2.

[359] *Exp. Luc.* 2, 78 (CCL 14, p. 65, 1055 ss.) *quem per mulierem uenturum putabant (Iudaei) per uirginem uenisse non credunt. Quae deo secundum carnem dignior generatio quam ut immaculatus dei filius immaculatae generationis seruaret etiam in suscipiendo corpore puritatem? Et utique diuini aduentus signum in uirginis partu, non in mulieris constitutum est.*

[360] Basti ricordare il Simbolo Apostolico, come fa lo stesso Ambrogio in *epist. ex. c.* 15, 5 (CSEL 82, 3, p. 305).

[361] Neumann, *The Virgin Mary*, pp. 105-138; cf. anche J.A. De Aldama, *La virginidad in partu en la exegesis patristica*, in «Salmaticensis», 9 (1962), pp. 113 ss.

[362] Zenone di Verona, *tract.* 1, 54, 5 (CCL 22, p. 129) *Maria uirgo incorrupta concepit, post conceptum uirgo peperit, post partum uirgo permansit*; cf. anche 2, 7, 4 (pp. 171 s.). Duval, *Originalité du «De uirginibus»*, pp. 61 ss. indica anche interessanti corrispondenze fra Zenone e il *De uirginibus* di Ambrogio.

[363] Clemente Alessandrino, *strom.* 7, 93, 7 (GCS 17, p. 66, 20-25).

*zio del 393 da un sinodo romano riunito da papa Siricio, e la sanzione fu ribadita poco piú tardi, nel medesimo anno, da un sinodo milanese presieduto da Ambrogio* [364], *il cui documento ufficiale è l'*epist. ex. c. *15 (42 Maur.). Nelle opere di cui qui ci occupiamo direttamente, la questione suscitata da Gioviniano è toccata marginalmente* [365].

### 2.10.2. Bonoso

*Invece il nostro Autore si occupa piú estesamente della questione della verginità perpetua di Maria, che solo in parte coincide con la precedente, e dedica all'argomento parecchi paragrafi del* De institutione uirginis *(5, 32 - 8, 57), tramandatoci anche con il titolo* De Mariae uirginitate perpetua. *Lo scopo della trattazione è quello di ribattere la posizione di Bonoso, vescovo di Naisso (in Iugoslavia), il quale negava la verginità perpetua di Maria attribuendole altri figli, oltre Gesú. Di lui si occupò il sinodo di Capua (inverno 391-392), il quale deferí la questione ai vescovi dell'Illiria, che condannarono Bonoso come eretico* [366].

*Possiamo desumere le argomentazioni di Bonoso contro la verginità perpetua di Maria dalle repliche di Ambrogio. Si tratta di argomentazioni basate sulla Scrittura.*

*La prima obiezione è costituita dalla parola* mulier [367] *(Io 2, 4; Gal 4, 4) che si addice ad una donna non vergine. In effetti l'obiezione era vecchia e doveva sembrare seria, se la troviamo discussa in Tertulliano* [368], *Mario Vittorino* [369], *Girolamo* [370], *piú volte in Agostino* [371]. *La replica di Ambrogio ricorda quella di Tertulliano:* mulier, *nell'uso volgare, indica semplicemente il sesso, non la condizione della donna; del resto anche Eva, appena creata e prima che si fosse unita all'uomo, è chiamata* mulier *nella Genesi.*

*La seconda obiezione prende spunto da Mt 1, 18 (*antequam conuenirent inuenta est in utero habens [372]*). Per comprendere il senso della difficoltà si deve tener conto che l'obiettore, e anche Ambrogio, intendevano in* conuenire, *detto di un uomo e una donna*

[364] Alla polemica prese parte attiva anche Girolamo con l'*Aduersus Iouinianum*.

[365] *Virgt.* 11, 65 *uirgo concepit, uirgo peperit bonum odorem*. Ambrogio dipende in questo luogo da Ippolito (cf. la mia nota *ad loc.*), ma non per l'affermazione del parto verginale; cf. anche *inst. u.* 8, 52.55.

[366] Queste notizie ci sono trasmesse dall'*epist.* 71 (CSEL 82, 3, pp. 7-10), la cui attribuzione ad Ambrogio pare ormai dimostrata. Tale lettera sarebbe stata scritta da Ambrogio a nome del sinodo di Milano del 393, che contro Gioviniano affermò la verginità perpetua di Maria.

[367] *Inst. u.* 5, 36.

[368] TERTULLIANO, *uirg. uel.* 6, 1-2 (CCL 2, p. 1215).

[369] MARIO VITTORINO, *in Gal.* 4, 4 (CSEL 83, 2, p. 140, 65 ss.).

[370] Per Tertulliano e Girolamo si vedano i riferimenti e le osservazioni in NEUMANN, *The Virgin Mary*, p. 238.

[371] AGOSTINO, *in Gal.* 4, 4 (CSEL 84, p. 95, 23); ID., *loc. hept.* 4, 93 (CCL 33, p. 441). Inoltre cf. ANONIMO, *Gal.* 14A-015, ed. H.J. FREDE, *Ein neuer Paulustext und Kommentar* 2, Freiburg 1974.

[372] *Inst. u.* 5, 37. Su cui cf. HUHN, *Das Geheimnis*, pp. 196 ss.; NEUMANN, *The Virgin Mary*, pp. 240 ss.

*in procinto di sposarsi, sia il matrimonio che i relativi rapporti coniugali.* Antequam conuenirent *indica un tempo cui ci si attende che segua l'azione espressa dal verbo. Ambrogio risponde che la Scrittura usa esprimere solo quello che esplicitamente dice; perciò non è lecito dedurre dall'espressione che in seguito Maria e Giuseppe sono diventati marito e moglie. Infatti, per il vescovo milanese sarebbe impossibile difendere la verginità di Maria, una volta ammesso il suo effettivo matrimonio con Giuseppe: perciò egli giunge a sostenere che il loro matrimonio era fittizio.*

*La terza obiezione, data da Mt 1, 25 (*non cognouit eam donec peperit filium [373]*), è analoga alla precedente ed è allo stesso modo ribattuta.*

*La quarta è in Mt 1, 19 (*noluit eam traducere [374]*): Giuseppe non credette alla verginità di Maria, se pensò anche solo per un istante alla possibilità di denunciarla. Ma — replica Ambrogio — come poteva Giuseppe comprendere il grande mistero compiutosi in Maria, se nemmeno gli angeli potevano capire cose tanto grandi?*

*La quinta obiezione è costituita da Mt 1, 24 (*accepit coniugem suam [375]*). Abbiamo detto perché Ambrogio non è disposto ad ammettere che Maria era effettivamente sposata a Giuseppe; ma di fronte a questo testo esplicito accetta di ricorrere alla distinzione giuridica — che doveva sembrargli sottile — fra matrimonio legalmente valido e consumazione del matrimonio.*

*Da ultimo il nostro Autore scioglie la difficoltà dei* fratres domini [376]*, sostenendo che la parola «fratelli» nel Vangelo non è usata in senso proprio e, perciò, non indica necessariamente una parentela di sangue. Ambrogio non esclude un'altra ipotesi, che i «fratelli» di Gesú fossero figli di Giuseppe avuti da un precedente matrimonio.*

### 2.10.3. Gli argomenti a favore della verginità perpetua di Maria

*Fin qui le repliche alle obiezioni. Ma Ambrogio si preoccupa anche di esporre gli argomenti su cui si fonda la verginità perpetua di Maria. Sia gli argomenti di ragione che scritturistici.*

*La dimostrazione della ragionevolezza della verginità ci richiama a quanto sopra abbiamo detto del corpo immacolato di Cristo e della contaminazione provocata dai rapporti sessuali [377]. Uno dei punti fermi della dottrina ambrosiana sull'Incarnazione è che Cristo ha scelto la vergine da cui nascere come uomo: ebbene egli scelse non una vergine qualsiasi che concepisse verginalmente il suo corpo,*

[373] *Inst. u.* 5, 38. Cf. HUHN, *Das Geheimnis*, pp. 198 ss.; NEUMANN, *The Virgin Mary*, pp. 244 ss.

[374] *Inst. u.* 5, 39-40. Cf. HUHN, *Das Geheimnis*, pp. 198 ss.; NEUMANN, *The Virgin Mary*, pp. 248 ss.

[375] *Inst. u.* 6, 41-42. Cf. HUHN, *Das Geheimnis*, p. 200; NEUMANN, *The Virgin Mary*, pp. 200 ss.

[376] *Inst. u.* 6, 43. Cf. HUHN, *Das Geheimnis*, pp. 200 ss.; NEUMANN, *The Virgin Mary*, pp. 252 ss.

[377] Cf. sopra nr. 2.2 e 2.8.

*ma una vergine tanto virtuosa da conservare per sempre immacolato il grembo ove aveva dimorato il Signore* [378]. *È impensabile che sia stata contaminata da rapporti carnali colei che è la* species castitatis, *la* forma uirtutis [379], imago uirginitatis [380], signum uirginitatis, uexillum integritatis [381], exemplum integritatis [382], magistra uirginitatis [383], sacrarium immaculatae castitatis [384], templum dei, caelestis aula [385]. *Troppo grande è la distanza fra Dio e l'uomo perché Maria possa aver portato nel grembo l'uno e l'altro* [386].

*Gli argomenti scritturistici sono essenzialmente fondati su due passi del N.T. e dell'A.T., che noi esamineremo nell'ordine inverso. Secondo Ambrogio, la visione di Ez 44, 2* [387] *(*porta haec clausa erit et non aperietur et nemo transibit per eam, quoniam dominus deus Israel transibit per eam*) è profezia della verginità perpetua di Maria. La porta chiusa è Maria, attraverso la quale Cristo, e nessun altro, è potuto venire nel mondo, senza violare i* signacula integritatis. *Questa interpretazione del passo profetico è nota anche a Girolamo, che probabilmente l'ha letta nelle sue fonti greche* [388]. *Secondo Huhn, Ambrogio potrebbe averla attinta da un'omelia di Anfilochio di Iconio* [389].

*Nel N.T. la prova della verginità* post partum *di Maria è in Io 19, 26-27* [390], *ove si narra che Gesú sul Calvario affidò Maria a Giovanni. Intanto il coraggio dimostrato da Maria in quella circostanza di grande pericolo è testimonianza della fermezza della virtú, per la quale poté conservarsi sempre vergine. Inoltre è opinione di Ambrogio che, al momento in cui si svolgevano i fatti del Calvario, Giuseppe fosse ancora in vita e che Maria abbia potuto lasciarlo per essere affidata a Giovanni, perché il loro non era un matrimonio vero e proprio, ma aveva avuto solo lo scopo di dare copertura al mistero del parto verginale di Maria. Un matrimonio apparente, o imperfetto, dunque, che al momento della crocifissione aveva esaurito il suo compito* [391]. *L'affidamento di Maria a Giovanni è prova della verginità di lei, perché svela che il suo matrimonio non era reale* [392].

[378] *Inst. u.* 6, 44. Il medesimo ragionamento, quasi letteralmente corrispondente, nell'*Epistola de Bonoso*: *epist.* 71, 3 (CSEL 82, 3, pp. 8 s.).

[379] *Virgb.* 2, 2, 6.

[380] *Ibid.*, 2, 2, 15.

[381] *Inst. u.* 5, 35.

[382] *Ibid.*, 6, 44.

[383] *Ibid.*, 6, 45.

[384] *Ibid.*, 17, 105.

[385] *Ibid.*, 6, 44; 17, 105.

[386] *Ibid.*, 6, 45 *nec fieri potuerat ut quae deum portauerat portandum hominem arbitraretur.*

[387] *Ibid.*, 8, 52-57.

[388] Girolamo, *In Ez.* 13, 44, 2 (CCL 75, p. 646, 1205 ss.).

[389] Anfilochio di Iconio, *orat.* 1, 3 (PG 39, 49 A-B). Sulla storia dell'esegesi mariologica di Ez 44, 1-3 si veda K. Harmuth, *Die verschlossene Pforte. Eine Untersuchung zu Ez 44, 1-3*, Breslau 1933, pp. 53-71.

[390] *Inst. u.* 7, 47-50.

[391] Cf. *exp. Luc.* 10, 133 (CCL 14, p. 384); *hymn.* 3 (PL 16, 1473).

[392] Sul matrimonio di Maria si veda Huhn, *Das Geheimnis*, pp. 221-237; cf. anche *ibid.*, pp. 203 ss.; Neumann, *The Virgin Mary*, pp. 261 ss.

*È stato A. Spann, nella sua tesi inedita* [393], *che dettagliatamente ha indicato, per primo, la corrispondenza fra l'esegesi ambrosiana di Io 19, 26-27 contenuta in* inst. u. *7, 46-48 e un passo dell'*Epistola alle vergini *di Atanasio* [394]. *Ho esaminato il dattiloscritto dello Spann, che pone a confronto cinque passi di Ambrogio con altrettante espressioni di Atanasio e ne ho ricavato la convinzione che è certamente notevole il fatto che i due autori antichi utilizzino Gv 19, 26-27 come testimonianza favorevole alla verginità* post partum *di Maria* [395]. *Oltre tale coincidenza, i due scritti, di Ambrogio e di Atanasio, paiono corrispondersi quanto alla convinzione che Giuseppe, supposto sposo di Maria, fosse ancora vivo quando ella fu affidata a Giovanni. Leggiamo in Atanasio: «Elle n'aurait [pas abandonné les siens] pour choisir des étrangers et demeurer avec eux, sachant que c'est une chose inconvenant d'abandonner son mari et ses enfants»* [396]. *Gli altri parallelismi indicati dallo Spann non sono sorretti da precisi riscontri. Poco significativa è anche la corrispondenza sottolineata dallo studioso fra l'espressione ambrosiana,* testis est filius dei [397] *e quella atanasiana, «le Sauveur nous apprend»* [398], *perché, almeno per Ambrogio, si tratta di una delle formule usuali per introdurre le parole di Gesú. Sappiamo che Ambrogio aveva utilizzato, diversi anni addietro, l'opera di Atanasio come fonte per il* De uirginibus *— nel quale, peraltro, non vi sono tracce della pagina atanasiana qui presa in esame —; è probabile perciò che sia stato influenzato da una reminiscenza che aveva già improntato di sé alcuni luoghi di* exp. Luc. *e* epist. *71* [399].

## 3. Le opere

### 3.1. *De uirginibus*

*Il* De uirginibus *è il primo scritto di Ambrogio sulla verginità e molto probabilmente il primo in assoluto, se per il* De excessu fratris *si accetta la data del 378* [400]. *L'opera stessa ci fornisce indica-*

[393] SPANN, *Essai sur la théologie mariale*, p. 106, le cui indicazioni sono state riprese da DUVAL, *L'originalité du «De uirginibus»*, pp. 58 s.

[394] Il passo di Atanasio, secondo l'edizione da me seguita, è CSCO 151, p. 59.

[395] Anche HUHN, *Das Geheimnis*, p. 207 e DE ALDAMA, *La carta ambrosiana «De Bonoso»*, p. 9, suppongono, senza aver conosciuto il dattiloscritto dello Spann, che l'interpretazione ambrosiana di Gv 19, 26-27 derivi da Atanasio, da cui l'hanno attinta verosimilmente anche altri autori latini e greci (cf. HUHN, *Das Geheimnis*, pp. 206 ss.).

[396] ATANASIO, *epist. ad uirg.*, CSCO 151, p. 59.

[397] *Inst. u.* 7, 46 (inizio).

[398] ATANASIO, *epist. ad uirg.*, CSCO 151, p. 59 (= p. 86 del manoscritto copto, Paris, B.N. 131 [2] = «Le Muséon», 42 [1929], p. 243: quest'ultima è l'edizione usata dallo Spann).

[399] Si vedano i riferimenti nelle mie note a *inst. u.* 7, 46-48.

[400] In effetti, per quanto convenzionale possa essere l'insistenza di Ambrogio, nel proemio, sulla propria impreparazione di scrittore principiante, risulta proble-

zioni cronologiche: nel secondo libro Ambrogio dice che non erano ancora trascorsi tre anni dalla sua consacrazione episcopale (nondum triennalis sacerdos[401]). In passato però la data tradizionale della consacrazione episcopale (7 dicembre 374) è stata messa in discussione dal Campenhausen e dal Palanque[402]. Noi seguiamo le conclusioni del Faller che ha dimostrato che «è storicamente certo»[403] che Ambrogio è stato consacrato il 7 dicembre 374. Il terminus ante quem è dunque il 7 dicembre 377, mentre come terminus a quo si suole indicare il 21 gennaio del medesimo anno[404], perché nel primo libro si parla della coincidenza con la festa di santa Agnese (hodie natalis est uirginis[405]), che sappiamo che era celebrata il 21 gennaio. Ma, bisogna osservare, è piú probabile che quella sia la data della predica tenuta in occasione della festa della martire e che la redazione scritta sia successiva: in riferimento a questa, Ambrogio in uirgb. 1, 1, 3 dice che sono trascorsi tre anni (post triennium) dalla consacrazione episcopale, mentre l'analoga suddetta indicazione cronologica del secondo libro (nondum triennalis sacerdos), si riferisce verosimilmente al momento orale di quel sermone.

Il De uirginibus ci si presenta come opera scritta, frutto di elaborata composizione. E non solo per le reiterate dichiarazioni dell'Autore nel proemio[406], ma perché, a differenza di altre opere ambrosiane che raccolgono sermoni, questa è caratterizzata nel suo insieme da una notevole unitaria compattezza. Se poi la si analizza, la si trova assai elaborata sotto l'aspetto stilistico e retorico: frutto evidentemente della cura di un buon compositore, qual è Ambrogio[407]. Egli ha rifinito questo suo lavoro con grande impegno, sorretto da una buona preparazione letteraria e stimolato dalla consapevolezza della propria inesperienza.

Le insistite dichiarazioni di umiltà nel proemio riflettono non soltanto il topos della captatio beneuolentiae all'inizio di un'opera, ma anche la reale titubanza di chi, per la prima volta, scrive un libro.

Un libro scritto, dunque, ma nel quale è stato rifuso un precedente materiale oratorio. Il Faller ha cercato le tracce dei sermoni o dei frammenti di sermoni, credendo anche di poter identificare il

matico ammettere che prima del *De uirginibus* egli avesse pubblicato le orazioni funebri in morte del fratello Satiro. In particolare *uirgb.* 1, 1, 2 (*ego quoque muta diu ora laxabo*) sembra escludere tale ipotesi. Questa è anche l'opinione di O. FALLER, CSEL 73 (Vienna 1955), p. 84*, nota 130.

[401] *Virgb.* 2, 6, 39.

[402] H. VON CAMPENHAUSEN, *Ambrosius von Mailand als Kirchenpolitiker*, Berlin-Leipzig 1929, p. 92; J.-R. PALANQUE, *Saint Ambroise et l'Empire Romain*, Paris 1933, pp. 484 ss.

[403] O. FALLER, *La data della consacrazione vescovile di sant'Ambrogio*, in *Ambrosiana*. Scritti di storia, archeologia ed arte pubblicati nel XVI centenario della nascita di sant'Ambrogio CCCXL-MCMXL, Milano 1942, p. 110.

[404] O. FALLER, *S. Ambrosii De uirginibus*, Bonnae 1933, *Praefatio*, p. 8.

[405] *Virgb.* 1, 2, 5.

[406] *Virgb.* 1, 1, 1 (*scribendi aliquid sententia fuit*); 1, 1, 4 (*scribere audeo*); 1, 2, 5 (*liber sumat exordium*); 2, 1, 1; 3, 1, 1.

[407] Cf. I. CAZZANIGA, *Note ambrosiane. Appunti intorno allo stile delle omelie verginali*, Milano-Varese 1948.

*tipo di uditorio cui erano stati rivolti. Riteniamo che tale analisi meriti considerazione*[408], *ma vada accolta con cautela*[409], *perché è veramente arduo identificare le parti preesistenti in un tutto ben amalgamato.*

*L'opera risulta strutturata in tre parti, secondo uno schema che Ambrogio doveva aver appreso nella scuola:*

— *libro primo:* laudatio[410];

— *libro secondo:* exempla[411];

— *libro terzo:* praecepta[412].

*L'elogio della verginità, nel primo libro, inizia con la narrazione della* passio *di Agnese (1, 2); si precisa, poi, che la verginità ha natura angelica e origine divina (1, 3); che è virtú prettamente cristiana e non esistono esempi degni di considerazione al di fuori del cristianesimo (1, 4); che la patria della verginità è il cielo e lo sposo della vergine è Cristo (1, 5). I successivi argomenti sono: confronto fra verginità e matrimonio (1, 6); superiorità della verginità sul matrimonio (1, 7); eccellenza della verginità (1, 8); libertà della verginità (1, 9); replica ai genitori che si oppongono alla consacrazione delle figlie (1, 10); come si vince la resistenza dei genitori (1, 11).*

*Il secondo libro propone gli* exempla. *Il primo è quello della Vergine Maria (2, 2); poi l'esempio di Tecla, vergine e martire (2, 3); di un'anonima vergine antiochena, che gareggia con un soldato per conquistare la corona del martirio (2, 4); gli esempi non cristiani di virtú di fronte alla morte (2, 5); il simbolismo nuziale del Cantico dei Cantici riferito alla verginità (2, 6).*

*I precetti del terzo libro riguardano la temperanza nell'uso del vino e del cibo (3, 2); la riservatezza e il silenzio (3, 3); il digiuno e la preghiera (3, 4); la penitenza e l'austerità degli atteggiamenti (3, 5). Si ricorda l'esempio di intemperanza e di lussuria dei persecutori di Giovanni Battista (3, 6); gli esempi di castità, difesa fino al suicidio, di Pelagia, Bernice, Prosdoce e Domnina (3, 7, 32-37); infine il ricordo della martire di famiglia, Sotere (3, 7, 38).*

*Della dipendenza del* De uirginibus *da Atanasio abbiamo già piú volte parlato, e nelle note* ad loc. *daremo dettagliatamente i*

[408] FALLER, ed. cit., pp. 6 s. I vari sermoni sarebbero: 1) 1, 2, 5-9: sermone su santa Agnese, rivolto ad un pubblico composto di *senes, iuuenes, pueri* (cf. 1, 2, 6); 2) 1, 3, 11 - 4, 19: sermone sulla verginità cristiana, di fronte al popolo; 3) 1, 5, 23 - 11, 66: confronto fra matrimonio e verginità, di fronte al popolo; 4) 2, 2, 6-18: sermone sulla Vergine Maria, modello delle vergini, rivolto ad un uditorio formato da vergini; 5) 2, 3, 19-21: frammento di sermone sul martirio di Tecla, per un uditorio di vergini; 6) 2, 4, 22 - 5, 33: sermone sulla vergine di Antiochia, rivolto alle vergini; 7) 3, 1, 1 - 4, 14: sermone di papa Liberio a Marcellina, rielaborato da Ambrogio; 8) 3, 6, 26-31: frammento di sermone sulla morte di Giovanni Battista, di fronte al popolo. Per quanto riguarda il punto 7), bisogna tener conto che il Faller non conosceva ancora che l'attribuzione del sermone a papa Liberio è una finzione dovuta all'influenza della fonte atanasiana: il che ci fa supporre che la stessa forma letteraria di discorso sia una finzione.

[409] Cf. DUVAL, *Originalité du «De uirginibus»*, p. 12.

[410] *Virgb.* 1, 2, 5 *ex praedicatione liber sumat exordium*; 1, 5, 20 *in laudationibus*; 1, 8, 52 *...laudem castitatis.*

[411] *Ibid.*, 2, 1, 2.

[412] *Ibid.*, 3, 1, 1.

*riferimenti. Resta da segnalare qualche dato sulla fortuna dell'opera.*

*Girolamo due volte parla del* De uirginibus *in termini elogiativi, adducendone la testimonianza a dimostrazione della superiorità della verginità rispetto al matrimonio*[413]*; Agostino cita* uirgb. *1, 6, 28 (contro il belletto delle donne) come* exemplum dictionis grandis[414] *e* uirgb. *2, 2, 7-8 (le virtú della Vergine Maria) come esempio di* genus dicendi temperatus et ornatus[415]. *Cassiano riprende un passo di 1, 8, 46*[416]. *Nel Medioevo l'opera è citata da Beda*[417], *utilizzata da Pascasio Radberto*[418], *abate di Corbie dall'845. Il ritratto della Vergine Maria di* uirgb. *2, 2, 6-12 è stato estrapolato ed è diventato un sermone* De natiuitate beatae Mariae *attribuito a Odilone di Cluny*[419]. *Il medesimo passo è citato, con omissioni, da san Bernardino da Siena*[420].

### 3.2. *De uiduis*

3.2.1. *Nel cristianesimo antico*[421] *il dilemma fra vedovanza e seconde nozze aveva una certa analogia con quello fra verginità e matrimonio. In fondo si trattava sempre di scegliere fra* ἐγκράτεια *o esercizio della sessualità nel matrimonio. Chi era fautore della tendenza rigorista, contro il matrimonio, lo era ancor di piú nei confronti delle seconde nozze. Chi difendeva il valore del matrimonio, concedeva, sull'autorità di Paolo (1 Cor 7, 39; 1 Tim 5, 14), le seconde nozze. Ma vi erano almeno due ragioni che inducevano i sostenitori della tendenza moderata — che era poi quella seguita dalla grande Chiesa — a sconsigliare decisamente le seconde nozze.*

*La prima ragione si fondava sul nesso tipologico stabilito da Paolo in Eph 5, 31-32 fra l'unione di Adamo ed Eva e l'unione di Cristo e della Chiesa: l'unico matrimonio dei progenitori prefigurava l'unione unica di Cristo con la Chiesa. Le nozze ripetute non possono realizzare il dettato di Gen 2, 24 «saranno due in una sola carne» né adeguarsi al* sacramentum magnum *dell'unione di Cristo con la Chiesa*[422].

*Coerente con la prima è la seconda ragione che induceva al giudizio severo nei confronti di coloro che si risposavano. Dal concetto di unità e indissolubilità del matrimonio discendeva la*

[413] GIROLAMO, *epist.* 22, 22 (LABOURT 1, p. 133, 22-27) *lege... Ambrosii nostri quae nuper ad sororem scripsit opuscula*; 49, 14 (2, p. 139, 22 ss.).

[414] AGOSTINO, *doctr. chr.*, 4, 132 (CSEL 80, p. 159, 3-19).

[415] *Ibid.*, 4, 129 (p. 157, 5-27).

[416] CASSIANO, *c. Nest.* 7, 25 (CSEL 17, p. 38, 18-23).

[417] BEDA, *in Gen.* 1, 3, 7 (CCL 118A, p. 62, 1991 ss.) cita un passo di *uirgb.* 1, 1, 3.

[418] Si vedano i riferimenti nelle note a *uirgb.* 1, 3, 11; 1, 8, 45; 1, 8, 53; 2, 2, 6.7.15.

[419] PL 142, 1029D-1031A.

[420] *Opera omnia* 2, Firenze 1950, pp. 383, 28 - 384, 6.

[421] Sulla professione della vedovanza e sulla questione delle seconde nozze nel cristianesimo antico rinviamo al recente studio di A.V. NAZZARO, *La vedovanza nel cristianesimo antico*, in «Annali della Facoltà di Lett. e Filos. Univ. di Napoli», n.s., 14 (1983-1984), pp. 1-30 dell'estratto.

[422] Cf. *uid.* 15, 89.

*convinzione che la morte di uno dei coniugi non sciogliesse il superstite dall'obbligo della fedeltà al vincolo matrimoniale.*

*Ambrogio condivide questa opinione e perciò non vede con favore le seconde nozze. L'ideale che propone nell'*Esamerone *è quello della tortora che* iterare coniunctionem recusat nec pudoris iura aut complaciti uiri resoluit foedera[423]. *Quello della tortora, secondo Ambrogio, è anche l'ideale proposto da Paolo, che tuttavia non ha osato sancire un divieto in senso stretto*[424]. *Le seconde nozze sono permesse, ma sconsigliate. Questa è anche la posizione del nostro Autore nel* De uiduis[425].

*Nell'*Esamerone *egli afferma la perpetuità del vincolo matrimoniale anche oltre la morte del coniuge*[426]. *In* uid. *1, 1 l'affermazione dell'esistenza di una* fides *della vedova verso il marito defunto attesta la medesima convinzione. «È evidente che il vescovo, pur senza tirare le dovute conseguenze, riconosce che il contratto matrimoniale crea un dovere di* fides *e stabilisce le linee di un* foedus, *che non scompare con la morte di uno dei due contraenti»*[427]. *Ne deriva la non lieve difficoltà di conciliare tale convinzione con la liceità delle seconde nozze. Si può cercare di ovviare alla contraddizione introducendo una distinzione fra la* fides *intesa come obbligo giuridico, valido solo fra i coniugi viventi, e la* fides *come consiglio rivolto alle vedove che tendono alla perfezione cristiana. Ambrogio sembra voler insinuare questo chiarimento nel paragrafo successivo (*uid. *1, 2), sviluppato poi in* uid. *12, 72-74. Ma il ricorso alla distinzione non libera del tutto il suo pensiero dall'impaccio, perché il rispetto della* fides, *anche solo sul piano morale, non era cosa che un vescovo, già magistrato romano, con convinzioni etiche rigorose, potesse relegare nell'ambito delle libere opzioni. È lecito chiedersi, allora, quale sia la ragione che lo ha indotto a chiamare in causa il concetto di* fides *— moralmente e giuridicamente tanto impegnativo —, senza attenuazioni e ripetutamente, in* exc. fr. *2, 13;* exam. *5, 19, 63;* epist. ex. c. *14 (63), 64;* expl. ps. 37 *25*[428]. *Si dirà, e giustamente, che l'idea della* fides *che mantiene il vincolo fra la vedova e il marito defunto era nella mentalità comune, e il nostro Autore la ritrovava nella memoria delle sue letture classiche*[429]. *Ma esiste anche un'altra spiegazione: Ambrogio ha derivato il concetto di* fides *dal passo biblico di 1 Tim 5, 9 ss. che aveva in mente ogni volta che toccava l'argomento della vedovanza. Ebbene, in 1 Tim 5, 12 leggia-*

[423] *Exam.* 5, 19, 62 (CSEL 32, 1, p. 187).

[424] *Ibid.*, 5, 19, 63 (pp. 187 s.).

[425] *Vid.* 11, 68 *quod tamen pro consilio dicimus, non praecepto imperamus, prouocantes potius uiduam quam ligantes. Neque enim prohibemus secundas nuptias, sed non suademus.*

[426] *Exam.* 5, 19, 62 (CSEL 32, 1, p. 187) *infidelis ad perpetuitatem fuit*: si parla del compagno morto della tortora.

[427] A.V. NAZZARO, *Il «De uiduis» di Ambrogio*, in «Vichiana», 13 (1984), p. 285.

[428] Cf. anche *off.* 2, 6, 27 (SAEMO 13, p. 198), ove la *fides* della vedova al marito defunto è consigliata al pari della verginità.

[429] In *uid.* 5, 31 è rievocata la vedova virgiliana di *Aen.* 8, 411 ss., che lavora giorno e notte per poter allevare i figli e conservare fedeltà al marito defunto.

*mo:* primam fidem irritam fecerunt (uiduae)[430]. *La corrispondenza con* exam. *5, 19, 63 ed* expl. ps. 37 *25 è evidente, ma penserei che l'allusione sia sicura anche negli altri tre luoghi:* exc. fr. *2, 13;* epist. ex. c. *14 (63), 64 e* uid. *1, 1 (purtroppo gli editori non registrano alcunché negli apparati delle fonti bibliche, ad eccezione del Petschenig per* expl. ps. 37 *25). Ambrogio, dunque, fraintendendo, ha visto in* primam fidem, *del testo dell'epistola, espressa la fedeltà che lega la vedova al marito defunto e, perciò, non ha potuto esimersi dal prendere in considerazione un'affermazione cosí grave dell'Apostolo, anche se doveva sembrargli non coerente con il successivo versetto 5, 14 della medesima epistola e con 1 Cor 7, 39, ove le seconde nozze sono ammesse senza obiezioni di carattere morale.*

*In realtà con* prima fides *l'autore di 1 Tim 5, 12 non si riferisce alla fedeltà delle vedove verso il marito defunto, ma all'impegno di fedeltà che esse assumono nei confronti di Cristo e della Chiesa al momento della professione di vedovanza: tale* fides *violano (*irritam fecerunt*) le vedove che poi decidono di risposarsi*[431].

*Possiamo credere che il fraintendimento abbia pesato non poco sull'atteggiamento di Ambrogio verso le seconde nozze, tenuto anche conto della grande autorevolezza che egli attribuiva all'apostolo per eccellenza*[432].

3.2.2. *Quanto alla datazione, gli studiosi sono ormai orientati ad accettare l'anno 377 inoltrato*[433]. *Il* De uiduis *verosimilmente fece seguito, a breve distanza, o comunque senza intermezzo di altre opere, al* De uirginibus, *come lo stesso Ambrogio lascia supporre nel proemio*[434].

*Lo scritto conserva chiari i segni della sua origine oratoria. Il Palanque vi ha visto una sola omelia*[435]. *Ma la lunghezza del testo sembra eccessiva per un solo sermone e inoltre è stato giustamente notato*[436] *che il paragrafo 9, 52 è punto di congiunzione fra due sezioni dalle caratteristiche abbastanza distinte. Perciò è da considerare con favore l'ipotesi del Nazzaro, che il* De uiduis *possa essere composto da due sermoni*[437].

*Nel proemio (1, 1-6) è delineato il parallelismo fra verginità e vedovanza. Il trattato del* De uiduis *viene a completare quello del* De uirginibus*: la virtú della vedovanza non è da meno di quella*

[430] Cito dall'ediz. di H.J. FREDE, *Vetus Latina* 25, *ad loc.*, da cui risulta che in Ambrogio non compare mai la citazione vera e propria del versetto.

[431] Aveva inteso bene TERTULLIANO, *monog.* 13, 1 (CCL 2, p. 1248) *habentes iudicium quod primam fidem resciderunt, illam uidelicet a qua in uiduitate iuuentae et professae eam non perseuerant.*

[432] Sull'autorità di Paolo si veda L.F. PIZZOLATO, *La dottrina esegetica di sant'Ambrogio*, Milano 1978, pp. 154 ss.

[433] Cf. da ultimo NAZZARO, *Il «De uiduis»*, p. 276.

[434] *Vid.* 1, 1 *ut quoniam tribus libris superioribus de uirginum laudibus disseruimus, uiduarum tractatus incideret.*

[435] PALANQUE, *Saint Ambroise*, p. 456.

[436] NAZZARO, *Il «De uiduis»*, p. 282, nota 47.

[437] *Ibid.*, p. 282. Tuttavia sulla difficoltà di individuare il punto di congiunzione dei due sermoni si vedano le mie note al testo 111 e 135.

*della verginità. Nella vedova di Sarepta* [438] *è indicato il primo esempio biblico di vedovanza; su questo personaggio Ambrogio tornerà piú oltre (3, 14-17). Alla vedovanza è applicato un concetto tante volte riferito alla verginità: è la virtú che è importante, non la semplice continenza (1, 3; 2, 7; 2, 11). Segue poi, per tutta la prima parte del libro, la presentazione di altri esempi biblici, che sono illustrati con esposizione esegetica ora morale, ora tipologica e spirituale. Sono: Anna* [439] *(4, 21-24), la vedova che getta due monetine nel tesoro del tempio* [440] *(5, 27-32); Noemi (6, 33-36); Giuditta (7, 37-42); Debora, che Ambrogio suppone fosse vedova (8, 43-51).*

*La seconda sezione del trattato (9, 52 - 15, 90) è dedicata a sciogliere le obiezioni contro la vedovanza. I motivi addotti a giustificazione delle seconde nozze sono le difficoltà che una vedova poteva incontrare nella vita: malattia, solitudine, il peso dell'amministrazione del patrimonio (9, 53-59). A questo punto troviamo l'apostrofe diretta alla vedova* [441]*, il cui desiderio di risposarsi e le giustificazioni addotte avevano dato al vescovo occasione per trattare della vedovanza (9, 59). Dall'episodio della guarigione della suocera di Pietro* [442] *(evidentemente Ambrogio ritiene che fosse vedova) il vescovo trae spunto per esortare le vedove al servizio di Cristo, che è la ragione fondamentale della vedovanza (10, 60-66). La professione vedovile non è un precetto, ma un consiglio (11, 67 - 12, 74). È uno stato di perfezione che si raggiunge con l'esercizio della virtú, non con la costrizione — e nemmeno con la mutilazione del corpo —: un consiglio, tuttavia, che, per il suo intrinseco valore e per l'autorevolezza dell'Apostolo che lo ha dato, non va disatteso (13, 75 - 14, 85). Poi Ambrogio risponde all'obiezione di coloro che vogliono risposarsi per avere figli (15, 86-89). Infine volge, in qualche modo, a favore della propria tesi anche l'*exemplum*, che qualche obiettore doveva avergli rammentato, del secondo matrimonio di Giacobbe con Rachele (15, 90).*

3.2.3. *Girolamo cita tre passi del* De uiduis *nell'*Epistola a Pammachio [443] *e nell'*Epistola a Furia [444]*; senza nominarlo (*quidam*), critica Ambrogio per le sue affermazioni a proposito di Debora e Barac in* uid. *8, 44-46. Rammentiamo anche l'utilizzazione medievale di Pascasio Radberto* [445].

[438] 3 Reg 17, 9 ss.
[439] Lc 2, 36-37.
[440] Lc 21, 2-4.
[441] L'anonima vedova ne fu ferita, secondo quanto Ambrogio dirà in *uirgt.* 8, 46.
[442] Lc 4, 39.
[443] GIROLAMO, *epist.* 49, 14 (LABOURT 2, pp. 138 s.).
[444] ID., *epist.* 54, 17 (3, pp. 39 s.).
[445] Cf. la mia nota a *uid.* 1, 1.

3.3. *De uirginitate*

*Non esiste ancora uno studio specifico di questo opuscolo, i cui enigmi — della datazione, del titolo, della struttura — non sono stati ben chiariti.*

*Quanto alla cronologia oggi nessuno condivide piú la precisa data del 29 giugno 377 indicata dal Palanque* [446]. *Già il Wilbrand aveva sostenuto che l'opera deve essere posposta all'*exp. Luc. *e accostata all'*exp. ps. 118 [447]. *La ragione dell'attribuzione al periodo successivo agli anni 386-387 è ben esposta dal Dassmann ed è basata sull'influenza, riscontrabile in quest'opera, dell'esegesi origeniana del Cantico dei Cantici. Per tale caratteristica* uirgt. *va avvicinato ad altri due scritti assai importanti per la spiritualità ambrosiana e che parimenti si avvalgono dell'esegesi mistica origeniana del Cantico* [448]*:* Isaac *e* exp. ps. 118, *che sono da collocare negli anni 387-390. Il Dassmann riprende anche l'argomentazione del Wilbrand* [449] *che notava come le precise corrispondenze fra* exp. Luc. e uirgt. *sarebbero dovute ad un trasferimento di materiale dal primo scritto al secondo e non viceversa, in quanto è piú probabile che le riflessioni piú brevi di* uirgt. *derivino da quelle piú estese di* exp. Luc. *Le corrispondenze piú importanti sono fra la pericope di* uirgt. *3, 14 - 4, 23 e* exp. Luc. *10, 144 ss., e questa parte del commento a Lc è stata composta, secondo il Palanque* [450]*, dopo il 389.*

*In* uirgt. *18, 115 l'aggiunta di διορατικόν nella quadripartizione dell'anima, rispetto alla tripartizione di* exp. Luc. *7, 139, è forse indizio di un influsso origeniano intervenuto successivamente al-l'*exp. Luc.*, o, per lo meno, a quell'omelia di* exp. Luc.

*In* uirgt. *18, 118 si nota una certa oscurità dovuta all'eccessiva concisione dell'esegesi delle due ruote di Ez 1, 16, mentre la medesima riflessione risulta chiara in* spir. s. *3, 21, 162: ciò può significare che il passo di* uirgt. *presuppone la memoria della trascorsa interpretazione data in* spir. s.

*La datazione tarda di Wilbrand e Dassmann ci pare piú probabile, soprattutto per le ragioni relative all'evoluzione dell'esegesi e del pensiero ambrosiano, addotte dal Dassmann, anche se un'espressione di* uirgt. *8, 46 potrebbe essere interpretata come indizio contrario a questa tesi. Siamo proprio nella sezione del commento al Cantico. Ambrogio offre la riconciliazione ad una vedova che si era sentita offesa dalle critiche che le aveva rivolto il vescovo nel* De uiduis. *Questo particolare può far pensare che* uirgt. *sia di poco posteriore al* De uiduis. *Ora gli studiosi concordano che il* De uiduis *è stato*

[446] PALANQUE, *Saint Ambroise,* pp. 494 s.

[447] W. WILBRAND, *Zur Chronologie einiger Schriften des hl. Ambrosius,* in «Historisches Jahrbuch der Görresgesellschaft», 41 (1921), pp. 1-19.

[448] DASSMANN, *La sobria ebbrezza,* pp. 153-159.

[449] *Ibid.*, pp. 1-7. Contro la posteriorità di *uirgt.* rispetto a *exp. Luc.* sembrerebbe porsi *exp. Luc.* 7, 127, dove, secondo gli editori anche recenti, Ambrogio rinvierebbe a *uirgt.* 9, 51-52, ma il Wilbrand ha mostrato che il rinvio è, invece, a *exam.* 3, 36.

[450] PALANQUE, *Saint Ambroise et l'empire romain,* Paris 1933, p. 536.

*composto nel 377 — anche se è pur sempre una datazione congetturale. A mio parere il rinvio di* uirgt. *8, 46 non implica necessariamente vicinanza cronologica e le ragioni favorevoli alla datazione tarda restano prevalenti.*

*Precisare ulteriormente la data di* uirgt. *è assai difficile, anche perché si tratta di un'opera costruita, in modo palesemente disordinato, con materiale omiletico scarsamente omogeneo, tanto che non si può escludere che le varie parti possano avere origini cronologiche assai disparate.*

*Al disordine interno fa riscontro una tradizione manoscritta assai incerta, sia quanto alla collocazione dell'opuscolo all'interno del* corpus *delle opere ambrosiane sulla verginità e sulla vedovanza che quanto alla sua titolazione. La maggior parte dei mss. della classe* a *ce lo trasmettono come quarto libro del* De uirginibus, *alcuni lo uniscono al* De uirginibus *senza iscrizione o addirittura senza alcun segno di distinzione* [451]*: tale collocazione è comunque erronea, perché risulta che il* De uirginitate *è posteriore al* De uiduis [452]. *Nei mss. della classe* b *segue il* De uiduis *o come secondo libro di quest'opera o come quinto libro del* De uirginibus, *quando il* De uiduis *è indicato come quarto. Quanto al titolo che i Maurini gli hanno attribuito,* De uirginitate, *l'espressione ricorre solo nella soscrizione di due codici* [453], *e non come titolo dell'opuscolo* [454], *al cui contenuto corrisponde solo parzialmente* [455].

*Questi brevi cenni bastano a delinearci un quadro assai problematico. Il mio intento è ora quello di definire la struttura, o, per meglio dire, le varie componenti dell'opera, dato che di una vera e propria struttura unitaria non si può parlare.*

*Nel cercare di individuare le varie parti faremo attenzione a come le variazioni tematiche si accompagnano a quelle dei testi biblici citati e del tenore dell'esegesi. Ove precisi indizi ce lo consentiranno, cercheremo di stabilire quale lezione biblica liturgica presuppongono le varie omelie contenute nell'opera.*

*È sorprendente che uno studioso come il Palanque abbia potuto vedere nel* De uirginitate *un solo sermone* [456]. *Il Dudden ne individuò due, indicando l'inizio del secondo a 8, 42* [457]. *A mio avviso, il contenuto dell'opuscolo è assai più composito: vi si possono distinguere sette sezioni di testo, non tutte di origine oratoria.*

[451] Cf. in proposito I. CAZZANIGA, *S. Ambrosii Mediolanensis episcopi de uirginitate liber unus*, Torino 1952, *Praefatio*, pp. XIX-XXI.

[452] Cf. *uid.* 1, 1 e, soprattutto, *uirgt.* 8, 46.

[453] Paris, Bibl. Nat. 1752 e Tours, Bibl. Munic. 268.

[454] Cf. CAZZANIGA, ed. cit., *praef.*, p. XXIII.

[455] Cf. CAZZANIGA, ed. cit., *praef.*, pp. XXIII s., ove è citato il giudizio di M. SCHANZ, *Geschichte der römischen Literatur*, 4, 1, München 1914, p. 343, che aveva notato il disordine interno.

[456] PALANQUE. *Saint Ambroise*, p. 456.

[457] F.H. DUDDEN, *The Life and Times of St. Ambrose*, 2, Oxford 1935, p. 696.

### 3.3.1. *Virgt.* 1, 1-4: proemio

*Nei primi tre paragrafi e mezzo si riferisce e brevemente si commenta l'episodio di 3 Reg 3, 16 ss.: il famoso* exemplum *della sapienza di Salomone, che svelò di chi veramente era figlio il fanciullo conteso da due donne ordinando che fosse diviso con la spada. Ambrogio afferma di voler dare dell'episodio un'interpretazione che lo attualizzi. Esso, infatti, è stato scritto* in figura... ad correptionem nostram *(1, 2). Il nesso fra il fatto storico veterotestamentario e l'attualità è in generale riconducibile alla cosiddetta relazione* figura-ueritas [458], *che nel nostro caso coincide con un'«allegorizzazione di tipo psicologico»* [459], *per cui le due donne in lite, l'una vera madre del fanciullo, l'altra falsa, esprimono il conflitto fra fede e tentazione. La spada di Salomone è la parola di Dio, che scinde la verità della fede dalla menzogna della tentazione.*

*Ci chiediamo come tale esegesi di 3 Reg 3, 16 ss. possa valere da introduzione all'opuscolo, o quanto meno come si saldi con il primo sermone, che inizia, senza alcun plausibile segno di continuità, nella forma come nel contenuto, con la narrazione dell'episodio di Iefte (Iudic 11). Ma leggiamo l'ultima riga del proemio:* haec igitur de regnorum dicta sunt libro, assumpta de causa, de historia recensita, de conscientia usurpata. *Dall'interpretazione di questa frase dipende la possibilità di individuare la connessione del proemio con il primo sermone (2, 4 - 7, 41), oppure la necessità di ammettere che l'esegesi dell'episodio delle due donne litiganti va letta come un frammento a sé stante, la cui spiegazione è da cercare nel già accennato disordine interno dell'opera. A mio avviso la coerenza del proemio con il sermone che segue, esiste. Con* assumpta de causa *Ambrogio afferma di aver tratto dall'episodio di Salomone un senso applicabile alla* causa, *al caso specifico, alla controversia in cui era coinvolto. Ma questa è un'interpretazione congetturale, perché Ambrogio dice solo* assumpta de causa; *e l'inizio del sermone successivo non offre alcun chiarimento. Lo dovremo leggere tutto per comprendere che la* causa, *era l'accusa, mossagli dagli avversari, di promuovere la professione della verginità con eccessivo zelo e fino a mostrarsi contrario al matrimonio. L'espressione, poi,* de historia recensita *ribadisce che l'interpretazione dell'episodio biblico si attualizza, sul piano storico, nel conflitto che il vescovo difensore della verità deve sostenere contro la falsità dei suoi accusatori. Infine* de conscientia usurpata *significa che è con serena coscienza del proprio buon diritto e del proprio dovere che egli applica alla* causa, *che lo riguarda personalmente, l'esegesi figurale di 3 Reg 3, 16 ss.*

[458] Cf. L. PIZZOLATO, *La dottrina esegetica di sant'Ambrogio*, Milano 1978, p. 73.
[459] Cf. M. SIMONETTI, *Lettera e/o allegoria. Un contributo alla storia dell'esegesi patristica*, Roma 1985, p. 274.

### 3.3.2. *Virgt.* 2, 4 - 7, 41: primo sermone

*Il primo sermone inizia con un'esplicita indicazione della lettura liturgica che il vescovo predicatore intende commentare: si tratta del cap. 11 del libro dei Giudici, ove si narra di Iefte che sacrifica la figlia per fedeltà al voto fatto. Il discorso si mantiene nell'ambito del tema della verginità. L'*exemplum *di Iefte, secondo Ambrogio, è di severa ammonizione per coloro che contrastano il disegno dei genitori di consacrare la verginità delle proprie figlie o si oppongono al voto delle figlie medesime, ed è di esortazione per il vescovo ad essere strenuo difensore del diritto delle vergini alla vita consacrata. Cosí Ambrogio giustifica il suo impegno a favore del voto di verginità e respinge l'accusa di avversare il matrimonio. All'interno di questa sezione troviamo, però, un disordine testuale.*

### 3.3.3. *Virgt.* 3, 14 - 5, 24: un testo in disordine

*I paragrafi 3, 14 - 5, 24 (da* considerate quia uirgines *fino a* passus est Christus*) costituiscono una sezione il cui accidentale inserimento in quel punto ha spezzato in due tronconi una frase. Eppure editori e studiosi non hanno mai avvertito la corruttela — che nemmeno è notata nell'edizione critica del Cazzaniga — fino a quando il D'Izarny*[460] *non la segnalò nella sua tesi dattiloscritta e B. Botte*[461] *non pubblicò la notizia in una recensione al lavoro del D'Izarny. In effetti, dal punto di vista strettamente sintattico la mutilazione nei due tronconi divisi dall'intrusione del testo estraneo non risulta evidente a chi non prova a leggerli continuativamente, perché il primo spezzone veniva concluso, in modo apparentemente plausibile, da un punto interrogativo, e il secondo pareva ricollegarsi, anche se con nesso sintattico incerto, all'ultima frase della pericope inserita. Restava da considerare la brusca interruzione dello sviluppo tematico, ma il fatto non appariva sorprendente in un'opera che presenta altri punti di precaria cucitura di un sermone con il successivo. E cosí l'autore dei* capitula *stampati nelle vecchie edizioni poteva considerare la pericope come una digressione*[462]. *Ma già in epoca medievale l'*excursus *era stato grosso modo individuato e segnalato come un sermone a sé stante. Infatti nel manoscritto Avignon, Bibliothèque Municipale 276, la pericope, esattamente all'inizio, è titolata in lettere maiuscole:* Sermo pulcher sancti Ambrosii de resurrectione Maria stabat ad monumentum foris plorans, *e a metà di 5, 24, dopo* domini, *la stessa mano aggiunge in lettere maiuscole* usque adhuc, *errando nell'individuazione del punto finale del sermone, che è alcune righe sopra. Quest'ultimo particolare e la costatazione che gli altri manoscritti non segnalano alcunché, dimo-*

[460] R. D'Izarny, *La virginité selon Saint Ambroise* (tesi datt.), 2, Lyon (Institut catholique) 1952, nota 14 dell'introduzione.

[461] B. Botte, rec. a D'Izarny, cit., in «Bullettin de Théol. Anc. et Méd.», 6 (1952), pp. 489 s.; cf. anche G. Madec, *Saint Ambroise et la philosophie,* Paris 1974, p. 37, nota 85.

[462] PL 16, 285 D.

*strano che l'individuazione della pericope non è originaria, ma di un lettore o copista medievale. Il brano contiene un'omelia o, data la sua brevità, parte di un'omelia a spiegazione di Io 20, 11-17.*

*Il D'Izarny ha avuto il merito di segnalarla, ma, come ha rilevato il Botte*[463]*, ha lasciato aperta la questione della sua autenticità. Ora possiamo affermare che il testo è sicuramente di Ambrogio. La prova sta in 3, 14: la problematica frase che parla di due Marie presuppone l'esauriente spiegazione di* exp. Luc. *10, 147-161*[464].

Virgt. *3, 14 - 5, 24 non è, dunque, interpolazione di un testo spurio, né vi sono in alcuna altra parte del* De uirginitate, *o degli scritti ambrosiani sulla verginità, indizi che facciano pensare ad una trasposizione accidentale del brano, attribuibile alla tradizione manoscritta. L'incidente sembra, invece, accaduto al momento della redazione dell'opera, quando i diversi sermoni, in vista della pubblicazione, furono, ove necessario, adattati al tema della verginità, cioè all'argomento specifico del primo sermone*[465]*, e frettolosamente assemblati. Chi ha trascritto il materiale, forse da registrazioni tachigrafiche, non si è accorto del disordine: ripetiamo che il testo non presenta, ad una lettura celere, segni eclatanti di scompaginazione.*

### 3.3.4. *Virgt.* 8, 42 - 16, 98: sermone sul Cantico dei Cantici

*Lo stacco fra la fine di 7, 41 e l'inizio di 8, 42 è stato già segnalato, come si è detto, dal Dudden. In effetti, il salto tematico è netto e manca persino qualsiasi tentativo di sutura redazionale. Ma la prova che proprio a 8, 42 inizia un nuovo sermone, ci è data dallo stesso Ambrogio, con l'espressione di 9, 51:* et quoniam de deserto tractatus hic sumitur. *È un chiaro riferimento all'inizio del sermone (8, 42.44), dove è toccato il tema ascetico del deserto;* tractatus *è il termine usuale con cui Ambrogio indica l'omelia, che il vescovo pronunciava durante la celebrazione liturgica dopo le letture bibliche*[466].

*Il sermone inizia con l'esegesi di Lc 4, 40-42, che appunto offre lo spunto per il tema del deserto. Ambrogio non lo dice, ma è probabile che il passo evangelico facesse parte di una delle letture che avevano preceduto la predica: lo si deduce dall'andamento del discorso che non sembra svilupparsi su un argomento prescelto, ma si adatta agli spunti offerti dal passo evangelico, che sono diversi: oltre al deserto, Ambrogio vi individua il tema della medicina spirituale e quello della ricerca di Cristo. Quest'ultimo è destinato ad*

[463] BOTTE, rec. cit., p. 490.

[464] Cf. particolarmente 10, 153-154 (CCL 14, pp. 389 s.). Sulla questione tornerò piú oltre a nr. 5.2.

[465] L'argomento della nostra pericope non è principalmente quello della verginità, ma contiene diversi accenni a questo tema, a cominciare dalla prima frase (3, 14), ove si dice che le donne che videro Gesú, il mattino del giorno della risurrezione, erano delle vergini.

[466] Cf. *epist.* 76, 4 (CSEL 82, 3, p. 109) *sequenti die erat autem dominica, post lectiones atque tractatum...*; *epist.* 77, 15 (CSEL 82, 3, p. 135) *hesterno tractaui uersiculum...*

*avere ampio sviluppo, alimentato dalla successiva esegesi del Cantico dei Cantici.*

*Con piú sicurezza possiamo credere che la lezione del Cantico avesse preceduto l'omelia. Infatti in* uirgt. *12, 69 leggiamo:* audisti in superioribus..., *e segue la citazione di Cant 4, 8a; in quel medesimo paragrafo troviamo altre quattro volte* audisti *con riferimenti al Cantico: precisamente a Cant 4, 8; 4, 10; 4, 12-13. Per definire l'ampiezza della lezione non abbiamo altri elementi, se non la costatazione che la maggior parte delle citazioni e delle allusioni sono comprese fra Cant 4, 7 e 5, 2, con la presenza, però, di qualche citazione dai capitoli 1. 2. 3. e di 6, 11. Nulla impedisce di pensare che Ambrogio abbia fatto riferimento al Cantico anche al di fuori del brano compreso nella lezione liturgica.*

*Per questo sermone il* De uirginitate *è considerato un importante documento della spiritualità ambrosiana ispirata all'esegesi mistica origeniana del Cantico. Si tratta di un'esposizione che, contrariamente a quanto si potrebbe pensare, non è incentrata sul tema della verginità, ma riguarda l'ascesi cristiana in genere. In tutta la sezione, che comprende 57 paragrafi, solo un paio di volte si incontrano riferimenti espliciti alle vergini. Il rapporto con la verginità è, però, implicito nel tenore dell'esposizione, nella tensione spiritualistica intorno alla figura della sposa del Cantico che va alla ricerca dello sposo: l'anima, o la vergine protesa verso l'unione mistico-sponsale con Cristo.*

*Un'esegesi che mutua dalla fonte origeniana forti accenti platonici, che risaltano decisamente, imponendo al discorso un'evidente svolta filosofica, in 15, 94-97. Ambrogio, seguendo l'interpretazione di Origene, vede nel carro di Aminadab di Cant 6, 11 il simbolo della difficile, conflittuale congiunzione di anima e corpo* [467]. *Il carro dell'anima trainato dai cavalli delle passioni del corpo può evitare la rovina solo se l'auriga che lo guida è il Verbo di Dio. Dal carro di Aminadab al carro di Zeus del* Fedro *di Platone* [468] *il passo è breve: Ambrogio doveva trovare l'accostamento in Origene, anche se noi non ne abbiamo documentazione, come nell'Alessandrino deve aver colto il parallelismo fra il mito platonico del carro di Zeus e la visione del trono di Jahvè in Ez 1. Ma questo è solo uno sviluppo accennato, perché il nostro Autore si accorge presto che tale genere di riflessioni avrebbe portato lontano il suo sermone; perciò interrompe la divagazione filosofica e conclude tornando all'interpretazione spirituale del Cantico.*

[467] In particolare, sulle corrispondenze anche letterali fra 15, 96 e PLATONE, *Phaedr.* 247 b-e, 248 b, 254 a, si veda P. COURCELLE, *Nouveaux aspects du platonisme chez saint Ambroise*, in «REL», 34 (1956), p. 227, nota 5 (art. ripreso in *Recherches sur les Confessions de Saint Augustin*, Paris 1968, pp. 312-382). Ma è probabile che Ambrogio attinga dal *Commento al Cantico dei Cantici* di Origene, come lascia supporre il confronto fra un frammento di quel commento conservatoci negli *Excerpta Procopiana* (PG 13, 209-211 A = PG 17, 280 AB) e alcuni passi paralleli di Ambrogio: il nostro di *uirgt.* 15, 94 - 16, 98; *Isaac* 8, 64-65 (CSEL 32, 1, p. 687 ss.) e *Abr.* 2, 8, 54 (p. 608). Il raffronto è dettagliatamente discusso in G. MADEC, *Saint Ambroise et la philosophie*, Paris 1974, pp. 121-124.

[468] PLATONE, *Phaedr.* 246-247.

### 3.3.5. *Virgt.* 16, 100-104: Cristo medico

*Il passaggio dall'esegesi mistica del Cantico a quella che sembra essere una successiva sezione avviene attraverso la sutura di 16, 99. In apparenza il nesso può essere stabilito abbastanza facilmente, perché al centro del discorso appena concluso e di quello che sta per iniziare è sempre Cristo: in quello è oggetto di ricerca, in questo è medico che guarisce. E poi il tema di Cristo medico era comparso, come si è già accennato, all'inizio del precedente sermone. Ma, a ben vedere, il salto dall'esegesi del Cantico al commento dell'episodio dell'emorroissa (Lc 8, 43-48) è netto: mutano i testi biblici e cambiano i temi. Le due lezioni bibliche, su cui insiste l'esposizione, sembrano essere Lc 8, 43 ss. e Ier 17, 15-18. Il tema della verginità non è mai menzionato, se si esclude l'indeterminato vocativo,* filia, *di 16, 100.*

### 3.3.6. *Virgt.* 16, 105 - 20, 135: sermone per la festa dei santi Pietro e Paolo

*Con 16, 105 inizia un nuovo sermone. Il lettore può non avvertire immediatamente la frattura, perché il precedente sermone sull'emorroissa termina con una riflessione sull'esempio, offerto da quella donna, di fiducia in Cristo e di umiltà nel confessare i propri peccati. Ora l'episodio evangelico della pesca miracolosa (Lc 5, 1 ss.), che è l'argomento dell'omelia successiva, per Ambrogio è, indipendentemente dalla contingente opportunità di un collegamento con il precedente sermone, un esempio di umiltà e di fiducia in Cristo da parte di Pietro che confessa i propri peccati: questo è un dato esegetico che troviamo documentato in* exp. Luc. 4, *75-79* [469]. *Ma, anche se il passaggio a prima vista sembra impercettibile, penso che con 16, 105 inizi l'ultimo sermone del* De uirginitate, *pronunciato in occasione della festa degli apostoli Pietro e Paolo* [470]. *Infatti, si inizia a parlare di Pietro con una citazione di Lc 5, 8, che, come vedremo, faceva parte della lezione liturgica del giorno, e subito dopo (16, 106) di Paolo con un'allusione a 2 Cor 12, 7, che doveva anch'esso essere compreso in una delle lezioni liturgiche della festa. Tuttavia, dei primi tre paragrafi di questa nuova sezione non saprei dire se essi riproducano il testo orale della predica o se, invece, come sembra piú probabile, sono frutto di una rielaborazione redazionale che ha adattato il materiale orale tenendo conto dell'esigenza di continuità con il precedente sermone sull'emorroissa e cercando di offrire un aggancio, sia pur superficiale e approssimativo, alla successiva inserzione di un* excursus *filosofico (17, 108 - 18, 118), estraneo al sermone, come vedremo piú avanti. Dopo l'*excursus, *attraverso una sutura redazionale (18, 119), Ambrogio torna all'argomento della predica: la pesca miracolosa di Lc 5, 1 ss.* [471].

[469] CCL 14, pp. 133-135.

[470] Cf. *uirgt.* 19, 125 *dies factus est Petrus, dies Paulus, ideoque hodie natali eorum spiritus sanctus increpuit dicens...*

[471] Anche MADEC, *Saint Ambroise et la philosophie*, Paris 1974, p. 38, nota 85, individua nell'ultima parte del *De uirginitate* un'omelia su Lc 5, 3 ss., ma ne pone

*Le lezioni liturgiche cui Ambrogio fa esplicito riferimento sono tre: 1 Pt 1, 17 ss.* [472]*; 2 Cor 11, 29* [473]*; Lc 5, 1 ss.* [474]*. Ma durante la celebrazione era stato anche recitato o cantato il Ps 18* [475]*. In effetti sappiamo che le letture della messa al tempo di Ambrogio erano tre: una profetica, dall'A.T.; una apostolica, dagli Atti o dalle Epistole; e una dal Vangelo* [476]*; nel nostro caso quella profetica sarebbe sostituita da una seconda apostolica, il che è probabile, dal momento che gli schemi liturgici non erano rigidamente fissi e la circostanza della festa dei santi Pietro e Paolo suggeriva l'opportunità di leggere testi di entrambi gli apostoli. Sappiamo anche che fra le letture si recitava o cantava un salmo* [477].

*I riferimenti al tema della verginità sono sporadici e superficiali: forse sono stati disseminati qua e là al momento della redazione per giustificare la collocazione in questa raccolta di un sermone che certo non era rivolto ad un uditorio di sole vergini.*

### 3.3.7. *Virgt.* 17, 108 - 18, 118: *excursus* sul volo dell'anima

*La sezione del* De uirginitate *che abbiamo appena descritta ingloba una divagazione prevalentemente filosofica lunga 11 paragrafi, le cui caratteristiche inducono ad escludere che facesse parte dell'omelia. Si tratta, dunque, di un'inserzione scritta, redazionale, con una sutura iniziale abbastanza evidente. Infatti, Ambrogio prende avvio dal volo dell'ape virgiliana* [478]*, presentato come esempio di prudenza e di umiltà, per introdurre la descrizione del volo ultraterreno dell'anima, la cui enfasi, di chiara ispirazione platonica, si riconnette un po' superficialmente con lo spunto iniziale. Al termine dell'*excursus *(18, 119), la cucitura con la ripresa del sermone per la festa dei santi Pietro e Paolo è fatta con cura appena maggiore.*

*Il tema della verginità è praticamente assente dal corso del pensiero: forse vi è richiamato dall'impiego inatteso e un po' forzato, in due luoghi, della parola* castitas [479].

l'inizio a 18, 119 (in verità il Madec scrive 118, ma suppongo che sia stato tratto in inganno dall'errata numerazione dei paragrafi della PL).

[472] *Virgt.* 19, 122 *quibus hodie bene respondit Petrus.*

[473] *Ibid.*, 19, 126 *audistis dicentem* (sc. *Paulum*) *hodie...*

[474] *Ibid.*: *audistis hodie dicentem dominum...*

[475] *Ibid.*, 19, 125 *ideoque hodie natali eorum* (sc. *Petri et Pauli*) *spiritus sanctus increpuit dicens...* I riferimenti ai passi biblici sono solo indicativi: non siamo in grado di stabilire l'esatta ampiezza delle lezioni.

[476] Un elenco di passi ambrosiani che attestano lezioni e salmi nella celebrazione eucaristica è fornito da A. PAREDI, *La liturgia in Sant'Ambrogio*, in *Sant'Ambrogio nel XVI centenario della nascita*, Milano 1940, pp. 73-76. Cf. anche P. BORELLA, *Il rito ambrosiano*, Brescia 1964, pp. 154 s.

[477] Cf. *expl. ps. 1* 9 (CSEL 64, p. 8) *quantum laboratur in ecclesia, ut fiat silentium, cum lectiones leguntur! Si unus loquatur, obstrepunt uniuersi: cum psalmus legitur, ipse sibi est effector silentii.*

[478] Cf. *uirgt.* 17, 107 e VIRGILIO, *georg.* 4, 194-196.

[479] Il primo impiego è in *uirgt.* 17, 108 *supra mundum enim iustitia est, supra mundum castitas, supra mundum bonitas, supra mundum sapientia*: in questa espressione la virtú della *castitas* risulta estranea alla fonte platonica cui si ispira, la *iustitia* e la *sapientia* derivano da PLATONE, *Phaedr.* 247 d, la *bonitas* riprende l'idea platonica del bene (cf. *Phaedr.* 246 d). Il secondo impiego è in *uirgt.* 17, 110.

*Ci chiediamo come si spieghi la presenza di questo* excursus *che non ha attinenza né con il tema dell'opuscolo né con quello del sermone in cui è inserito.*

*Ricordiamo che già nel sermone a commento del Cantico dei Cantici abbiamo notato un'improvvisa svolta di carattere filosofico (15, 94-97), determinata con ogni probabilità dall'influenza dell'esegesi origeniana di Cant 6, 11 (il carro di Aminadab). Ebbene, possiamo individuare delle connessioni fra quel primo* excursus *e questo secondo piú ampio di 17, 108 - 18, 118.*

*Nel primo (15, 94-97) la riflessione si muove attorno alla metafora del carro e dei cavalli, come si è detto. I momenti sono tre: 1. il carro di Aminadab è l'allegoria dell'anima, che il Verbo di Dio governa, come un auriga, per evitare che sia condotta alla rovina dalle passioni del corpo, simboleggiate dai cavalli; 2. il carro di Aminadab è implicitamente assimilato al mito platonico del carro di Zeus (*Phaedr. *246a-b) — Zeus è la ragione che tiene a freno i moti del corpo; 3. dal carro di Aminadab e dal carro di Zeus si passa a Ez 1: alla visione del trono di Jahvè, che Ambrogio immagina essere un carro, dal momento che ha delle ruote — si passa, cioè, ad una piú adeguata rappresentazione dell'ideale dell'anima che ha il dominio delle passioni. Grosso modo si può dire che nel primo* excursus *sono metaforicamente descritti i pericoli che il carro dell'anima corre se si lascia trainare, senza il governo dell'auriga divino, dai cavalli sfrenati delle passioni.*

*Nel secondo* excursus *di 17, 108 - 18, 118 non è piú il carro l'elemento simbolico su cui fa perno la riflessione filosofica, ma le ali. È il secondo momento della vicenda dell'anima, che, dopo essersi liberata dalle passioni, può volare lontano dal mondo. Del carro di Aminadab non si fa piú menzione, perché esso rappresenta la fase ormai conclusa dell'anima imperfetta, prigioniera del corpo; ma la metafora del carro di Zeus, in quanto carro alato* [480]*, è utile anche per questa fase del volo dell'anima perfetta, e nel nostro testo è indiscutibilmente presente* [481]*, anche se Ambrogio nega di averla utilizzata* [482]*. Ovviamente egli afferma che, per descrivere le vicende dell'anima perfetta, ben piú adeguata dei miti pagani è la visione profetica di Ezechiele. In particolare, nella figura del quarto vivente — l'aquila — vede espressa la fuga dell'anima dal mondo e il suo volo verso la contemplazione dei misteri divini* [483].

*Dunque il secondo* excursus *riprende e sviluppa con una certa coerenza il pensiero del primo, come seconda fase di un percorso espositivo.*

*Ma possiamo indicare altre corrispondenze, in dettaglio. In 17, 108 l'espressione* ubi cursus suos ab equorum perturbatione placi-

[480] Cf. PLATONE, *Phaedr.* 246 e.

[481] Sull'influenza di PLATONE, *Phaedr.* 247 a, si veda COURCELLE, *Recherches sur les Confessions*, pp. 315 ss., nota 2.

[482] *Virgt.* 18, 112 *ac ne forte philosophica aut poetica usurpasse uideamur, ut currus, equos, alas animae diceremus...*

[483] Cf. *ibid.*, 18, 115.

dauerit *richiama abbastanza chiaramente quanto era stato detto della corsa sfrenata e pericolosa del carro dell'anima nel primo* excursus [484]. *Il paragrafo finale del secondo* excursus *(18, 118) riprende dal paragrafo finale del primo l'immagine delle due ruote della visione di Ezechiele, il cui movimento perfetto e senza impedimenti esprime in allegoria la perfetta armonica unione di anima e corpo. Inoltre, alle quattro passioni del primo* excursus, *simboleggiate dai cavalli del carro di Aminadab (*ira, cupiditas, uoluptas, timor [485]*), corrispondono nel secondo le quattro virtú cardinali (*prudentia, fortitudo, temperantia, iustitia [486]*) dell'anima perfetta, raffigurate nei quattro viventi: è importante notare che quest'ultima corrispondenza è indicata dallo stesso Ambrogio* [487]. *Dunque, egli aveva ben in mente il primo* excursus *mentre scriveva il secondo.*

*Noi non sappiamo quale fosse il corso dei pensieri nel perduto commento di Origene a Cant 6, 11, ma possiamo riscontrare che la distinzione fra le anime imperfette, che sono alla mercé dei cavalli delle passioni, e le anime perfette, che possono elevarsi in volo per raggiungere la contemplazione delle realtà intelligibili, deriva dal passo di Platone che ha lasciato chiare impronte nei due brani del* De uirginitate [488]. *Non è improbabile che anche Origene avesse seguito la distinzione.*

### 3.4. *De institutione uirginis*

*Il Palanque, seguito dal Dudden, ha proposto per* inst. u. *la data della Pasqua del 392. Lo scritto, infatti, fa allusione alla condanna di Bonoso, avvenuta in quell'anno, e contiene il sermone per la velazione di Ambrosia — la consacrazione delle vergini avveniva solitamente a Pasqua* [489].

[484] *Virgt.* 15, 94 *ne uiolentorum equorum furore in abrupta rapiatur;* 15, 95 *tamquam irrationabilium animalium cursus* (*currus* Cazzaniga) *inuitam rapit, uoluentibus curis uelut quodam impetu proruentem, donec memoratae corporis passiones uerbi uirtute mitescant.*

[485] *Ibid.*, 15, 95.

[486] *Ibid.*, 18, 115. Sulle fonti di questo paragrafo si veda il mio *L'aquila di Ezechiele e il volo contemplativo dell'anima platonica nel «De uirginitate» di Ambrogio*, in «Studi Urbinati», B3, 59 (1986), pp. 71-82, partic. p. 81.

[487] *Ibid.*, 18, 114 *hic quoque animam describi accepimus, cuius quattuor animalia quattuor affectiones sunt: sed non ita ut illae quas supra descripsimus; adhuc enim illae erudiuntur animae processusque accipiunt: hic iam perfecta describitur.*

[488] Cf. PLATONE, *Phaedr.* 246 b-c: in particolare, credo che alle espressioni ambrosiane di *uirgt.* 18, 114 *hic iam perfecta* (sc. *anima*) *describitur... haec in caelo est* sia sotteso *Phaedr.* 246 b τελέα μὲν οὖν οὖσα καὶ ἐπτερωμένη μετεωροπορεῖ. Ancora sulla distinzione fra anime perfette e divine, che possono volare al di sopra del cielo, e le anime non divine, che sono in balia dei cavalli delle passioni, cf. *ibid.*, 248 a.

A proposito della dipendenza di Ambrogio da Platone ricordiamo che COURCELLE, *Recherches sur les Confessions*, p. 318, sostiene che Ambrogio ha sí seguito il commento di Origene a Cant 6, 11, ma ha anche avuto sotto gli occhi un *excerptum* del *Fedro* di Platone relativo al mito dell'anima. Si spiegherebbero cosí certe corrispondenze letterali fra il *Fedro* e il testo di Ambrogio.

[489] PALANQUE, *Saint Ambroise*, p. 542; DUDDEN, *The Life and Times*, 2, p. 696.

*Non potendo qui riesaminare da capo tutta la complessa questione, ci pare di dover seguire la ricostruzione cronologica degli avvenimenti del 392-393, riguardanti Bonoso e la stesura di* inst. u., *proposta dal De Aldama*[490], *che riassumiamo:*

*— inizio del 392: Ambrogio partecipa al Sinodo di Capua che decide di demandare ad un consiglio di vescovi macedoni il giudizio sul loro corregionale Bonoso, che negava la verginità* post partum *di Maria;*

*— subito dopo, Bonoso ricorre al vescovo di Milano, che gli raccomanda di attendere con pazienza la sentenza dei vescovi macedoni*[491]*;*

*— primavera del 392: i vescovi macedoni, a loro volta, scrivono ad Ambrogio sul caso Bonoso;*

*— Pasqua del 392: velazione di Ambrosia*[492]*;*

*— metà del 392: Ambrogio, a nome di un sinodo riunito a Milano, risponde ai vescovi macedoni con l'*epist. *71 (56a Maur.)* De Bonoso*;*

*— primi mesi del 393: doppia condanna di Gioviniano, prima a Roma, poi a Milano — alla dottrina di Gioviniano si allude in* inst. u. *8, 52.55; soprattutto si deve tener conto che per l'esegesi di Ez 44, 2 (*inst. u. *8, 52 ss.) Ambrogio ha probabilmente utilizzato dei documenti del Sinodo romano che aveva condannato Gioviniano*[493]*;*

*— autunno del 393: Ambrogio si reca a Bologna, dove redige il* De institutione uirginis[494]*, dedicato ad un personaggio bolognese, Eusebio.*

*Questa ricostruzione spiega la presenza in* inst. u. *di un'esplicita condanna di Bonoso, che non può essere fatta risalire alla supposta data della velazione di Ambrosia, perché allora l'inchiesta su Bonoso era in corso e ancora nell'*epist. *71* De Bonoso *Ambrogio mostra di essere in prudente e rispettosa attesa della sentenza*[495]*. Perché in seguito avrebbe deciso di intervenire sulla questione*[496]*? Fra le possibili risposte, quella ritenuta piú probabile*[497] *è che nel frattempo sostenitori della dottrina di Bonoso avessero fatto sentire la loro attiva presenza a Milano: questo motivo avrebbe determinato la reazione di Ambrogio al momento della stesura di* inst. u.[498].

[490] J.A. DE ALDAMA, *La carta ambrosiana «De Bonoso»*, in «Marianum», 25 (1963), pp. 15-22.

[491] *Epist.* 71, 2 (CSEL 82, 3, p. 8).

[492] In effetti tale data, una volta distinta dalla data della rielaborazione scritta di *inst. u.* risulta privata di validi fondamenti.

[493] Cf. J.A. DE ALDAMA, *La condemnaciòn de Joviniano en el sinodo de Roma*, in «Ephemerides Mariologicae», 13 (1963), pp. 114 s.

[494] La data del 393 per *inst. u.* era stata indicata da G. JOUASSARD, *Marie à travers la patristique: maternité divine, virginité, sainteté*, in *Maria. Études sur la Sainte Vierge*, 1, Paris 1949, p. 113, nota 52.

[495] Atteggiamento confermato in *inst. u.* 5, 35 *silere iam dudum maluimus.*

[496] *Ibid.*: *hoc tantum sacrilegium silere iam dudum maluimus, sed quia causa uocauit in medium, ita ut eius prolapsionis etiam episcopus argueretur, indemnatum non putamus relinquendum.*

[497] NEUMANN, *The Virgin Mary*, pp. 232 ss.; DE ALDAMA, *La carta*, pp. 20 s.

[498] *Inst. u.* 8, 51 *nunc mihi dicant qui hanc quaestionem serunt...*; analoghe apostrofi in 8, 56.57.

*Tale ricostruzione cronologica, oltre che fondarsi su plausibili argomenti esterni, aiuta a chiarire la struttura dell'opuscolo, che ad una prima lettura appare un po' enigmatica. La nostra analisi, infatti, ha rilevato che la sezione centrale dedicata alla verginità perpetua di Maria costituisce un corpo a sé stante, che ben difficilmente possiamo immaginare come parte integrante del sermone pronunciato per la velazione di Ambrosia. Resta il dubbio se considerare la sezione come esclusivo prodotto della stesura redazionale dell'opera, o se si tratta, anche in questo caso, di materiale oratorio preesistente al momento della rielaborazione scritta.*

*Veniamo alla schematica presentazione del contenuto:*

*— 1, 1 - 2, 15: proemio o, come dice il Palanque* [499]*, una sorta di lettera di presentazione dell'opuscolo* [500] *dedicato al bolognese Eusebio, che gli aveva inviato la figlia Ambrosia perché la consacrasse vergine;*

*— 3, 16 - 5, 32: la verginità è pregio di entrambi i sessi, ma soprattutto è riscatto della donna. Da Eva, attraverso la virtú di Sara, l'esaltazione femminile giunge al sommo in Maria Vergine;*

*— 5, 33 - 8, 57: la verginità perpetua di Maria — condanna dell'eresia di Bonoso;*

*— 9, 58-62: dalla verginità di Maria alla verginità cristiana;*

*— 10, 63 - 12, 78: intermezzo cristologico agganciato al tema della* porta clausa*, cioè della verginità perpetua di Maria;*

*— 12, 79 - 13, 86: recupero del tema della* porta clausa *— si torna, cioè, al tema della verginità di Maria genitrice di Cristo, fonte della verginità;*

*— 14, 87 - 16, 103: Maria, esempio di verginità, i cui meriti sono le virtú, soprattutto la generazione di Cristo: la verginità di Maria, come anche quella delle vergini cristiane, è feconda di Cristo. Queste riflessioni mistiche si avvalgono ancora una volta dell'esegesi del Cantico dei Cantici;*

*— 17, 104-114: preghiera per la velazione della vergine.*

### 3.5. *Exhortatio uirginitatis* [501]

*Contiene il testo di un sermone tenuto a Firenze per la dedicazione della basilica di sant'Agricola: è quanto possiamo ricavare confrontando il contenuto dei primi paragrafi dell'opuscolo con la narrazione che Paolino fa del viaggio di Ambrogio a Firenze* [502]*. Il viaggio è del marzo 394, in prossimità della Pasqua, come lo stesso Ambrogio attesta* [503]*. Egli veniva da Faenza e portava con sé le reliquie del*

[499] PALANQUE, *Saint Ambroise*, p. 457.

[500] *Inst. u.* 2, 15 *hunc ad te librum condendum arbitrati sumus.*

[501] Per un esame piú ampio dell'*exh. u.* si veda F.E. CONSOLINO, *Dagli «exempla» ad un esempio di comportamento cristiano: il «De exhortatione uirginitatis» di Ambrogio*, in «Rivista di Storia Italiana», 44 (1982), pp. 455-477.

[502] PAOLINO, *uita A.* 29 (BASTIAENSEN, p. 90); cf. G.B. RISTORI, *Della venuta e del soggiorno di S. Ambrogio in Firenze*, in «Archivio storico italiano», 36 (1905), pp. 241 s.

[503] *Exh. u.* 7, 42 *uenit Paschae dies.*

*martire Agricola, all'invenzione delle quali aveva assistito poco tempo prima a Bologna.*

*Il sermone inizia con il racconto dell'invenzione delle reliquie (1, 1 - 1, 8): un interessante documento sulle figure dei santi Agricola e Vitale, per i quali il passo di* exh. u. *è l'unica fonte antica, successivamente estrapolato e interpolato*[504]*. Ambrogio portò parte delle reliquie in dono ad una vedova fiorentina di nome Giuliana, che le aveva chieste per deporle sotto l'altare di un tempio da lei fatto costruire.*

*Il sermone contiene, quindi, l'elogio della pia vedova (2, 10-12). Ma la lode maggiore è costituita da un discorso che Ambrogio le attribuisce, secondo un uso letterario noto e già sperimentato dal nostro Autore, che nel* De uirginibus *aveva messo sulla bocca di papa Liberio il sermone per la velazione di Marcellina. Una madre, che ha scelto la professione della vedovanza, rivolge ai figli un'accorata esortazione — di qui, credo, il titolo dell'opuscolo —, perché si diano alla verginità consacrata. La finzione letteraria contribuisce a dar vigore alla lode della verginità. Nell'esperienza di una vedova, già sposata ad un uomo pio che nell'ultimo periodo della vita era diventato ministro della Chiesa, Ambrogio trova argomenti efficaci per dimostrare l'eccellenza della vita consacrata rispetto al matrimonio. Sono ripresi i principali temi circa la verginità: la vita consacrata è un consiglio, non un precetto (3, 17); è vita angelica sulla terra (4, 19); la servitú del matrimonio e la libertà della verginità (4, 20-25); l'allegoria della sposa del Cantico dei Cantici (5, 28-29); l'esempio di Maria (5, 31-33); la verginità come ritorno all'originaria autenticità (6, 35-36); verginità e immacolatezza di Cristo (7, 44); destino escatologico della vergine che si libera dai lacci del mondo (7, 47-50); verginità e sapienza (7, 49-50).*

*Terminato il discorso di Giuliana, Ambrogio prosegue in prima persona. Seguendo la traccia dell'esegesi spirituale del Cantico, riprende il tema di Cristo sposo della vergine (9, 58-59), della ricerca dello sposo da parte della vergine (9, 60), delle ferite d'amore (9, 61). Sulla base di altre citazioni bibliche descrive gli ornamenti spirituali della vergine, le sue vere ricchezze (10, 64-65); la verginità della Chiesa (10, 66-67); la preghiera, la riservatezza, il silenzio della vergine (10, 70-73); altri precetti (11, 74 - 13, 90); verginità e milizia cristiana (14, 91-92). L'opera termina con una preghiera con cui Ambrogio consacra, insieme al tempio fatto costruire da Giuliana, anche la verginità dei suoi figli (14, 94).*

[504] *Ibid.*, 1, 4: cf. la mia nota *ad loc.*

## 4. Il testo

*Distinguiamo le opere contenute in questo volume in due gruppi: quelle di cui è disponibile l'edizione critica e quelle per le quali si deve tuttora ricorrere all'edizione dei Maurini.*

### 4.1. *De uirginibus* e *De uirginitate*

*Per il* De uirginibus *abbiamo seguito l'edizione di I. Cazzaniga (Torino 1949), ma abbiamo tenuto costantemente presente anche la precedente edizione di O. Faller (Bonn 1933), che, pur essendo fondata su di un minor numero di manoscritti, in alcuni luoghi mostra una maggior sicurezza di* iudicium *ed è anche tipograficamente piú corretta.*

*La rilettura critica del testo ci ha portati a fare scelte significativamente innovative, rispetto alle suddette edizioni, in quasi trenta luoghi. A volte ciò è avvenuto per una diversa valutazione dei medesimi dati della tradizione; altre volte l'identificazione di un'allusione o di una citazione biblica*[505] *ha consentito di migliorare il testo; in altri casi è stata determinante l'utilizzazione della tradizione indiretta sconosciuta sia al Cazzaniga che al Faller*[506]*. Entrambe le edizioni critiche si sono dimostrate insufficienti quanto all'apparato delle fonti bibliche. È sorprendente che sotto questo aspetto quella del Cazzaniga sia piú carente di quella del Faller: il rilievo non è marginale per questi testi il cui sviluppo è continuamente sorretto da una fitta trama di citazioni e ancor piú spesso di allusivi riferimenti alla Scrittura, la cui identificazione è indispensabile per una corretta o, quanto meno, piú piena comprensione. L'ortografia del Cazzaniga è rimasta invariata; la punteggiatura invece ha subito qualche ritocco.*

*Per il* De uirginitate *la sola edizione critica è quella di I. Cazzaniga (Torino 1952). Nel complesso ci è parsa soddisfacente, per quanto riguarda la costituzione del testo, anche se abbiamo creduto di doverci scostare in una quindicina di luoghi.*

*Del tutto inadeguato, invece, è risultato l'apparato delle fonti bibliche, addirittura impoverito rispetto alle insufficienti indicazioni registrate nell'edizione maurina. A tale carenza abbiamo cercato di rimediare con una specifica analisi del testo.*

[505] Rientrano in questa categoria la congettura *dispretus* (*districtus* Cazzaniga) di 1, 8, 47 (inizio) e l'eliminazione della *crux* in 3, 5, 21 nel mezzo della citazione di Cant 3, 9-10.

[506] La lezione *cursum* (*cursus* Cazzaniga) di 1, 1, 3 deriva da Beda. Da un *excerptum* tramandato come sermone di Odilone di Cluny sono state attinte le lezioni *uigilare* (*uigil erat*); *quae* (*qui*); *insomnis* (*in somnis*); *pronuntiat* (*praenuntiat*) di 2, 2, 8; cosí pure *domo* (*domi*); *etiam* (*etiam tum*) di 2, 2, 10. Invece è stata di scarsa utilità la collazione del codice Bergamo, Biblioteca Civica Δ, 3, 14, fatta da G. CREMASCHI, *Il «De uirginibus» di S. Ambrogio in un codice ignoto del sec. XII*, in «Atti dell'Istituto Veneto di Scienze, Lettere ed Arti», 110 (1951-1952), pp. 53-55.

### 4.2. *De uiduis, De institutione uirginis, Exhortatio uirginitatis*

*Per queste tre opere non esiste ancora edizione critica, anche se alcuni accurati studi preparatori l'hanno annunciata* [507]. *Il nostro testo si basa, dunque, sulla vecchia edizione maurina (Parigi 1686-1690), quale è ristampata in PL 16. Come è stato piú volte detto, si tratta di una buona edizione in relazione alla sua data. Ma alla lettura odierna si presenta qua e là con lezioni chiaramente problematiche, talora palesemente inaccettabili, tale comunque da non poter costituire una sicura base per la versione italiana e il commento di questa nostra edizione. Le* uariae lectiones, *che le note dei Maurini riportano, hanno contribuito in certi casi a suggerire ipotesi di emendazione, in altri a far sorgere sospetti su testi apparentemente accettabili.*

*In mancanza di un'edizione critica e non avendo voluto sorvolare su problemi testuali eclatanti, ci siamo affidati alle indicazioni fornite dal Faller* [508] *(ribadite dal Cazzaniga* [509]*) sulla distinzione in due famiglie dei codici contenenti gli scritti ambrosiani sulla verginità e sulla vedovanza: la famiglia germanico-italica, che con il Cazzaniga abbiamo indicato con la sigla α, e la famiglia gallico-britannica (= β), su cui, come ha precisato il Faller, è sostanzialmente fondata l'edizione dei Maurini* [510]. *Abbiamo, dunque, deciso di collazionare un ristretto numero di codici non utilizzati dai Maurini, appartenenti alla famiglia α, che è anche, a giudizio degli editori moderni sopra citati, la piú autorevole. I codici collazionati sono:*

*1)* Coloniensis*: Köln, Dombibliothek 38, sec. X: collazionato per* uid., inst. u., exh. u.*;*

*2)* Ambrosianus*: Milano, Biblioteca Ambrosiana B 54 inf., sec. XII: per* uid., inst. u. *(che termina a 8, 52 con le parole* se in monte*),* exh. u.*;*

*3)* Mantuanus*: Mantova, Biblioteca Comunale 45, sec. XII: per* uid., inst. u. *(termina a 8, 52 con le parole* de qua sic ait*),* exh. u.*;*

*4)* Monacensis*: München, Staatsbibliothek Lat. 3787, sec. X: per* uid.*;*

*5)* Herbipolitanus*: Würzburg, Universitätsbibliothek M. p. Th. f. 26, sec. XI: per* uid., inst. u., exh. u.

*6)* Parisinus: *Paris, Bibliothèque Nat., Nouv. acq. 1455, sec. XI: per* inst. u., exh. u.

[507] A.V. Nazzaro, *Quibus libris manu scriptis tres S. Ambrosii «de uiduis», «de exhortatione uirginitatis», «de institutione uirginis» sermones tradantur,* in «Vetera Christianorum», 18 (1981), pp. 105-127; A.V. Nazzaro - P. Santorelli, *Quae orthographica in codicibus ad tres S. Ambrosii sermones edendos adhibitis reperta sint,* in «Vetera Christianorum», 20 (1983), pp. 141-303; A.V. Nazzaro, *Il «De uiduis» di Ambrogio,* cit.

[508] O. Faller, *S. Ambrosii De uirginibus,* Bonnae 1933, pp. 12 s.

[509] I. Cazzaniga, *S. Ambrosii Mediolanensis episcopi de uirginibus,* Augustae Taurinorum 1948, pp. XXVIII s.; cf. anche Id., *S. Ambrosii Mediolanensis episcopi de uirginitate liber unus,* Augustae Taurinorum 1952, pp. VII ss.

[510] In linea di massima l'analisi del Faller è confermata da quella recente del Nazzaro, *Il «De uiduis» di Ambrogio,* pp. 296-298.

*Nel nostro succinto apparato la sigla α indica il consenso di tutti i manoscritti collazionati per ciascuna delle tre opere — a meno che in singoli casi non si diano diverse precisazioni. Con* Maur. *segnaliamo la lezione maurina, che spesso riproduce la tradizione β; ma il lettore è qui avvertito che talora, e per lo piú nei casi di trasposizione di parole, essa è frutto di intervento editoriale. Anche per accertare tale eventualità, ogni qual volta abbiamo riscontrato discrepanza fra α e l'edizione benedettina, non abbiamo trascurato di controllare la tradizione del ramo β, sia pur limitatamente ad alcuni suoi rappresentanti; ma solo raramente ne abbiamo registrato la lezione, fornendo in apparato l'indicazione dei manoscritti utilizzati.*

*La nostra iniziativa non può e non intende proporre un'edizione critica, ma persegue l'obiettivo limitato, oltre che di ripulire il testo dagli arbitrari ritocchi dei nostri editori secenteschi, di offrire un supporto alle ipotesi di sanazione di quelle corruttele delle quali, comunque, una lettura attenta avrebbe potuto e dovuto segnalare l'esistenza e suggerire emendazioni. Consapevoli della inadeguatezza della nostra operazione in ordine ad una generale e sistematica ricostituzione del testo delle tre opere, non abbiamo emendato il testo base dei Maurini, se non quando la testimonianza dei manoscritti collazionati veniva a combaciare con chiare indicazioni fondate sulla critica testuale interna e, eventualmente, sul confronto dei luoghi paralleli. Per le emendazioni riguardanti le citazioni bibliche, il piú delle volte la comparazione da sola ha offerto sufficienti suggerimenti. Nei luoghi, ove non si è potuto disporre di rassicuranti sostegni, la cautela ci ha indotti a seguire la lezione maurina, anche se sospetta. In questo modo speriamo di aver posto alla base del nostro studio un testo, certamente non definitivo, ma piú attendibile di quello dei Maurini, e di aver lavorato, in ogni caso, con la consapevolezza dei problemi non risolti.*

*L'apparato delle fonti bibliche è stato costituito* ex nouo, *essendo le indicazioni dei Maurini assolutamente insufficienti e talora imprecise. Anche la punteggiatura e l'ortografia sono state riviste.*

## 5. Excursus

### 5.1. *Virgb.* 2, 4, 22: Teodora e Didimo

*Sull'anonima martire di* uirgb. *2, 4, 22 si è discusso parecchio in passato, se debba essere identificata con Teodora di Alessandria. I bollandisti*[511] *hanno negato tale corrispondenza, ritenendo improbabile che Ambrogio (o uno scriba) sia incorso in un* lapsus *(*Antiochena *per* Alexandrina*) e anche perché la conclusione del discorso di Ambrogio (la gara fra la vergine e il soldato per la palma del*

[511] AA.SS., *aprilis* 3, p. 572.

*martirio) non compare negli* Acta proconsularia [512] *che tramandano la* passio *di Teodora e Didimo di Alessandria. Penso, tuttavia, che le corrispondenze anche letterali fra i due testi siano sufficienti a fugare ogni dubbio. A tal proposito è bene fare una distinzione fra la prima parte degli* Acta, *ove è narrato lo svolgimento del processo, e la seconda, che riguarda la liberazione di Teodora da parte del soldato* [513]. *Per la prima parte le corrispondenze con il testo di Ambrogio sono poche e non letterali* [514]. *Ambrogio dà un resoconto assai sommario del processo e si dilunga sulle reazioni interiori della fanciulla. Per la seconda parte le coincidenze sono numerose e letterali, e perciò non possono essere casuali.*

*Secondo Augar* [515], *Ambrogio avrebbe avuto a disposizione solo la seconda parte degli* Acta *con un breve sunto della prima come introduzione. Ma si può anche pensare che lo stesso Ambrogio, pur possedendo il testo intero degli Atti, abbia succintamente riferito la prima parte, che gli era utile solo come spunto, per svolgere nella seconda parte una esposizione arricchita di particolari piú funzionali alla propria trattazione, che sottolineassero, cioè, la fortezza della vergine nel conservarsi casta, e per aggiungere quanto il testo degli* Acta *non contiene, l'interiore soliloquio di Teodora con evocazione di alcuni* exempla *biblici — un brano tipicamente ambrosiano. Invece la narrazione particolareggiata della liberazione di Teodora si adattava di per sé allo sviluppo ascetico e spirituale.*

*L'appendice del racconto ambrosiano, che riferisce del ritorno di Teodora sul luogo del supplizio per reclamare la palma del martirio, non è tramandata negli* Acta *e Ambrogio può averla attinta dalla tradizione orale* [516]. *O forse l'ha inserita egli stesso a scopo di edificazione, improntandola sull'episodio pagano di Damone e Finzia narrato subito dopo.*

### 5.2. *Virgt.* 3, 14: le due Maddalene

*Il Cazzaniga ha notato, in apparato, la problematicità delle ultime due frasi di uirgt. 3, 14. La questione esiste e va posta in questi termini: con la frase* uidit ergo Maria resurrectionem domini et prima uidit et credidit *Ambrogio si riferisce alla Maria Maddalena di Mc 16, 9, ma come si spiega che di seguito aggiunge:* uidit et Maria Magdalena, quamuis adhuc ista nutaret? *Il Cazzaniga ha avanzato il sospetto che la seconda frase sia un'interpolazione introdotta da chi, avendo inopinatamente identificato la prima Maria*

[512] Cf. *ibid.*, pp. 573 s., ove è riprodotta la versione latina tratta dal testo greco che è stampato *ibid.*, pp. 63 ss.

[513] F. AUGAR, *Die Frau im römischen Christenproceß*, TU N.F. 13, 4, Leipzig 1905, pp. 34 ss.

[514] Ma forse l'espressione di *uirgb.* 2, 4, 23 *maxima omnium expectatio* ha una precisa corrispondenza con AA.SS., *aprilis* 3, 573, 4 ...*in tantam turbam, quae tuam expectat sententiam.*

[515] F. AUGAR, *Die Frau in römischen Christenproceß*, p. 36.

[516] Cosí AUGAR, *ibid.*, p. 36.

*con la madre di Gesú, ha trovato che il contesto richiedeva anche la menzione di Maria Maddalena.*

*La risposta alla questione è probabilmente un'altra, quella suggerita da Ambrogio in* exp. Luc. *10, 147-161* [517]*, ove si sostiene, sulla traccia di Eusebio* [518]*, che le Marie Maddalene sono due. La prima sarebbe quella di Mt 28, 1 ss., la seconda quella di Io 20, 1 e 11 ss. Nel nostro testo quella distinzione resta, ma qui la prima Maria è identificata con quella di Mc 16, 9 — oppure il particolare presente in Mc 16, 9, secondo cui Maria Maddalena fu la prima a vedere Cristo risorto, è trasferito, consapevolmente o no, sulla Maria di Mt 28, 1 ss. In ogni caso per Ambrogio la Maria Maddalena di Mt e quella di Mc sono la medesima persona: infatti è significativa la corrispondenza fra l'espressione del nostro testo:* prima uidit et credidit, *che certamente allude a Mc 16, 9, e la frase di* exp. Luc. *10, 154* [519]*:* illa dominum uidit et credidit, *con cui Ambrogio dichiaratamente si riferisce a Mt 28, 1 ss. La ragione per la quale Ambrogio esclude che la Maria Maddalena di Mt e Mc possa identificarsi con l'omonima di Io 20, 1 è spiegata in* exp. Luc. *10, 153 s.* [520].

## 5.3. *Virgt.* 16, 98: l'allegoria del noce da Origene ad Ambrogio

*G. Madec* [521] *ha messo a confronto* uirgt. *16, 98 (*sed ne longius labamur, inuitatur dei uerbum in hortum nucis in quo fructus propheticae lectionis et sacerdotalis est gratia, quae amara in tentationibus, dura in laboribus, in uirtutibus interioribus fructuosa est. Vnde etiam uirga Aaron nucea floruit, non iam natura sua sed uirtute secreta*) con Isaac 8, 64* [522]*. Entrambi i luoghi dipenderebbero da un passo del* Commentario al Cantico dei Cantici *di Origene* [523]*: «"Sono sceso nel giardino del noce". I giusti, poiché, a causa del culto che essi rendono a Dio, producono un frutto sacerdotale, sono come i noci, per il guscio che riveste le noci. Un guscio è aspro e amaro, l'altro è duro. Ora in questi gusci è racchiuso il frutto del giusto, per l'asprezza e la durezza delle tentazioni». I raffronti del Madec hanno una loro giustificazione in quella sede. Volendo circoscrivere la nostra indagine all'esegesi del noce di Cant 6, 10 in* uirgt. *16, 98, dobbiamo costatare che essa, piú che a* Isaac

[517] Particolarmente 10, 153 (CCL 14, pp. 387 ss.).

[518] EUSEBIO DI CESAREA, *quaest. euang.* 2, 5-7 (PG 22, 945-948).

[519] CCL 14, p. 390.

[520] *Ibid.*, pp. 389 s. *nescit* (sc. *resurrectionem Christi*) *una Magdalena Maria secundum Iohannem. Scit altera Maria Magdalena secundum Matthaeum; nam eadem et ante scire et postea nescire non potuit. Ergo si plures Mariae, plures fortasse etiam Magdalenae, cum illud personae nomen sit, hoc locorum.*

[521] G. MADEC, *Saint Ambroise et la philosophie*, Paris 1974, pp. 122 s.

[522] CSEL 32, 1, p. 687 «*in hortum nucis descendi uidere in natiuitate torrentis*» (Cant 6, 10). *Vbi enim est ecclesia nisi ubi uirga et gratia floret sacerdotalis? Ibi est frequenter, ut in amaritudinibus et temptationibus probetur. Per nucem amaritudines intellegimus, per torrentem temptationes.*

[523] *Excerpta Proc.*, PG 13, 209 C-D = PG 17, 280 A.

*8, 64, è parallela a* epist. ex. c. *1, 2-3, anche se non vi si espone l'esegesi di Cant 6, 10, bensí quella di Ier 1, 11:* In libro prophetico scriptum est: «Sume tibi baculum nucinum», et qua ratione hoc dixerit dominus prophetae debemus considerare. Non otiose etenim scriptum est quandoquidem et in Pentateucho legerimus quod uirga nucina Aaron sacerdotis cum diu reposita fuisset floruit; nam uidetur significare quod directa esse debeat prophetica uel sacerdotalis auctoritas ut non tam delectabilia quam utilia persuadeat. Ideoque nucinum baculum sumere iubetur propheta, quia memoratae pomum arboris amarum in cortice, durum in testa, intus est fructuosum [524]. *Il parallelismo è nella duplice applicazione dell'allegoria della noce: alla profezia e al sacerdozio; nel* De Isaac *manca il primo riferimento (per contro solo di profezia si parla in* apol. Dauid alt. *10, 50* [525]*). Inoltre, nel* De uirginitate *tre sono i valori esegetici della noce: l'amarezza del mallo, la durezza del guscio, l'interiorità del gheriglio; nel* De Isaac *si parla solo dell'amarezza.*

*Il confronto fra l'esegesi contenuta nei vari passi di Ambrogio e quella dell'*excerptum Procopianum *mette in luce alcuni tratti in comune che assicurano una generica ascendenza origeniana delle riflessioni di Ambrogio* [526]. *Tuttavia, il medesimo confronto fa sorgere il dubbio che il nostro Autore abbia attinto da un testo diverso da quello tramandato dagli* Excerpta Procopiana. *Infatti, l'idea che la noce sia simbolo della* sacerdotalis gratia *è presente nel testo di Origene, ma, mentre Ambrogio ne indica il necessario supporto scritturistico — di noce era la verga del sacerdote Aronne* [527] *— nell'*excerptum *il lettore avverte come problematica la mancanza di tale fondamento. Ora Origene, in* hom. in Num. *9, 7* [528], *commenta tutti e tre i versetti biblici che hanno attinenza con l'esegesi della noce (Num 17, 23 [8]; Cant 6, 10; Ier 1, 11) e ne sviluppa tutti gli spunti esegetici (profezia, sacerdozio, amarezza, durezza, frutto interiore) che Ambrogio tocca brevemente nel* De uirginitate *e nell'*epistola. *Da notare anche che il rinvio all'*excerptum Procopianum *non serve a far luce sull'espressione del nostro* uirgt. *16, 98* fructus propheticae lectionis, *che si chiarisce supponendo che Ambrogio alluda a Ier 1, 11* [529] *che egli cita nell'*epistola *e che Origene commenta in* hom. in Num. *Con ciò non si vuole però sostenere che sia questa omelia la fonte sicura di Ambrogio: la mancanza di corrispondenze nei dettagli non consente una categorica affermazione. È probabile, invece, che Ambrogio in* uirgt. *16, 98,* epist. ex. c. *1, 2-3,* Isaac *8, 64,* apol. Dauid alt. *10, 50 non abbia seguito un unico testo di Origene, ma abbia tratto suggerimenti dalla memoria di piú di un*

[524] CSEL 82, 3, pp. 145 s.

[525] CSEL 32, 2, p. 393.

[526] M. ZELZER, in CSEL 82, 3, p. 146, *ad* 17 - 24, a proposito di *epist. ex. c.* 1, 2-3 rinvia a FILONE, *uit. Moys.* 2, 178-183, ma tale riferimento può indicare, a mio avviso, solo un'influenza remota e indiretta.

[527] Num 17, 23 (8).

[528] GCS 30, pp. 63 s.

[529] Cf. in proposito *ap. Dauid alt.* 10, 50 (CSEL 32, 2, p. 393).

*passo dell'Alessandrino, contaminando e adattando di volta in volta secondo le esigenze del proprio contesto.*

5.4. *Virgt.* 18, 115: Ezechiele e Platone [530]

*Abbiamo già osservato* [531] *che la sezione 17, 108 - 18, 118 del* De uirginitate *è, in sostanza, un corpo a sé stante inserito nel mezzo di un sermone con suture che non possono rimediare alla mancanza di continuità. L'excursus, che difficilmente può aver avuto origine oratoria, è fortemente caratterizzato da influssi platonici. L'argomento è l'anima: la sua naturale tendenza al volo e i suoi conflittuali rapporti con il corpo. In questo quadro,* uirgt. *18, 115 presenta un problema che diversi studiosi hanno cercato di risolvere* [532]. *Vi si dice che secondo la filosofia greca i moti dell'anima sono quattro:* nam in omni sapienti uiro prudentes Graeciae esse memorauerunt λογιστικόν, θυμητικόν, ἐπιθυμητικόν, διορατικόν.

*La medesima notizia si ritrova in* De Abraham *2, 8, 54* [533]. *Il contesto in entrambi i luoghi è costituito dall'interpretazione della visione del carro di Jahvè e dei quattro esseri viventi nel primo capitolo di Ezechiele, cui il nostro Autore rivendica precedenza cronologica e originalità nei confronti del mito platonico del carro alato di Zeus* [534].

*Ambrogio, dunque, attribuisce ai* prudentes Graeciae *la divisione quadripartita dell'anima. In realtà, sappiamo che la tradizione filosofica che risale a Platone conosce solo i primi tre termini* [535]; *attesta, cioè, la tripartizione. Il quarto termine* διορατικόν, *non è mai usato in Platone. D'altra parte, che la quadripartizione ambrosiana sia frutto di un'integrazione del quarto elemento alla serie dei*

[530] Per questa annotazione utilizzo un mio articolo: *L'aquila di Ezechiele e il volo contemplativo dell'anima platonica nel De uirginitate di Ambrogio*, in «Studi Urbinati» B3, 59 (1986), pp. 71-82.

[531] Cf. sopra 3.3.6.

[532] W. WILBRAND, *Ambrosius und Plato*, in «Römische Quartalschrift», 25 (1911), pp. 46*-49*; P. COURCELLE, *Nouveaux aspects du Platonisme chez saint Ambroise*, in «Revue des études latines», 34 (1956), pp. 226-232, articolo ripreso in *Recherches sur les Confessions de saint Augustin*, Paris 1968², pp. 312-319; G. MADEC, *Saint Ambroise et la Philosophie*, Paris 1974, pp. 124-128; H. SAVON, *Saint Ambroise devant l'exégèse de Philon le juif*, 1, Paris 1977, pp. 150-159; M.L. RICCI, *Precisazioni intorno alla fonte di Sant'Ambrogio, De uirg. 18, 115*, in «Vet. Chr.», 14 (1977), pp. 291-299.

[533] CSEL 32, 1, p. 607 *anima autem describit propheta, cuius sunt motus quattuor uelut equi* λογιστικὸν θυμικὸν ἐπιθυμητικὸν διορατικόν. *Haec animalia quattuor id est homo* λογικόν, *leo* θυμικόν, *uitulus* ἐπιθυμητικόν, *aquila* διορατικόν. In realtà, il testo di Ez 1, 5-10 non dice che i quattro viventi corrispondono il primo all'uomo, il secondo al leone, il terzo al vitello e il quarto all'aquila, bensí che tutti e quattro hanno somiglianza umana e che ciascuno di essi è quadriforme, avendo gli aspetti dell'uomo, del leone, del vitello e dell'aquila. Ma già Apoc 4, 5-7 aveva trasformato i quattro quadriformi viventi di Ezechiele in quattro diversi viventi: da questa rielaborazione può essere stato influenzato Ambrogio, come suggerisce *exp. Luc.*, prol. 7 (CCL 14, p. 5).

[534] PLATONE, *Phaedr.* 246-247.

[535] ID., *resp.* 4, 436 a-b; 9, 580 d ss.; 8, 550 b; 553 c-d. Cf. anche *resp.* 4, 439 d ss.; *Phaedr.* 246 b-c; *Tim* 69 c; 89 e. Da Platone attinge FILONE, *leg.* 1, 70; 3, 115.

*primi tre, risulta anche da* exp. Luc. *7, 139*[536], *ove* διορατικόν *non compare. Nel* De uirginitate *e nel* De Abraham, *Ambrogio l'ha introdotto per l'opportunità di far corrispondere i moti dell'anima ai quattro viventi della visione di Ezechiele (uomo, leone, vitello, aquila) e alle quattro virtú cardinali*[537]. *Uno scolio di Origene a Ez 1, 10*[538], *un passo di un'omelia su Ez del medesimo Origene nella versione latina di Girolamo*[539] *e un luogo del commentario a Ez di Girolamo*[540] *confermano che la tradizionale triplice divisione insegnata dalla filosofia pagana era recepita anche in ambito cristiano. Il loro esame comparato dimostra che Girolamo ha tratto da Origene la triplice divisione dell'anima e ci convince che dal medesimo Origene anche Ambrogio ha immediatamente attinto la serie dei tre termini*[541], λογιστικόν, θυμητικόν, ἐπιθυμητικόν. *Ma resta la discordanza circa il quarto elemento, che secondo Origene è la* συνείδησις *o il* πνεῦμα, *per Ambrogio è il* διορατικόν[542].

*Il Wilbrand ha sostenuto che anche* διορατικόν *sarebbe giunto ad Ambrogio tramite Origene, attraverso un'opera perduta dell'Alessandrino*[543]. *L'ipotesi, che vorremmo poter verificare, è che Origene nel perduto commentario a Ezechiele, utilizzato da Girolamo, oltre che con* συνείδησις *interpretasse il simbolo dell'aquila anche con* διορατικόν, *o che una tale interpretazione Ambrogio potesse aver letto nel commentario al Cantico dei Cantici del medesimo Origene, a noi giunto frammentario negli* Excerpta Procopiana, *considerando che per Ambrogio — e forse anche per l'Alessandrino — il carro di Cant 6, 11 è, sul piano esegetico allegorico, assimilabile a quello della visione di Ezechiele*[544].

*Tuttavia, se dipendenza di Ambrogio da Origene c'è stata, è da escludere che sia stata totale e passiva, perché, come ha rilevato il Savon*[545], *nei due autori gli schemi interpretativi della visione di Ezechiele si diversificano nettamente proprio per quel che riguarda l'aquila, quale che sia l'esatta denominazione della funzione psicologica da essa simboleggiata. Per Origene, infatti, la* συνείδησις, *o* πνεῦμα, *non è uno dei quattro moti dell'anima, ma una funzione superiore,* extra ordinem *rispetto ai primi tre: e cosí la sua imposta-*

[536] CSEL 32, 4, p. 343, 12 ss. *tres enim animae in corpore adfectiones sunt, una rationabilis, alia concupiscibilis, tertia impetibilis, hoc est* λογιστικόν, ἐπιθυμητικόν, θυμικόν. *Non ergo duo in duo, sed duo in tres et tres in duo diuidentur.*

[537] *Virgt.* 18, 115 *Latini uero prudentiam, fortitudinem, temperantiam atque iustitiam*; cf. *exp. Luc.* 5, 63 (CSEL 32, 4, p. 207, 7); *parad.* 3, 14 (CSEL 32, 1, p. 273, 22); 3, 22 (p. 279, 17); *Abr.* 2, 8, 54 (CSEL 32, 1, p. 608, 6); *Isaac* 8, 65 (p. 688, 4).

[538] ORIGENE, *sel. in Ez.*, GCS 33, p. 340, 20 ss.

[539] ID., *in Ez. hom.* 1 (GCS 33, p. 340, 2).

[540] GIROLAMO, *in Ez.* 1, 1, 6-8a (CCL 75, p. 11, 209 ss.); cf. anche *in Matt.* 1, 13, 33 (CCL 77, p. 109, 900 ss.).

[541] Cf. WILBRAND, *Ambrosius und Plato*, p. 47*, ripreso da MADEC, *Saint Ambroise*, pp. 125 s.

[542] Cf. i passi citati sopra nelle note 538, 539, 540.

[543] WILBRAND, *Ambrosius und Plato*, p. 49*.

[544] Sul parallelismo fra il carro di Cant 6, 11 e il carro di Ez 1 si vedano *uirgt.* 15, 94-97 e *Abr.* 2, 8, 54 (CSEL 32, 1, p. 607).

[545] SAVON, *Saint Ambroise*, p. 154.

*zione risulta rispettosa della tripartizione platonica dell'anima. Ambrogio, invece, proponendone semplicemente la quadripartizione, modifica la dottrina tradizionale.*

*Si può ben pensare che il consueto metodo di Ambrogio di utilizzare le fonti con disinvolta libertà, che gli consente di adattarle alle proprie esigenze, possa essere stato applicato all'esegesi origeniana di Ez 1 o di Cant 6, 11 e che, conseguentemente, la teoria platonica sulla partizione dell'anima, ivi riferita, ne sia stata deformata.*

*Ma come legittimare l'introduzione di* διορατικόν*?*

*Si sa che non è mai attestato da Platone* [546] *e, a quanto ci risulta, nessun autore pagano o cristiano lo usa in serie con gli altri tre termini* [547]*. Eppure Ambrogio lo attribuisce ai filosofi greci insieme ai primi tre. Per questi il problema non si pone, perché il nostro Autore, anche se immediatamente li ha letti in Origene, ne conosceva, come Girolamo, l'origine platonica. Si pone invece per* διορατικόν*, perché non è stato ancora verificato per quale via Ambrogio potesse ricollegarlo ad un cosí alto livello della tradizione filosofica. L'interrogativo cui ci proponiamo di dare una risposta è dunque il seguente: il ricorso a* διορατικόν *in* De uirginitate *18, 115, per integrare l'insufficiente tripartizione platonica e in sostituzione degli inadeguati* συνείδησις/πνεῦμα *che abbiamo visto usati da Origene, quale giustificazione filosofica ha in relazione alla duplice esigenza di Ambrogio di trasporre sul piano antropologico psicologico il senso visivo dell'aquila biblica e, soprattutto, di esprimere sul piano morale — che è quello che piú importa al vescovo milanese — la virtú della giustizia parimenti indicata in quel simbolo?*

*Parliamo della necessità di una giustificazione filosofica, che poggi, cioè, sull'autorità della filosofia greca, perché — ripetiamo — è lo stesso Ambrogio che la invoca per tutti e quattro i termini. E ad Ambrogio preme affermare che tutti e quattro i termini appartengono al linguaggio della filosofia pagana, perché il suo scopo è di chiarire il rapporto fra quelle categorie filosofiche e i simboli della preminente rivelazione biblica, che quelle dipendono da questi.*

*Dal momento che la ricerca di una fonte precisa e sicura del* διορατικόν *ambrosiano è risultata vana, penso che dobbiamo accontentarci di apprendere dal Savon* [548] *che il termine apparteneva al lessico filosofico tardo, pagano e cristiano, e che Origene lo usa spesso, anche se in contesti diversi da quello dello schema ambrosiano della quadripartizione filosofica dell'anima* [549]*.*

*Cerchiamo piuttosto di indagare a livello semantico sul concetto che Ambrogio vuole comunicare con quella parola, partendo dal contesto del* De uirginitate*, che è piú ampio, e perciò, dal nostro punto di vista, piú promettente di quello del* De Abraham.

[546] Va precisato che, se è vero che Platone non usa mai διορατικόν, parla però della vista dell'anima (*resp.* 533 d; cf. anche *soph.* 254 a).

[547] Lo troviamo accanto a λογικόν in METODIO D'OLIMPO, *Symp.* 6, 1 (GCS 27, p. 65, 5).

[548] *Ibid.*, p. 157.

[549] Cf. sopra, nota 15.

*Courcelle ha dettagliatamente mostrato che le pagine del* De uirginitate, *che ci interessano, sono costellate di impronte del* Fedro *di Platone. Tra queste, una merita di essere analizzata con attenzione:*

uirgt. *1, 108*
*aeternis intenta (*sc. *anima) uirtutibus supra mundum labitur. Supra mundum enim iustitia est, supra mundum castitas, supra mundum bonitas, supra mundum sapientia.*

Phaedr. *247 d*
ἐν δὲ τῇ περιόδῳ καθορᾷ (sc. ἡ ψυχή) μὲν αὐτὴν δικαιοσύνην, καθορᾷ δὲ σωφροσύνην, καθορᾷ δὲ ἐπιστήμην.

*Da notare che il passo del* Fedro *appartiene ad una pagina contigua a quella del mito del carro alato e che entrambe facevano parte, secondo la tesi del Courcelle, dell'*excerptum *utilizzato dal vescovo milanese* [550].

*Per Ambrogio, dunque, l'anima, che domina le passioni, vola sulle ali dello spirito al di sopra del mondo a contemplare le eterne virtú. Il suo testo presenta una tipica connotazione cristiana, nell'aggiunta della virtú della castità, evidentemente in ossequio al tema della verginità. La* bonitas *potrebbe riprendere l'idea platonica del bene* [551]. *In* supra mundum *è individuabile un'eco di* Phaedr. *247 b:* ἐπὶ τῷ τοῦ οὐρανοῦ νώτῳ. *In ogni caso, le orme del modello platonico sono abbastanza chiare. Di lí, credo, Ambrogio ha tratto lo spunto e la giustificazione per affermare che, secondo la filosofia pagana, l'anima è dotata anche di una facoltà visiva e contemplativa.*

*Non restava che cercare un quarto termine atto a rivestire un valore semantico già esistente, che fosse, cioè, adeguato a esprimere tale facoltà ben definita sia dall'immagine platonica dell'anima che al di sopra del cielo contempla (*καθορᾷ*) la giustizia, come pure dall'allegoria biblica dell'aquila dalla vista acuta. Cosí dai quattro simboli della visione profetica si passa alle quattro categorie psicologiche elaborate dalla filosofia, attraverso le quali il percorso ermeneutico approda al piano morale delle quattro virtú cardinali. In particolare, Ambrogio si preoccupa di dar conto del nesso concettuale che collega la vista acuta dell'aquila alla virtú della giustizia:* Iustitia in alto quodam suggestu locata uidet exploratque omnia... meritoque anima operata iustitiam formam aquilae accipit quod terrena defugiens totaque caelesti sublimis et intenta mysterio resurrectionis gloriam pretio aequitatis adipiscitur [552]. *Qui, però, non si tratta piú della contemplazione sopracceleste dell'ontologica intelligibile idea della giustizia da parte dell'anima platonica (*Phaedr. *247 d), ma ormai solo del simbolo biblico dell'aquila, cioè dell'anima cristiana, la cui spirituale facoltà visiva si esplica dapprima nell'ascetica pratica della virtú della giustizia, poi nell'eterna contemplazione del mistero divino.*

[550] COURCELLE, *Recherches sur les Confessions*, p. 318.
[551] Cf. PLATONE, *Phaedr.* 246 d; *resp.* 505 a; 508 e; 517 b.
[552] *Virgt.* 18, 115.

5.5. *Exh. u.* 10, 66: *circumamicta*

*La difficoltà di intendere il senso della citazione di Cant 1, 7 (*ne forte fiam circumamicta super greges sodalium tuorum*) dipende, come spesso accade, dal fatto che essa è un calco sul testo greco. Cosí l'espressione latina presenta una forma letteraria il cui autentico senso letterale non è immediatamente perspicuo, né Ambrogio si preoccupa di spiegarlo: egli non riteneva necessario risolvere preliminarmente i problemi filologici del testo biblico citato. Tuttavia, anche se svalutato rispetto al senso allegorico, anche se non rigorosamente giustificativo di esso, il senso letterale resta pur sempre il punto di partenza per ogni ulteriore riflessione. Perciò accertare di volta in volta come il nostro Autore abbia inteso il senso letterale del testo citato è importante non solo come obiettivo in sé, ma anche per contribuire a chiarire il rapporto fra i diversi livelli ermeneutici e per svelare ogni sottinteso del pensiero espresso.*

*È appena il caso di ribadire che, quanto alle citazioni, ciò che ci interessa è il significato che Ambrogio intendeva in quel determinato testo che citava. Resterebbe pertanto sconcertato chi, per chiarire* circumamicta, *si rivolgesse al dizionario del Blaise (*s.u. circumamicio*): vi troverebbe registrato Cant 1, 7 secondo la lezione* Vetus Latina *che ne dà Ambrogio in* exp. ps. 118 *2, 12 (cf. qui sotto) — la medesima lezione attestata nel nostro* exh. u. *10, 66 — con una traduzione («pour que je n'erre pas de tous côtés à la recherche de...») che riproduce il senso che quel versetto ha secondo il testo della* Vulgata*! Il Blaise ha probabilmente seguito il ThlL (*s.u. circumamicio*) che, riportando la medesima citazione ambrosiana di Cant 1, 7, pretende di chiarirla ponendola, appunto, a confronto con il diverso testo della* Vulgata. *Ugualmente inaccettabile è l'opinione di G. Chappuzeau, che vede in* circumamicta *«un errore di traduzione» che sarebbe la causa dell'oscurità del passo di* exp. ps. 118 *2, 12* [553]*: un errore che la Chappuzeau non sa se attribuire ad Ambrogio stesso o ad un copista posteriore. Ma non di errore, comunque, si tratta, bensí di una sicura lezione* Vetus Latina *ricalcata su* περιβαλλομένη.

*La nostra frase di Cant 1, 7 è infatti citata da Ambrogio in altri due luoghi (*exam. *4, 5, 22, CSEL 32, 1, p. 128;* exp. ps. 118 *2, 12, CSEL 62, p. 27) ed allusivamente evocata in* inst. u. *17, 113. In* exam. *colei che parla è la Sinagoga, che si rivolge a Cristo e confessa di non amarlo piú, ammette di non essere piú la sua sposa e di desiderare soltanto di essere ormai una discepola: per questo vuole unirsi ai «greggi» di Cristo, vuole cioè una posizione subalterna. In* exp. ps. 118 *è sempre la Sinagoga che, divenuta straniera da compatriota, povera da ricca, chiede a Cristo di essere accolta come seguace, lei che era e sarebbe dovuta restare guida. Vuole essere mercenaria e proselita, mentre prima radunava mercenari e proseliti. Dunque, la frase negativa di Cant 1, 7 (*ne forte fiam circumamicta*) esprime*

[553] G. CHAPPUZEAU, *Die Exegese von Hohelied 1, 2a.b und 7 bei den Kirchenvätern von Hippolyt bis Bernhard,* in «Jahrb. f. Ant. u. Christ.», 18 (1975), p. 117. L'articolo non menziona il nostro *exh. u.* 10, 66.

*la volontà della Sinagoga, divenuta infedele, di stare lontano dalla posizione di prestigio e di signoria significata in positivo da* circumamicta. *Tale interpretazione sembra ribadita nel nostro passo di* exh. u., *con la differenza che qui la Sinagoga non si rivolge a Cristo, ma alla Chiesa (*«ne forte fiam circumamicta super greges sodalium tuorum». Mercenaria esse desiderat quae sibi uindicabat ante dominatum*). Qui è ancor piú chiara la corrispondenza fra l'espressione* circumamicta super greges *e il concetto di supremazia (*dominatus*). In* inst. u. *17, 113 troviamo un'allusione a Cant 1, 7 con un'applicazione parenetica per nulla riconducibile all'esegesi sopra esposta, ma che presuppone il medesimo significato letterale del versetto.*

*Ma come Ambrogio ha potuto attribuire a* circumamicta *un valore semantico inusitato che pare irriducibile al significato proprio del verbo? Al riguardo suggerisco un'ipotesi: sul senso di* circumamicta *potrebbe aver influito la memoria di Ps 44 (45), 10, ove* circumamicta *è detto della regina, per esprimere la superiore bellezza del suo allegorico vestito, che, secondo Ambrogio, sarebbe fatto di virtú — cosí in* uirgb. *1, 7, 36 s. Nell'interpretazione di Cant 1, 7 è un significato traslato, metaforico, a prevalere:* circumamicta *è colei che è «vestita come una regina», cioè «sovrana»; mentre* super greges *completa il concetto indicando i popoli divenuti cristiani su cui la Sinagoga avrebbe dovuto esercitare la supremazia perduta.*

# BIBLIOGRAFIA ESSENZIALE

a) *Edizioni*

*Sancti Ambrosii... opera ad manuscriptos codices Vaticanos, Gallicanos, Belgicos, etc. nec non ad editiones ueteres emendata studio et labore monachorum ordinis Sancti Benedicti e congregatione S. Mauri,* 1-2, Parisiis 1686-1690: le nostre cinque opere, contenute nel vol. 2, sono state riprodotte in PL 16, di cui noi abbiamo usato la seconda ed., Parisiis 1880.

*Sancti Ambrosii Mediolanensis episcopi, ecclesiae patris ac doctoris opera omnia ad Mediolanenses codices pressius exacta curante* P. A. Ballerini, 1-6, Mediolani 1875-1883: le nostre cinque opere sono contenute nel vol. 4 (1879).

*S. Ambrosii De uirginibus ad praecipuorum codicum fidem* recensuit O. Faller, Florilegium Patristicum 31, Bonnae 1933.

*S. Ambrosii Mediolanensis episcopi De uirginibus libri tres* edidit E. Cazzaniga, Augustae Taurinorum 1948.

*S. Ambrosii Mediolanensis episcopi De uirginitate liber unus* edidit E. Cazzaniga, Augustae Taurinorum 1952.

b) *Studi*

AUGAR F., *Die Frau im römischen Christenproceß, ein Beitrag zur Verfolgungsgeschichte der christlichen Kirche in römischen Staat,* TU N.F. 13, 4, Leipzig 1905.

CAMELOT P.-TH., *Les traités De uirginitate au IVe siècle,* in *Travaux scientifiques du VIIe Congrès international d'Avon,* Bruges-Paris 1952, pp. 273-292.

CAZZANIGA I., *Note ambrosiane. Appunti sullo stile delle omelie virginali,* Milano-Varese 1948.

ID., *Colore retorico nell'episodio ambrosiano della cena di Erode,* in «Latomus», 13 (1954), pp. 569-576.

CROUZEL H., *Marriage and Virginity: Has Christianity devalued Marriage?,* in «The Way», suppl. 10 (1970), pp. 3-23.

ID., *Le célibat et la continence ecclésiastique dans l'église primitive: leurs motivations,* in *Mariage et divorce, célibat et caractères sacerdotaux dans l'église ancienne,* Torino 1982, pp. 333-367.

DE ALDAMA J.A., *La carta ambrosiana «De Bonoso»,* in «Marianum», 25 (1963), pp. 1-22.

D'IZARNY R., *La virginité selon saint Ambroise,* Lyon 1952 (tesi dattil.).

ID., *Mariage et consécration virginale au IVe siècle,* in «La vie spirituelle», suppl. 24 (1953), pp. 92-118.

DOIGNON J., *La première exposition ambrosienne de l'exemplum de Judith (De uirginibus 2, 4, 24),* in *Ambroise de Milan,* cit., pp. 219-228.

DOOLEY W.J., *Marriage according to St. Ambrose,* Washington 1949.

DOSSETTI G., *Il concetto giuridico dello «status religiosus» in Sant'Ambrogio*, in *Sant'Ambrogio nel XVI centenario della nascita*, Milano 1940, pp. 451-483.

DOSSI L., *S. Ambrogio e S. Atanasio nel De uirginibus*, in «Acme», 4 (1951), pp. 241-262.

DUVAL Y.M., *L'originalité du De uirginibus dans le mouvement ascétique occidentale. Ambroise, Cyprien, Athanase*, in *Ambroise de Milan. XVIe Centenaire de son élection épiscopale*, Paris 1974, pp. 9-66.

FRANK S., Ἀγγελικὸς βίος, Münster (Westfalen) 1964.

GIRARD J.L., *Pélagie dans un texte de saint Ambroise*, in «Analecta Bollandiana», 92 (1974), pp. 367-370.

GROSSI V., *La verginità negli scritti dei Padri. La sintesi di Ambrogio: gli aspetti cristologici antropologici ecclesiali*, in *Il celibato per il Regno*, Milano 1977, pp. 131-164.

HUHN J., *Das Geheimnis der Jungfrau-Mutter Maria nach dem Kirchenvater Ambrosius*, Würzburg 1954.

JOUASSARD G., *Un portrait de la sainte Vierge par saint Ambroise*, in «La vie spirituelle», 90 (1954), pp. 477-489.

KOCH H., *Virgines Christi. Die Gelübde der Gottesweihten Jungfrauen in den ersten drei Jahrhunderten*, TU 31, 2, Leipzig 1907, pp. 59-112.

LEFORT L. TH., *Athanase, Ambroise et Chenoute «Sur la virginité»*, in «Le Muséon», 48 (1935), pp. 55-73.

ID., *Saint Athanase. Lettres Festales et Pastorales en copte*, CSCO 150-151, Louvain 1955.

MARROU H.I., *L'idéal de la virginité et la condition de la femme dans la civilisation antique*, in *La chasteté*, Paris 1953, pp. 39-49.

METZ R., *La consécration des vierges dans l'église romaine*, Paris 1954.

MICHELS TH., *Noch einemal die Ansprache des Papstes Liberius bei Ambrosius De uirginibus III 1, 1 ff.*, in «Jahrbuch für Liturgiewissenschaft», 3 (1923), pp. 105-108.

NAZZARO A.V., *Simbologia e poesia dell'acqua e del mare in Ambrogio di Milano*, Napoli 1977.

ID., *Quibus libris manu scriptis tres S. Ambrosii de uiduis, de exhortatione uirginitatis, de institutione uirginis sermones tradantur*, in «Vet. Chr.», 18 (1981), pp. 105-127.

ID., *La vedovanza nel cristianesimo antico*, in «Annali di Lett. e Filos. dell'Un. di Napoli», n.s. 14 (1983-1984), pp. 1-30 dell'estratto.

ID., *Ambrosiana V. Il duplice segno di Gedeone*, in «Civiltà Cl. e Cr.», 6 (1985), pp. 425-439.

ID., *Il De uiduis di Ambrogio*, in «Vichiana», n.s. 13 (1984), pp. 274-298.

NEUMANN C.W., *The Virgin Mary in the Works of Saint Ambrose*, Fribourg (Switz.) 1962.

PIZZOLATO L.F., *La coppia umana in sant'Ambrogio*, in *Etica sessuale e matrimonio nel cristianesimo delle origini*, a cura di R. Cantalamessa, pp. 180-211.

PRETE B., *Matrimonio e continenza nel cristianesimo delle origini*, Brescia 1979.

QUACQUARELLI A., *Lavoro e ascesi nel monachesimo prebenedettino del IV e V secolo*, Bari 1982.

ID., *Il triplice frutto della vita cristiana = 100, 60, 30*, Roma 1953.

RICCI M.L., *Precisazioni intorno alla fonte di Sant'Ambrogio, De uirg. 18, 115*, in «Vet. Chr.», 14 (1977), pp. 291-299.

SCHILLINGS R., *Vestales et vierges chrétiennes dans la Rome antique*, in «Revue des Sciences Religieuses», 35 (1961), pp. 113-129.

SFAMENI GASPARRO G., *Enkrateia e antropologia. Le motivazioni protologiche*

*della continenza e della verginità nel cristianesimo dei primi secoli e nello gnosticismo* (Studia Ephemeridis «Augustinianum»), Roma 1984.
TIBILETTI C., *Verginità e matrimonio in Antichi scrittori cristiani* (Annali della Facoltà di Lettere e Filosofia della Università di Macerata, 2), Napoli 1969.

## ABBREVIAZIONI

CCCM = *Corpus christianorum, continuatio mediaeualis*, Turnhout.
CCL = *Corpus christianorum, series latina*, Turnhout.
CSCO = *Corpus scriptorum christianorum orientalium*, Louvain.
CSEL = *Corpus scriptorum ecclesiasticorum latinorum*, Wien.
DACL = *Dictionnaire d'archéologie chrétienne et liturgie*, Paris.
DSp = *Dictionnaire de spiritualité et mystique*, Paris.
DTC = *Dictionnaire de théologie catholique*, Paris.
GCS = *Die griechischen christlichen Schriftsteller der ersten drei Jahrhunderte*, Berlin.
PG = Migne, *Patrologia graeca*, Paris.
PL = Migne, *Patrologia latina*, Paris.
RACh = *Reallexikon für Antike und Christentum*, Leipzig.
SAEMO = *Sancti Ambrosii episcopi mediolanensis opera*, Milano-Roma.
SCh = *Sources chrétiennes*, Paris.
ThlL = *Thesaurus linguae latinae*, Leipzig.
TU = *Texte und Untersuchungen zur Geschichte der altchristlichen Literatur*, Berlin.

# De uirginibus
# Le vergini

## LIBER PRIMVS

**1.** 1. Si iuxta caelestis sententiam ueritatis uerbi totius quod cumque otiosum fuerimus locuti habemus praestare rationem [a], uel si unusquisque seruus credita sibi talenta [b] gratiae spiritalis, quae nummulariis diuidenda forent, ut crescentibus multiplicarentur usuris, intra terram suam uel quasi timidus fenerator uel quasi auarus possessor absconderit, non mediocrem domino reuertente offensam incidet, iure nobis uerendum est, quibus licet ingenium tenue, necessitas tamen maxima eloquia dei credita populi fenerare mentibus, ne uocis quoque nostrae poscatur usura, praesertim cum studium a nobis dominus, non profectum requirat, unde scribendi aliquid sententia fuit, maiore siquidem pudoris periculo auditur uox nostra quam legitur; liber enim non erubescit.

1. [a] Mt 12, 36.
[b] Mt 25, 24-30.

2. Perciò, diffidando del mio ingegno, ma stimolato dagli esempi della misericordia divina, oso esprimere delle riflessioni : infatti per volere di Dio anche un'asina ha parlato. Se mi aiuterà un angelo, pur trovandomi sotto i pesi [9] di questo mondo, anch'io scioglierò la lingua rimasta a lungo muta [10]; infatti colui che in quell'asina sciolse gli impedimenti della natura, può sciogliere quelli dell'impreparazione [11]. Nell'arca dell'Antico Testamento fiorí la verga del sacerdote: Dio può facilmente far sí che nella santa Chiesa germogli un fiore anche dai nostri nodi [12]. Ma perché non credere che il Signore possa parlare per tramite di uomini, lui che ha parlato tra i rovi? Dio non ha disdegnato nemmeno un roveto. E volesse illuminare [13] anche le mie spine! Forse vi saranno quelli che anche nei nostri rovi vedranno risplendere un certo fulgore, vi saranno di quelli che la nostra pianta spinosa non brucerà, quelli a cui la nostra voce udita dal roveto scioglierà i calzari dai piedi [14], affinché il progresso della mente sia liberato dagli impacci corporali. Ma queste sono prerogative di uomini santi.

3. Oh, se Gesú da qualche parte volgesse lo sguardo su di me, che giaccio ancora sotto quel fico che non dà frutti [15]. Dopo tre anni [16] anche il nostro fico porterebbe frutti. Ma da dove nasce tanta speranza per i peccatori? Ah, se quel coltivatore della vigna del Signore, di cui parla il Vangelo, che forse ha ricevuto l'ordine di tagliare il nostro fico, gli concedesse clemenza anche

[9] Anche nei pesi, che deve sopportare, Ambrogio si sente simile all'asina di Balaam.

[10] Ambrogio fa riferimento ai tre anni dedicati, dopo l'elezione episcopale, alla propria formazione teologica. L'espressione *muta diu ora laxabo* non va presa in senso letterale; significa che questa è la prima sua opera che viene pubblicata dopo il lungo periodo di studio, ma, certo, in precedenza egli aveva svolto un'intensa attività di predicazione, con discorsi che poi confluiranno nel *De uirginibus* e nel *De officiis*.

[11] Sul tema *parola* e *silenzio* in questi primi due paragrafi e in genere negli scritti di Ambrogio si veda M. PELLEGRINO, *«Mutus... loquar Christum». Pensieri di sant'Ambrogio su parola e silenzio*, in *Paradoxos politeia*. Studi patristici in onore di Giuseppe Lazzati, Milano 1979, pp. 446-457.

[12] Un'immagine tratta dalla natura: la gemma e poi il fiore nascono dal nocchio della pianta; cf. *exam.* 3, 8, 33 (CSEL 32, 1, p. 81, 3 s.) *in harundine uidemus quomodo in extremo eius uelut quidam fit nodus e latere et inde alia harundo germinat.*

[13] *illuminet*: il verbo allude all'interpretazione allegorica del fuoco che ardeva il roveto di Ex 3, 2. Cf. *exp. Luc.* 7, 132 (CCL 14, p. 259, 1406) *ignis enim domini lumen aeternum est*; *exam.* 4, 3, 9-10 (CSEL 32, 1, pp. 116, 26 - 117, 16).

[14] Per l'interpretazione dei calzari di Ex 3, 5 cf. anche *Isaac* 4, 16 (CSEL 32, 1, p. 653, 15 ss.); *fug.* 5, 25 (CSEL 32, 2, p. 184, 9 ss.); *exp. Luc.* 2, 80 (CCL 14, p. 66. 1092 ss. ...*ut animi eius gressus et mentis corporei nexus uinculis absolutus iter spiritale gradiatur*; 7, 57 (p. 232, 558 ss.); 9, 31 (p. 342, 300 ss.); *epist.* 6, 1 (CSEL 82, 1, p. 39, 11 ss.); *exp. ps. 118* 8, 20 (CSEL 62, p. 162, 23 ss.); 17, 16 (p. 385, 18 ss.); 17, 17 (p. 386, 11 ss.); *paen.* 2, 11, 107 (CSEL 73, p. 206, 72 ss.); *obit. Val.* 67 (p. 361); *exc. fr.* 2, 94 (p. 301).

[15] Contaminazione di Io 1, 48 con Lc 13, 7.

[16] *post triennium*: Ambrogio allude sia a Lc 13, 7 che ai tre anni trascorsi del proprio pontificato: era stato consacrato vescovo il 7 dicembre 374. Cf. piú oltre 2, 6, 39 *nondum triennalis sacerdos*.

iam iussus excidere remittat illam et hoc anno, usque dum fodiat et mittat cofinum stercoris [n], ne forte de terra suscitet inopem et de stercore erigat pauperem [o]! Beati qui sub uite et olea equos suos alligant [p] laborum cursum suorum paci et laetitiae consecrantes: me ficus adhuc, id est illecebrosa deliciarum obumbrat prurigo mundi, humilis ad altitudinem, fragilis ad laborem, mollis ad usum, sterilis ad fructum.

4. At fortasse miretur aliquis, cur scribere audeo, qui loqui non queo, et tamen si repetamus quae legimus in euangelicis scriptis et sacerdotalibus factis ac nobis sanctus Zacharias propheta documento sit, inueniet esse quod uox non explicet et stilus signet. Quod si nomen Iohannis reddidit patri uocem [q] ego quoque desperare non debeo, quod uocem, licet mutus, accipiam, si loquar Christum, cuius quidem *generationem* iuxta propheticum dictum *quis enarrabit?* [r] Et ideo quasi seruus domini familiam praedicabo; immaculatus enim dominus immaculatam sibi familiam etiam in hoc pleno conluuionum fragilitatis humanae corpore consecrauit.

**2.** 5. Et bene procedit, ut, quoniam hodie natalis est uirginis, de uirginibus sit loquendum et ex praedicatione liber sumat exordium.

[n] Lc 13, 7-9.
[o] Ps 112 (113), 7.
[p] Gen 49, 11.
[q] Lc 1, 63.
[r] Is 53, 8; Act 8, 30.

3, 7-11 beati *usque* fructum *laudat Beda in Gen. I, 3, 7.*
8 cursum: *cf. quae ad loc. notaui.*
4, 1 at *Bergomensis* Δ *3, 14 et Castiglioni ap. Cazz.*: ac *cett.*

per quest'anno, finché non scavi attorno e vi metta una cesta di letame: chi sa che non possa rialzare da terra il misero e non possa sollevare il povero dal fimo! Beati quelli che legano i loro cavalli sotto la vite e l'olivo, e votano la corsa dei loro affanni alla pace e alla letizia: me copre ancora il fico, cioè il prurito delle seducenti delizie del mondo [17]: quanto ad altezza è basso, quanto a resistenza è fragile, quanto all'uso è molle, quanto ai frutti è sterile [18].

4. Ma forse qualcuno si meraviglierà che io, che non sono in grado di parlare, abbia coraggio di scrivere, ma se rivolgiamo la nostra attenzione a ciò che si legge negli scritti del Vangelo e nei fatti accaduti ai sacerdoti e se ci è testimone il santo profeta Zaccaria, vedrà che esiste qualcosa che la voce non può spiegare e che lo stilo può scrivere. Che se il nome di Giovanni ha restituito la voce al padre, nemmeno io debbo disperare, anche se sono muto, di poter ottenere la voce, se parlerò di Cristo, del quale, come dice il profeta, *chi narrerà la generazione?* [19]. Perciò, come un servo, celebrerò la famiglia del Signore [20]; infatti il Signore, che è immacolato, si è consacrato una famiglia immacolata anche in questo corpo pieno delle impurità proprie della fragilità umana.

**2.** 5. E cade a proposito che, ricorrendo oggi il giorno natale di una vergine [21], si debba parlare delle vergini [22] e che il libro esordisca con il suo elogio [23].

[17] L'esegesi patristica vedeva solitamente nel fico di Lc 13, 7 e Io 1, 48 il simbolo del peccato; cf. P. COURCELLE, *Recherches sur les Confessions de saint Augustin*, Paris 1968², p. 193, nota 2 e ID., *Les Confessions de saint Augustin dans la tradition littéraire. Antécédents et posterité*, Paris 1963, p. 192, nota 5. Ma a tale orientamento non si conforma AMBROGIO, *epist.* 22, 10 (CSEL 82, 1, p. 163).

[18] Il passo *beati... fructum* è citato da BEDA, *in Gen.* 1, 3, 7 (CCL 118A, p. 62, 1991 ss.): vi si trova la lezione *cursum* (invece di *cursus* accolta dal Cazzaniga), che ritengo buona; sorprende invece che l'editore del testo di Beda, Ch. W. Jones — che del resto non ha identificato la citazione ambrosiana — abbia accolto *faciei* che sembra proprio una corruzione di *paci et*, che pure egli segnala in apparato come *uaria lectio* attestata. Non vi possono essere dubbi sulle parole *paci et letitiae*, che richiamano chiasticamente le precedenti *sub uite et olea*.

[19] Gli esegeti moderni sono discordi sul preciso significato del secondo stico di Is 53, 8. Secondo C. WESTERMANN, *Isaia (capp. 40-46)*, trad. it., Brescia 1978, pp. 319 s. è possibile attribuire al termine ebraico (*dôr*), che nella citazione di Ambrogio è reso con *generationem*, il significato di «stirpe» (del Servo di Jahvè). Se cosí fosse, bisognerebbe dire che la citazione del nostro Autore è estremamente appropriata: egli infatti si accinge a parlare delle vergini come «famiglia» (= generazione) di Cristo.

[20] Le vergini formano la famiglia del Signore.

[21] Il 21 gennaio, che è il giorno in cui si celebra il martirio di sant'Agnese. La data è già attestata dal *Chronographus* (a. 354), MGH, AA 9, p. 71, 6, oltre che nel *Martirologio geronimiano* e in numerose altre fonti antiche (cf. *Bibliotheca Sanctorum* 1, 382). Di Agnese Ambrogio parla anche in *off.* 1, 204 (SAEMO 13, p. 148); *epist.* 7, 36 (CSEL 82, 1, p. 61) e nell'inno *Agnes beatae uirginis* (PL 17, 1249). Nel *Martyrium Polycarpi* 18, 2 (LAKE, p. 336), scritto intorno alla metà del secondo secolo, ci è attestato che con «giorno natale» si indicava il giorno della morte di un martire, cioè la sua nascita celeste; ma l'espressione è anche piú antica (cf. SENECA, *epist.* 102, 2 b). Sull'argomento si veda DACL 12, 891 ss. Troviamo qui uno dei pochi indizi del carattere originariamente oratorio del materiale rielaborato in quest'opera.

[22] *De uirginibus*: è esattamente il titolo del trattato.

[23] Questo primo libro è dedicato alla *praedicatio* (o *laudatio*) della *uirginitas*

Natalis est uirginis, integritatem sequamur. Natalis est martyris, hostias immolemus. Natalis est sanctae Agnes, mirentur uiri, non desperent paruuli, stupeant nuptae, imitentur innuptae. Sed quid dignum ea loqui possumus, cuius ne nomen quidem uacuum luce laudis fuit? Deuotio supra aetatem, uirtus supra naturam, ut mihi uideatur non hominis habuisse nomen, sed oraculum martyris, quo indicauit quid esset futura. Habeo tamen unde mihi subsidium comparetur.

6. Nomen uirginis titulus est pudoris. Appellabo martyrem, praedicabo uirginem. Satis prolixa laudatio est, quae non quaeritur, sed tenetur. Facessant igitur ingenia, eloquentia conticescat, uox una praeconium est. Hanc senes, hanc iuuenes, hanc pueri canant. Nemo est laudabilior quam qui ab omnibus laudari potest. Quot homines, tot praecones, qui martyrem praedicant, dum loquuntur.

7. Haec duodecim annorum martyrium fecisse traditur. Quo detestabilior crudelitas, quae nec minusculae pepercit aetati, immo magna uis fidei, quae etiam ab illa testimonium inuenit aetate. Fuitne in illo corpusculo uulneri locus? Et quae non habuit quo ferrum reciperet, habuit quo ferrum uinceret. At istuc aetatis puellae toruos etiam uultus parentum ferre non possunt et acu

È il giorno natalizio di una vergine, imitiamone l'integrità. È il giorno natalizio di una martire, offriamo il sacrificio [24]. È il giorno natalizio di santa Agnese [25], ammirino gli uomini, non si scoraggino i piccoli, stupiscano le sposate, imitino le nubili. Ma che cosa possiamo dire che sia degno di colei della quale nemmeno il nome fu privo di luminosa lode [26]? Una devozione superiore all'età [27], una virtú superiore alla natura [28], cosicché mi pare che essa non abbia avuto un nome di persona umana, ma una profezia di martire con la quale indicava quel che sarebbe stata. So però donde mi può venire aiuto.

6. Il nome di vergine è titolo di pudore. La chiamerò martire, la esalterò come vergine. È lunga abbastanza quella lode che non bisogna sollecitare, ma che è posseduta. Via, dunque, gli artifici, taccia l'eloquenza. La sola parola è un elogio. Lei cantino i vecchi, lei i giovani, lei i fanciulli [29]. Nessuno è piú degno di lodi di colui che da tutti può essere lodato. Quanti sono che parlano, tanti sono che esaltano la martire.

7. Secondo la tradizione, a dodici anni ha confessato Cristo [30]. Quanto fu piú detestabile la crudeltà, che non ebbe compassione nemmeno di una cosí tenera età; grande però fu la forza della fede, che ottenne testimonianza anche da quella età. Ma vi fu posto in quel corpicino per un colpo di spada? E colei, nella quale la spada non trovò posto per colpire, ebbe la forza di vincere la spada. Eppure le fanciulle di tale età non sono nemmeno in grado di sopportare lo sguardo severo dei genitori e sono

(seguiranno poi gli *exempla* nel secondo libro e i *praecepta* nel terzo). I §§ 5-6 contengono una sorta di secondo proemio per questo primo libro. Si noti lo stile solenne e l'insistenza lessicale sul tema specifico: *ex praedicatione, luce laudis, praedicabo, laudatio, praeconium, canant, laudabilior, laudari, praecones, praedicant.*

[24] *hostias immolemus*: probabilmente si allude alla celebrazione dell'eucarestia che sarebbe seguita al sermone (cf. SAVON, *Le prêtre*, p. 86, nota 8).

[25] Al martirio di Agnese Ambrogio fa riferimento anche in *epist.* 7, 36 (CSEL 82, 1, p. 61).

[26] Agnese deriva da ἁγνή, che significa «casta». Andrebbe cercata in questa etimologia, secondo Cazzaniga, la spiegazione della frase *ne nomen quidem uacuum luce laudis fuit.* Ma vi è una difficoltà: come poteva Ambrogio lasciare sottintesa un'etimologia greca essenziale alla chiarezza del suo pensiero? È piú probabile che abbia pensato alla derivazione di *Agnes* da *agna* (cosí Faller, *ad loc.*), anche se in tal caso si tratterebbe di una falsa etimologia. Questa seconda ipotesi trova appoggio nella successiva considerazione di Ambrogio sul nome di Agnese: *non hominis... nomen, sed oraculum martyris*; evidentemente l'«agnella» evoca assai bene la vittima del martirio.

[27] Cf. GIROLAMO, *epist.* 130, 5 (LABOURT 7, p. 170, 15 s.) *beata martyr Agnes quae et aetatem uicit.*

[28] *supra naturam*: la verginità non è virtú propria della natura umana, ma di quella angelica. Cf. piú oltre 1, 3, 11 (*supra usum naturae*) e mia nota relativa.

[29] *hanc senes, hanc iuuenes, hanc pueri canant*: ripetizione anaforica con gradazione.

[30] *martyrium facere*: espressione abbastanza consueta che fa risaltare l'aspetto positivo-attivo del martirio; cf. CIPRIANO, *epist.* 58, 6 (CSEL 3, 2, p. 661, 27).

destricta solent puncta flere quasi uulnera. Haec cruentas carnificum inpauida manus, haec stridentium grauibus immobilis tractibus catenarum, nunc furentis mucroni militis totum offerre corpus mori adhuc nescia, sed parata, uel si ad aras inuita raperetur, tendere Christo inter ignes manus atque in ipsis sacrilegis focis tropaeum domini signare uictoris, nunc ferratis colla manusque ambas inserere nexibus; sed nullus tam tenuia membra poterat nexus includere.

8. Nouum martyrii genus: nondum idonea poenae et iam matura uictoriae, certare difficilis, facilis coronari, magisterium uirtutis impleuit, quae praeiudicium uehebat aetatis. Non sic ad thalamum nupta properaret ut ad supplicii locum laeta successu gradu festina uirgo processit, non in torto crine [a] caput compta, sed Christo, non flosculis redimita, sed moribus. Flere omnes, ipsa sine fletu; mirari plerique quod tam facile uitae suae prodiga, quam nondum hauserat, iam quasi perfuncta donaret; stupere uniuersi, quod iam diuinitatis testis existeret, quae adhuc arbitra sui per aetatem esse non posset. Effecit denique ut ei de deo

2. [a] 1 Tim 2, 9.

7, 7 destricta (*uel* districta) *codd.*: districtae *Cazz.*
cruentas *codd.*: cruentae *Cazz.*
8, 5 intorto *Cazz.*

solite piangere per delle superficiali [31] punture d'ago, come se fossero delle ferite. Costei non teme le mani avide di sangue [32] dei carnefici, è immobile ai violenti strattoni delle catene stridenti [33]; ora offre il corpo alla spada del soldato furente, ancora ignara della morte, ma pronta; oppure [34], se è stata trascinata contro la sua volontà agli altari, tra le fiamme tende le mani a Cristo e persino in mezzo a quel fuoco sacrilego traccia il segno glorioso del Signore vittorioso; ora mette il collo ed entrambe le mani nei ceppi di ferro, ma nessun ceppo poteva serrare membra cosí piccole.

8. Un nuovo genere di martirio: non ancora passibile di pena e già pronta per la vittoria, incapace di combattere, capace però di ricevere la corona, realizzò pienamente il magistero [35] della virtú, lei che portava con sé il pregiudizio dell'età [36]. Una sposa non si affretterebbe tanto verso il talamo, come la vergine si avvicinò al luogo del supplizio, lieta per la buona riuscita, celere nel passo, con il capo adorno non di trecce [37], ma di Cristo, coronata non di fiori, ma di virtú. Tutti piangevano, lei era senza lacrime; molti si stupivano che, tanto facilmente prodiga della sua vita, che ancora non aveva sperimentato, la donasse come se l'avesse già goduta; tutti erano colpiti dal fatto che fosse testimone della divinità colei che non poteva disporre di sé a motivo dell'età [38]. E cosí fece in modo di essere testimone credibile riguardo

[31] Restituisco la lezione tràdita *destricta*, già accolta dal Faller, che il Cazzaniga ha corretto in *destrictae*. La costruzione, stilisticamente assai elaborata, è possibile: *destricta*, riferito a *puncta*, ne anticipa il valore semantico, come ha ben visto il redattore della voce *destringere* nel ThlL 5.1, 769, 64 ss., ove troviamo due esempi che, credo, confortano la scelta qui operata: GRATTIO 364 *quod si destricto leuis est in uolnere noxa* e COLUMELLA 4, 29, 9 *rasura... paulo ultra corticem destringatur.*

[32] Seguo il Faller che difende la lezione tràdita *cruentas* (mentre il Cazzaniga ha corretto *cruentae*), anche se il ThlL non ha altro esempio di *impauidus* con l'accusativo oltre questo di Ambrogio.

[33] Cf. VIRGILIO, *Aen.* 6, 558 *stridor ferri tractaeque catenae.*

[34] Ambrogio riflette le due tradizioni sul genere di martirio subito da Agnese: la decollazione o il fuoco. Nel seguente § 9 sceglie di narrare il martirio per decollazione. Da Damaso è attestata la versione del martirio mediante il fuoco (A. FERRUA, *Epigrammata Damasiana*, Città del Vaticano 1942, p. 176), mentre PRUDENZIO, *perist.* 14, 65 ss., che segue Ambrogio, attesta solo la decollazione.

[35] *magisterium uirtutis impleuit*: ho interpretato accostando questa espressione agli esempi che il ThlL registra *s.u. impleo*, 637 c, mentre altri intende che Agnese fu maestra di virtú (o di coraggio).

[36] Si riferisce alla minore età di Agnese.

[37] Il Faller ha segnalato l'allusione a 1 Tim 2, 9, il Cazzaniga (app. *ad loc.*) l'ha negata, H.J. FREDE, *Vetus Latina* 25, *ad loc.*, giustamente la difende. Il Cazzaniga, per ragioni stilistiche e sintattiche, alle quali la sua sensibilità di classicista obbediva, ha costituito: *non intorto crine*, che non ha corrispondenza con il testo greco di 1 Tim 2, 9 μὴ ἐν πλέγμασιν. Non è possibile una scelta sicura fra *intorto* e *in torto*, tuttavia osserviamo che si può difendere la seconda forma dando valore strumentale a *in* + ablativo. Per altre citazioni ambrosiane di 1 Tim 2, 9 cf. *exh. u.* 10, 64 e *sacr.* 6, 5, 21 (CSEL 73, p. 81).

[38] Agnese, secondo la tradizione, aveva dodici anni (cf. sopra § 7) o tredici, secondo AGOSTINO, *serm.* 273, 6 (PL 38, 1251). Per il diritto romano la minore età durava fino al ventiquattresimo anno.

crederetur, cui de homine adhuc non crederetur, quia quod ultra naturam est de auctore naturae est.

9. Quanto terrore egit carnifex ut timeretur, quantis blanditiis ut suaderet; quantorum uota ut sibi ad nuptias prouenire! At illa: «Et haec sponsi iniuria est expectare placituram. Qui me sibi prior elegit accipiet. Quid, percussor, moraris? Pereat corpus, quod amari potest oculis quibus nolo». Stetit, orauit, ceruicem inflexit. Cerneres trepidare carnificem, quasi ipse addictus fuisset, tremere percussori dexteram, pallere ora alieno timentis periculo, cum puella non timeret suo. Habetis igitur in una hostia duplex martyrium, pudoris et religionis: et uirgo permansit et martyrium obtinuit.

**3.** 10. Inuitat nunc integritatis amor et tu, soror sancta, uel mutis tacita moribus, ut aliquid de uirginitate dicamus, ne ueluti transitu quodam perstricta uideatur quae principalis est uirtus. Non enim ideo laudabilis uirginitas, quia et in martyribus repperitur, sed quia ipsa martyres faciat.

11. Quis autem humano eam possit ingenio comprehendere, quam nec natura suis inclusit legibus, aut quis naturali uoce complecti quod supra usum naturae sit? E caelo arcessiuit quod imitaretur in terris. Nec immerito uiuendi sibi usum quaesiuit e caelo quae sponsum sibi inuenit in caelo. Haec nubes aera angelos sideraque transgrediens uerbum dei in ipso sinu inuenit patris

a Dio, lei che non lo era ancora riguardo all'uomo, perché ciò che è al di sopra della natura [39] proviene dall'autore della natura.

9. Di quante minacce fece uso il carnefice per intimorirla, di quante lusinghe per convincerla; quanti desiderarono averla in sposa! Ma lei: «Anche questa è un'ingiuria per lo sposo, che attenda colei che gli sarà cara. Chi mi ha scelto per primo mi avrà. Perché indugi, carnefice? Perisca il corpo che può essere desiderato da occhi dai quali non voglio». Rimase in piedi, pregò, piegò la testa. Avresti potuto vedere il carnefice trepidare, come se fosse stato lui il condannato, tremare la sua destra, impallidire il suo volto impaurito per l'altrui pericolo, mentre la fanciulla non temeva il suo. Avete dunque in una sola vittima un duplice martirio [40], di pudore e di fede: si conservò vergine e conseguí il martirio.

**3.** 10. Ora l'amore per la verginità e anche tu, o santa sorella, pur senza parole, con la tua vita trascorsa nel silenzio [41], mi chiedi di dire qualcosa sulla verginità, affinché non sembri che abbia come sfiorato di passaggio quella che è la virtú principale. Infatti non è lodevole la verginità perché la si trova anche nei martiri, ma perché essa stessa fa i martiri.

11. E chi potrà comprenderla con l'umana intelligenza, se nemmeno la natura l'ha inserita nelle sue leggi, o chi con voce naturale potrebbe esaurientemente spiegare ciò che supera la consuetudine della natura [42]? Dal cielo ha preso un modello da imitare sulla terra. E a ragione trasse per sé dal cielo un modo di vivere colei [43] che si è trovata uno sposo in cielo [44]. Costei, oltrepassando le nubi, l'atmosfera, gli angeli e le stelle, ha trovato proprio nel seno del Padre il Verbo di Dio e ne ha attinto a

[39] *ultra naturam*: cf. piú oltre 1, 3, 11 (*supra usum naturae*) e nota relativa.

[40] Il *duplex martyrium* è un *topos*: cf. piú oltre 2, 4, 23 *duplex... certamen* della vergine antiochena; *off.* 1, 204 (TESTARD, Paris 1984, p. 195) *quae (Agnes) in duarum maximarum rerum posita periculo, castitatis et salutis, castitatem protexit, salutem cum immortalitate commutauit*; PRUDENZIO, *perist.* 14, 7 ss. (CCL 126, p. 336) *duplex corona est praestita martyri: intactum ab omni crimine uirginal / mortis deinde gloria liberae.* In sostanza contiene il parallelismo di martirio e verginità: cf. SAVON, *Le prêtre*, pp. 84 ss.

[41] La sorella di Ambrogio, Marcellina, aveva ricevuto il velo della consacrazione verginale da Papa Liberio nel 353 o 354; cf. piú oltre 3, 1, 1.

[42] Il concetto si trova anche in ATANASIO, *epist. ad uirg.*, ed. L. TH. LEFORT, CSCO 151, p. 56, 5 «la virginité, elle qui a dépassé la nature humaine»; cf. sopra 1, 2, 5 (*supra naturam*); 1, 2, 8 (*ultra naturam*); piú oltre 1, 5, 23 (*supra nos*); *epist. ex. c.* 14, 35 (CSEL 82, 3, p. 253) *non enim praecipitur quod supra legem est*; cf. anche NOVAZIANO, *De bono pud.* 7 (CSEL 3, 3, p. 18, 13-16) *uirginitas aequat se angelis: si uero exquiramus etiam excedit, dum in carne luctata uictoriam etiam contra naturam referet quam non habent angeli.* L'idea è applicata alla vedovanza in *uid.* 7, 37.

[43] Il soggetto è la verginità: è consueta nella predicazione ambrosiana la personificazione delle virtú, come dei vizi.

[44] Il passo è ripreso nella prima metà del IX secolo da PASCASIO RADBERTO, *De assumptione* 16, 99 (CCCM 56C, p. 155) *haec namque uita uobis de caelo fluxit quam professae estis. Supra usum naturae haec uita est, quam tenetis, et ideo de caelis uenit sponsus, quem sequi una cum matre debetis. Nec immerito uiuendi usum de caelo quaesistis, quae uobis de caelo sponsum petistis.*

et toto hausit pectore. Nam quis tantum cum inuenerit relinquat boni? *Vnguentum* enim *exinanitum est nomen tuum. Propterea adulescentulae dilexerunt te et adtraxerunt te* [a]. Postremo non meum est illud, quoniam quae *non nubunt neque nubentur erunt sicut angeli in caelo* [b]. Nemo ergo miretur, si angelis comparentur quae angelorum domino copulantur. Quis igitur neget hanc uitam fluxisse de caelo, quam non facile inuenimus in terris, nisi postquam deus in haec terreni corporis membra descendit? Tunc in utero uirgo concepit *et uerbum caro factum est* [c], ut caro fieret deus.

12. Dicet aliquis: sed etiam Helias nullis corporei coitus

3. [a] Cant 1, 3.4.
[b] Mt 22, 30 (Mc 12, 25).
[c] Io 1, 14.

sazietà [45]. Chi infatti, avendo trovato un bene cosí grande, potrebbe lasciarlo? Infatti *unguento esinanito è il tuo nome. Perciò le fanciulle ti amarono e ti attrassero*. Del resto non io ho detto che quelle [46] che *non prendono marito né saranno condotte in spose, saranno come angeli in cielo*. Nessuno dunque si stupisca se sono paragonate agli angeli coloro che si congiungono con il Signore degli angeli [47]. Chi dunque negherà che tale vita è venuta dal cielo [48], dal momento che sulla terra non la troviamo facilmente, se non dopo che Dio discese nelle membra di questo corpo terreno [49]? Allora una vergine concepí *e il Verbo si fece carne* perché la carne potesse diventare Dio [50].

12. Si dirà: è risaputo che anche Elia [51] non fu contaminato

[45] La verginità, come l'anima, aspira ad attingere i misteri di Dio: cf. *epist.* 11, 11 (CSEL 82, 1, p. 84, 117 ss.) *festinat etiam interna mysteria uidere... et claritatem in illo sinu ac recessu patrio.*

[46] L'espressione evangelica di Mt 22, 30 (Mc 12, 25), è qui adattata alle sole vergini (*quae*), non senza una certa forzatura del senso originale. Del resto la versione latina è comunque incoerente rispetto al greco. Il testo greco, infatti, in corrispondenza di *nubunt* e *nubentur* usa rispettivamente γαμοῦσι e γαμίζονται: l'attivo γαμεῖν — anche in conformità alla mentalità ebraica — è riferito all'uomo, mentre il medio γαμίζεσθαι si riferisce alla donna (cf. E. STAUFFER, GLNT 2, 358, nota 15). Sull'interpretazione ambrosiana del medesimo versetto evangelico cf. anche oltre 1, 8, 52; *uirgt.* 6, 27 (e relativa nota); *exh. u.* 4, 19.

[47] Cf. ATANASIO, *epist. ad uirg.*, CSCO 151, p. 56, 4-6 «la virginité... s'est fait semblable aux anges, s'empresse e s'efforce d'adhérer au Seigneur»; ID., *apol. ad Const.* 33 (SCh 56, p. 128) «oltretutto (Cristo Gesú) ci ha fatto la grazia di possedere sulla terra l'immagine della santità degli angeli, la verginità».

[48] ATANASIO, *epist. ad uirg.*, CSCO 151, 55, 10-12 «...le voeu de virginité... c'est Dieu qui l'a fait exister sur la terre»; ID., *fr. in Luc.*, PG 27, 1393 B «come tutte le cose sono state fatte per mezzo di lui (il Signore), cosí anche la verginità ha origine da lui e per mezzo di lui questa grazia è data agli uomini».

[49] Cf. ATANASIO, *ibid.*, p. 58, 18-20 «mais après, lorsque le Seigneur vint dans le monde, prit chair d'une vierge et se fit homme, c'est alors que la chose antérieurement difficile devint facile».

[50] *ut caro fieret deus*: l'espressione può suscitare eccessivo stupore — come è realmente accaduto —, se si intendesse che con *caro* Ambrogio alluda agli uomini in genere o anche alle vergini consacrate, di cui ha parlato sopra. Credo invece che *caro* sia qui l'umanità di Cristo. L'intenzione di Ambrogio è quella di esaltare il ruolo della verginità nell'Incarnazione: in una vergine il Verbo si è fatto carne e quella carne del Verbo, grazie all'immacolato concepimento verginale, ha potuto unirsi a Dio — ha potuto in qualche modo diventare Dio.

[51] Per gli esempi di verginità nell'A.T., cf. R.P. CASEY, *Der dem Athanasius zugeschribene Traktat* περὶ παρθενίας, Sitzungberichte der Preussichen Akademie der Wissenschaften 33, Berlin 1935, p. 1044 — il testo atanasiano concernente Elia è particolarmente vicino al nostro: «Cosí visse Elia, il quale con il corpo salí al cielo su un carro di fuoco, perché fu sempre vergine» (seguo la traduzione dall'armeno del Casey); cf. anche ATANASIO, *epist. ad uirg.*, CSCO 151, p. 79, 27 ss.; TERTULLIANO, *monog.* 8, 7 (CCL 2, p. 1240); GIROLAMO, *epist.* 22, 3 (LABOURT 1, p. 113) *et apertis oculis uidebis igneum currum qui te ad exemplum Heliae in astra sustollat*: l'*exemplum* di Elia è assai adeguato non solo per la supposta sua verginità, ma soprattutto per il volo verso il cielo sul carro di fuoco che evoca fortemente la tensione al cielo della verginità.

fuisse permixtus cupiditatibus inuenitur. Ideo ergo curru raptus ad caelum [d], ideo cum domino apparet in gloria [e], ideo dominici uenturus est [f] praecursor aduentus. Et Maria tympanum sumens pudore uirgineo choros duxit [g]. Sed considerate cuius illa speciem tunc gerebat. Nonne ecclesiae, quae religiosos populi coetus, qui carmina diuina concinerent, immaculato uirgo spiritu copulauit? Nam etiam templo Hierosolymis fuisse legimus uirgines deputatas. Sed quid apostolus dicit? *Haec autem in figura contingebant*

[d] 4 Reg 2, 11; 2 Cor 12, 2 (?).
[e] Mt 17, 3; Mc 9, 4; Lc 9, 30; Col 3, 4.
[f] Mt 11, 14; 17, 11; Mc 9, 12.
[g] Ex 15, 20.

da alcun desiderio di unione carnale. Perciò è stato rapito [52] su un carro in cielo, perciò appare insieme al Signore nella gloria, perciò verrà come precursore dell'avvento del Signore. Anche Maria prese il tamburello e guidò i cori con pudore verginale [53]. Ma considerate chi ella allora raffigurava [54]. Non la Chiesa, forse, che con spirito immacolato, come una vergine, ha unito a sé assemblee di popolo devoto perché cantassero i salmi divini [55]? Infatti leggiamo che delle vergini erano destinate anche al tempio di Gerusalemme [56]. Ma che cosa dice l'Apostolo? *Queste cose ac-*

[52] Piú volte Ambrogio, evocando l'ascensione di Elia, usa l'espressione *ad caelum raptus*, che non trova precisa corrispondenza in 4 Reg 2, 11, ove è narrato l'episodio, ma che sembra essere stata mutuata dalla nota espressione paolina di 2 Cor 12, 2: l'esposizione del nostro Autore si lascia influenzare, anche inconsciamente e sul piano puramente linguistico, dalla memoria delle lezioni bibliche: cf. *Hel.* 2, 3 (CSEL 32, 2, p. 413, 7); 22, 85 (p. 464, 10); *uid.* 3, 14. Analogamente accade per l'assunzione di Enoch (Gen 5, 24): cf. *apol.* 4, 24 (CSEL 32, 2, p. 372, 9); *Hel.* 22, 85 (p. 464, 10); *inst. u.* 5, 32 (*rapiaris ad caelum*).

[53] Cf. ATANASIO, *epist. ad uirg.*, CSCO 151, p. 64, 27 s.: il passo atanasiano è ripreso piú oltre a 2, 2, 17. In realtà non consta che Maria, sorella di Mosè, fosse vergine, ma Ambrogio segue la fonte atanasiana anche in questo e in seguito Maria comparirà sempre come vergine negli scritti ambrosiani; cf. *infra* 2, 2, 17; *inst. u.* 17, 106; cf. anche CASEY, *Der dem Athanasius zugeschribene tractat*, p. 1045; GREGORIO NISSENO, *uirg.*, 19 (SCh 119, pp. 484 ss.); PS. CLEMENTE, *epist. ad uirg.* 2, 14, 4 (FUNK-DIEKAMP 2, 25); AFRAATE 6, 3. Per una piú approfondita analisi della figura di questa Maria nelle opere di Ambrogio, cf. J. DOIGNON, *Miryam et son tambourin dans la prédication et l'archéologie occidentale au IVe siècle*, in *Studia Patristica* 4 (TU 79), Berlin 1961, pp. 72-73; C.W. NEUMANN, *The Virgin Mary in the Works of Saint Ambrose*, Fribourg (Switz.) 1962, pp. 51-66.

[54] Sulla verginità nell'A.T. analoghi concetti in ATANASIO, *epist. ad uirg.*, CSCO 151, p. 58, 6-12: «Quant aux hommes qui vécurent sous la loi et les prophètes, nous avons bien entendu parler de virginité chez eux; dès cette époque, en effet, on faisait des prédictions au sujet du Seigneur, et l'ombre de la parousie opérait déjà: néanmoins alors la vertu de virginité n'etait pas fréquente, mais c'est à peine si l'on témoigne qu'elle exista chez quelques-uns. C'est ainsi qu'etait vierge le grand Élie pareil à un ange».

[55] *carmina diuina*: non sono gli inni, la cui introduzione a Milano non avvenne prima del 386, ma i Salmi (detti «divini» perché fanno parte della *scriptura diuina*). Abbiamo un'importante attestazione dell'uso liturgico dei Salmi: Miriam è figura della Chiesa che esprime la lode liturgica a Dio con il canto dei Salmi. Analoghe attestazioni, con espressioni che riecheggiano questo luogo, in *expl. ps. 1* 9 (CSEL 64, p. 7, 20 ss.) *psalmus enim... uox ecclesiae, fidei canora confessio*; *ibid.* (p. 8, 19 ss.) *psalmus dissidentes copulat, discordes sociat, offensos reconciliat*; *exp. ps. 118* 19, 22 (CSEL 62, p. 433, 10); 19, 32 (p. 439) *inchoare ab hymnis et canticis*; 20, 52 (p. 470, 25 s.); *Iacob* 2, 4, 19 (CSEL 32, 2, p. 42, 17).

[56] Nella Bibbia non esiste un preciso riscontro per questa affermazione. In Ex 38, 8 e 1 Reg 2, 22 si parla di «donne (non di vergini) che facevano servizio all'ingresso della tenda della riunione» (gli interpreti moderni sono incerti sul valore da attribuire a queste informazioni: cf. R. DE VAUX, *Le istituzioni dell'Antico Testamento*, Torino 1977³, trad. it., p. 376). Ambrogio può averle considerate vergini, pur senza trovare sicuro riscontro nei testi biblici, come, del resto, poco sopra ha ritenuto vergini Elia e Maria, sorella di Mosè, senza alcun sicuro fondamento.

*illis* [h], ut essent indicia futurorum [i]. Figura enim in paucis est, uita in pluribus.

13. At uero posteaquam dominus in corpus hoc ueniens contubernium diuinitatis et corporis sine ulla concretae confusionis labe sociauit, tunc toto orbe diffusus corporibus humanis uitae caelestis usus inoleuit. Hoc illud est quod ministrantes in terris angeli [l] declararunt futurum genus, quod ministerium domino immaculati corporis obsequiis exhiberet. Haec est caelestis illa militia, quam laudantium exercitus angelorum promittebat

[h] 1 Cor 10, 11.
[i] Col 2, 17.
[l] Mt 4, 11.

*cadevano loro in figura*, perché fossero segni degli eventi futuri [57]. La «figura» infatti è in pochi, la vita in molti.

13. Ma, in verità, dopo che il Signore venendo in questo corpo congiunse la divinità e il corpo [58], senza macchia alcuna di impura contaminazione [59], allora si sviluppò nei corpi umani un modo celeste di vivere la vita, che si è diffuso in tutto il mondo [60]. Questa è la generazione che gli angeli, allorché prestarono il loro servizio sulla terra, annunciarono che sarebbe venuta, la quale avrebbe servito il Signore con l'omaggio del proprio corpo immacolato [61]. Questa è la celeste milizia che l'esercito degli angeli

[57] La verginità non era praticata nell'A.T.: come forma di vita celestiale fu conosciuta nel mondo solo quando Cristo incarnato vi condusse una vita immacolata. Cristo è all'origine della vita verginale. I rari esempi di verginità dell'A.T. non hanno in se stessi la perfezione di quello stato di vita, ma vanno considerati come prefigurazione di una realtà futura: *exp. Luc.* 3, 18 (CCL 14, p. 85, 293 ss.) *nondum uirginitatis, nondum uiduitatis ante Christi aduentum uernabat gratia.*

[58] È da chiedersi se qui Ambrogio non sia influenzato da quella concezione cristologica cosiddetta di tipo logos-carne. Quel che è certo è che piú tardi, in *incarn.* 6, 57 - 7, 64 (CSEL 79, pp. 253 ss.) la sua cristologia risulterà essere in linea con l'ortodossia.

[59] Cf. VIRGILIO, *Aen.* 6, 746. Ma l'espressione è interessante per il suo contenuto teologico, perché sintetizza l'opinione di Ambrogio sull'Incarnazione. Egli sembra avere di mira gli ariani, i quali, pur non negando esplicitamente la natura divina del Figlio, ritenevano che essa, per l'Incarnazione, avendo assunto un corpo umano ma non un'anima umana, si sia trovata nella condizione di dover subire le passioni della carne. Cosí in Cristo la natura divina risultava «confusa» con quella umana e «contaminata» dai moti propri di questa. Agli ariani sono rivolte le espressioni analoghe di *incarn.* 4, 24 (CSEL 79, p. 235) *si credas susceptionem corporis, adiungas diuinitatis compassionem, portionem utique perfidiae, non perfidiam declinasti*; in *fid.* 3, 10, 65 (CSEL 78, p. 132) tali eretici sono esplicitamente nominati: *uerum Arriani uelut iudaici «caupones miscent aquam cum uino», quia diuinam generationem humanamque confundunt, ad deitatem referentes, quod de carne sit dictum.* Per Ambrogio invece la divinità si è unita al corpo umano senza essere contaminata in alcun modo, come in una sorta di sposalizio casto e verginale. Talché per questo straordinario evento si è diffusa nel mondo la pratica della verginità, immaginata come un'unione fra vita celeste e corpo umano esemplata sull'unione di divinità e umanità in Cristo. È stato notato che la metafora dello sposalizio per indicare l'Incarnazione non sarà piú usata da Ambrogio, mentre sarà frequente in Agostino (cf. A.L. FENGER, *Aspekte der Soteriologie und Ekklesiologie in Ambrosius von Mailand*, Frankfurt a. M. - Bern 1981, p. 122). Ma si deve tener conto del particolare contesto che qui la giustifica: essa è usata non tanto per chiarire il concetto di Incarnazione, quanto per fornire un adeguato modello alla verginità celeste che si unisce ai corpi umani.

[60] Cf. ATANASIO, *epist. ad uirg.*, CSCO 151, p. 58, 18-22 «mais après, lorsque le Seigneur vint dans le monde, prit chair d'une vierge et se fit homme, c'est alors que la chose antérieurement difficile devint facile»; ma medesima considerazione troviamo già in PS. CLEMENTE, *epist. ad uirg.* 1, 6, 1-10 (FUNK-DIEKAMP, p. 9) *uterus sanctae uirginis gestauit dominum nostrum Iesum Christum, dei filium, et corpus, quod dominus noster gessit et quo certamen suum fecit in hoc mundo, ex sancta uirgine induerat, <et postquam dominus noster homo factus est in uirgine, hanc uitae rationem in hoc mundo tenuit>.*

[61] Cristo, venendo nel mondo, non mutò sede, ma trasferí sulla terra la sua sede celeste (cf. *apol.* 2, 12, 64, CSEL 32, 2, p. 402). Per questo motivo lo servivano gli angeli, e, dopo di loro, come loro, i ministri del Signore sono angelici, cioè vergini.

in terris [m]. Habemus ergo auctoritatem uetustatis a saeculo, plenitudinem professionis a Christo.

**4.** 14. Certe non est hoc mihi commune cum gentibus, non populare cum barbaris, non cum ceteris animantibus usitatum, cum quibus etsi unum eumdemque uitalem aeris huius carpimus spiritum, uulgarem terreni corporis participamus statum, generandi quoque non discrepamus usu, hoc solo tamen naturae parilis conuicia declinamus, quod uirginitas affectatur a gentibus, sed consecrata uiolatur, incursatur a barbaris, nescitur a reliquis.

15. Quis mihi praetendit Vestae uirgines et Palladii sacerdotes laudabiles? Qualis ista est non morum pudicitia, sed annorum, quae non perpetuitate, sed aetate praescribitur? Petulantior est talis integritas, cuius corruptela seniori seruatur aetati. Ipsi docent uirgines suas non debere perseuerare nec posse, qui uirgini-

[m] Lc 2, 13.

osannanti preannunciava sulla terra [62]. Dunque il mondo ci dà l'autorità dell'antichità [63], Cristo la pienezza della professione [64].

**4.** 14. Certamente questo modo di vivere non mi è comune con i pagani, non è diffuso fra i barbari [65], non abituale fra gli altri esseri animati: anche se insieme con essi respiriamo l'unica e medesima aria vitale [66], con essi condividiamo la condizione comune del corpo terreno, nemmeno ci distinguiamo nel modo di generare, in questo solo però evitiamo ciò che vi è di disonorevole nella medesima natura, nel fatto, cioè, che i pagani ostentano la verginità, ma dopo averla votata la violano, i barbari le fanno violenza [67], gli altri la ignorano.

15. E chi mi vorrà fare l'elogio delle vergini di Vesta e delle sacerdotesse del Palladio [68]? Che pudicizia è questa non di costumi, ma di anni, che non obbliga per sempre, ma a tempo? È spudorata questa integrità, la cui violazione è riservata ad un'età piú matura [69]. Essi, che hanno posto un termine alla verginità, insegnano alle loro vergini che non debbono né possono essere

[62] Per il tema della *militia castitatis* cf. piú oltre 1, 10, 60; 1, 11, 63; 2, 4, 23.28.29.33; 3, 4, 16.20; *uirgt.* 6, 28; *inst. u.* 5, 35; 16, 97; *exh. u.* 13, 90.

[63] Il riferimento è a quanto è stato affermato nel precedente paragrafo a proposito delle vergini addette al tempio di Gerusalemme.

[64] Intendiamo: Cristo, unendosi al corpo umano senza esserne contaminato, ha professato in modo perfetto la verginità.

[65] Cf. ATANASIO, *epist. ad uirg.*, CSCO 151, p. 56, 13 ss. «en fait voilà pourquoi, ni chez les gentils ni chez les barbares, on n'entend jamais parler de virginité, et est il impossible que pareille vertu ait jamais existé chez eux».

[66] Cf. VIRGILIO, *Aen.* 1, 387 s.

[67] In quegli anni forte era la pressione dei barbari sull'Impero. Interessanti testimonianze, che possono accostarsi a questo passo, anche se probabilmente concernenti la successiva (377-378) invasione dei Goti, si trovano in *exc. fratr.* 1, 32, 3 ss. (CSEL 73, p. 227) *rapi uirgines et auulsos a conplexu parentum paruos liberos supra tela iactari, incestari sacrata deo corpora et senilem uiduae maturioris uterum in usus desuetos onerum redire, non pignorum.*

[68] Le vestali e le sacerdotesse del Palladio sono la stessa cosa. A Roma il Palladio era conservato nel tempio di Vesta: cf. CICERONE, *Scaur.* 48. Qui Ambrogio rielabora un suggerimento di ATANASIO, *epist. ad uirg.*, CSCO 151, pp. 56, 27 - 57, 2 «il y eut une foule de prêtresses chez les Égyptiens, mais il n'est pas écrit d'une seule qu'elle fut vierge. Si le diable, qui se transfigure et est rusé, a forcé quelques Grecques à jouer à la virginité — telles celles qu'on dit vierges chez les seuls Romains et sont affiliées, au nombre de six, à celle qui s'appelle Pallas —, la virginité de celles-là n'est pas réelle».

[69] Le vestali erano scelte fra le fanciulle dell'aristocrazia romana, di età fra i sei e i dieci anni, e svolgevano le funzioni di sacerdotesse per 30 anni, durante i quali dovevano conservare la verginità, pena la morte. Il loro compito principale era quello di alimentare il fuoco sacro conservato nel tempio di Vesta. Allo scadere del periodo del loro sacerdozio (a 36-40 anni) potevano contrarre matrimonio. La polemica di Ambrogio contro i privilegi riconosciuti alle vestali, difesi da SIMMACO, *relatio* 3, e contro la stessa istituzione (cf. *epist.* 73, 11-12, CSEL 82, 3, pp. 39 s.) sortí effetto, perché nel 392 Teodosio abolí il Collegio delle vestali; cf. G. GIANNELLI, *Il sacerdozio delle vestali romane*, Firenze 1933. Anche qui lo spunto è dato ad Ambrogio da ATANASIO, *epist. ad uirg.*, CSCO 151, p. 57, 24 s. «quelle est donc cette virginité qui consiste en une hypocrisie temporaire, pour prendre ensuite un mari!»; ma evidentemente nell'esposizione ambrosiana traspare, piú che la fonte letteraria, la concreta attualità della polemica contro l'istituzione pagana.

tati finem dederunt. Qualis autem est illa religio, ubi pudicae adulescentes iubentur esse, impudicae anus? Sed nec illa pudica est quae lege retinetur, et illa impudica quae lege dimittitur. O mysteria, o mores, ubi necessitas inponitur castitati, auctoritas libidini datur! Itaque nec casta est quae metu cogitur, nec honesta quae mercede conducitur, nec pudor ille qui intemperantium oculorum cotidiano expositus conuicio flagitiosis aspectibus uerberatur. Conferuntur immunitates, offeruntur pretia, quasi non hoc maximum petulantiae sit indicium castitatem uendere. Quod pretio promittitur pretio soluitur, pretio addicitur, pretio adnumeratur. Nescit redimere castitatem quae uendere solet.

16. Quid de sacris Phrygiis loquar, in quibus impudicitia disciplina est atque utinam sexus fragilioris! Quid de orgiis Liberi, ubi religionis mysterium est incentiuum libidinis? Qualis igitur potest ibi uita esse sacerdotum, ubi colitur stuprum deorum? Non habent igitur sacra uirginem.

17. Videamus ne forte aliquam uel philosophiae praecepta formauerint, quae magisterium sibi omnium solet uindicare uirtutum. Pythagorea quaedam una ex uirginibus celebratur fabulis, cum a tyranno cogeretur secretum prodere, ne quid in se ad extorquendam confessionem uel tormentis liceret, morsu abscidisse linguam atque in tyranni faciem despuisse, ut qui interrogandi finem non faciebat non haberet quam interrogaret.

16, 5 sacra: *add.* ista *Cazz.*

perseveranti. Ma che vita religiosa è quella, se le fanciulle sono obbligate ad essere pudiche e le vecchie impudiche [70]? Ma quella non è pudica perché la legge la costringe ad esserlo, l'altra è impudica, anche se è assolta dalla legge. O sacri culti, o moralità, dove la castità è obbligata e la libidine è autorizzata! E cosí non è casta colei che è costretta ad esserlo per paura, né è onesta colei che è ingaggiata con compenso [71], né è pudore quello che, esposto all'oltraggio di occhi licenziosi, è fatto oggetto di sguardi turpi. Si concedono loro le immunità, si offrono compensi, come se non fosse segno di massima spudoratezza vendere la propria castità. Ciò che è promesso per un prezzo, per un prezzo si paga, per un prezzo si aggiudica, per un prezzo si liquida. Non sa riscattare la castità colei che suole venderla.

16. Che cosa dirò dei misteri frigi [72], nei quali l'impudicizia è norma? — e magari del sesso piú debole! Che dire delle orge di Libero [73], ove il rito misterico è incentivo di libidine? Dunque, quale vita di sacerdotesse vi può essere dove si venera lo stupro degli dèi [74]? Nei misteri, dunque, non vi è posto per una vergine.

17. Vediamo se per caso ne hanno formata qualcuna i precetti della filosofia, che suole rivendicare a sé l'insegnamento di tutte le virtú. Le leggende narrano di una vergine pitagorica la quale, essendo costretta dal tiranno a tradire un segreto, per rendere vano qualsiasi tentativo di estorcerle, anche con la tortura, la confessione, si amputò con un morso la lingua e la sputò in faccia al tiranno, perché non avesse piú chi interrogare colui che non metteva fine all'interrogatorio [75].

[70] L'impudicizia è la massima negazione della *religio*, come, in antitesi, la verginità ne è la massima espressione, in riferimento al significato etimologico di *religio* (cf. piú oltre 1, 8, 52).

[71] *nec casta... nec honesta*: si tratta sempre della vestale nei confronti della quale la vergine cristiana è libera, né costretta dalla legge né sollecitata dal compenso. Cf. ATANASIO, *epist. ad uirg.*, CSCO 151, p. 57, 14 s.

[72] Sono detti «misteri frigi», perché dedicati alla dea Cibele, il cui culto è di origine frigia. I riti in suo onore erano misterici: potevano, cioè, prendervi parte solo gli iniziati; erano caratterizzati dalla danza orgiastica di fronte al simulacro della divinità.

[73] Il culto di Libero nella tarda antichità si confuse in Occidente con quello di Dioniso. Probabilmente Ambrogio fa riferimento alle feste orgiastiche dette *baccanalia*, in onore di quest'ultimo, che il Senato romano proibí nel 186 a.C. con un famoso senatoconsulto (G. BRUNS, *Fontes iuris Romani antiqui*, Tubingae 1909, pp. 164 ss.); cf. DAREMBERG-SAGLIO 3, 2, Paris 1904, *s.u. Liber pater*.

[74] Si allude al mito di Arianna sedotta da Dioniso. Cf. *uid.* 14, 84 *qui deorum suorum adulteria et probra uenerantur*.

[75] Si parla della cortigiana Leena, che aiutò Armodio e Aristogitone nel loro tentativo di uccidere i tiranni Pisistrati nel 514 a.C. Questo *exemplum* di virtú era famoso nell'antichità e lo troviamo menzionato in molti scrittori: PAUSANIA 1, 23, 1-2; PLUTARCO, *garrul.* 8; POLIENO, *start.* 8, 45; CICERONE, *glor. frag.*, p. 90 PLASBERG; PLINIO, *nat. hist.* 7, 87; 34, 72; ATENEO 13, 596 ss.; TERTULLIANO, *apol.* 50, 8; *nat.* 1, 18; *mart.* 4. In realtà sembra che all'origine della versione dell'episodio, ripresa da Ambrogio, vi sia la contaminazione di due diversi racconti contenuti in PLUTARCO, *garrul.* 8 (cf. O. FALLER, *ad loc.*). Anche la fonte di Ambrogio, ATANASIO, *epist. ad uirg.*, CSCO 151, p. 56, 21-24, menziona l'episodio, ma il suo racconto. a mio parere, non corrisponde esattamente a quello di Ambrogio, come, invece, sostengono L. DOSSI, *S. Ambrogio e S. Atanasio nel De uirginibus*, in «Acme», 4 (1951), p. 248 e p. 258, e M. AUBINEAU, *Les écrits de Saint Athanase sur la virginité*, in «Revue d'Ascétique

18. Eadem tamen forti animo, sed tumenti utero, exemplum taciturnitatis et proluuium castitatis, uicta est cupiditatibus, quae tormentis uinci nequiuit. Igitur quae mentis potuit tegere secretum corporis non texit opprobrium. Vicit naturam, sed non tenuit disciplinam. Quam uellet in uoce momentum sui pudoris existere! Et eo fortasse erudierat illam patientiam, ut culpam negaret. Non igitur inuicta undique: nam et tyrannus, licet non potuerit inuenire quod interrogabat, tamen quod non interrogabat inuenit.

19. Quanto nostrae uirgines fortiores, quae uincunt etiam quas non uident potestates, quibus non tantum de carne et sanguine, sed etiam de ipso mundi principe saeculique rectore uictoria est [a]! Aetate utique Agne minor, sed uirtute maior, triumpho numerosior, constantia confidentior, non sibi linguam propter metum abstulit, sed propter tropaeum reseruauit. Nihil enim habuit quod prodi timeret, cuius non erat criminosa, sed religiosa confessio. Itaque illa secretum tantummodo celauit, haec probauit deum, quem quia aetas nondum poterat confiteri, natura confessa est.

**5.** 20. In laudationibus solet patria praedicari et parentes, ut commemoratione auctoris dignitas successionis exaggeretur: ego licet laudationem non susceperim uirginitatis, sed expressionem, ad rem tamen pertinere arbitror, ut quae sit ei patria, quis auctor appareat, ac prius ubi sit patria definiamus: si enim ibi est patria, ubi genitale domicilium, in caelo profecto est patria castitatis. Itaque hic aduena, ibi incola est [a].

21. Quid autem est castitas uirginalis nisi expers contagionis integritas? Atque eius auctorem quem possumus aestimare nisi immaculatum dei filium, cuius caro non uidit corruptionem [b],

4. [a] Eph 2, 2; 6, 12; Io 12, 31.
5. [a] Eph 2, 19.
[b] Ps 15 (16), 10; Act 2, 31; 13, 35.

18. Quella, tuttavia, di animo forte, ma di utero gravido, esempio di silenzio [76], ma sfrenata per quanto riguarda la castità, fu vinta dalle passioni, lei che non poté essere vinta dai tormenti. Perciò poté tener celato il segreto, ma non poté nascondere la vergogna del corpo. Dominò l'istinto naturale, ma non fu fedele alla scuola. Come avrebbe voluto che il valore del suo pudore fosse consistito nella voce! Ma forse si era esercitata a tanta sopportazione per negare la colpa. Dunque non fu del tutto invitta: infatti anche il tiranno, se non poté trovare ciò che cercava, trovò però quello che non era oggetto dell'interrogatorio.

19. Quanto piú forti sono le nostre vergini, che vincono anche le potenze invisibili, che riportano vittoria non solo sulla carne e il sangue, ma perfino sul principe del mondo e sul reggitore del secolo. Agnese rispetto a quella era minore d'età, ma maggiore nella virtú [77], piú adorna di gloria, piú salda nella perseveranza, non si amputò la lingua per timore, ma la conservò come trofeo. Nulla infatti aveva che temesse di tradire, lei che non faceva confessione di delitto, ma di fede. E cosí quella mantenne soltanto un segreto, costei testimoniò Dio: il suo stato [78] lo confessò, dal momento che l'età non poteva ancora confessarlo.

**5.** 20. Negli elogi si suole esaltare la patria e i genitori [79], per esaltare la dignità della discendenza attraverso la commemorazione del suo autore. Io, sebbene non mi sia proposto l'elogio della verginità, ma l'esposizione, penso che sia opportuno chiarire quale sia la sua patria, quale il suo autore. In primo luogo precisiamo dove è la sua patria: infatti se la patria è là dove si trova la casa natale, la patria della castità è il cielo. E cosí qui è pellegrina, là ha cittadinanza.

21. E che cosa è la castità verginale, se non purità esente da contaminazione? E chi possiamo credere che sia il suo autore, se non l'immacolato Figlio di Dio, la cui carne non ha visto la corruzione, la cui divinità non ha conosciuto contaminazione [80]?

et de Mystique», 31 (1955), p. 166, nota 137, e sembra attinto da altra fonte, dal momento che il nostro Autore narra alcuni particolari assenti nel testo dell'Alessandrino e presenti in altri testimoni (p. es. Tertulliano), fra quelli sopra citati.

[76] Probabile allusione all'esercizio pitagorico del silenzio; cf. *off.* 1, 31 (SAEMO 13, p. 40); *exp. ps. 118* 2, 5 (CSEL 62, p. 22). Ambrogio ha comunque presente ATANASIO, *epist. ad uirg.*, CSCO 151, p. 56, 24-26 «c'est pourquoi on admirait ces femmes parce qu'elles s'imposaient de ne pas parler, mais on en rougissait parce qu'elles étaient incapables de garder la virginité».

[77] In *epist.* 7, 36 (CSEL 82, 1, p. 61) l'esempio di Agnese (insieme a quelli di altri martiri: Tecla, Pelagia, Lorenzo) è evocato per essere messo a confronto con le virtú del filosofo pagano Calano.

[78] *natura*: per il significato del termine ho tenuto conto del suo impiego, che mi pare analogo, in 1, 8, 40 e 42.

[79] Cf. QUINTILIANO, *inst.* 3, 8, 10 *magis est uaria laus hominum... ante hominem patria ac parentes maioresque erunt...*

[80] È ripresa la riflessione teologica sulla verginità, già esposta sopra in 1, 3, 13. La verginità riflette le proprietà delle due nature di Cristo: l'incorruttibilità della sua carne (umanità), l'incontaminatezza della divinità. Particolarmente quest'ultima prerogativa divina esprime analogicamente l'essenza della verginità. La divinità è, per definizione, incontaminata, anche quando in Cristo si unisce al

diuinitas non est experta contagionem? Videte igitur quanta uirginitatis merita sint. Christus ante uirginem, Christus ex uirgine, a patre quidem natus ante saecula, sed ex uirgine natus ob saecula. Illud naturae suae, hoc nostrae utilitatis. Illud erat semper, hoc uoluit.

22. Spectate aliud uirginitatis meritum: Christus uirginis sponsus est et, si dici potest, Christus uirgineae castitatis; uirginitas enim Christi, non uirginitatis est Christus. Virgo est ergo quae nupsit, uirgo quae nos suo utero portauit, uirgo quae genuit, uirgo quae proprio lacte nutriuit, de qua legimus: *Quanta fecit uirgo Hierusalem! Non deficient de petra ubera neque nix a Libano aut declinabit aqua ualido uento quae portatur* [c]. Qualis est haec uirgo, quae trinitatis fontibus irrigatur, cui de petra fluunt aquae, non deficiunt ubera, mella [d] funduntur? *Petra autem* est iuxta apostolum *Christus* [e]. Ergo a Christo non deficiunt ubera, claritas a deo,

[c] Ier 18, 13-14.
[d] Cant 4, 11.
[e] 1 Cor 10, 4.

21, 6 natus: renatus *nonnulli codd. (cf. quae ad loc. notaui).*
22, 1 spectate: *praem.* et *Cazz.*

Considerate dunque quanto grandi siano i meriti della verginità [81]. Cristo prima della Vergine, Cristo dalla Vergine, certamente nato dal Padre prima dei secoli [82], ma nato [83] da una vergine per i secoli [84]. Che fosse prima della Vergine è proprio della sua natura, che sia nato dalla Vergine è per nostra utilità. Quello era sempre, questo ha voluto esserlo.

22. Osservate un'altra gloria della verginità: Cristo è sposo di una vergine [85] e, se cosí si può dire, Cristo è sposo della castità verginale; infatti la verginità è di Cristo, non Cristo della verginità [86]. È vergine colei che si è sposata, vergine colei che ci ha portati nel suo grembo, vergine colei che ci ha generati, vergine colei che ci ha nutriti con il proprio latte, della quale leggiamo: *Quante cose ha fatto la vergine Gerusalemme! Non si esauriranno le sue mammelle alimentate dalla roccia, né verrà meno la neve del Libano, né si allontanerà da lei l'acqua trasportata dal vento impetuoso* [87]. Chi è questa vergine che è irrigata dalle sorgenti della Trinità [88], per la quale sgorga acqua dalla roccia, le cui mammelle non si esauriscono, il miele [89] si effonde? Secondo l'Apostolo, *la pietra è Cristo*. Perciò le mammelle alimentate da Cristo non si

corpo dell'umanità. Analogamente la verginità si conserva incorrotta nel corpo umano, e perciò è da considerare virtú divina o celeste. Sotto questo aspetto la verginità è dono di incorruttibilità e di incontaminatezza fatto da Dio all'umanità, oppure offerta dell'umanità degna della incorruttibilità e incontaminatezza di Dio. Molto significativo è il parallelismo concettuale della frase *quid autem est castitas uirginalis nisi expers contagionis integritas?* con l'espressione successiva *diuinitas non est experta contagionem*.

[81] I meriti della verginità sono due, entrambi di generazione: il primo è la nascita di Cristo nel mondo, il secondo è la generazione dei cristiani dalla Chiesa vergine-sposa di Cristo.

[82] *ante saecula*: è esattamente la formula del *Symbolum Quicumque* (cf. *Enchiridion symb.* nr. 40); ma forse qui si riecheggia, senza precisione, la forma orientale del Simbolo Apostolico, attestataci da CIRILLO DI GERUSALEMME, *Catech. symb.*, PG 33, 533A (*Enchiridion symb.* nr. 9) πρὸ πάντων αἰώνων, poi inserita nel Simbolo Niceno-Costantinopolitano (cf. piú oltre 3, 1, 2). In realtà il concetto è presente nei profeti: cf. Mich 5, 1.

[83] C.W. NEUMANN, *The Virgin Mary in the Works of Saint Ambrose*, Fribourg (Switz.) 1962, p. 81, nota 6, osserva giustamente che è da prendere in seria considerazione la variante *renatus* attestata da cinque mss., registrata nell'apparato del Faller e ignorata dal Cazzaniga; a renderla notevole è il confronto con *spir. s.* 3, 10, 65 (CSEL 79, p. 177, 63 s.) *cum ipse dominus Iesus de sancto spiritu et natus sit et renatus*.

[84] *a patre... ex uirgine*: ancora il *Symbolum Quicumque* (*Enchiridion symb.* nr. 40): *deus est ex substantia patris ante saecula genitus, et homo est ex substantia matris in saeculo natus*; cf. anche *expl. ps. 35* 4 (CSEL 64, p. 52, 26 s.) *idem qui ante saecula ex patre, ipse postea carnem suscepit ex uirgine*.

[85] Si allude alla Chiesa sposa di Cristo.

[86] Se non erro, si deve intendere: come una sposa appartiene allo sposo e non viceversa, cosí la verginità (o Chiesa) è di Cristo e non Cristo della verginità.

[87] Non è raro che Ambrogio estrapoli una citazione biblica senza tener conto dell'esatto significato che questa ha nel contesto da cui è tratta: anche in questo caso l'interpretazione mistica di Ier 18, 13-14 è assai forzata rispetto al senso autentico dei due versetti.

[88] Si allude forse all'acqua e alla formula battesimale.

[89] È probabile un'allusione a Cant 4, 11, piú oltre ripreso a 1, 8, 40.

flumen ab spiritu. Haec est enim trinitas, quae ecclesiam suam irrigat, Pater, Christus et Spiritus.

23. Sed iam a matre descendamus ad filias. *De uirginibus,* inquit sanctus apostolus, *praeceptum domini non habeo* [f]. Si doctor gentium non habuit [g], habere quis potuit? Et praeceptum quidem non habuit, sed habuit exemplum. Non enim potest imperari uirginitas, sed optari; nam quae supra nos sunt, in uoto magis quam in magisterio sunt. *Sed uolo uos,* inquit, *sine sollicitudine esse. Nam qui sine uxore est sollicitus est quae domini sunt, quomodo placeat deo* [h], *et uirgo cogitat quae sunt domini, ut sit sancta corpore et spiritu. Nam quae nupta est cogitat quae mundi sunt, quomodo placeat uiro* [i].

**6.** 24. Non ego quidem dissuadeo matrimonium, sed uirginitatis attexo beneficium. *Qui infirmus est,* inquit, *holera manducet* [a]. Aliud exigo, aliud admiror. *Alligatus es uxori? Noli quaerere solutionem. Solutus es ab uxore? Ne quaesieris uxorem* [b]. Hoc praeceptum est copulatis. De uirginibus autem quid ait? *Et qui matrimonio iungit uirginem suam bene facit, et qui non iungit melius facit* [c]. Illa non peccat, si nubat; haec si non nubat, aeterna est. Ibi

[e] 1 Cor 10, 4.
[f] 1 Cor 7, 25.
[g] 1 Tim 2, 7.
[h] 1 Cor 7, 32.
[i] 1 Cor 7, 34.
6. [a] Rm 14, 2.
[b] 1 Cor 7, 27.
[c] 1 Cor 7, 38.

esauriscono, non vien meno la luminosità [90] che viene da Dio, il corso d'acqua che promana dallo Spirito. Questa è la Trinità, che irriga la sua Chiesa: il Padre, Cristo e lo Spirito.

23. Ma è ora di passare dalla madre alle figlie. *Quanto alle vergini* — dice il santo Apostolo — *non ho un precetto del Signore.* Se non lo ha avuto il Dottore delle genti, chi ha potuto averlo? E certamente non ha avuto un precetto da dare, ma un esempio [91]. Infatti la verginità non può essere imposta, ma desiderata, perché le cose a noi superiori [92] sono oggetto di desiderio piuttosto che di precetto [93]. *Ma voglio che voi* — dice — *siate senza preoccupazione. Infatti chi non è sposato si preoccupa delle cose del Signore, come possa piacere a Dio, e la vergine pensa alle cose del Signore, per essere santa nel corpo e nello spirito. Infatti la sposata pensa alle cose del mondo, come possa piacere al marito.*

**6.** 24. Ovviamente io non sconsiglio il matrimonio [94], ma non dimentico la grazia della verginità. *Chi è malato* — dice — *mangi i legumi* [95]. Una cosa è quella che prescrivo, un'altra quella che ammiro. *Sei legato a una moglie? Non cercare lo scioglimento. Sei libero? Non cercare moglie.* Questo è un precetto per gli sposati. Delle vergini, invece, che cosa dice? *Chi dà in sposa la sua vergine fa bene, chi non la dà fa meglio.* Quella non pecca, se si sposa; questa, se non si sposa, è eterna [96]. Là è il rimedio della debolez-

[90] I. CAZZANIGA, *Note ambrosiane. Appunti intorno allo stile delle omelie virginali di S. Ambrogio*, Milano - Varese 1948, p. 21, sulla base dell'analisi stilistica del passo, avanza dei dubbi sulla autenticità di *claritas*: «ad *aquae* risponde *flumen ab spiritu*; *non deficiunt ubera* risponde in ambedue i periodi; ma come *claritas a deo* risponde a *mella funduntur*?... sarà da leggere *caritas* per *claritas*?». Il sospetto è riproposto dal Cazzaniga nell'apparato della sua edizione del *De uirginibus*, ma è infondato, perché gli *ubera*, la *claritas* e il *flumen* richiamano nell'ordine gli *ubera*, la *nix* e l'*aqua* della precedente citazione biblica di Ier 18, 13-14.

[91] L'*exemplum* utilizzato da Paolo nel parlare della verginità è verosimilmente quello dell'Apostolo stesso, che in 1 Cor 7, 7-8 propone il suo stato di vita come modello da imitare. Va tuttavia rammentata la suggestiva ipotesi di Y.M. DUVAL, *L'originalité du De uirginibus dans le mouvement ascétique occidental. Ambroise, Cyprien, Athanase*, in *Ambroise de Milan. XVIe Centenaire de son élection episcopale*, Paris 1974, pp. 38 s., secondo cui Ambrogio potrebbe alludere a un passo dell'*Epistola alle vergini* di Atanasio (CSCO 151, p. 62), in cui si afferma che Paolo, nel consigliare la verginità, avrebbe avuto presente il «modello» di Maria Vergine.

[92] La verginità non è un normale stato di vita secondo natura: cf. sopra 1, 3, 11 (*supra usum naturae*) e nota *ad loc.*

[93] Sulla verginità come libera opzione cf. *exh. u.* 3, 17; *uid.* 12, 72-73; *epist. ex. c.* 14, 38-39 (CSEL 82, 3, pp. 254 s.).

[94] Ambrogio si difenderà piú oltre dall'accusa di chi gli rimprovera di essere contrario al matrimonio: cf. 1, 7, 34, ove difende il matrimonio e polemizza contro gli eretici che lo osteggiano. Sul confronto fra matrimonio e verginità egli torna anche in *uirgt.* 6, 31 ss. e *uid.* 4, 23; 12, 69.72; cf. anche *uid.* 15, 90.

[95] Mangiare i legumi significa, sul piano allegorico, debolezza morale e spirituale di chi non è abbastanza cresciuto nella fede o non ha la forza di dominare le passioni. La medesima citazione ricompare, in un contesto assai simile, in *epist. ex. c.* 14, 39 (CSEL 82, 3, p. 255).

[96] La verginità ha origini celesti, è propria della vita divina (cf. sopra 1, 3, 11): perciò porta con sé il dono dell'eternità. Oppure: il matrimonio è adesione ad un modo di vivere umano e terreno, la verginità è adesione ad un modello di vita che è quello della sposa di Cristo, o quello degli angeli, perciò la verginità è uno stato eterno di vita.

remedium infirmitatis, hic gloria castitatis. Illa non reprehenditur, ista laudatur. Conferamus, si placet, bona mulierum cum ultimis uirginum.

25. Iactet licet fecundo se mulier nobilis partu, quo plures generauerit, plus laborat. Numeret solacia filiorum, sed numeret pariter et molestias. Nubit et plorat. Qualia sunt uota quae flentur? Concipit et grauescit. Prius utique impedimentum fecunditas incipit adferre quam fructum. Parturit et aegrotat. Quam dulce pignus quod a periculo incipit et in periculis desinit. Prius dolori futurum quam uoluptati, periculis emitur nec pro arbitrio possidetur.

26. Quid recenseam nutriendi molestias, instituendi et copulandi? Felicium sunt istae miseriae! Habet mater heredes, sed auget dolores; nam de aduersis non oportet dicere, ne sanctissimorum parentum animi contremescant. Vide, mi soror, quam graue sit pati quod non oportet audiri. Et haec in praesenti saeculo. Venient autem dies, quando dicant: *Beatae steriles et uentres qui non genuerunt* [d]. *Filii* enim *huius saeculi generantur et generant* [e], filia autem regni abstinet a uoluptate uiri et uoluptate carnis [f], *ut sit sancta corpore et spiritu* [g].

27. Quid ego famulatus graues et addicta uiris seruitia replicem feminarum, quas ante iussit deus seruire quam seruos [h]?

[d] Lc 23, 29.
[e] Lc 20, 34.
[f] Io 1, 13.
[g] 1 Cor 7, 34.
[h] Gen 3, 16.

26, 8 uoluptate: uoluntate *bis Cazz.*

za [97], qui la gloria della castità. Quella non è biasimata, questa è lodata. Mettiamo a confronto, se si vuole, i pregi delle donne sposate con quelli, anche minimi, delle vergini.

25. Si vanti pure una donna sposata, nobilitata dalla propria fecondità, ma quanti piú parti ha avuto tanto piú grandi sono le sue pene. Enumeri le consolazioni dei figli, ma enumeri insieme anche i fastidi. Si sposa e piange. Che nozze [98] sono quelle per le quali si piange? Concepisce e si ingrossa. Inizia a portare il peso della fecondità prima del frutto. Partorisce e sta male. Come è dolce un figlio che nasce da un pericolo e finisce nei pericoli [99]! Destinato ad essere motivo di dolore piú che di piacere; lo si ottiene con pericolo e non lo si possiede a piacimento.

26. Perché elencare i fastidi che i figli arrecano per essere allevati, educati e sistemati nel matrimonio? E queste sono le miserie delle madri felici! La madre ha i suoi eredi, ma accresce i dolori. Delle sventure non conviene parlare per non spaventare gli animi dei genitori meritevoli di grande venerazione. Vedi, sorella mia, quanto gravi sono le sofferenze che non conviene sentirne parlare. E queste cose accadono in questo mondo. Ma verranno giorni nei quali si dirà: *Beate le sterili e i grembi che non hanno generato*. Infatti *i figli di questo mondo sono generati e generano* [100], invece la figlia del regno si astiene dalla voluttà dell'uomo e dalla voluttà [101] della carne, *per essere santa nel corpo e nello spirito*.

27. E perché ricordare la pesante condizione di servitú in cui si trovano le donne e la loro sottomissione servile ai mariti, dal momento che Dio ha ordinato ad esse di servire prima che agli schiavi [102]? Dico queste cose affinché siano ancor piú ossequienti verso i loro mariti, per i quali questo loro atteggiamento

[97] Cf. *exh. u.* 7, 46; *epist. ex. c.* 15, 3 (CSEL 82, 3, p. 303) *humanae fragilitatis remedium*.

[98] *uota*: in senso metonimico, «nozze».

[99] I pericoli della morte.

[100] Questa probabilmente non è una parafrasi di Lc 20, 34, come intendono Faller e Cazzaniga, ma una *uaria lectio* del testo evangelico che ha anche diversi altri testimoni (cf. WORDSWORT-WHITE, *ad. loc.*).

[101] Restituisco la lezione *a uoluptate uiri et uoluptate carnis*, già approvata dal Faller, mentre il Cazzaniga introduce la duplice correzione *uoluntate*: nel primo caso contro l'unanimità dei codici, nel secondo contro la maggioranza di essi. In proposito osserviamo che Ambrogio sicuramente allude a Io 1, 13, ove la lezione latina è *uoluntate*, ma è del tutto plausibile che egli, in questo contesto, l'abbia sostituita con il termine esegetico *uoluptate*, come pare sia accaduto in *expl. ps. 48* 5 (CSEL 64, p. 364, 9), se dobbiamo credere al Petschenig.

[102] Allusione un po' forzata a Gen 3, 16. Sulle considerazioni sviluppate nei §§ 25.26.27, in tema di *molestiae nuptiarum*, è stata rilevata un'influenza di CIPRIANO, *hab. uirg.* 22 (CSEL 3, 1, pp. 202 s.), ove ritroviamo la citazione di Gen 3, 16, con la funzione di sottolineare la condizione servile della donna nel matrimonio, e la medesima citazione di Lc 20, 34 s., che mette in contrasto la condizione matrimoniale con quella verginale: cf. Y.-M. DUVAL, *L'originalité du De uirginibus*, pp. 25-26. Va tuttavia notato che, se si escludono le due citazioni bibliche, non vi sono fra i due autori precise corrispondenze testuali.

Quae eo prosequor, ut indulgentius obsequantur quibus hoc, si probae sunt, merces est caritatis, si improbae, poena delicti.

28. Hinc illa nascuntur incentiua uitiorum, ut quaesitis coloribus ora depingant, dum uiris displicere formidant, et de adulterio uultus meditentur adulterium castitatis. Quanta hic amentia effigiem mutare naturae, picturam quaerere et, dum uerentur maritale iudicium, prodere suum. Prior enim de se pronuntiat quae cupit mutare quod nata est. Ita dum alii studet placere, prius ipsa sibi displicet. Quem iudicem, mulier, ueriorem requirimus deformitatis tuae quam te ipsam, quae uideri times? Si pulchra es, quid absconderis? Si deformis, cur te formosam esse mentiris nec tuae conscientiae nec alieni gratiam erroris habitura? Ille enim alteram diligit, tu altera uis placere. Et irasceris, si amet aliam qui adulterare in te docetur? Male magistra es iniuriae tuae. Lenocinari refugit etiam quae passa lenonem est ac licet uilis mulier non alteri tamen, sed sibi peccat, tolerabilioraque propemodum in adulterio crimina sunt; ibi enim pudicitia, hic natura adulteratur.

29. Iam quanto pretio opus est, ne etiam pulchra displiceat! Hinc pretiosa collo dependent monilia, inde per humum uestis trahitur aurata. Emitur igitur haec species an habetur? Quid quod etiam odorum uariae adhibentur illecebrae, gemmis onerantur aures, oculis color alter infunditur? Quid ibi remanet suum, ubi tam multa mutantur? Sensus suos amittit mulier et uiuere posse se credit?

30. Vos uero, beatae uirgines, quae talia tormenta potius quam ornamenta nescitis, quibus pudor sanctus uerecunda suffusus ora et bona castitas est decori, non humanis addictae oculis

28, 1-16 hinc *usque* adulteratur *laudat Aug. doctr. chr. 4, 132.*
1 ut: *add.* et *cod. Coloniensis, Faller et Cazz., om. cett. et Aug.*
6 nata *plerique codd. et Aug.*: natum *nonnulli codd. Faller et Cazz.*
11 altera *Ambrosianus B 54 inf.*: alteri *cett. fere omnes Faller et Cazz.*

è ricompensa d'amore, se sono buone, ma è una punizione conseguente al peccato, se sono cattive [103].

28. Di qui nascono gli incentivi dei vizi, come il fatto che le donne si dipingano il viso con colori affettati, perché temono di non piacere ai mariti, e cosí dall'adulterazione del volto meditano di passare all'adulterio della castità. Quanta insipienza in questo comportamento, nel voler cambiare l'aspetto naturale, cercando di dipingerlo: cosí mentre le donne temono il giudizio del marito, esprimono il loro. Infatti colei che desidera cambiare ciò che ha avuto per nascita, lei per prima si giudica. Cosí, mentre cerca di piacere ad altri, prima ancora dispiace a se stessa. O donna, quale giudice della tua bruttezza possiamo volere che sia piú veritiero di te stessa che hai paura di essere vista? Se sei bella, perché ti nascondi? Se sei brutta, perché fingi di essere bella, senza avere né un vantaggio per la tua consapevolezza né quello che speri che ti derivi dall'averlo ingannato? Infatti tuo marito in te ama un'altra e tu vuoi piacergli diversa da te stessa. E ti adiri, se lui, che è indotto a commettere adulterio proprio con te, ama un'altra? Sei cattiva maestra di un'ingiuria che ricade su di te. Rifugge dalla civetteria anche colei che subisce un lenone e, anche se è una donna disonorata, non pecca per un altro, ma per sé, e quasi sono piú tollerabili i delitti d'adulterio; in quel caso infatti si adultera la pudicizia, in questo la natura [104].

29. E certo, quanto bisogna spendere perché anche una bella donna sia piacente! Qui pendono dal collo gioielli preziosi, là una veste dorata con strascico. Questa bellezza, dunque, si compra o la si possiede? E che dire del fatto che si fa uso anche delle lusinghe dei vari profumi, che agli orecchi si appendono gemme, che gli occhi si tingono di diverso colore? Che cosa rimane di autentico, se si cambiano tante cose? La donna perde i propri sensi [105] e crede di poter continuare a vivere?

30. Voi, invece, fortunate vergini, che non conoscete questi che sono tormenti piuttosto che ornamenti, voi, il cui viso verecondo è soffuso [106] di santo pudore e la cui bellezza è costituita dalla buona castità, non valutate i vostri meriti in base ad un

[103] Nei §§ 27-40 si tratta dell'eccellenza della verginità e insieme del valore del matrimonio. Ambrogio è abbastanza autonomo rispetto allo sviluppo dei medesimi temi in ATANASIO, *epist. ad uirg.*, CSCO 151, pp. 62-69, caratterizzato dalla polemica contro l'egiziano Ieraca, esponente dell'encratismo.

[104] Sui belletti e le acconciature femminili le considerazioni di Ambrogio richiamano quelle di CIPRIANO, *hab. uirg.* 15 (CSEL 3, 1, p. 198). L'analogia è stata notata da AGOSTINO, *doctr. chr.* 4, 21, 49-50. Sull'argomento Ambrogio tornerà, sempre tenendo presente il passo di Cipriano, in *exam.* 6, 8, 47 (CSEL 32, 1, p. 238). Cf. Y.-M. DUVAL, *L'originalité du De uirginibus*, pp. 26 s.

[105] *sensus suos amittit*: l'espressione è volutamente ambigua: la donna che usa profumi, che porta pendenti, che dipinge gli occhi, «perde i sensi», perché altera le funzioni dell'odorato, degli orecchi e degli occhi; ma l'espressione «perde i sensi» significa anche che tale donna, cosí facendo, perde la sua vita, quella naturale autentica.

[106] Cf. VIRGILIO, *georg.* 1, 430.

alieno errore merita uestra pensatis. Habetis sane et uos uestrae militiam pulchritudinis, cui uirtutis militat forma, non corporis, quam nulla extinguere aetas, nulla eripere mors potest, nulla aegritudo corrumpere. Solus formae arbiter petitur deus, qui etiam in corpore minus pulchro diligat animas pulchriores. Non uteri onus notum, non dolor partus, et tamen numerosior suboles piae mentis, quae omnes pro liberis habet, fecunda successoribus, sterilis orbitatibus nescit funera, nouit heredes.

31. Sic sancta ecclesia immaculata coitu [i]; fecunda partu, uirgo est castitate, mater est prole. Parturit itaque nos uirgo non uiro plena, sed spiritu. Parit nos uirgo non cum dolore membrorum, sed cum gaudiis angelorum. Nutrit nos uirgo non corporis lacte, sed apostoli [l], quo infirmam adhuc crescentis populi lactauit aetatem. Quae igitur nupta plures liberos habet quam sancta ecclesia, quae uirgo est sacramentis, mater est populis, cuius fecunditatem etiam scriptura testatur dicens: *Quoniam plures filii desertae magis quam eius quae habet uirum* [m]? Nostra uirum non habet, sed habet sponsum, eo quod siue ecclesia in populis siue anima in singulis dei uerbo sine ullo flexu pudoris quasi sponso innubit aeterno effeta iniuriae, feta rationis.

[i] Eph 5, 27.
[l] 1 Cor 3, 2.
[m] Is 54, 1.

falso altrui giudizio, come se foste in balia di sguardi umani. Certamente anche voi dovete difendere la vostra bellezza, ma per essa milita la beltà della virtú, non del corpo, la quale nessuna età può annullare, in alcun modo la morte può portar via, nessuna malattia può guastare. Per questa beltà il solo giudice richiesto è Dio, il quale ama le anime belle anche quando sono in un corpo non tanto bello. Senza il noto peso della gravidanza, senza il dolore del parto, e tuttavia piú numerosa è la prole di una mente pia, che ha tutti come figli, abbonda di discendenti, immune da lutti non conosce funerali, e tuttavia ha eredi.

31. Cosí la santa Chiesa immacolata quanto all'unione carnale, feconda nel parto, è vergine per la castità, è madre per la prole. E cosí ci partorisce una vergine non fecondata da un uomo, ma dallo Spirito. Ci partorisce una vergine non con sofferenza del corpo, ma con gioia degli angeli [107]. Ci nutre una vergine non con il latte del corpo, ma dell'Apostolo [108], con il quale egli allattò un popolo debole e ancora nell'età della crescita [109]. Chi è dunque quella donna sposata che ha piú figli della santa Chiesa? Essa è vergine per il sacramento [110], è madre per i popoli [111], la sua fecondità è attestata anche dalla Scrittura ove dice: *Perché sono piú numerosi i figli dell'abbandonata che di colei che ha marito.* La nostra madre non ha marito, ma ha lo sposo [112], in quanto sia la Chiesa nei popoli che l'anima nelle singole persone si sposano con il Verbo di Dio, come con uno sposo eterno, senza alcuna flessione nella pudicizia, sterili di offese [113], feconde di razionalità [114].

[107] La gioia degli angeli qui è la verginità della Chiesa: piú oltre in 2, 2, 17 è l'ingresso in cielo di una vergine che reca gioia agli angeli.

[108] H. BARÉ, *Le sermon pseudo-augustinien App. 121*, in «REAug», 9 (1963), pp. 114 s.

[109] La Chiesa nutre i suoi figli: cf. sopra 1, 5, 22; *obit. Val.* 75 (CSEL 73, p. 364).

[110] *uirgo est sacramentis*: per sciogliere la difficoltà della frase ricorriamo a *exp. Luc.* 4, 50 che ci chiarisce che i *sacramenta* sono il battesimo (cf. J. HUHN, *Das Geheimnis der Jungfrau-Mutter Maria nach dem Kirchenvater Ambrosius*, Würzburg 1954, p. 142, che cita *spir. s.* 2, prol. 12, CSEL 79, p. 91, 95) e spiega anche quale relazione intercorra fra il battesimo e la verginità della Chiesa: *post sacramenta baptismatis maculis corporis et mentis ablutus iam non lepra, sed immaculata uirgo coepit esse sine ruga* (CCL 14, p. 124, 613 ss.).

[111] Su analoghe riflessioni sulla verginità (ma anche sulla vedovanza o sulla sterilità) in rapporto al tema della Chiesa vergine e madre, sullo sfondo dell'esegesi ecclesiologica di Is 54, 1 si cf. anche *exh. u.* 7, 42; *uirgt.* 14, 91; *exp. Luc.* 2, 67 (CCL 14, p. 59); 3, 23 (p. 88); 8, 9 (p. 301); *Abr.* 1, 5, 38 (CSEL 32, 1, p. 531); 1, 7, 61 (p. 543); *fug.* 5, 30 (CSEL 32, 2, p. 188); *epist.* 12, 12 (CSEL 82, 1, p. 98).

[112] *uirum non habet, sed habet sponsum*: la Chiesa è unita con mistiche nozze a Cristo (*habet sponsum*), pur conservandosi vergine (*uirum non habet*). Bisogna tener conto della distinzione semantica fra *uir* e *sponsus*: il primo significa «marito», il secondo è colui che è unito alla *sponsa* con patto nuziale giuridicamente valido, ma non coabita ancora con lei.

[113] L'*iniuria* è il peccato di una sposa verso lo sposo.

[114] Per comprendere l'espressione *feta rationis* rammentiamo che la *ratio* nell'antropologia ambrosiana è la parte superiore (spirituale) dell'anima, quella che la avvicina di piú a Dio: ebbene possiamo intendere che la Chiesa o l'anima, grazie alla loro unione con il Verbo di Dio, producono frutti spirituali. Su tutto il passo e sul tema della fecondità verginale si veda PIZZOLATO, *La coppia umana*, pp. 203-207.

**7.** 32. Audistis, parentes, quibus erudire uirtutibus, quibus instituere disciplinis filias debeatis, ut habere possitis quarum meritis uestra delicta redimantur. Virgo dei donum est, munus parentis, sacerdotium castitatis. Virgo matris hostia est, cuius cotidiano sacrificio uis diuina placatur. Virgo indiuiduum pignus parentum, quae non dote sollicitet, non emigratione destituat, non offendat iniuria.

33. Sed nepotes aliquis habere desiderat et aui nomen adquirere. Primum suos tradit, dum quaerit alienos, deinde certis defraudari incipit, dum sperat incertos, confert opes proprias et adhuc poscitur, nisi dotem soluat, exigitur, si diu uiuat, onerosus est. Emere istud est generum, non adquirere, qui parentibus filiae uendat aspectus. Ideone tot mensibus gestatur utero, ut in alienam transeat potestatem? Ideo comendae uirginis cura suscipitur, ut citius parentibus auferatur?

34. Dicet aliquis: ergo dissuades nuptias? Ego uero suadeo et eos damno qui dissuadere consuerunt, utpote qui Sarae ac Rebeccae et Rachel ceterarumque ueterum coniugia feminarum pro documentis singularium uirtutum recensere soleam. Qui enim copulam damnat, damnat et filios et ductam per successionum

33, 4 nisi: *praem.* et *Cazz.*

**7.** 32. Avete udito, o genitori, con quali virtú dovete educare le figlie, con quali insegnamenti istruirle, perché possiate per i loro meriti redimere i vostri delitti. Una vergine è un dono di Dio, è una grazia del padre, un servizio sacerdotale di castità [115]. Una vergine è un'offerta sacrificale della madre: la sua quotidiana immolazione [116] placa la potenza divina. Una vergine è una figlia [117] inseparabile [118] per i genitori, che non richiede dote, che non li abbandona [119] quando se ne va in sposa, non manca di rispetto.

33. Ma qualcuno vuole avere nipoti ed essere chiamato nonno. Innanzi tutto dà via i suoi figli, mentre cerca quelli degli altri; in secondo luogo comincia col farsi defraudare di quelli certi, mentre spera di avere quelli incerti; concede le proprie ricchezze e gliene sono richieste altre; se non paga la dote viene costretto; se vive a lungo è di peso. Questo è comperare, non acquisire un genero, il quale concede ai genitori di vedere la figlia a pagamento. Per questo si porta in grembo una figlia per tanti mesi, perché passi in potere di altri? Per questo ci si cura che la vergine sia elegante, perché sia tolta prima ai genitori?

34. Qualcuno dirà: dunque tu sconsigli le nozze? No, le consiglio e condanno coloro che sono soliti sconsigliarle [120], dato che sono solito considerare i matrimoni di Sara, di Rebecca e di Rachele [121] e delle altre antiche donne come esempio di virtú straordinarie. Infatti chi condanna il vincolo matrimoniale, condanna anche i figli e condanna la società umana [122] che sopravvive

[115] La verginità esprime esistenzialmente una funzione sacerdotale: la vergine, come il sacerdote, ha un particolare legame con Dio; e altrove (cf. oltre 1, 8, 52) Ambrogio rammenta che proprio a tale «legame», che la verginità esprime sommamente, si ricollega etimologicamente la *religio*. Sulla connessione fra sacerdozio e verginità cf. anche oltre 2, 2, 18; *exc. fr.* 2, 132 (CSEL 73, p. 324); *off.* 2, 17, 87 (SAEMO 13, p. 232); *uirgt.* 3, 13; 9, 50; cf. C. BEUKERS, *Sacrale termen bij Ambrosius*, in «Bijdragen. Tijdschrift voor Philos. en Theol.», 29 (1968), pp. 414 ss.

[116] Sul tema della verginità come sacrificio si veda piú oltre 1, 11, 65 *pudoris hostia, uictima castitatis* e relativa nota.

[117] *pignus*: è frequentemente usato da Ambrogio nel senso di figlio (figlia), per la sua forte e poetica carica semantica.

[118] Con questo significato *indiuiduus* è usato anche poco piú oltre (2, 2, 14): *hic (pudor) indiuiduus debet esse uirginitati.*

[119] A Milano, dunque, le vergini continuavano a vivere in famiglia; diversamente, sembra, accadeva a Bologna; cf. piú oltre, § 60.

[120] Questa condanna è diretta contro determinati oppositori del matrimonio che Ambrogio e i destinatari dell'opera dovevano ben conoscere, i manichei (cf. in proposito quanto attesta AGOSTINO, *haer.* 46); quantunque anche qui lo spunto per le riflessioni sul matrimonio sia dato ad Ambrogio dalla solita fonte, ATANASIO, *epist. ad uirg.*, CSCO 151, pp. 62-69, il quale, però, ha come bersaglio della sua lunga polemica un erudito alessandrino di nome Ieraca, che disprezzava il matrimonio per esaltare la verginità.

[121] Cf. ATANASIO, *epist. ad uirg.*, CSCO 151, p. 64, 17 s. Essendo il *De uirginibus* la prima delle opere di Ambrogio, si deve supporre che egli si riferisca alla predicazione orale. Gli scritti successivi confermano l'ampio uso degli *exempla* di figure femminili dell'A.T.

[122] Il concetto è affine, ma non precisamente corrispondente al pensiero espresso da GREGORIO DI NISSA, *uirg.* 7, 2 (SCh 119, p. 356) «infatti proprio definendo spregevole il matrimonio, egli bolla se stesso biasimandolo, perché se l'albero è cattivo, come dice in qualche luogo il Vangelo, anche il frutto ne è in tutto degno».

seriem generis societatem damnat humani. Nam quemadmodum duratura in saecula aetas succedere posset aetati, nisi gratia nuptiarum procreandae studium subolis incitaret? Aut quomodo praedicare potest quod inmaculatus Isaac ad altaria dei uictima paternae pietatis accessit [a], quod Israel humano situs in corpore deum uidit et religiosum populo dedit nomen, quorum originem damnat? Vnum scilicet sacrilegi homines habent, quod in his etiam a sapientissimis probetur, quod coniugia damnando profitentur ipsi non debuisse se nasci.

35. Non itaque dissuadeo nuptias, si fructus uirginitatis enumero. Paucarum quippe hoc munus est, illud omnium. Nec potest esse uirginitas, nisi habeat unde nascatur. Bona cum bonis comparo, quo facilius quid praestet eluceat. Neque meam ullam sententiam adfero, sed eam repeto, quam edidit spiritus sanctus per prophetam: *Melior est*, inquit, *sterilitas cum uirtute* [b].

36. Primum enim quod nupturae prae ceteris concupiscent, ut sponsi decore se iactent, eo necesse est impares sacris se fateantur esse uirginibus, quibus solis contingit dicere: *Speciosus forma prae filiis hominum, diffusa est gratia in labiis tuis* [c]. Quis est iste sponsus? Non uilibus addictus obsequiis, non caducis superbus diuitiis, sed cuius *sedes in saeculum saeculi* [d]. *Filiae regum in honore* eius. *Astitit regina a dextris* eius *in uestitu deaurato uarietate circumamicta* uirtutum [e]. *Audi* igitur, *filia, et uide et inclina aurem tuam et obliuiscere populum tuum et domum patris tui, quoniam concupiuit rex speciem tuam, quia ipse est deus tuus* [f].

7. [a] Gen 22, 1 ss.
[b] Sap 4, 1.
[c] Ps 44 (45), 3.
[d] Ps 44 (45), 7.
[e] Ps 44 (45), 10.
[f] Ps 44 (45), 11.

grazie al succedersi ininterrotto delle generazioni. Infatti, come un'età della vita potrebbe succedere all'altra per durare secoli, se la grazia del matrimonio non stimolasse il desiderio di procreare discendenti? O come potrebbe proclamare che l'innocente Isacco si accostò agli altari di Dio come vittima della pietà paterna, che Israele, pur essendo nel corpo umano, vide Dio e diede al popolo un nome sacro [123], se condanna la nascita di questi personaggi? Queste persone sacrileghe [124] hanno un pregio, che anche dai piú sapienti tra loro è dimostrato che, condannando il matrimonio, essi stessi ammettono che non sarebbero dovuti nascere.

35. Dunque non sconsiglio il matrimonio, se elenco i pregi della verginità. Questa è un dono riservato a poche, quello è per tutte. Né vi può essere verginità, se non esistesse il matrimonio da cui nasce [125]. Confronto le cose buone con quelle buone, perché piú facilmente sia evidente quel che è meglio. Né espongo alcuna mia opinione, ma ripeto quella che lo Spirito Santo ha espresso per mezzo del profeta: *È preferibile* — dice — *la sterilità accompagnata dalla virtú.*

36. Innanzi tutto infatti quelle che si avviano al matrimonio, per il fatto che desiderano soprattutto vantarsi della bellezza dello sposo, debbono ammettere di essere svantaggiate rispetto alle vergini consacrate, perché queste soltanto possono dire: *Tu sei il piú bello dei figli degli uomini, soffuse di grazia sono le tue labbra.* Chi è questo sposo? Non uno che sia assegnato [126] a compiti servili, non uno che sia reso superbo da ricchezze caduche, ma colui il cui *trono è eterno. Figlie di re gli rendono omaggio. La regina sta alla sua destra in veste dorata, adorna della varietà* delle virtú [127]. Perciò *ascolta, o figlia, e guarda, tendi il tuo orecchio e dimentica il tuo popolo e la casa di tuo padre, perché il re ti desidera, perché egli è il tuo Dio.*

[123] In Gen 32, 28 s. si narra che a Giacobbe, al termine della sua lotta con Dio, fu imposto il nome di Israele (cf. Gen 35, 10), che poi divenne nome gentilizio per indicare il popolo d'Israele.

[124] Ambrogio allude ancora ai manichei. Il termine *sacrilegi* sembra proprio riferito a loro; cf. *epist.* 28, 14 (CSEL 82, 1, p. 193) *quo apparet inde Manichaeorum sacrilegia manasse, qui miscent atque adiungunt sacrilegium turpitudini*; di quale *sacrilegium* si tratti lo spiega AGOSTINO, *haer.* 46. Essi predicavano la continenza sessuale e la proibizione del matrimonio; ma nei primi secoli del cristianesimo il matrimonio era condannato da diverse altre sètte ereticali: gnostici, Marcione, Apelle, Taziano, encratiti.

[125] Cf. GREGORIO DI NISSA, *or. in Matth. 19, 1-12*, 10 (PG 36, 293 C) «non esisterebbero celibi, se non ci fosse stato il matrimonio. Infatti da dove la vergine è venuta in questa vita? Il matrimonio non sarebbe da onorare, se non producesse per Dio e per questa vita il frutto della verginità. Dunque rendi onore alla madre che ti ha generato».

[126] *addictus*: termine giuridico che esprime la riduzione alla condizione di servo di un debitore insolvente. Dunque lo «sposo» di Ps 44 (45), 3 non è un misero, e nemmeno un ricco di ricchezze materiali, bensí di quelle eterne.

[127] Bellezza, regalità e ricchezza, di cui parla Ps 44 (45), sono in senso allegorico tipologico attributi di Cristo.

37. Et aduerte quantum tibi spiritus sanctus scripturae diuinae testificatione detulerit, regnum, aurum, pulchritudinem: regnum, uel quia sponsa es regis aeterni, uel quia inuictum animum gerens ab inlecebris uoluptatum non captiua haberis, sed quasi regina dominaris; aurum, quia sicut illa materies examinata igne pretiosior est, ita corporis species uirginalis spiritu consecrata diuino formae suae adquirit augmentum. Pulchritudinem uero quis potest maiorem aestimare decore eius quae amatur a rege, probatur a iudice, dicatur domino, consecratur deo, semper sponsa, semper innupta, ut nec amor finem habeat nec damnum pudor?

38. Haec, haec profecto uera pulchritudo est, cui nihil deest, quae sola meretur audire a domino: *Tota es formosa, proxima mea, et reprehensio non est in te. Veni huc a Libano, sponsa, ueni huc a Libano: transibis et pertransibis a principio fidei, a capite Sanir et Hermon, a latibulis leonum, a montibus pardorum* [g]. Quibus indiciis ostenditur perfecta et inreprehensibilis uirginalis animae pulchritudo altaribus consecrata diuinis inter occursus et latibula spiritalium bestiarum non inflexa moralibus et intenta mysteriis

[g] Cant 4, 7-8.

38, 8 et *plerique*: sed *nonnulli codd.* set *Cazz.*

37. E considera quante cose ti ha donato lo Spirito Santo, secondo l'attestazione della Sacra Scrittura: il regno, l'oro, la bellezza. Il regno, sia perché sei sposa del re eterno, sia perché, avendo tu un animo invitto, non sei tenuta prigioniera dalle seduzioni dei piaceri, ma eserciti il potere come una regina [128]; l'oro, perché, come quella materia, quando è provata con il fuoco, diventa piú preziosa, cosí lo splendore del corpo verginale aumenta quando è consacrato dallo spirito divino. Quanto alla bellezza, poi, chi potrebbe ritenere che ve ne sia una maggiore della grazia di colei che è amata dal re, approvata dal giudice, che è offerta al Signore, consacrata a Dio, sempre sposa, sempre nubile, cosicché l'amore non abbia mai fine e il pudore resti intatto?

38. Questa, sicuramente questa è la vera bellezza, a cui nulla manca, che sola merita che le siano rivolte le parole del Signore [129]: *Sei tutta bella, o amica mia, e in te non è alcun difetto. Vieni qui dal Libano, o sposa, vieni qui dal Libano: passerai e oltrepasserai dal principio della fedeltà* [130], *dalla vetta del Sanir e dell'Ermon, dalle tane dei leoni, dai monti dei leopardi* [131]. Queste espressioni metaforiche spiegano che la perfetta e irreprensibile bellezza dell'anima verginale, offerta sui sacri altari, non piegata sul piano morale, pur tra gli assalti e le tane delle belve spirituali [132], e, intenta ai misteri di Dio [133], ha meritato il diletto [134], le

[128] Un concetto originariamente stoico (ἡγεμονικόν: parte superiore dell'anima che domina e governa le passioni e le inclinazioni del corpo) è cristianizzato e applicato alla verginità. Il tema della sovranità della donna casta è riproposto in *exh. u.* 8, 54.

[129] Nei §§ 38-51 è sviluppato il tema della vergine sposa di Cristo sulla traccia della interpretazione allegorica della sposa del Cantico. Ambrogio ha tenuto presente ATANASIO, *epist. ad uirg.*, CSCO 151, pp. 69-76.

[130] Tenendo conto del contesto mistico-nuziale ho tradotto *fides* con «fedeltà»: la fedeltà della vergine sposa di Cristo. Ma proprio il tenore mistico del contesto non esclude il senso cristiano di «fede». In altri scritti, ove ricorre la citazione di Cant 4, 8, Ambrogio sembra propendere, secondo le esigenze del momento, ora per il primo significato ora per il secondo: cf. *apol. alt.* 8, 43 (CSEL 32, 2, p. 387); *Noe* 15, 52 (CSEL 32, 1, p. 449).

[131] È ben difficile intendere un senso chiaro e coerente in questa lunga citazione di Cant 4, 7 s., il cui testo ricalca quello dei Settanta, ma non corrisponde a quello che conosciamo come originale. Ambrogio, del resto, si accontenta di trarne un vago senso allegorico.

[132] Con *latibula* sono simboleggiati i sensi, cioè i «nascondigli» del piacere sensuale e delle passioni dette *spiritales bestiae.* Per il valore semantico dei *latibula* cf. *Abr.* 1, 2, 4 (CSEL 32, 1, p. 504, 18 ss.) *hoc est enim exire de Charra tamquam de cauernis quibusdam et cuniculis latibulisque egredi* e *ibid.*, 2, 2, 6 (cito da SAEMO 2, 2, perché il testo del CSEL in questo luogo è corrotto) *nostra mens... ut intra cauernas corporis et se intra latibula uoluptates abscondat.*

[133] Con *moralia* e *mysteria* Ambrogio indica due diversi livelli che sono come tappe del cammino di perfezione compiuto dall'anima. Il primo è quello della prassi su cui si esercita la volontà, il secondo è il piano intellettivo sul quale la *mens* può contemplare i divini misteri. Di questi due livelli Ambrogio parla piú volte, ma particolarmente in *myst.* 1, 1, 1 s. (CSEL 73, p. 89).

[134] *dilectum*: è lo sposo del Cantico (= Cristo).

dei meruisse dilectum, cuius ubera plena laetitiae [h]. *Vinum enim laetificat cor hominis* [i].

39. *Et odor*, inquit, *uestimentorum tuorum super omnia aromata* [l]; et infra: *Et odor uestimentorum tuorum sicut odor Libani* [m]. Vide quem nobis tribuas, uirgo, processum. Primus enim odor tuus *super omnia aromata*, quae in saluatoris missa sunt sepulturam [n], emortuos corporis motus membrorumque redolet obisse delicias. Secundus odor tuus *sicut odor Libani* dominici corporis integritatem uirgineae flore castitatis exhalat.

**8.** 40. Fauum [a] itaque mellis tua opera componant: digna enim uirginitas quae apibus comparetur, sic laboriosa, sic pudica, sic continens. Rore pascitur apis, nescit concubitus, mella componit. Ros quoque uirgini est sermo diuinus, quia sicut ros dei uerba descendunt. Pudor uirginis est intemerata natura. Partus uirginis fetus est labiorum expers amaritudinis, fertilis suauitatis. In commune labor, communis est fructus.

41. Quam te uelim, filia, imitatricem esse huius apiculae, cui cibus flos est, ore suboles legitur, ore componitur. Hanc imitare tu, filia. Verba tua nullum doli uelamen obtendant, nullum habeant fraudis inuolucrum, ut et puritatem habeant et plena grauitatis sint. Meritorum quoque tuorum tibi aeterna posteritas tuo ore pariatur.

[h] Cant 1, 2 (1).
[i] Ps 103 (104), 15.
[l] Cant 4, 10.
[m] Cant 4, 11.
[n] Mt 26, 12; Mc 14, 8; Io 19, 40 (?).
8. [a] Cant 4, 11.

41, 2 flos *omnes*: ros *Cazz.*
ore²: *praem.* opus *Castiglioni ap. Cazz.*

cui mammelle sono piene di letizia [135]: *Infatti il vino rallegra il cuore dell'uomo.*

39. *E l'odore* — dice — *delle tue vesti è piú forte di tutti gli aromi*; e piú oltre: *E il profumo dei tuoi vestiti come il profumo del Libano.* Considera, o vergine, quale progresso ci offri. Infatti il primo tuo profumo, *piú forte di tutti gli aromi* che sono stati sparsi nel sepolcro del Salvatore, rivela che sono morte le passioni del corpo e scomparsi i piaceri delle sue membra [136]. Il secondo tuo profumo, *come il profumo del Libano*, esala, grazie al fiore della castità verginale, l'integrità del corpo del Signore.

**8.** 40. Le tue opere formino dunque un favo di miele. Infatti la verginità può ben essere paragonata alle api: è altrettanto laboriosa, altrettanto pudica, altrettanto continente. L'ape si pasce di rugiada, non conosce accoppiamenti [137], produce miele. C'è anche una rugiada per la vergine, la parola divina, perché le parole di Dio scendono come rugiada. Il pudore della vergine è proprio di uno stato intemerato. Il parto della vergine è il frutto delle labbra privo di amarezza, fecondo di dolcezza [138]. Comune è la fatica [139], comune è il frutto [140].

41. Come vorrei, o figlia, che tu fossi imitatrice di questa piccola ape, il cui cibo sono i fiori, la cui prole è raccolta con la bocca, è radunata con la bocca [141]. Imita quest'ape, o figlia. Le tue parole non stendano alcun velo ingannatore, non siano avvolte da falsità; che siano pure e piene di gravità. La tua bocca ti partorisca anche l'eterna discendenza dei tuoi meriti.

[135] È sottesa un'allusione a Cant 1, 2 (o 1, 4) che Ambrogio piú oltre (2, 6, 42) cita in questa forma: *bona ubera tua super uinum.* Solo tenendo presente questo testo si comprende la congruità della successiva citazione di Ps 103 (104), 15.

[136] Cf. *exh. u.* 9, 58: il profumo, come è metafora della morte di Cristo, cosí lo è anche della morte delle passioni carnali nella vergine.

[137] La fonte di queste informazioni è VIRGILIO, *georg.* 4, 198 s. ...*neque concubitu indulgent nec corpora segnis / in Venerem soluunt.* Il tema è piú ampiamente sviluppato in *exam.* 5, 21, 67 (CSEL 32, 1, pp. 189 s.).

[138] Bisogna rammentare la credenza antica, secondo la quale le api non partoriscono, ma raccolgono la prole con la bocca dalle foglie; la fonte di Ambrogio è ancora VIRGILIO, *georg.* 4, 200 s. *uerum ipsae e foliis natos, e suauibus erbis / ore legunt.*

[139] Il riferimento è sempre alle api virgiliane: cf. *georg.* 4, 184 *labor omnibus unus.*

[140] Cf. *exam.* 5, 21, 67 (CSEL 32, 1, p. 189, 20) *communis... fructus est.*

[141] Seguo la lezione tràdita *cui cibus flos est, ore suboles legitur, ore componitur.* A prima vista questo testo pone qualche problema: infatti il Cazzaniga corregge *flos* in *ros* rinviando al paragrafo precedente, ove si dice che l'ape si ciba di rugiada, e accoglie l'integrazione <*opus*> di Castiglioni davanti a *ore componitur*, anch'essa suggerita, sembra, dal contenuto del paragrafo precedente. Ma, a mio parere, il testo tràdito può essere difeso, se si tiene conto delle riflessioni successive. Si osservi, infatti, che l'espressione descrive due caratteristiche dell'ape: 1) il suo cibo è il fiore; 2) la sua prole è raccolta e adunata con la bocca. Di seguito la similitudine dell'ape è applicata alla vergine: sono proprio quelle due caratteristiche che vengono sviluppate dalla riflessione ambrosiana, in ordine inverso, nei due paragrafi successivi. Non vi troviamo ripreso il termine *ros*, ma *flos* (§ 43); nessuna allusione all'<*opus*> integrato dal Castiglioni, mentre la parola *ore* trova applicazione in *uerba tua*... e in ...*tuo ore pariatur*, il concetto di *suboles* è ripreso da *meritorum... aeterna posteritas* e *componitur* è riecheggiato in *congreges.*

42. Nec soli tibi, sed pluribus congreges (qui scis enim quando a te tua anima reposcatur [b]?), ne receptacula horreorum frumentis coaceruatã dimittens nec uitae tuae usui profutura nec meritis rapiaris eo quo thesaurum tuum ferre non possis. Diues igitur esto, sed pauperi, ut naturae participes tuae participes sint etiam facultatum.

43. Florem quoque tibi demonstro carpendum, illum utique qui dixit: *Ego flos campi et lilium conuallium, tamquam lilium in medio spinarum* [c], quod est euidentis indicii spiritalium nequitiarum [d] sentibus uirtutem obsideri, unde nemo fructum referat nisi qui cautus accedat.

44. Sume igitur alas, uirgo, sed spiritus, ut superuoles uitia, si contingere cupis Christum: *In altis habitat et humilia respicit* [e] *et species eius sicut* cedrus *Libani* [f], quae comam nubibus, radicem terris inserit. Principium enim eius e caelo, posteriora eius in terris fructus caelo proximos ediderunt. Scrutare diligentius tam bonum florem, necubi eum in pectoris tui conualle reperias; humilibus enim frequenter inhalatur.

[b] Lc 12, 18-21.
[c] Cant 2, 1-2.
[d] Eph 6, 12.
[e] Ps 112 (113), 5-6.
[f] Cant 5, 15.

44, 6 eum: *add.* nisi *Cazz.*

42. E possa tu ammucchiarli non per te sola, ma per molti — infatti, come sapere quando la tua anima ti sarà richiesta? — affinché non accada che, quando dovrai abbandonare i magazzini ricolmi di frumento che non ti saranno utili né per questa tua vita e nemmeno per acquistare meriti, tu non sia rapita là dove non puoi portare il tuo tesoro [142]. Sii dunque ricca, ma a vantaggio di chi è povero [143], affinché coloro che partecipano della tua natura [144] abbiano parte anche delle ricchezze [145].

43. Ti mostro anche quale fiore devi cogliere, quello che ha detto: *Io sono un fiore del campo e un giglio delle convalli, come un giglio in mezzo alle spine*; queste parole dimostrano chiaramente che la virtú è circondata dai rovi delle iniquità spirituali, per cui nessuno può coglierne il frutto se non chi si avvicina con cautela.

44. Mettiti dunque le ali, o vergine, ma quelle dello spirito, per poter volare al di sopra dei vizi, se vuoi giungere a Cristo: *Egli abita nei luoghi alti e guarda le cose che stanno in basso e il suo aspetto è come* il cedro *del Libano*, che con la chioma penetra nelle nubi e con le radici nella terra. La sua origine infatti è dal cielo, la sua umanità [146] sulla terra ha prodotto frutti che si avvicinano al cielo. Cerca con grande attenzione un fiore cosí splendido, caso mai [147] possa trovarlo nella convalle del tuo cuore; per gli umili [148] infatti si effonde spesso il suo profumo.

[142] Un ampio commento alla pericope di Lc 12, 17-20 in *Nab.* 6, 29 - 8, 39 (CSEL 32, 2, pp. 483 ss.).

[143] L'ape non simboleggia soltanto l'ideale della verginità, ma rappresenta anche un modello di vita sociale ed evangelica, caratterizzato dal lavoro comune e dall'uso comune dei beni, secondo una concezione che Ambrogio ribadisce e sviluppa in altre opere (su questo argomento gli studi sono numerosi; qui basti rinviare al recente lavoro di V.R. VASEY, *The social ideas in the Works of St. Ambrose. A Study on De Nabuthe*, Roma 1982). Quale rilievo il tema sociale avesse nella coscienza del vescovo è testimoniato anche da questo breve paragrafo del *De uirginibus*, ove Ambrogio non esita a sorprendere il lettore facendo degradare un pensiero tutto sviluppato sul piano simbolico e mistico al piano pragmatico dell'esortazione a distribuire le ricchezze ai poveri.

[144] *naturae participes*: corrisponde a *consors naturae*, espressione piú tipica e comune nella terminologia sociale ambrosiana (cf. M. POIRIER, *«Consors naturae» chez saint Ambroise*, in *Ambrosius Episcopus*. Atti del congresso internazionale..., 2, Milano 1976, pp. 325-335).

[145] Attraverso il simbolismo della ricchezza, ricorrente in Ambrogio, e con un rapido richiamo alla parabola evangelica (Lc 12, 18-21) è espresso il valore soterico della verginità: la vergine è colei che accumula ricchezze spirituali (= meriti), che distribuisce a coloro che ne sono privi.

[146] Se con *principium* si allude alla divinità di Cristo, con *posteriora* è indicata la sua umanità, come vuole l'esegesi patristica di Ex 33, 23 (*uidebis posteriora mea*); TERTULLIANO, *adu. Marc.* 4, 22, 15 (CCL 1, p. 604); AMBROGIO, *expl. ps. 43* 91 (CSEL 64, p. 327, 1-4) *neque enim Moyses totam diuinitatis eius plenitudinem uidit quae habitabat in Christo corporaliter, sed uidit posteriora Christi, uidit splendorem eius ut homo, uidit eius gloriam passionis...*; cf. anche ID., *fid.* 5, 19, 66 s. (CSEL 78, p. 306); AGOSTINO, *Trin.* 2, 17, 28 *...solet intellegi ut posteriora eius accipiantur caro eius in qua de uirgine natus est.*

[147] Cazzaniga corregge la lezione tràdita aggiungendo *nisi* dopo *eum*: inutilmente, perché *necubi* è da intendere come particella interrogativa, come ha giustamente notato il FALLER, *ad loc.* Simile uso di *necubi* = *nonne alicubi* (*si forte alicubi*) è attestato anche in TERTULLIANO, *apol.* 9, 9 (CCL 1, p. 103, 38).

[148] La valle per Ambrogio è simbolo dell'umiltà: cf. *uirgt.* 9, 51; *inst. u.* 15, 93.

45. Amat generari in hortis, in quibus eum Susanna, dum deambularet, inuenit mori prius quam uiolari parata [g]. Qui sint autem horti ipse demonstrat dicens: *Hortus conclusus soror mea sponsa, hortus conclusus, fons signatus* [h], eo quod in hortis huiusmodi inpressam signaculis imaginem dei sinceri fontis unda resplendeat, ne uolutabris spiritalium bestiarum [i] sparsa caeno fluenta turbentur. Hinc ille murali saeptus spiritu pudor clauditur, ne pateat ad rapinam. Itaque sicut hortus furibus inaccessus uitem redolet, fraglat oleam, rosam renidet, ut in uite religio, in olea pax, in rosa pudor sacratae uirginitatis inolescant. Hic est odor quem Iacob patriarcha fraglauit, quando meruit audire: *Ecce odor filii mei sicut odor agri pleni* [l]. Nam licet plenus omnibus fere fructibus patriarchae sancti fuerit ager, ille tamen fruges maiore uirtutis labore generauit, hic flores.

46. Accingere itaque, uirgo, et si uis huiuscemodi tibi ut hortus aspiret, propheticis eum claude praeceptis. *Pone custodiam ori* tuo *et ostium circuitus labiis* tuis [m], ut etiam tu possis dicere: *Tamquam malus in lignis nemoris ita fraternus meus in medio filiorum. In umbra eius concupiui et sedi et fructus eius dulcis in*

[g] Dan 13, 7-23.
[h] Cant 4, 12.
[i] Apoc 13(?).
[l] Gen 27, 27.
[m] Ps 140 (141), 3.

45. Ama nascere nei giardini, nei quali lo trovò Susanna, mentre passeggiava, pronta a morire piuttosto che ad essere violata. Quali giardini, poi, siano, egli stesso lo spiega, quando dice: *Giardino chiuso è la mia sorella, mia sposa, giardino chiuso, fonte sigillata*, in quanto in simili giardini l'acqua di una limpida sorgente riflette l'immagine di Dio [149], impressa con dei sigilli [150], affinché i braghi, ove si avvoltolano le bestie spirituali [151], non ne intorbidino le acque cospargendole di fango. Perciò il pudore è racchiuso, cinto dal muro dello Spirito, per non esporsi a rapina. E cosí, come giardino sbarrato ai ladri, manda odore di vite, fragranza d'ulivo, splendore di rose, cosicché nella vite cresca la vita religiosa [152], nell'ulivo la pace, nella rosa il pudore della verginità consacrata. È questo il profumo che emanava il patriarca Giacobbe, quando meritò di udire [153]: *Ecco il profumo del figlio mio, come il profumo di un campo rigoglioso.* Ma, anche se il campo del santo patriarca fu pieno di quasi tutti i frutti, tuttavia quello produsse messi con maggior dispendio di energia, questo [154] produce fiori.

46. Cingilo, dunque, o vergine, e se vuoi che un simile giardino profumi per te, racchiudilo con i profetici insegnamenti. *Poni una difesa alla tua bocca e una porta intorno alle tue labbra*, affinché anche tu possa dire: *Come un melo fra gli alberi della foresta, cosí il mio diletto in mezzo ai figli. Ho desiderato la sua ombra* [155] *e mi*

[149] Cf. PASCASIO RADBERTO, *in ps. 44* 1 (PL 120, 1006 D) *qui sint autem horti deliciarum, ipse sponsus demonstrat in Canticis: hortus conclusus soror mea sponsa hortus conclusus, fons signatus, eo quod in hortis huiusmodi dei impressa signaculis imago seruatur inuoluta sincerissimi fontis unda perfusa.*

[150] Gli studiosi concordano nell'interpretare *signaculis* come un'allusione al battesimo, non avvertendo che in tal caso il discorso di Ambrogio, centrato sulla verginità, subirebbe una smagliatura: il riferimento al battesimo in questo contesto è assai poco pertinente. Il termine, invece, credo che debba essere ricollegato al testo appena citato del Cantico, *fons signatus*, nel quale pare certo che Ambrogio veda simboleggiata la vergine. Allora i *signacula* sarebbero quelli della verginità, intesi in senso spirituale: cioè una particolare impronta divina che distingue chi pratica questa virtú, ma non senza allusività ai *signacula* fisici della verginità, che di quelli spirituali sono segno. In proposito è utile rinviare a *epist.* 63, 33 (PL 16, 1249 D) *intemerata uirginitatis conseruauit signacula*; *exh. u.* 5, 29; *inst. u.* 17, 11 *in horto clauso et fonte signato teneat claustra pudicitiae, signacula ueritatis*; nel medesimo passo ritroviamo riprodotto il parallelismo esegetico fra Cant 4, 12 e Gen 27, 27. Cf. anche *inst. u.* 9, 61; *Isaac* 5, 48 (CSEL 32, 1, p. 673, 5 s.) *merito fons signatus dicitur, eo quod imago in ea* (nell'anima di chi è vergine) *dei inuisibilis esprimatur.*

[151] Le bestie spirituali sono le passioni. Cf. sopra § 38 *latibula spiritalium bestiarum* e nota *ad loc.*

[152] *in uite religio*: piú di quanto non appaia, l'espressione è parallela a *exh. u.* 5, 29 *uinea enim quidam fructus uirginalis est*, perché per Ambrogio *religio* significa etimologicamente il legame dell'uomo con Dio (cf. piú oltre 1, 8, 52), legame che ha nella consacrazione verginale la massima espressione.

[153] Cf. PASCASIO RADBERTO, *in ps. 44* 1 (PL 120, 1005 CD) *iste namque ager est, ex quo Isaac de filio: ecce odor filii mei...*

[154] *Ille* è il campo delle virtú del patriarca, *hic* è il giardino della verginità. Le virtú sono simboleggiate dalle messi del campo e dalle fatiche che richiedono, la verginità è accostata alla delicatezza e piacevolezza dei fiori di un giardino.

[155] Di *in umbra eius concupiui* i traduttori hanno offerto interpretazioni differenti nei vari luoghi ove Ambrogio cita l'espressione (cf. SAEMO 1, p. 187; 3, p. 67; 9, p. 205; 12, p. 123.259). Pur con qualche titubanza, intendo: «ho desiderato la sua

*faucibus meis* [n]. *Inueni quem dilexit anima mea, tenui eum et non relinquam eum* [o]. *Descendat fraternus meus in hortum suum et manducet fructum pomorum suorum* [p]. *Veni, fraterne mi, exeamus in agrum* [q]. *Pone me ut sigillum in cor tuum et uelut signaculum super brachium tuum* [r]. *Fraternus meus candidus et rubeus* [s]. Decet enim ut plene noueris, uirgo, quem diligis atque omne in eo et ingenitae diuinitatis et adsumptae mysterium incorporationis agnoscas. Candidus merito, quia patris splendor [t], rubeus, quia partus est uirginis. Color in eo fulget et rutilat utriusque naturae. Memento tamen antiquiora in eo diuinitatis insignia quam corporis sacramenta, quia non coepit a uirgine, sed qui erat uenit in uirginem.

47. Ille dispretus a militibus [u], ille lancea uulneratus [v], ut nos sacri uulneris cruore sanaret, respondebit tibi profecto (est enim *mitis et humilis corde* [x], *blandus aspectu* [z]): *exsurge, aquilo,*

[n] Cant 2, 3.
[o] Cant 3, 4.
[p] Cant 5, 1.
[q] Cant 7, 11.
[r] Cant 8, 6.
[s] Cant 5, 10.
[t] Hebr 1, 3 (?).
[u] Lc 23, 36.
[v] Io 19, 33-34.
[x] Mt 11, 29.
[z] Gen 39, 6.

47, 1 dispretus *scripsi*: discretus *codd.* districtus *Cazz.* discerptus *Castiglioni ap. Cazz.*

*vi sono seduta e il suo frutto è dolce nella mia bocca. Ho trovato colui che la mia anima ama, l'ho trattenuto e non lo lascerò. Discenda il mio diletto nel suo giardino e mangi i suoi frutti. Vieni, mio diletto, usciamo nel campo. Ponimi come un sigillo nel tuo cuore e come un segno sul tuo braccio. Il mio diletto è candido e rosso.* Infatti è bene, o vergine, che tu conosca perfettamente colui che ami e in lui conosca completamente il mistero della divinità ingenerata e dell'assunzione del corpo [156]. Giustamente candido, perché è splendore del Padre, rosso, perché è parto di una vergine [157]. In lui rifulge e sfavilla il colore delle due nature. Ricorda, tuttavia, che anteriori sono in lui i caratteri della divinità rispetto al sacramento [158] del corpo, perché la sua origine non fu dalla Vergine, ma colui che esisteva già, venne nella Vergine [159].

47. Egli che fu disprezzato [160] dai soldati, egli che fu trafitto dalla lancia per guarirci con il sangue della sacra ferita, ti risponderà certamente — *infatti è mite ed umile di cuore, bello d'aspet-*

ombra», tenendo conto che nel latino tardo e biblico *in* + abl. è anche usato per esprimere l'oggetto di certi verbi (cf. A. BLAISE, *Dictionnaire*, p. 417, 4). Se però consideriamo la lezione *sub umbra eius concupiui* attestata in *exp. Luc.* 7, 184 (CCL 14, p. 278) dovremmo pensare che non direttamente «la sua ombra», ma lo «stare sotto la sua ombra» sia l'oggetto di *concupiui.* In ogni caso la mia interpretazione, secondo la quale *in umbra* va considerato dipendente da *concupiui* (oltre che da *sedi*), come l'oggetto del desiderio espresso da quel verbo, poggia su due elementi: innanzi tutto essa si adegua assai bene nei diversi contesti ove la citazione di Cant 2, 3 ricorre (cf. *exam.* 3, 17, 71, CSEL 32, 1, p. 108; *Isaac* 4, 28, CSEL 32, 1, p. 660; *exp. Luc.* 7, 38, CCL 14, p. 227; 7, 184, p. 278; 7, 214, p. 288; *exp. ps. 118* 5, 10, CSEL 62, p. 87, 7; 5, 11, p. 87, 22; 5, 12, p. 88, 14; 5, 15, p. 90, 1). In secondo luogo, *exp. Luc.* 7, 38 *in umbra alarum eius sperauit Dauid, in umbra eius concupiuit et sedit ecclesia* parrebbe dimostrare che Ambrogio ha sentito la costruzione *in umbra... concupiuit,* come parallela a quella di *in umbra... sperauit,* che non pone problemi, perché è ben documentata nel latino tardo.

[156] *incorporationis*: termine sinonimo del piú consueto *incarnatio.* Cf. *fid.* 1, 15, 96 (CSEL 78, p. 42).

[157] I due colori, candido e rosso, significano rispettivamente la divinità e l'umanità di Cristo già in ATANASIO, *epist. ad uirg.*, CSCO 151, p. 74, 10 ss. «il est blanc, et il est rouge. Il est blanc en tant qu'il est le Verbe, et que c'est Lui la vraie lumière arrivant à tous. Mais il est rouge également par suite de la chair dont il est revêtu à cause de nous». Cf. anche *exp. ps. 118* 5, 8 (CSEL 62, p. 86) *candidus claritate diuina, rubeus specie coloris humani, quem sacramento incarnationis adsumpsit.*

[158] Il termine *sacramentum* è usuale in Ambrogio per indicare l'Incarnazione di Cristo: cf. *uid.* 3, 20; *exp. ps. 118* 3, 8 (CSEL 62, p. 44); *fid.* 2, 10, 85 (CSEL 78, p. 38); 3, 7, 50 (p. 126); 5, 4, 177 (p. 281, 72); *spir. s.* 2, 6, 59 (CSEL 79, p. 109); 3, 17, 26 (p. 204); aggiungiamo anche il titolo dell'opera *Incarnationis dominicae sacramentum* e *incarn.* 2, 11 (CSEL 79, p. 229).

[159] Cf. ancora ATANASIO, *epist. ad uirg.*, CSCO 151, p. 74, 13 ss. «dans un nombre infini de passages il apparaît qu'il existait, mais sa génération ne rassemble pas à celle de tous les hommes, car lui a pris chair d'une vierge seule en devenant homme».

[160] A ragione il Cazzaniga rifiuta la lezione tràdita *discretus,* approvata dai Maurini e dal Faller, ma sembrano improbabili anche la congettura *discerptus* del Castiglioni — che Cazzaniga registra in apparato —, e quella del Cazzaniga stesso, *districtus,* perché non si riconnettono in alcun modo al luogo biblico che qui Ambrogio, a mio parere, sottintende: Lc 23, 36 *deludebant autem eum et milites* (cito da A. JÜLICHER, *Itala,* 3. *Lucas-Evangelium,* Berlin 1954). La proposta, *dispretus,*

*et ueni, auster, adspira hortum meum et fluant aromata mea* [a]. Ex omnibus enim partibus mundi odor sacratae religionis adoleuit, dilectae quo uirginis membra fraglarunt. *Formosa es, proxima mea, ut bona opinio, pulchra ut Hierusalem* [b]. Non caduci itaque corporis pulchritudo uel morbo peritura uel senio, sed nullis obnoxia casibus opinio bonorum numquam moritura meritorum uirginibus est decori.

48. Et quoniam non humanis iam, sed caelestibus, quorum uitam uiuis in terris, digna es comparari, accipe a domino praecepta quae serues. *Pone me ut sigillum,* inquit, *in cor tuum et uelut signaculum super brachium tuum* [c], quo signatiora prudentiae tuae factorumque documenta promantur, in quibus figura dei Christus [d] eluceat, qui paternae ambitum exaequans naturae totum quicquid a patre diuinitatis adsumpsit expressit. Vnde etiam apostolus Paulus in spiritu nos dicit esse signatos [e], quoniam patris imaginem habemus in filio [f], sigillum filii habemus in spiritu. Hac trinitate signati caueamus diligentius, ne quod accepimus pignus in cordibus nostris [g] aut morum leuitas aut ullius adulterii fraus resignet.

49. Sed facessat hic sacris uirginibus metus, quibus tanta praesidia tribuit primum ecclesia, quae tenerae prolis sollicita successu ipsa quasi murus abundantibus in modum turrium increscit uberibus [h], donec soluto obsidionis hostilis incursu pacem ualidae iuuentuti maternae praesidio uirtutis adquirat. Vnde et propheta ait: *Fiat pax in uirtute tua et abundantia in turribus tuis* [i].

[a] Cant 4, 16.
[b] Cant 6, 4 (3).
[c] Cant 8, 6.
[d] Hebr 1, 3.
[e] Eph 1, 13.
[f] Col 1, 15; 2 Cor 4, 4.
[g] 2 Cor 1, 22.
[h] Cant 8, 10.
[i] Ps 121 (122), 7.

*to* —: *Sorgi, aquilone, e vieni, austro, soffia nel mio giardino e si effondano i miei aromi.* Infatti da ogni parte del mondo [161] è salito il profumo del sacro voto [162], per cui sono diventate fragranti le membra della vergine diletta. *Sei splendida, amica mia, come la buona reputazione, bella come Gerusalemme.* Dunque non la bellezza di un corpo caduco, che finisce o per malattia o per vecchiaia, ma la reputazione dei buoni meriti, che non è soggetta a nessuna caduta, che mai perisce, è l'ornamento delle vergini.

48. E poiché sei degna di essere paragonata non agli umani, ma ai celesti, dal momento che vivi la loro vita in terra [163], ricevi dal Signore i precetti da osservare. *Ponimi* — dice — *come sigillo nel tuo cuore e come un segno sul tuo braccio*, affinché siano posti in maggiore evidenza gli esempi della tua saggezza e delle tue azioni, nei quali risplenda l'immagine di Dio, Cristo [164], il quale uguagliando totalmente la natura del Padre, ha riprodotto in sé tutto ciò che di divino ha ricevuto dal Padre. Perciò anche l'apostolo Paolo dice che siamo segnati nello spirito, perché abbiamo l'immagine del Padre nel Figlio e abbiamo il sigillo del Figlio nello Spirito. Segnati da questa Trinità, curiamo molto attentamente che il pegno che abbiamo ricevuto nei nostri cuori non sia violato [165] o dalla leggerezza dei costumi o da qualche fraudolento adulterio [166].

49. Ma si allontani questo timore dalle vergini consacrate, perché ad esse innanzi tutto ha dato tante difese la Chiesa che, sollecita per la riuscita della tenera prole, si eleva come una muraglia con mammelle turgide a guisa di torri, finché, respinto l'assalto dell'assedio nemico, procuri alla forte gioventú la pace con il valore della virtú materna. Perciò anche il profeta dice: *Sia pace grazie alla tua forza e abbondanza nelle tue torri.*

tiene conto innanzi tutto di questa allusione e poi della omografia con *discretus*. Dell'uso tardo e raro di *dispernere* abbiamo un esempio in AMBROGIO, *serm.* 18, 1 (PL 17, 659 A: il sermone è dato come autentico nella CPL) *ut praecepta eius... minime dispernamus*; il vocabolo non è però registrato in O. FALLER - L. KRESTAN, *Wortindex zu den Schriften des hl. Ambrosius*, Wien 1979. Debbo anche avvertire che lo spunto per la congettura *dispretus* mi è stato dato dalla lezione stampata nell'edizione romana (1579): *spretus*.

[161] *ex omnibus...*: cf. piú oltre 1, 10, 57 *de Placentino sacrandae uirgines ueniunt, de Bononiensi ueniunt, de Mauretania ueniunt.*

[162] Con *sacrata religio* Ambrogio indica la verginità, in quanto legame che unisce in modo particolare la vergine a Dio; cf. piú avanti 1, 8, 52.

[163] Per l'idea della verginità come bellezza morale e come vita angelica cf. ATANASIO, *epist. ad uirg.*, CSCO 151, p. 70, 3-6 e 25 s.

[164] Per Ambrogio il *sigillum* (o il *signaculum*) di Cant 8, 6 è Cristo (cf. *Isaac* 6, 53, CSEL 32, 1, p. 678, 11; 8, 75, p. 693, 20 ss.; *inst. u.* 17, 113; *epist.* 12, 16, CSEL 82, 1, p. 100; *exp. ps. 118* 15, 39, CSEL 62, p. 351, 2; 19, 28, p. 435, 25 ss.; 22, 34, p. 505, 3 ss.; *sacr.* 2, 6, CSEL 73, p. 74; *myst.* 8, 41, p. 106).

[165] *Resignare* è termine tecnico per indicare la rottura del sigillo; per comprenderne la proprietà dell'uso in questo luogo, si tenga presente che nell'oggetto *pignum* bisogna intendere la verginità, che — come Ambrogio ha appena detto — porta impresso il sigillo di Cristo. In TERTULLIANO, *uirg. uel.* 5, 1 (CCL 2, p. 1214) troviamo precisamente l'espressione *uirginitatem resignare*.

[166] *adulterium*: può essere inteso in senso proprio, rammentando l'idea, su cui Ambrogio ha insistito, che la vergine è sposa di Cristo.

50. Tum ipse *pacis dominus* [l], postquam ualidioribus brachiis commissa sibi uineta complexus palmites suos gemmare conspexerit, uultu praesule nascentibus fructibus auras temperat, sicut ipse testatur dicens: *Vinea mea est in conspectu meo; mille Salomon et ducenti qui seruant fructum eius* [m].

51. Supra ait: *Sexaginta potentes in circuitu propaginis eius strictis armatos ensibus et eruditos proeliaribus disciplinis* [n], hic *mille ducentos*: creuit numerus, ubi creuit et fructus, quia quo sanctior quisque eo munitior. Sic Helisaeus propheta exercitus angelorum praesidio sibi adesse monstrauit [o], sic Iesus Naue ducem militiae caelestis agnouit [p]. Possunt igitur fructum in nobis custodire qui possunt etiam militare pro nobis. Vobis autem, uirgines sanctae, speciale praesidium est, quae pudore intemerato sacrum domini seruatis cubile. Neque mirum si pro uobis angeli militant, quae angelorum moribus militatis. Meretur eorum praesidium castitas uirginalis, quorum uitam meretur.

52. Et quid pluribus exequar laudem castitatis? Castitas etiam angelos fecit. Qui eam seruauit angelus est, qui perdidit diabolus. Hinc religio etiam nomen accepit. Virgo est quae deo

[l] 2 Thess 3, 16.
[m] Cant 8, 12.
[n] Cant 3, 7-8.
[o] 4 Reg 6, 14-18.
[p] Ios 5, 13-16.

50. Allora lui, *il Signore della pace*, quando, avendo stretto a sé con braccia robuste i vigneti a lui affidati, vedrà i suoi tralci germogliare, tempererà con atteggiamento di protettore le brezze per i frutti che nascono, come egli stesso dice: *La mia vigna è di fronte a me; per Salomone mille e duecento* [167] *sono quelli che difendono i suoi frutti*.

51. Sopra ha detto: *Sessanta potenti attorno alla sua propaggine, armati di spade sguainate e addestrati nell'arte della guerra*, qui *mille e duecento*: il numero è cresciuto là dove è cresciuto il frutto, perché quanto uno è piú santo tanto è piú difeso. Cosí il profeta Eliseo mostrò che eserciti di angeli stavano a sua difesa [168], cosí Giosuè conobbe il comandante dell'esercito celeste. Dunque possono custodire i frutti che sono in noi coloro che possono anche combattere per noi. Ma per voi, o vergini sante, c'è uno speciale presidio, voi che con pudore intemerato custodite il sacro giaciglio del Signore [169]. Né bisogna meravigliarsi se gli angeli combattono per voi, che lottate alla maniera degli angeli. La castità verginale merita la difesa di coloro dei quali merita di condividere la vita [170].

52. E che bisogno c'è di tanti argomenti per elogiare la castità? La castità ha fatto anche gli angeli. Chi l'ha conservata è un angelo, chi l'ha perduta è un diavolo [171]. Di qui deriva anche la parola religione [172]. Vergine è colei che si sposa a Dio, prostituta

[167] Quanto è detto poco piú oltre, nel paragrafo seguente, conferma la singolare lezione e peregrina esegesi — senza alcun appoggio nel testo originale né in quello dei Settanta — di Cant 8, 12: *mille... et ducenti* è inteso come un numero unico. In *exp. ps. 118* 22, 42 (CSEL 62, p. 508) Ambrogio attesterà una lezione (*mille Solomoni et ducenti seruantibus fructum*) corrispondente al testo dei Settanta.

[168] Sugli angeli protettori, che esercitano speciale protezione sulle vergini in considerazione della loro maggior virtú, cf. *uid.* 9, 55 (*angeli... qui nobis ad praesidium dati sunt*) e relativa nota.

[169] Cf. piú oltre 2, 2, 16: *haec torum filii mei, haec thalamos nuptiales immaculato seruauit pudore.*

[170] Sul tema della verginità come vita angelica cf. sopra 1, 3, 11; 1, 6, 31; piú oltre 1, 8, 51.52; *uirgt.* 6, 27; 14, 87 ss., *inst. u.* 17, 104; *exh. u.* 4, 19; *uid.* 1, 3; *exp. ps. 118* 4, 8 (CSEL 62, p. 71); *epist. ex. c.* 14, 82 (CSEL 82, 3, pp. 278 s.) ove sono esposte interessanti considerazioni sulla vita angelica, rivolte alla comunità monastica di Vercelli; ATANASIO, *epist. ad uirg.*, CSCO 151, pp. 70, 25 - 71, 2 (da cui attinge Ambrogio) e anche p. 63, 8. Si vedano inoltre GREGORIO DI NISSA, *uirgt.* 2, 1, 12; 2, 3, 3; 4, 8, 10; 14, 4, 15 (SCh 119, pp. 264.268.330.560); ORIGENE, in GIROLAMO, *apol. c. Ruf.* 1, 28 (CCL 79, p. 27, 29 ss.); METODIO D'OLIMPO, *symp.* 2, 7, 49 (GCS 27, p. 25); FULGENZIO DI RUSPE, *epist.* 3, 16 (CCL 91, p. 219, 300). Sull'argomento si veda S. FRANK, Ἀγγελικὸς βίος. *Begriffsanalytische und Begriffsgeschichtliche Untersuchung zum «angelgleichen Leben», im frühen Mönchtum*, Münster (West.) 1964.

[171] Allusione a Gen 6, 2, ma anche impronta della tradizione apocrifa sulla caduta degli angeli (*Libro di Enoc*).

[172] Dunque per Ambrogio *religio* deriva da *religare*. È cosí che quel termine è collegato alla verginità, in quanto la vergine è consacrata a Dio, anzi «legata» a lui da un vincolo sponsale. Sulla connessione tra fedeltà a Dio e verginità si veda piú oltre 2, 4, 24. L'etimologia di *religio* accolta dal nostro Autore è quella data da LATTANZIO, *diu. inst.* 4, 28 (CSEL 19, p. 389) *hoc uinculo pietatis obstricti deo et religati sumus; unde ipsa religio nomen accepit, non ut Cicero interpretatus est a relegendo* (cf. CICERONE, *nat. deor.* 2, 28)... *melius ergo id nomen Lucretius interpretatus est, qui ait religionum se nodos exsoluere* (cf. LUCREZIO, 1, 931).

nubit, meretrix quae deos fecit. Nam de resurrectione quid dicam, cuius praemia iam tenetis? *In resurrectione autem neque nubunt neque nubentur, sed erunt sicut angeli,* inquit, *in caelo* [q]. Quod nobis promittitur uobis praesto est uotorumque nostrorum usus apud uos. De hoc mundo estis et non estis in hoc mundo [r]. Saeculum uos habere meruit, tenere non potuit.

53. Quam praeclarum autem angelos propter intemperantiam suam [s] in saeculum cecidisse de caelo, uirgines propter castimoniam in caelum transisse de saeculo. Beatae uirgines, quas non inlecebra sollicitat corporum, non conluuio praecipitat uoluptatum. Cibus parsimoniae, potus abstinentiae docet uitia nescire, qui docet causas nescire uitiorum. Causa peccandi etiam iustos saepe decepit. Hinc populus dei postquam sedit bibere, deum negauit. Hinc Loth concubitus filiarum ignorauit et pertulit [t]. Hinc inuersis uestigiis filii Noe patria quondam pudenda texerunt [u]. Quae procax uidit, modestus erubuit, pius texit, offensurus si et

[q] Mt 22, 30.
[r] Io 17, 14 (?).
[s] Gen 6, 2 (?).
[t] Gen 19, 30-35.
[u] Gen 9, 21-23.

colei che ha fabbricato idoli [173]. E che dirò della risurrezione, di cui già possedete la ricompensa [174]? *Ma nella risurrezione non prendono marito né prenderanno moglie* [175], *ma saranno come angeli* — dice — *nel cielo*. Quello che a noi è promesso voi lo possedete già, e voi praticate ciò che per noi è desiderio [176]. Venite da questo mondo e non siete in questo mondo. La terra ha meritato di avervi, ma non ha potuto possedervi [177].

53. Quanto straordinario poi che gli angeli, per loro intemperanza, siano precipitati dal cielo sulla terra [178], mentre le vergini, grazie alla castità, siano passate dalla terra al cielo. Beate le vergini, che la seduzione del corpo non turba, che la sozzura dei piaceri non fa precipitare [179]. Il cibo della temperanza, la bevanda dell'astinenza insegnano a ignorare i vizi, dal momento che insegnano a ignorarne le cause [180]. Le cause che inducono a peccare spesso hanno tratto in errore anche i giusti. Ecco perché il popolo di Dio, dopo che sedette per bere, rinnegò Dio. Ecco perché Loth subí inconsapevoli accoppiamenti con le figlie. Ecco perché i figli di Noè, camminando all'indietro, ricoprirono un tempo la nudità del padre. Lo sfrontato la vide, il pudico ne arrossí, il pio la

[173] Ripresa di un concetto diffuso nei libri profetici dell'A.T. e poi negli autori cristiani: chi viola la fedeltà a Dio e si fa degli idoli, si comporta come una prostituta; cf. piú oltre 2, 4, 24 *si meretricem colas*.

[174] Cf. CIPRIANO, *hab. uirg.* 22 *uos resurrectionis gloriam in isto saeculo iam tenetis*.

[175] O forse bisogna intendere come sopra a 1, 3, 11, ove soggetto sia di *nubunt* che di *nubentes* sono certamente le vergini? Ma cf. anche *uirgt.* 4, 27 e nota *ad loc.*

[176] Analogo concetto in CIPRIANO, *hab. uirg.* 22 *quod futuri sumus, iam uos esse coepistis*.

[177] Cf. *ibid.*: *per saeculum sine saeculi contagione*.

[178] L'allusione a Gen 6, 2, già indicata dal Faller, è sicura, anche se Ambrogio aggiunge il particolare della caduta degli angeli dal cielo nel mondo, recependo tradizioni apocrife (*Libro di Enoc*) già da tempo diffuse in ambito cristiano. La certezza del riferimento è data dal confronto con *exp. ps. 118* 4, 8 (CSEL 62, p. 71); 8, 58 (p. 187) e *apol.* 1, 4 (CSEL 32, 2, p. 301). La comparazione di tutti questi luoghi ci illumina, anche sul significato da attribuire alla notizia della caduta degli angeli. L'intemperanza sessuale è incompatibile con la vita celeste; è ovvio perciò — anche se la Bibbia non lo dice espressamente — che tale peccato abbia precipitato gli angeli dal livello di vita spirituale a quello carnale e mondano; cosí come è certo, per antitesi, che la verginità merita di essere assunta alla vita del cielo. Altrove (*Noe* 4, 8, CSEL 32, 1, p. 418, 6 ss.) Ambrogio precisa, sulla scia di FILONE, *quaest. in Gen.* 1, 92 (AUCHER, p. 66), che dall'unione di angeli e donne nacquero i giganti. Il Faller (*ad loc.*) sulla base di *exp. ps. 118* 8, 58 sostiene che *saeculum* sarebbe l'*aerius locus* (l'atmosfera) intermedio fra il cielo vero e proprio e la terra: là sarebbero precipitati gli angeli peccatori: ma il contesto, particolarmente l'antitesi fra l'espressione *in saeculum cecidisse de caelo*, riferita agli angeli, e *in caelum transisse de saeculo*, riferita alle vergini, dimostra che *saeculum* significa in entrambi i luoghi «terra».

[179] Cf. PASCASIO RADBERTO, *De assumptione* 17, 111 (CCCM 56C, p. 159) *beata itaque Maria hodie iam ab omnibus gentibus longe lateque praedicatur, et uobis, quae secutae estis exemplum tantae uirginis, beatitudo condonatur caelestis. Quas non illecebrae sollicitant corporis, non colluuio praecipitat uoluptatis.*

[180] In ATANASIO, *epist. ad uirg.*, CSCO 151, p. 76, 16 troviamo l'inizio di quella che parrebbe una sezione contenente raccomandazioni alle vergini circa la loro condotta. Purtroppo una vasta lacuna ci ha privati di questa parte del testo che forse conteneva anche l'esortazione al digiuno (cf. M. AUBINEAU, *Les écrits de Saint Athanase sur la virginité*, in «Revue d'ascétique et de mystique», 31 (1955), pp. 167 s.

ipse uidisset. Quanta uini est uis, ut quem diluuia non nudauerunt, uina nudarent.

**9.** 54. Quid illud? Quantae felicitatis est quod nulla uos habendi cupiditas inflammat? Pauper quod habes poscit, quod non habes non requirit. Fructus laboris tui thesaurus est inopi et duo aera, si sola sint, census est largientis [a]. Audi ergo, soror, quantis careas. Nam cauere quid debeas nec meum est docere nec tuum discere; perfectae enim uirtutis usus magisterium non desiderat, sed informat. Cernis ut pomparum ferculis similis incedat quae se componit ut placeat, omnium in se uultus et ora conuertens, eo ipso quo studet placere deformior; prius enim populo displicet quam placeat uiro. At in uobis reiecta decoris cura plus decet et hoc ipsum quod uos non ornatis ornatus est.

55. Cerne laceras uulneribus aures et depressae onera miserare ceruicis. Non sunt alleuamenta poenarum discrimina metallorum. Hinc collum catena constringit, inde pedem compes includit. Nihil refert auro corpus oneretur an ferro. Sic ceruix premitur, sic grauatur incessus. Nihil pretium iuuat, nisi quod uos, mulieres, ne pereat uobis poena, trepidatis. Quid interest, utrum aliena sententia an uestra uos damnet? Hinc uos etiam miserabiliores quam qui publico iure damnantur, quod illi optant exui, uos ligari.

56. Quam uero miserabilis illa condicio, quod tamquam mancipii forma uenalis nuptura licitatur, ut qui pretio uicerit emat! Tolerabilius tamen mancipia ueneunt, quae saepe sibi domi-

9. [a] Lc 21, 2-4.

coprí [181], ché avrebbe recato offesa [182], se anch'egli l'avesse veduta. Quanto grande è la forza del vino, a tal punto che colui che non fu denudato dal diluvio, lo fu dal vino [183].

**9.** 54. E che dire di quell'altra prerogativa? Quale grande felicità vi procura il fatto che nessun desiderio di possedere vi tormenta? Il povero chiede quello che hai, non domanda quello che non hai. Il frutto del tuo lavoro è un tesoro per il povero e due monete, se sono le sole, sono la ricchezza di chi dona [184]. Ascolta, dunque, sorella, da quante cose sarai libera. D'altra parte non sta a me insegnarti e non sta a te apprendere che cosa devi evitare, perché la pratica della virtú perfetta non ha bisogno di insegnamento, ma lo impartisce. Vedi come cammina, simile ai carri dei cortei, colei che si acconcia per essere piacevole, attirando verso di sé gli sguardi e il volto di tutti, piú brutta proprio perché si preoccupa di piacere; infatti è sgradita alla gente prima di poter essere piacevole al marito. Ma a voi si addice di piú il rifiuto della cura della bellezza e il fatto stesso che non vi adornate è ornamento.

55. Osserva le orecchie lacerate da ferite e compiangi i pesi che appesantiscono il collo [185]. La diversa qualità dei metalli non basta ad alleviare le sofferenze. Qui una catena stringe il collo, là una catenella stringe il piede [186]. Non fa differenza che il collo sia oppresso da oro o da ferro. Allo stesso modo il collo è oppresso, allo stesso modo il passo è appesantito. A nulla giova l'alto costo [187], se non a tenervi in ansia, o donne, nel timore che possiate perdere ciò che vi reca pena. Che importa se a pronunciare la sentenza di condanna sono altri o voi stesse? Perciò voi siete anche piú miserabili di quelli che sono condannati in un pubblico giudizio, perché quelli desiderano essere prosciolti, voi volete essere incatenate.

56. E quanto è miserevole la condizione per la quale colei che è destinata al matrimonio, è messa all'asta quasi fosse una sorta di schiavo da vendere, cosicché la compra chi la valuta di piú! Tuttavia è piú accettabile che siano venduti gli schiavi, che

[181] Cf. AMBROGIO, *Hel.* 5, 10 (CSEL 32, 2, p. 418, 14) *texit eum* (*Noe*) *pietas filiorum.*

[182] *offensurus*: cf. AMBROGIO, *Noe* 31, 116 (CSEL 32, 2, p. 491, 27) *siquidem etiam tacito uultu pietas frequenter offenditur*, a proposito del medesimo episodio biblico.

[183] Dei devastanti effetti del vino Ambrogio tratta lungamente nel *De Helia et ieiunio* (5, 10-18, CSEL 32, 2, pp. 418-422; 9, 28-30, pp. 427 s.; 13, 47 - 18, 68, pp. 438-451), ed anche lí tra gli esempi emblematici tratti dalla Sacra Scrittura troviamo gli episodi di Loth e di Noè.

[184] Sull'elogio della povertà, che trae spunto da Lc 21, 2-4, cf. *uid.* 5, 27.

[185] Sul lusso e gli ornamenti femminili cf. *Nab.* 3, 26 (CSEL 32, 2, p. 481, 2 ss.); *Tob.* 5, 19 (p. 528, 5); *uirgt.* 12, 68; *exh. u.* 2, 9; *uid.* 4, 28; *paenit.* 2, 9, 68 (CSEL 73, p. 198); *Abr.* 1, 9, 89 (CSEL 32, 1, p. 560, 9 ss.).

[186] Cf. CIPRIANO, *hab. uirg.* 14 (CSEL 3, 1, p. 197, 22 ss.) *an uulnera inferri auribus deus uoluit*; 21 (p. 202, 1 ss.) *non inferantur auribus uulnera, nec brachia includat aut colla de armillis et monilibus catena pretiosa. Sint a compedibus aureis pedes liberi.*

[187] Cf. *Nab.* 5, 26 (CSEL 32, 2, p. 481, 8) *tamen pretia iuuant*, detto dei gioielli con tono ironico; l'espressione potrebbe essere un'impronta di GIOVENALE, *sat.* 11, 16 *magis illa iuuant, quae pluribus emuntur.*

nos legunt. Virgo si eligat, crimen est, si non eligat, contumelia. Quae quamuis pulchra sit et decora, et cupit et timet uideri: cupit ut se carius uendat, timet ne hoc ipsum dedeceat quod uidetur. Quanta autem uotorum ludibria et ad procorum euentus suspecti metus, ne pauper inludat, ne diues fastidiat, ne pulcher inrideat, ne nobilis spernat!

**10.** 57. Dicet aliquis: tu nobis cotidie uirginum canis laudes. Quid faciam qui eadem cotidie cantito et proficio nihil? Sed non mea culpa. Denique de Placentino sacrandae uirgines ueniunt, de Bononiensi ueniunt, de Mauretania ueniunt, ut hic uelentur. Magnam rem uidetis: hic tracto et alibi persuadeo. Si ita est, alibi tractemus, ut uobis persuadeamus.

58. Quid, quod etiam qui me non audiunt sequuntur, qui audiunt, non sequuntur? Nam plerasque uirgines cognoui uelle et prohiberi etiam prodire a matribus et quod est grauius uiduis, cum quibus hic mihi sermo est. Nempe si hominem uellent amare filiae uestrae, per leges possent eligere quem uellent. Quibus igitur hominem eligere licet deum non licet?

56, 7 suspecti: suspensi *Castiglioni ap. Cazz.*

spesso scelgono il padrone. Se lo sceglie una vergine, è un delitto [188], se non lo sceglie, è una umiliazione. E lei, anche se è bella ed elegante, nello stesso tempo desidera e teme di essere guardata, lo desidera per vendersi ad un prezzo maggiore; lo teme, perché il fatto stesso di essere guardata può essere giudicato disdicevole. E quante delusioni e quanti sospettosi [189] timori all'arrivo dei pretendenti, timori che il povero la inganni, il ricco ne sia insoddisfatto, il bello la dileggi, il nobile la disprezzi!

**10.** 57. Dirà qualcuno: ogni giorno ci canti le lodi delle vergini [190]. Che devo fare, se ricanto ogni giorno le medesime cose e non ottengo alcun risultato? Ma non è colpa mia. Infatti vergini che vogliono consacrarsi vengono dal Piacentino, vengono dal Bolognese, vengono dalla Mauritania per prendere qui il velo. Voi vedete un fatto straordinario: qui insegno e altrove persuado. Se è cosí, vorremmo insegnare altrove, per convincere voi!

58. Perché mi seguono persino quelli che non mi ascoltano, mentre quelli che mi ascoltano non mi seguono? E so che molte vergini vogliono seguirmi e che fanno loro divieto, persino di uscire, le madri e — ciò che è piú grave — le vedove [191], alle quali ora rivolgo la parola. Naturalmente se le vostre figlie volessero amare un uomo, secondo le leggi potrebbero scegliere quello che desiderano. Dunque a quelle, cui è permesso di scegliersi un uomo [192], è vietato scegliere Dio?

[188] Il diritto dei genitori di scegliere il marito della figlia è chiaramente sostenuto da Ambrogio in *Abr.* 1, 9, 91 (CSEL 32, 1, p. 561, 6-8) *consulitur puella non de sponsalibus — illa enim iudicium expectat parentum*; *non est enim uirginalis pudoris eligere maritum*. Analoga prerogativa era riconosciuta al padre nella scelta della sposa per il proprio figlio, secondo quanto è detto in *epist.* 35, 2 (CSEL 82, 1, p. 239) *et ipsa paterna offensio fuit, quoniam uenturam in locum filiae tuo debuisti eligere iudicio, cui fieres pater* (il figlio di Sisinnio, destinatario della lettera, si era sposato senza il consenso del padre). Sul piano giuridico non poteva mancare, evidentemente, il consenso degli sposi: cf. *Digest.* 23, 2, 2 (Paul.) *nuptiae consistere non possunt nisi consentiant omnes, id est qui coeunt quorumque in potestate sunt*; cf. anche 23, 1, 12 (Ulpian.); anzi poco piú oltre (§ 58) lo stesso Ambrogio afferma: *per leges possent* (*filiae*) *eligere quem uellent*, sempreché vi fosse il tacito consenso del padre e del *paterfamilias*.

[189] Il Cazzaniga è qui incorso in un errore di giudizio: in luogo della lezione *suspecti*, pressoché unanimemente attestata e già approvata dai Maurini e dal Faller, ha accolto nel testo una congettura del suo maestro Castiglioni, *suspensi*, ritenendo corrotta la lezione tràdita. Ma non vi possono essere dubbi sulla bontà di *suspecti*, che va inteso nel senso attivo («sospettosi») ben documentato negli scrittori della tarda latinità e in Ambrogio medesimo: *Nab.* 5, 24 (CSEL 32, 2, p. 480, 6): *uidebo ceteros* (*filios*) *de mea impietate suspectos*.

[190] Analoghi pensieri in *uirgt.* 5, 25.

[191] Piú sorprendente per il vescovo milanese è l'opposizione di madri vedove alla consacrazione verginale delle figlie, perché la vedovanza era considerata uno stato equiparabile a quello della verginità.

[192] La legge riconosceva la libertà dei figli di fronte al matrimonio (cf. *uirgt.* 5, 26), nel senso che si richiedeva il loro consenso (cf. *Digest.* 23, 2, 2 e 23, 1, 12); l'insegnamento morale di Ambrogio insisteva sul diritto del padre di decidere, o almeno di assentire: cf. *Abr.* 1, 9, 91 (CSEL 32, 1, p. 561) *non est enim uirginalis pudoris eligere maritum*; *epist.* 35 (CSEL 82, 1, pp. 238 ss.).

59. Contuemini quam dulcis pudicitiae fructus sit, qui barbaricis quoque inoleuit adfectibus. Ex ultimis infra ultraque Mauretaniae partibus deductae uirgines hic sacrari gestiunt, et cum sint omnes familiae in uinculis, pudicitia tamen nescit esse captiua. Profitetur regnum aeternitatis quae maeret iniuriam seruitutis.

60. Nam quid de Bononiensibus uirginibus loquar, fecundo pudoris agmine, quae mundanis se deliciis abdicantes sacrarium uirginitatis incolunt? Sine contubernali sexu contubernali pudore prouectae ad uicenarium numerum et centenarium fructum [a] relictoque parentum hospitio tendunt in tabernaculis Christi indefessae milites castitatis. Nunc canticis spiritalibus personant [b], nunc uictum operibus exercent, liberalitati quoque subsidium manu quaerunt.

61. Quodsi inuestigandae uirginis inoleuerit odor (namque prae ceteris speculandi uenatum pudoris explorant) totis curarum uestigiis predam latentem usque ad ipsa cubilia persequuntur, aut, si liberior alicuius uolatus affulserit, totis omnes uideas assurgere alis, concrepare pinnis, emicare plausu, ut casto pudicitiae

10. [a] Mt 13, 8.
[b] Eph 5, 19; Col 3, 16.

59. Considerate quanto è dolce il frutto della pudicizia, che è cresciuto anche nei sentimenti dei barbari. Vergini condotte dalle estreme regioni al di qua e al di là della Mauritania sono impazienti di essere qui consacrate, e, mentre le loro famiglie sono imprigionate [193], la pudicizia invece non può essere prigioniera. Professa il regno dell'eternità colei che piange l'ingiuria della schiavitú [194].

60. E che dire delle vergini bolognesi, schiera feconda di pudore, le quali rinunciando ai piaceri mondani abitano il santuario della verginità? Senza marito, ma grazie alla compagnia del pudore [195] hanno raggiunto il numero di venti e quanto al frutto sono cento [196] e, lasciata la casa dei genitori [197], piantano le tende nell'accampamento di Cristo, come instancabili soldati della castità [198]. Ora fanno risuonare canti spirituali, ora si procurano il cibo con il lavoro [199], cercano con il lavoro manuale di avere di che fare l'elemosina [200].

61. E se si diffonde il profumo di una vergine di cui vanno in cerca — infatti cercano piú di ogni altra cosa di individuare il pudore, come cacciagione — esse con ogni genere di sollecitudine seguono fino alla tana la preda che si nasconde, o, se qualcuna apparirà in libero volo, le vedrai tutte levarsi ad ali spiegate, strepitare con le penne, prorompere nel plauso per circondare con il casto coro della pudicizia colei che ha preso il volo, finché

[193] Imprigionate dal tiranno Gildone, che favoriva in Africa la fazione donatista. Costui era diventato governatore dell'Africa nel 374 per la fedeltà dimostrata verso l'Impero, ma poi si comportò come un tiranno indipendente, fino alla sconfitta e alla morte a seguito di una spedizione organizzata contro di lui da Stilicone. Cf. AMMIANO MARCELLINO, *Rerum gest. libri*, 29, 5; CLAUDIANO, *bell. Gild.* 162-200; AGOSTINO, *c. litt. Pet.* 2, 92, 209; 101, 238.

[194] Antitesi fra l'*iniuria seruitutis*, che affligge le vergini d'Africa, e il *regnum aeternitatis* in cui sono introdotte dalla consacrazione.

[195] *sine contubernali sexu contubernali pudore*: con questo gioco di parole un po' paradossale si esprime l'idea della fecondità del pudore verginale.

[196] Sfumata allusione (avvertita dal Faller) a Mt 13, 8.23, ove, in parabola, si dice che il seme caduto sul buon terreno produce il centuplo (*fructum... centesimum*); cf. *inst. u.* 17, 111. Nei primi secoli del cristianesimo si riferiva il numero 100 dei frutti al martirio, il 60 della medesima parabola evangelica era attribuito alla verginità, il 30 ai coniugati e ai vedovi (quest'ultima attribuzione compare nel IV secolo); «piú tardi, quando il martirio di sangue fu un lontano ricordo e l'esaltazione della verginità divenne una costante preoccupazione di alcuni Padri, quali sant'Ambrogio e san Girolamo, la lotta contro la carne fu assimilata del tutto al martirio, e alle vergini fu assegnato il posto piú alto, il frutto del cento per uno» (A. QUACQUARELLI, *Il triplice frutto della vita cristiana = 100, 60, 30*, Roma 1953, p. 34).

[197] A Bologna, diversamente che a Milano (cf. sopra § 32) le vergini lasciavano la famiglia per vivere in comunità.

[198] Sul concetto di *militia castitatis* si veda sopra 1, 8, 51; piú avanti 1, 11, 63; 2, 4, 23.28.29.33; 3, 1, 1; 3, 4, 16.20; *uirgt.* 6, 28; *inst. u.* 5, 35; 16, 97.

[199] Considerazioni assai simili sulla *militia castitatis*, sulla preghiera e la laboriosità che l'accompagnano ritroviamo in *epist. ex. c.* 14, 82 (CSEL 82, 3, p. 279) *haec nempe angelorum militia est: semper esse in dei laudibus, orationibus crebris conciliare atque exorare dominum, student lectioni uel operibus continuis mentem occupant.*

[200] Cf. ATANASIO, *epist. ad uirg.*, CSCO 151, p. 60, 12 s. «le superflu du travail de ses mains elle (Marie) le distribuait aux indigents avec générosité».

choro cingant uolantem donec albenti delectata comitatu in plagas pudoris et indaginem castitatis domus patriae [c] oblita succedat.

**11.** 62. Bonum itaque, si uirgini studia parentum quasi flabra pudoris aspirent, sed illud gloriosius, si tenerae ignis aetatis etiam sine ueteribus nutrimentis sponte se rapiat in fomitem castitatis. Dotem negabunt parentes, sed habes diuitem sponsum, cuius contenta thesauro patriae successionis emolumenta non quaeras. Quanto dotalibus praestat compendiis casta paupertas!

63. Et tamen quam audistis aliquando propter studium integritatis legitimae factam successionis extorrem? Contradicunt parentes, sed uolunt uinci. Resistunt primo, quia credere timent, indignantur frequenter, ut discas uincere, abdicationem minantur, ut temptent si potes damnum saeculi non timere, quaesitis eblandiuntur inlecebris, ut uideant si uariarum mollire te non queat blanditia uoluptatum. Exerceris, uirgo, dum cogeris. Et haec tibi prima certamina anxia parentum uota proponunt. Vince prius, puella, pietatem: si uincis domum, uincis et saeculum.

64. Sed esto, maneant uos damna patrimonii: nonne caducarum et fragilium dispendium facultatum futura caeli regna compensant? Quamquam si uerbis caelestibus credimus, *nemo est qui reliquerit domum aut parentes aut fratres aut uxorem aut filios propter regnum dei et non recipiat septies tantum* [a] *in hoc tempore, in saeculo autem uenturo uitam aeternam possidebit* [b]. Crede fidem tuam deo. Quae homini pecuniam credis, fenerare Christo. Bonus [c] depositae spei custos multiplicatis fidei tuae talentum soluit usuris. Non fallit ueritas, non circumscribit iustitia, non decipit uirtus. Quodsi non creditis oraculo, uel exemplis credite [d].

65. Memoria nostra puella dudum nobilis saeculo, nunc nobilior deo, cum urgueretur ad nuptias a parentibus et propinquis,

[c] Ps 44 (45), 11 (?).
11. [a] septies tantum: Eccli 35, 13.
[b] Lc 18, 29-30.
[c] Mt 25, 14-27.
[d] Io 10, 37.

felice per la splendida compagnia non giunga, dimenticando la casa paterna, nelle contrade del pudore e si metta in caccia della castità.

**11.** 62. Perciò è buona cosa se lo zelo dei genitori, quasi fosse una brezza di pudore, asseconda la vergine [201], ma è motivo di piú grande gloria, se il fuoco della tenera età, anche senza essere alimentato dagli anziani, spontaneamente avvampa di castità [202]. I genitori negheranno la dote, ma hai uno sposo ricco, del cui tesoro sarai tanto soddisfatta che non chiederai l'eredità paterna. Quanto è superiore una casta povertà ai proventi della dote!

63. E tuttavia, chi mai avete udito che sia stata privata della legittima eredità per il desiderio della verginità? I genitori si oppongono, ma vogliono essere vinti. All'inizio resistono, perché temono di dar credito [203], si indignano spesso, perché tu impari a vincere, minacciando di cacciarti di casa, per provare se sei capace di non temere la perdita del mondo, blandiscono con raffinate lusinghe, per vedere se l'attrattiva dei vari piaceri non riesca a piegarti. Sei messa alla prova, o vergine, mentre subisci la costrizione. E queste lotte, che ti suscitano le ansiose attese dei genitori, sono le prime. Vinci dapprima, o fanciulla, l'affetto per i genitori [204]: se vinci il legame che ti unisce alla casa, vinci anche il mondo.

64. Ma ammettiamo che vi attenda la perdita del patrimonio: forse che il futuro regno celeste non compenserà la perdita di ricchezze caduche e corruttibili? Quantunque, se crediamo alle parole divine, *non vi è nessuno che abbia lasciato la casa o i genitori o i fratelli o la moglie o i figli per il regno di Dio e non riceverà sette volte tanto in questo tempo, mentre possederà la vita eterna nel secolo futuro*. Riponi la tua fiducia in Dio. Tu che presti denaro all'uomo, presta ad interesse a Cristo [205]. Il buon custode della speranza depositata paga il talento della tua fedeltà con interessi moltiplicati. La verità non trae in errore, la giustizia non raggira, la virtú non inganna. Che se non credete alla divina parola, credete almeno agli esempi.

65. Mi torna in mente che recentemente una fanciulla nobile al secolo, ora ancor piú nobile davanti a Dio, mentre era spinta dai genitori e dai parenti alle nozze, si rifugiò presso il santo

[201] Questa espressione è da ricollegare a quanto è stato detto nel § 58 sull'opposizione dei genitori alla consacrazione verginale delle figlie.

[202] Cf. VIRGILIO, *Aen.* 1, 176 *rapuitque in fomite flammam.*

[203] *credere*: è qui usato come intransitivo, e non nel senso transitivo di «affidare» sottintendendo *filiam*, come finora hanno inteso gli interpreti. È visto come atteggiamento dettato dalla prudenza, quello dei genitori che non si fidano della serietà della decisione della figlia di consacrarsi, prima di averla messa alla prova.

[204] La *pietas* è un sentimento umano da moderare; cf. piú oltre 1, 11, 66 *moderatiore pietate* e nota *ad loc.*

[205] Il termine *fenerare* (come anche *fenus, pignus*) in senso allegorico fa parte del linguaggio ascetico di Ambrogio; in particolare si veda *Tob.* 16, 55 - 19, 66 (CSEL 32, 2, pp. 551 ss.). Per *fenerare Christo*, cf. *ibid.*, p. 531, 10: *fenerate ergo domino.*

ad sacrosanctum altare confugit; quo enim melius uirgo, quam ubi sacrificium uirginitatis offertur? Ne is quidem finis audaciae. Stabat ad aram dei pudoris hostia, uictima castitatis, nunc capiti dexteram sacerdotis inponens, precem poscens, nunc iustae impatiens morae ac summum altari subiecta uerticem: «Num melius — inquit — maforte me quam altare uelabit, quod sanctificat ipsa uelamina? Plus talis decet flammeus, in quo caput omnium Christus cotidie consecratur. Quid agitis uos, propinqui? Quid exquirendis adhuc nuptiis sollicitatis animum? Iamdudum prouisas habeo. Sponsum offertis? meliorem repperi. Quaslibet exaggerate diuitias, iactate nobilitatem, potentiam praedicate: habeo eum cui nemo se comparet, diuitem mundo, potentem imperio, nobi-

altare; e dove avrebbe potuto trovare migliore rifugio una vergine, se non là dove si offre il sacrificio della verginità [206]? E non finí qui l'audacia. Stava in piedi presso l'altare di Dio come vittima di pudore, vittima di castità, ora imponendosi sul capo la destra del sacerdote [207], chiedendo che si pronunciasse la preghiera di consacrazione [208], ora impaziente per la giusta attesa e mettendo la testa sotto l'altare, diceva: «Forse che mi coprirà meglio il velo [209] che l'altare, il quale santifica gli stessi veli? Meglio si addice questo flammeo [210] sul quale ogni giorno è consacrato [211] il capo di tutti, Cristo. Che cosa fate voi, o parenti? Perché insistete nel sollecitare il mio animo a volere le nozze? Già da tempo ho provveduto ad esse. Mi offrite un marito? Io ne ho trovato uno migliore. Gonfiate pure qualunque sua ricchezza, mettete in mostra la sua nobiltà, elogiate la sua potenza: io ho colui a cui nessuno può paragonarsi, ricco del mondo, potente di dominio, nobile di cielo. Se ne avete uno simile, non rifiuto la scelta; se

[206] Il tema del rapporto verginità-sacrificio in Ambrogio va considerato sotto diversi aspetti: 1) in questo passo si sottolinea la vicinanza fisica e simbolica fra la vergine e l'altare di Dio: di fronte all'altare realmente, sopra l'altare simbolicamente, è consacrata la vergine; a volte nella riflessione insieme all'altare è evocata anche la funzione sacerdotale a completezza dell'azione sacrificale (cf. sopra 1, 7, 32; 2, 2, 18; *uirgt.* 3, 13); 2) altro aspetto è quello della vita quotidiana della vergine considerata come immolazione (cf. 1, 7, 32); 3) il sacrificio della vergine (o anche la sua consacrazione) è accostato al sacrificio sacramentale di Cristo, o consacrazione eucaristica (cf. piú oltre 2, 2, 18; *exh. u.* 14, 94).

[207] L'imposizione della mano destra del vescovo faceva parte del rito della consacrazione verginale.

[208] Una sorta di preghiera per la consacrazione delle vergini, o comunque recitata durante il rito della consacrazione, è pronunciata da Ambrogio in *exh. u.* 14, 94.

[209] Si allude ad alcune fasi del rito della consacrazione di una vergine: la vergine sta di fronte all'altare, il vescovo le impone le mani, recita la preghiera di consacrazione, le consegna il velo. Il *maforte* era un velo che copriva la testa e le spalle, ed era portato dalle donne sposate come segno della loro condizione. Almeno in questo contesto non è altro che il *flammeus*, termine piú tecnico per indicare il velo della sposa (cf. nota seguente). Per le testimonianze cf. GIROLAMO, *epist.* 22, 13 (LABOURT 1, p. 123); ISIDORO, *etym.* 19, 25, 4 *ricinum... uulgo mauortem dicunt... signum enim maritalis dignitatis et potestatis in eo est. Caput enim mulieris uir est; inde et super caput mulieris est.* Del corrispondente termine greco esistono molte attestazioni (cf. LAMPE *s.v.* μαφόριον).

[210] Il *flammeus* (o piú frequentemente *flammeum* n.) era il velo con cui, durante la cerimonia nuziale, si copriva il capo della sposa (cf. LUCANO 2, 361). Il testo di Isidoro, citato nella nota precedente, aiuta a intendere tutta la pregnanza di questo passo: se il velo delle donne sposate è segno della potestà dell'uomo che «è capo della moglie», alla vergine si addice coprirsi con l'altare, che — anche perché vi è consacrata l'eucarestia — è simbolo dello sposo, Cristo, che è capo di tutti e ancor piú della vergine consacrata. Tale concetto è esplicitamente affermato in 2, 4, 29 (piú oltre) *mulieris caput uir, uirginis Christus.* Cf. anche GIROLAMO, *epist.* 130, 2 (LABOURT 7, p. 167, 19) *flammeum uirginale sanctum operuerit caput*; 146, 6 (LABOURT 8, p. 126, 29) *Christi flammeo consecrata est.*

[211] A quanto mi risulta, non esistono prima di Ambrogio attestazioni del verbo *consecrare* per indicare la consacrazione eucaristica; cf. *sacram.* 4, 5, 21 (CSEL 73, p. 55, 1) *uis scire, quam uerbis caelestibus consecretur* (*corpus Christi*)?; *ibid.*, 23 (p. 56, 19); cf. anche *myst.* 9, 54 (*ibid.*, p. 113); quella del *Liber pontificalis*, ed. MOMMSEN, p. 85, 8, registrata dal ThlL *s.u. consecratum* e da A. BLAISE, *Dictionnaire, s.u. consecro*, è assai piú tarda.

lem caelo. Si talem habetis, non refuto optionem; si non repperitis, non prouidetis mihi, parentes, sed inuidetis».

66. Silentibus ceteris unus abruptius: «Quid si — inquit — pater tuus uiueret, innuptam te manere pateretur?». Tum illa maiore religione, moderatiore pietate: «Et ideo fortasse defecit, ne quis impedimentum posset adferre». Quod ille responsum de patre de se oraculum maturo sui probauit exitio. Ita ceteri eadem sibi quisque metuentes fauere coeperunt, qui impedire quaerebant, nec dispendium debitarum attulit uirginitas facultatum, sed etiam emolumentum integritatis accepit.

Habetis, puellae, deuotionis praemium. Parentes, cauete offensionis exemplum.

non ne trovate, allora non volete il mio bene, o genitori, ma avete invidia di me».

66. Nel silenzio generale uno improvvisamente disse: «Se tuo padre fosse vivo, sopporterebbe che tu rimanessi senza marito?». Allora lei con piú forte senso religioso e con moderato sentimento filiale [212]: «E perciò forse è deceduto, perché nessuno potesse far opposizione». Quegli con la sua morte immediata dimostrò che la risposta circa il padre era un vaticinio che lo riguardava. Cosí gli altri, quelli che cercavano di frapporre ostacoli, temendo ciascuno che potesse accadergli la stessa cosa, cominciarono ad essere favorevoli; né la verginità le procurò la perdita dei beni che le erano dovuti, ma ottenne anche il beneficio dell'integrità.

Questa, o fanciulla, è la ricompensa della devozione. Voi, genitori, fate attenzione a quell'esempio di avversione.

[212] *moderatiore pietate*: la *pietas* (umano sentimento di affetto verso i genitori) si contrappone qui alla *religio* (il vincolo che unisce, in special modo, la vergine a Dio). La vergine sa subordinare il primo al secondo, in ossequio al dettame evangelico di Lc 14, 26, altrove analogamente commentato: cf. *exp. Luc.* 7, 146 (CCL 14, p. 265, 1599) *religio enim praestat pietatis officiis*; cf. anche sopra 1, 11, 63 *uince... pietatem.*

# LIBER SECVNDVS

**1.** 1. Superiore libro quantum uirginitatis munus sit uoluimus (non enim potuimus) explicare, ut per se caelestis gratia muneris inuitet legentem. Secundo libro uirginem institui decet et tamquam competentium praeceptorum magisteriis erudiri.

2. Sed quoniam nos infirmi ad monendum sumus et impares ad docendum (debet enim is qui docet supra eum qui docetur excellere) ne uel susceptum deseruisse munus uel nobis adrogasse amplius uideremur, exemplis potius quam praeceptis putauimus imbuendam: licet amplius proficiatur exemplo, quoniam nec difficile quod iam factum est aestimatur et utile quod probatum et religiosum quod hereditario quodam paternae uirtutis usu in nos est successione transfusum.

3. Quodsi qui nos praesumptionis arguit, arguat potius sedulitatis, quia rogantibus uirginibus ne hoc quidem putaui negandum. Malui enim me in periculum deduci pudoris quam non obsequi uoluntati earum quarum studiis etiam deus noster placido se indulget adsensu.

4. Sed neque praesumptio notari potest, quoniam, cum haberent unde discerent, adfectum potius quam magisterium quaesiuerunt meum, et excusari sedulitas, quoniam, cum haberent auctoritatem martyris ad obseruantiam disciplinae, non superfluum iudicaui, si nostri sermonis blanditiam deriuarent ad pro-

## LIBRO SECONDO

**1.** 1. Nel libro precedente abbiamo cercato di spiegare — di fatto non ne siamo stati capaci — quanto grande sia il dono della verginità, acciocché la grazia del dono celeste sia di per sé invito per il lettore. In questo secondo libro è bene che la vergine venga istruita e come formata dall'insegnamento dei precetti che la riguardano.

2. Ma, dato che noi siamo incapaci di dar consigli e non in grado di impartire insegnamenti — infatti il maestro deve essere di gran lunga superiore al discepolo —, perché non sembri che abbiamo mancato all'impegno assunto [1] né che abbiamo troppo presunto, abbiamo pensato di istruirla con esempi piú che con precetti: quantunque si possa trarre maggior vantaggio dall'esempio, perché si giudica non difficile ciò che è stato già fatto e utile ciò che è stato già sperimentato e moralmente doveroso ciò che ci è stato trasmesso in ragione della ereditarietà, per cosí dire, dell'esercizio della virtú paterna.

3. Che se qualcuno ci accusa di presunzione, ci accusi piuttosto di zelo, perché ho pensato di non dover negare nemmeno questo alle vergini che me lo hanno chiesto. Infatti ho preferito correre il rischio di arrossire [2] piuttosto che oppormi al volere di coloro ai cui desideri anche il nostro Dio volentieri acconsente [3].

4. Ma non possiamo essere bollati nemmeno di presunzione, perché, mentre avevano donde imparare, hanno cercato il mio affetto piú che il mio magistero; e d'altra parte, si può giustificare lo zelo che mi ha fatto ritenere non inutile che potessero trarre dall'incoraggiamento della nostra parola uno stimolo per la loro professione, sebbene avessero l'autorità di un martire [4], che le

[1] L'impegno preso da Ambrogio al momento dell'elezione episcopale; cf. sopra 1, 1, 1 *necessitas tamen maxima eloquia dei credita populi fenerare mentibus.* Si noti che il tenore, in genere, di questo proemio del secondo libro riproduce quello del primo: l'insistita dichiarazione di impreparazione per il magistero che il vescovo deve svolgere, è insieme finzione retorica e anche consapevolezza della propria inesperienza di esordiente.

[2] Cf. ancora sopra 1, 1, 1 *maiore siquidem pudoris periculo auditur uox nostra quam legitur.*

[3] *se indulget*: il Faller (*ad loc.*), rinvia a STAZIO, *silu.* 4, 6, 36 *deus ille, deus! seseque uidendum / indulsit...*

[4] La plausibile identificazione di questo martire con Cipriano è stata proposta dal FALLER, ed. cit., *praefatio*, p. 5, nota 3. La dimostrazione poggia, in primo luogo,

fessionis illecebram. Ille docere facilis, qui seuero uitia coercet adfectu, nos, qui docere non possumus, blandiamur.

5. Et quoniam pleraeque absentes nostri desiderabant sermonis usum, uolumen hoc condidi, quo profectae ad se uocis meae munus tenentes deesse non crederent quem tenerent. Sed proposita persequamur.

**2.** 6. Sit igitur uobis tamquam in imagine descripta uirginitas uita Mariae, e qua uelut speculo refulget species castitatis et forma uirtutis. Hinc sumatis licet exempla uiuendi, ubi tamquam in exemplari magisteria expressa probitatis, quid corrigere, quid effugere, quid tenere debeatis ostendunt.

7. Primus discendi ardor nobilitas est magistri. Quid nobilius dei matre? Quid splendidius ea, quam splendor elegit [a], quid castius ea, quae corpus sine corporis contagione generauit? Nam de ceteris eius uirtutibus quid loquar? Virgo erat non solum corpore, sed etiam mente, quae nullo doli ambitu sincerum adulteraret adfectum: corde humilis [b], uerbis grauis, animi prudens,

2. [a] Hebr 1, 3 (?).
[b] Mt 11, 29.

7, 4 - 8, 6 uirgo erat *usque* ministraret *Aug., doctr. chr. 4, 129.*

spinge ad essere fedeli all'insegnamento. Quello impartisce con facilità il suo insegnamento, lui che reprime con severità i vizi; noi, che non siamo capaci di insegnare, invitiamo.

5. E poiché molte, che sono lontane, avevano desiderio di usufruire della nostra parola, ho composto questo libro, grazie al quale quelle che sono partite, avendo con sé il dono della mia voce, non credano che manchi loro colui che possono tenere in mano. Ma mettiamo in atto i propositi.

**2.** 6. Dunque per voi la verginità, come se fosse raffigurata in una immagine, sia la vita di Maria da cui rifulge, come riflesso da uno specchio, il modello della castità [5] e la forma ideale [6] della virtú. Di qui traete gli esempi di vita, nei quali gli insegnamenti della probità che vi sono espressi come in un modello, mostrano che cosa dovete correggere, che cosa evitare, che cosa conservare.

7. Il primo stimolo dell'apprendimento è costituito dalla nobiltà del maestro [7]. Che cosa c'è di piú nobile della madre di Dio [8]? Che cosa piú splendido di lei che fu scelta dallo splendore, che cosa piú casto di lei che ha generato un corpo senza contaminare il proprio [9]? E che dirò delle altre sue virtú? Era vergine non solo nel corpo, ma anche nella mente [10], lei che non adulterava le proprie sincere aspirazioni con alcun raggiro ingannevole: umile nei sentimenti, posata nelle parole, prudente nel coraggio,

sul confronto fra l'espressione *ad obseruantiam disciplinae* e le prime parole del *De habitu uirginum* di Cipriano: *disciplinae custos spei*; a tal riguardo non è trascurabile che il perduto *codex Veronensis* (sec. VII?, cf. CSEL 3, 1, p. 2) abbia come *inscriptio: De disciplina et habitu faeminarum*. In secondo luogo si deve tener conto che la successiva frase *ille docere facilis, qui seuero uitia coercet adfectu*, dove *ille* richiama *martyr*, si adatta bene all'opuscolo di Cipriano. Del resto non si conoscono altri martiri che abbiano scritto in latino sulla verginità.

[5] Cf. ATANASIO, *epist. ad uirg.*, CSCO 151, p. 59: «maintenant donc, que la vie de Marie, qui engendra Dieu, soit à vous toutes, comme si elle était écrite, l'im[age à laquelle chacune conformera] sa virginité. Il est préférable, en effet, que vous vous connaissiez vous-mêmes par elle comme en un miroir, et ainsi vous parer».

[6] *Species* e *forma* si ritrovano insieme e con significato analogo in *Abr.* 1, 1, 1 (SAEMO 2, 2, p. 30 e nota 5). L'espressione di Ambrogio è ripresa da PASCASIO RADBERTO, *De assumptione* 16, 101 (CCCM 56C, p. 155) ...*ut ipsa omnibus esset exemplum castitatis, quae quasi in speculo refulget forma uirtutis*: e piú ampiamente da ID., *in ps. 44* (PL 120, 1055 A).

[7] Cf. PASCASIO RADBERTO, *in ps. 44* (PL 120, 1055 A) *non prima discendi incitamenta nobilitas seu fama magistri est.*

[8] Ambrogio è il primo in Occidente ad attribuire a Maria il titolo di *mater dei* — debitore anche in questo di ATANASIO, *epist. ad uirg.*, CSCO 151, p. 59 (qui sopra citato) —, confermato in *exam.* 5, 20, 65 (CSEL 32, 1, p. 188); cf. anche *exp. Luc.* 10, 130 (CCL 14, p. 383) *quae deum genuerat* e qui oltre a 2, 10 *ex quo dei filius nasceretur*; 2, 13 *quae deum genuerat*. Tra i greci θεοτόκος è già sicuramente attestato in Origene (cf. LAMPE, *s.u.*). Sull'argomento cf. J. HUHN, *Das Geheimnis der Jungfrau-Mutter Maria nach dem Kirchenvater Ambrosius*, Würzburg 1954, pp. 13-19.

[9] Cf. PASCASIO RADBERTO, *in ps. 44* (PL 120, 1055 AB) *nobilitas uero, quod nihil dei matre nobilius est: nihil splendidius ea, quam splendor paternae gloriae elegit et illustrauit. Nihil castius ea, quae deum hominem sine corporis contagione generauit.*

[10] Cf. CIPRIANO, *hab. uirg.* 18 (CSEL 3, 1) *corpore licet uirgo ac mente permaneat*; l'espressione sulla Vergine Maria è riecheggiata da PASCASIO RADBERTO, *De assumptione* 3, 114 (CCCM 56 C, p. 115) *uirgo sancta corpore ac mente permansit.*

loquendi parcior, legendi studiosior, non in incerto diuitiarum [c], sed in prece pauperis spem reponens [d], intenta operi, uerecunda sermoni, arbitrum mentis solita non hominem, sed deum quaerere, nulli laedere os, bene uelle omnibus, adsurgere maioribus natu, aequalibus non inuidere, fugere iactantiam, rationem sequi, amare uirtutem. Quando ista uel uultu laesit parentes, quando dissensit a propinquis? Quando fastidiuit humilem, quando risit debilem, quando uitauit inopem eos solos solita coetus uirorum inuisere, quos misericordia non erubesceret neque praeteriret uerecundia? Nihil toruum in oculis, nihil in uerbis procax, nihil in actu inuerecundum: non gestus fractior, non incessus solutior, non uox petulantior, ut ipsa corporis species simulacrum fuerit mentis, figura probitatis. Bona quippe domus in ipso uestibulo debeat agnosci ac primo praetendat ingressu nihil intus latere tenebrarum, ut mens nostra nullis repagulis corporalibus impedita tamquam lucernae lux intus posita foris luceat [e].

8. Quid ergo exequar ciborum parsimoniam, officiorum redundantiam, alterum ultra naturam superfuisse, alterum paene ipsi naturae defuisse, illic nulla intermissa tempora, hic congeminatos ieiunio dies? Et si quando reficiendi successisset uoluntas, cibus plerumque obuius, qui mortem arceret, non delicias mini-

[c] 1 Tim 6, 17.
[d] Eccli 21, 5 s. (?)
[e] Lc 11, 33 s.

parca nel parlare [11], molto zelante nella lettura [12]; non riponeva la speranza nell'incertezza delle ricchezze, ma nella preghiera del povero, era assidua nel lavoro, pudica nel parlare, era solita cercare come giudice della propria mente non l'uomo, ma Dio, abituata a non far torto ad alcuno [13], a voler bene a tutti, a levarsi in piedi all'arrivo dei piú anziani [14], a non avere invidia dei coetanei, a evitare l'ostentazione, a seguire la ragione, ad amare la virtú. Quando costei, anche solo con lo sguardo, mancò di rispetto ai genitori [15], quando fu in dissenso con i familiari? Quando ebbe insofferenze per l'umile, quando derise il debole, quando evitò il povero [16], dal momento che era solita frequentare solo la compagnia di quegli uomini per i quali la misericordia non arrossiva e che il senso di pudore non scansava? Nulla di torvo negli occhi, nulla di impudente nelle parole [17], nulla di impudico nel comportamento: non gesti stanchi, non un incedere rilassato, non voce petulante; e cosí l'apparenza del corpo era immagine della mente, rappresentazione di probità. Senza dubbio una bella casa deve essere riconoscibile fin dal vestibolo e deve mostrare fin dalla soglia [18] che all'interno non c'è alcuna oscurità, cosicché la nostra mente, libera da qualsiasi impedimento di barriere corporee, come la luce di una lampada posta all'interno, risplenda al di fuori.

8. Che dire, dunque, della frugalità dei cibi, dell'abbondanza dei doveri [19]? Questa superava le possibilità della natura, quella quasi non bastava a soddisfarne le esigenze [20]; quanto ai doveri non era concessa alcuna pausa, quanto alla frugalità si raddoppiavano i giorni dedicati al digiuno. E se talvolta subentrava la volontà di nutrirsi, il cibo era generalmente ordinario [21], tale che consentisse di evitare la morte, non in funzione del piacere [22]. Il

[11] Sulla virtú del silenzio cf. piú oltre 3, 3, 11 e nota relativa.

[12] Della Sacra Scrittura. Cf. ATANASIO, *epist. ad uirg.*, CSCO 151, p. 60, 7 s. «elle (Marie) ne désirait pas être vue par les hommes, mais elle priait Dieu d'être son examinateur».

[13] Cf. TERENZIO, *adelph.* 864 *nulli laedere os*; AMBROGIO, *exc. fr.* 1, 41, 3 (CSEL 73, p. 231) *qui nulli laederes os.*

[14] Cf. CICERONE, *inuent.* 1, 30, 48 *ut maioribus natu assurgatur*; AMBROGIO, *exp. Luc.* 2, 22 (CCL 14, p. 40) *nouerit (Maria) deferre senioribus.*

[15] Cf. ATANASIO, *epist. ad uirg.*, CSCO 151, p. 61, 26-28.

[16] Cf. *ibid.*, p. 60, 12 s.

[17] Cf. *ibid.*, p. 60, 19 s.

[18] La medesima similitudine è usata in *Abr.* 2, 1, 2, (CSEL 32, 1, p. 566, 4 ss.), ma là — ad un livello piú filosofico — il vestibolo della casa simboleggia la parola, ove, secondo Ambrogio, dimora la mente; qui, invece, l'abitazione della mente è il corpo.

[19] Circa i doveri compiuti da Maria la dipendenza da ATANASIO, *epist. ad uirg.*, CSCO 151, p. 60, 5 s. è vaga.

[20] Cf. ATANASIO, *ibid.*, p. 60, 34-36 «les convoitises de l'appétit ne l'emportaient pas sur elle, sinon jusqu'à la seule mesure des nécessités corporelles».

[21] Sul digiuno e il cibo della vergine cf. piú oltre 3, 4, 15.

[22] Cf. ATANASIO, *epist. ad uirg.*, CSCO 151, p. 60, 36 s. «car elle ne mangeait ni ne buvait par plaisir, mais afin de ne pas laisser mourir son corps avant terme».

straret. Dormire non prius cupiditas quam necessitas fuit et tamen, cum quiesceret corpus uigilare animus: quae frequenter insomnis aut lecta repetit aut somno interrupta continuat aut disposita gerit aut gerenda pronuntiat.

9. Prodire domo nescia, nisi cum ad ecclesiam conueniret, et hoc ipsum cum parentibus aut propinquis. Domestico operosa secreto, forensi stipata comitatu, nullo meliore tamen sui custode quam se ipsa, quae incessu adfectuque uenerabilis non tam uestigium pedis tolleret quam gradum uirtutis adtolleret. Et tamen alios habeat uirgo membrorum custodes suorum, morum autem suorum se habeat ipsa custodem. Plures erunt de quibus discat, si ipsa se doceat quae uirtutes magistras habet, quia quidquid egerit disciplina est. Sic Maria intendebat omnibus, quasi a pluribus moneretur, sic omnia implebat uirtutis officia, ut non tam disceret, quam doceret.

10. Talem hanc euangelista monstrauit, talem angelus repperit, talem spiritus sanctus elegit. Quid enim in singulis morer, ut eam parentes dilexerint, extranei praedicauerint, quae digna fuit

8, 7*s.* uigilare... quae... insomnis: *cf. quae ad loc. notaui.*
9 pronuntiat *Paris. nouv. acq. 1455 et PL 142, 1030B*: praenuntiat *cett.*
9, 8 si: set *Castiglioni ap. Cazz.*
docet *(errore typ.?) Cazz.*

sonno era prima di tutto una necessità, non un piacere, e tuttavia, mentre il corpo riposava, l'animo vegliava: ella spesso si sveglia [23] e allora, o ripete le cose lette o continua le letture interrotte dal sonno, o fa ciò che aveva disposto o decide quello che deve fare [24].

9. Non sapeva cosa fosse uscire di casa, se non quando andava in chiesa [25], e anche in tal caso era in compagnia dei genitori o dei familiari. Quando era in casa, lavorava in solitudine [26]; quando era fuori, era circondata da compagnia, anche se nessuno era suo miglior custode che lei stessa, che mirabile nel modo di camminare e nell'atteggiamento sembrava non tanto che camminasse fisicamente, quanto che progredisse nella virtú. E, certo, la vergine abbia altri come custodi per il suo corpo, però sia essa stessa custode della propria condotta. Saranno molti i suoi maestri, se lei medesima [27], che ha per maestre le virtú, insegni a se stessa, poiché, qualsiasi cosa faccia, è insegnamento. Cosí Maria ascoltava tutti, come se fosse istruita da molti [28], ma cosí eseguiva i doveri della virtú, come se non imparasse, ma piuttosto insegnasse.

10. Cosí l'evangelista [29] ce l'ha presentata, cosí l'ha trovata l'angelo, cosí l'ha scelta lo Spirito Santo. E perché indugiare sui singoli punti, spiegando che i genitori l'hanno amata, gli estranei l'hanno esaltata, dal momento che fu degna di generare il Figlio

[23] Mi discosto dal testo approvato dal Faller e dal Cazzaniga, i quali hanno *qui frequenter in somnis*, per seguire la lezione *quae frequenter insomnis*, che ho trovato attestata in PL 142, 1030 B, ove è riprodotto un sermone *De natiuitate beatae Mariae*, attribuito a Odilone di Cluny, che invece altro non è che un *excerptum* del nostro *uirgb.* 2, 2, 6-12, rinvenuto in un codice *Siluiniacensis* (Souvigny) dall'editore E. Martène (*Thesaurus novus anecdotorum*, 5, Paris 1717, c. 621). Le ragioni della mia scelta sono innanzi tutto di metodo: le lezioni *quae* e *insomnis* paiono *difficiliores* rispetto a *qui* e a *in somnis*. Inoltre il plurale *in somnis* desta delle perplessità, tenendo conto che subito dopo troviamo *somno*. E poi, il senso della lezione seguita dal Faller e dal Cazzaniga appare incongruente con il contesto: infatti è assurdo che l'animo della vergine continui «nel sonno» le letture interrotte «dal sonno». Infine il confronto con la fonte (cf. nota seguente) avvalora la nostra scelta.

[24] Dipendenza dalla fonte e autonomo sviluppo; cf. ATANASIO, *epist. ad uirg.*, CSCO 151, pp. 60, 1 - 61, 3 «elle ne dormait pas autre mesure, mais pour que son corps seulement se reposât; et puis elle veillait pour sa besogne et pour les Écritures».

[25] L'anacronismo si spiega, considerando la volontà di Ambrogio di attualizzare l'esempio della Vergine Maria: egli aveva presenti alla sua mente in quel momento piú le vergini destinatarie delle sue parole che Maria. Cf. *ibid.*, p. 61, 9-11 «elle ne faisait pas d'allées et venues, sauf pour autant qu'elle devait se rendre au temple; car elle ne négligeait pas ce point elle y allait en compagnie de ses parents».

[26] Cf. *ibid.*, p. 60, 8-11 «elle n'avait pas non plus hâte de sortire de chez elle, et elle ne connaissait aucunement les places publiques, mais elle demeurait assidûment chez elle vivant retirée...». Analoga esortazione in *exp. Luc.* 2, 21 (CCL 14, p. 40).

[27] Il Cazzaniga presenta una lezione emendata: *set ipsa se docet*. La congettura *set*, in luogo del tràdito *si*, gli è stata suggerita dal Castiglioni, il quale probabilmente è stato condizionato dalla lezione del verbo *docet*, che dev'essere frutto di una svista dell'editore, perché la lezione tràdita, *doceat*, non è segnalata nell'apparato.

[28] Cf. ATANASIO, *epist. ad uirg.*, CSCO 151, p. 61, 12-14.

[29] Luca. Cf. ATANASIO, *epist. ad uirg.*, CSCO 151, p. 61, 34 s.

ex qua dei filius nasceretur? Haec ad ipsos ingressus angeli inuenta domi in penetralibus sine comite [f], ne quis intentionem abrumperet, ne quis obstreperet; neque enim comites feminas desiderabat quae bonas comites cogitationes habebat. Quin etiam sibi minus sola uidebatur, cum sola esset; nam quemadmodum sola, cui tot libri adessent, tot archangeli, tot prophetae?

11. Denique et Gabrihel eam ubi reuisere solebat inuenit et angelum Maria quasi uirum specie mota trepidauit [g], quasi non incognitum audito nomine recognouit. Ita peregrinata est in uiro quae non est peregrinata in angelo, ut agnoscas aures religiosas, oculos uerecundos. Denique salutata obmutuit et appellata respondit, sed quae primo turbauerat adfectum postea promisit obsequium.

12. Quam uero religiosa in propinquas fuerit, scriptura diuina significat. Nam et humilior facta est, ubi a deo se cognouit electam, et statim ad cognatam suam in montana processit [h], non utique ut exemplo crederet quae iam crediderat oraculo; *beata*

[f] Lc 1, 28.
[g] Lc 1, 26-38.
[h] Lc 1, 39-56.

10, 7 etiam: *add.* tum *plerique codd. Faller Cazz.*

di Dio? Costei, proprio quando l'angelo entrò, fu trovata in casa, nella stanza interna, senza compagnia [30], perché nessuno distogliesse la sua attenzione, nessuno facesse chiasso. Infatti non desiderava nemmeno la compagnia di donne, lei che aveva la compagnia dei buoni pensieri. Che, anzi, appariva meno sola che quando era senza compagnia [31]; e come poteva essere sola, se aveva con sé tanti libri, tanti arcangeli, tanti profeti?

11. Ebbene anche Gabriele la trovò dove soleva visitarla, e Maria fu intimorita dall'angelo, turbata dalla sua apparenza di uomo [32], ma quando la chiamò per nome, lo riconobbe come non sconosciuto. Cosí fu turbata dall'uomo [33] colei che non lo fu dall'angelo, affinché tu riconosca le pie orecchie, gli occhi pudichi. Infatti salutata rimase in silenzio [34] e chiamata per nome rispose [35], ma colei che in un primo momento rimase turbata nei sentimenti, poi promise obbedienza.

12. Quanto, poi, sia stata pia verso le parenti, la Sacra Scrittura lo dice. E divenne anche piú umile, quando si accorse di essere stata eletta da Dio, e subito andò dalla sua parente in una zona montagnosa, certamente non per credere all'esempio [36], dal momento che lei aveva già creduto alle parole divine; *Beata* —

[30] La fonte di questo ossimoro è stata indicata dal FALLER, *ad loc.*; cf. CICERONE, *resp.* 1, 17, 27 ...*ut Africanum mecum scribit Cato solitum esse dicere, possit idem de se praedicare: numquam se plus agere quam cum nihil ageret, numquam minus solum quam cum solus esset*; ID., *off.* 3, 1, 1; si veda anche lo stesso AMBROGIO, *off.* 3, 1, 2 (SAEMO 13, p. 274) *non ergo primus Scipio sciuit solus non esse, cum solus esset*; *epist.* 33, 1 (CSEL 82, 1, p. 229, 6) *numquam enim minus solus sum, quam cum solus esse uideor.*

[31] Cf. *exp. Luc.* 2, 8 (CCL 14, p. 34) *sola in penetralibus quam nemo uirorum uideret, solus angelus repperiret: sola sine comite, sine teste, ne quo degeneri deprauaretur adfatu, ab angelo salutatur*; *epist.* 33, 2 (CSEL 82, 1, p. 230, 1) *sola erat Maria et loquebatur cum angelo*; *epist.* 5, 16 (PL 16, 934 C); *exh. u.* 10, 71.

[32] Cf. ATANASIO, *epist. ad uirg.*, CSCO 151, p. 62, 1 s. «la jeune fille, en entendant qu'on lui parlait avec une voix masculine, aussitôt se troubla fort».

[33] Per la costruzione abbastanza singolare *peregrinata est in uiro* il FALLER (*ad loc.*) rinvia a 1 Pt 4, 12 (Vulgata) *nolite peregrinari in feruore* (calco su μὴ ξενίζεσθε τῇ ἐν ὑμῖν πυρώσει), ma è certo che Ambrogio aveva presente ATANASIO, *epist. ad uirg.*, CSCO 151, p. 61, 31 s. «elle leur (aux hommes) était à ce point étrangère, qu'elle ne supportait pas leur voix»; il passo nel testo greco potrebbe aver avuto ἐξενίζετο ἐπ'αὐτοῦς (cf. ATANASIO, *decr.* 23, 2, PG 25, 456 D ἐπὶ τῷ ὁμοουσίῳ ξενίζεσθαι). Parrebbe tutto ambrosiano l'uso traslato di *peregrinari* per indicare uno smarrimento interiore: cf. *exh. u.* 10, 71 *peregrinabatur aspectu; sacr.* 3, 1, 3 (CSEL 73, p. 38, 22).

[34] Sulla virtú del silenzio cf. piú oltre 3, 3, 11 e nota relativa, ove sono indicati i passi paralleli.

[35] *salutata obmutuit et appellata respondit*: ci si chiede come si giustifichi l'atteggiamento di Maria che non rispose al saluto dell'angelo, rispose invece quando quello la chiamò per nome. La spiegazione è da cercare nelle considerazioni immediatamente precedenti di Ambrogio e non nel diverso valore semantico dei due termini (come ha sostenuto NEUMANN, *The Virgin Mary*, p. 48): Maria per pudore non rispose al saluto che credeva le fosse rivolto da un uomo, rispose quando si sentí chiamata per nome, perché allora capí che era un angelo che le parlava.

[36] L'esempio della parente Elisabetta, anche lei protagonista di un evento prodigioso.

enim inquit *quae credidisti* [i]. Et tribus cum ea mensibus mansit [l]. Tanti autem interuallo temporis non fides quaeritur, sed pietas exhibetur. · Et hoc posteaquam in utero parentis exiliens puer matrem domini salutauit [m] prius compos deuotionis quam naturae.

13. Inde tot sequentibus signis, cum sterilis pareret [n], uirgo conciperet [o], loqueretur mutus [p], adoraret magus [q], expectaret Simeon [r], sidera nuntiarent [s], Maria mobilis ad introitum [t], inmobilis ad miraculum *conseruabat*, inquit, *haec omnia in corde suo* [u]. Quamuis mater domini, discere tamen praecepta domini desiderabat, et quae deum genuerat deum tamen scire cupiebat.

14. Quid quod annis quoque omnibus ibat in Hierusalem *sollemni die paschae* et ibat cum Ioseph [v]? Vbique in uirgine comes singularum uirtutum est pudor. Hic indiuiduus debet esse uirginitati, sine quo non potest esse uirginitas. Nec ad templum igitur Maria sine pudoris sui custode processit.

15. Haec est imago uirginitatis. Talis enim fuit Maria, ut eius unius uita omnium disciplina sit. Si igitur auctor non displicet, opus probemus, ut quaecumque sibi eius exoptat praemium, imitetur exemplum. Quantae in una uirgine species uirtutum emicant: secretum uerecundiae, uexillum fidei, deuotionis obsequium, uirgo intra domum, comes ad ministerium, mater ad templum.

16. O quantis illa uirginibus occurret, quantas complexa ad dominum trahet dicens: «Haec torum filii mei, haec thalamos nuptiales inmaculato seruauit pudore». Quemadmodum eas ipse

[i] Lc 1, 45.
[l] Lc 1, 56.
[m] Lc 1, 44.
[n] Lc 1, 57.
[o] Lc 1, 31.
[p] Lc 1, 64.
[q] Mt 2, 11.
[r] Lc 2, 25.
[s] Mt 2, 2.
[t] Lc 1, 29.
[u] Lc 2, 19.
[v] Lc 2, 41.

infatti è detto [37] — *tu che hai creduto.* E rimase con lei tre mesi. E in un tempo cosí lungo non si cerca la fede [38], ma si dà prova di pietà. E ciò dopo che, esultando nell'utero della madre, il fanciullo ebbe salutato la madre del Signore, giacché possedeva la devozione prima ancora di venire al mondo.

13. Poi, quando si succedettero tanti prodigi — la sterile che partoriva, la vergine che concepiva, il muto che riacquistava la parola, il mago che venne ad adorare, Simeone che attendeva, le stelle che annunciavano — Maria, che si era turbata all'ingresso dell'angelo, ma non all'avvenimento prodigioso, *conservava* — è detto — *tutte queste cose nel suo cuore.* Sebbene fosse la madre del Signore, desiderava apprendere i precetti del Signore, e colei che aveva generato Dio [39] voleva conoscere Dio.

14. Che significa il fatto che anche tutti gli anni andava a Gerusalemme *il giorno della festa della Pasqua* e vi andava con Giuseppe? In ogni luogo per una vergine il pudore è compagno delle singole virtú [40]. Esso deve essere inseparabile dalla verginità, senza di esso non vi può essere verginità. Dunque Maria non si recava nemmeno al tempio senza il custode del suo pudore.

15. Ecco l'immagine della verginità. Maria infatti fu tale che la vita di lei sola è insegnamento per tutti [41]. Se dunque l'autore non dispiace, approviamone l'opera, in modo che, chiunque desidera avere per sé il premio che Maria ottenne, ne imiti l'esempio. Quanti modelli [42] di virtú brillano in una sola vergine! La riservatezza [43] del pudore, l'emblema della fede, l'ossequio della devozione, vergine dentro casa, compagna per il servizio, madre al tempio.

16. Oh, a quante vergini andrà incontro costei, quante, abbracciandole, trarrà al Signore [44] dicendo: «Questa ha custodito con immacolato pudore il letto di mio figlio, i talami nuziali [45]».

[37] *inquit*: se controlliamo il testo evangelico, troviamo che chi parla è Elisabetta; ma Ambrogio non lo dice, né, stando al suo contesto, è facile risalire a quel soggetto. Questo perché il nostro Autore, quando cita un testo biblico, non si preoccupa tanto di identificare il personaggio che parla, quanto di segnalare che quelle parole appartengono al testo sacro. Molto spesso, perciò, in Ambrogio — ma lo stesso si può dire di altri — *inquit* non ha una funzione verbale e sintattica, ma è uno stereotipo indicatore di una citazione biblica.

[38] Se Maria fosse andata da Elisabetta per cercare nell'esempio della parente un sostegno alla propria fede, non sarebbe stata tanto a lungo presso di lei.

[39] Cf. 2, 7 *dei matre* e nota relativa.

[40] Cf. il passo parallelo di *uid.* 4, 25.

[41] Cf. ATANASIO, *epist. ad uirg.*, CSCO 151, p. 62, 10 «voilà l'image de la virginité, et de fait Marie fut telle».

[42] *species uirtutum*: per il significato di *species* cf. sopra 2, 2, 6 *species castitatis.*

[43] *secretum*: con il medesimo valore etimologico con cui questa parola è usata sopra in 2, 2, 9 *domestico operosa secreto.*

[44] Cf. ATANASIO, *epist. ad uirg.*, CSCO 151, p. 64, 11 «o combien de vierges accostera Marie! Comme elle les embrassera et les entraînera aux pieds du Seigneur!».

[45] Il *torus* e i *thalami nuptiales* rappresentano, in senso metaforico, il vincolo sponsale che unisce la vergine a Cristo; cf. sopra 1, 3, 11. Analoga espressione sopra a 1, 8, 51 *quae pudore intemerato sacrum domini seruatis cubile,* che è utile richiamare anche per avallare la scelta della lezione *filii mei* (scil. *domini*), contro il vocativo *fili mi,* pure attestato.

dominus commendabit patri nimirum illud repetens suum: «Pater sancte, istae sunt, quas custodiui tibi [z], in quibus filius hominis caput reclinans quieuit [a]. Peto ut ubi ego sum et ipsae sint mecum [b]. Sed non solis sibi debent posse quae non solis uixerunt sibi: haec parentes redimat, haec fratres. Pater iuste, mundus me non cognouit, istae autem me cognouerunt et mundum cognoscere noluerunt [c]».

17. Quae pompa illa, quanta angelorum laetitia plaudentium, quod habitare mereatur in caelo quae caelestem uitam uixit in saeculo. Tunc etiam Maria tympanum sumens choros uirginales citabit [d] cantantes domino, quod per mare saeculi sine saecularibus fluctibus transierunt. Tunc unaquaeque exultabit dicens: «*Et introibo ad altare dei mei, ad deum qui laetificat iuuentutem meam* [e]. Immolo deo sacrificium laudis et reddo altissimo uota mea [f]».

[z] Io 17, 11.
[a] Mt 8, 20; Lc 9, 58.
[b] Io 17, 24.
[c] Io 17, 20.
[d] Ex 15, 20.
[e] Ps 42 (43), 4.
[f] Ps 49 (50), 14.

Come lo stesso Signore le raccomanderà al Padre [46], ripetendo ovviamente quel suo discorso: «Padre santo, queste sono quelle che ti ho custodite, sulle quali il figlio dell'uomo ha posato il capo per riposare. Ti chiedo che ove sono io siano anche loro. Ma non per sé sole devono potere, dal momento che non sono vissute per sé sole: questa redima i genitori, questa i fratelli. Padre giusto, il mondo non mi ha conosciuto, ma queste mi hanno conosciuto e non vollero conoscere il mondo» [47].

17. Quale trionfo sarà quello, quale grande letizia di angeli plaudenti, per il fatto che meriti di abitare in cielo colei che ha vissuto una vita celeste nel mondo [48]. Allora anche Maria con il tamburello in mano inciterà i cori delle vergini [49] che cantano al Signore, poiché hanno attraversato il mare del mondo [50] evitandone i flutti. Allora ognuna esulterà dicendo: «E andrò all'altare del mio Dio, a Dio che rallegra la mia giovinezza [51]. Offro a Dio il sacrificio di lode e presento all'Altissimo i miei voti» [52].

[46] Lo spunto è tratto da ATANASIO, *epist. ad uirg.*, CSCO 151, p. 64, 14 ss., ma il seguito, cioè il discorso di Cristo, non è improntato dell'Alessandrino: «comme le Seigneur les recommandera à son père en les voyant! Et dira: Toutes celles-ci furent et sont comme Marie qui est mienne».

[47] Come risulta dall'apparato delle fonti bibliche, questo discorso, fatto *ex persona Christi*, è costruito con parafrasi di diversi versetti evangelici e qualche espressione tutta ambrosiana.

[48] Cf. ATANASIO, *epist. ad uirg.*, CSCO 151, p. 64, 12 s. «quelle joie parmi les anges en voyant l'image de leur pureté dans les corps des vierges!». Ma le parole di Ambrogio rievocano chiaramente quanto egli stesso ha detto, sulla vita angelica vissuta in terra dalla vergine, sopra a 1, 3, 11; 1, 8, 48-51. Sulla gioia degli angeli nell'accogliere persone sante cf. *epist.* 15, 8 (PL 16, 998); *obit. Th.* 56 (CSEL 73, p. 401); cf. anche *exp. Luc.* 7, 210 (CCL 14, p. 287).

[49] In verità il testo biblico di Ex 15, 20 non parla di «cori di vergini», ma di «cori di donne» (piú esattamente in *epist. ex. c.* 14, 34, CSEL 82, 3, p. 252 è detto: *Maria... quae feminei dux agminis pede transmisit pelagi freta*). J. DOIGNON, *Myriam et son tambourin dans la prédication et l'archéologie occidentale au IVe siècle*, in *Studia Patristica* 4, TU 79, Berlin 1961, p. 73, sostiene che Ambrogio dipende da GREGORIO DI NISSA, *uirg.* 19 (SCh 119, pp. 486-488). A mio giudizio, tale coincidenza non basta a dimostrare la dipendenza: Doignon sembra non tenere presente che la fonte del *De uirginibus* di Ambrogio è Atanasio. Ambrogio — in ciò favorito dal tema del proprio discorso — può aver ritenuto ovvio che il coro fosse composto da vergini, dal momento che era guidato da Maria, di cui, sulla scorta di Atanasio, ha già detto che era vergine (cf. sopra 1, 3, 12 e la mia nota relativa). O, forse, là dove noi nel testo atanasiano, tradotto dal copto da L. Th. Lefort, leggiamo «femmes» (cf. qui sotto la nota 52), in quello usato da Ambrogio si parlava di vergini? Sulla figura di questa Maria nell'esegesi patristica, a partire da Filone, si veda M. AUBINEAU, in SCh 119, p. 486, nota 1 e p. 489, nota 4.

[50] *mare saeculi*: cf. *Abr.* 2, 7, 43 (CSEL 32, 1, p. 599, 4); *exp. Luc.* 4, 32 (CCL 14, p. 117, 395). Sulla metafora ambrosiana del mare del mondo si veda A.V. NAZZARO, *Simbologia e poesia dell'acqua e del mare in Ambrogio di Milano*, Napoli 1977, pp. 45-62.

[51] L'esegesi di Ps 42 (43), 4 è qui escatologica e, poi, tropologica. In altri scritti si adegua altrettanto facilmente ai temi trattati: cf. *sacr.* 4, 2, 7 (CSEL 73, p. 48); *myst.* 8, 43 (p. 107); *Iob* 4, 9, 32.35 (CSEL 32, 2, p. 294); *exp. ps. 40* 37 (CSEL 64, p. 255, 11 s.).

[52] Cf. ATANASIO, *epist. ad uirg.*, CSCO 151, p. 64, 26-34 «alors ensuite, comme autrefois, sur la mer, Mariham s'avança devant les femmes munie d'un tambourin, de même en sera-t-il dans le royaume des cieux: la virginité comme chef marchera

18. Neque enim dubitauerim uobis patere altaria, quarum mentes altaria dei confidenter dixerim, in quibus cotidie pro redemptione corporis Christus immolatur. Nam si corpus uirginis dei templum est, animus quid est, qui tamquam membrorum cineribus excitatis sacerdotis aeterni redopertus manu uaporem diuini ignis exhalat? Beatae uirgines, quae tam immortali spiratis gratia, ut horti floribus, ut templa religione, ut altaria sacerdote!

**3.** 19. Ergo sancta Maria disciplinam uitae informet. Thecla doceat immolari, quae copulam fugiens nuptialem et sponsi furore damnata naturam etiam bestiarum uirginitatis ueneratione mutauit. Namque parata ad feras, cum aspectus quoque declinaret

18. Né dubito infatti che vi siano accessibili gli altari, dal momento che non temo di definire le vostre menti come altari di Dio, sui quali ogni giorno si offre Cristo per la redenzione del corpo. Ora, se il corpo della vergine è tempio di Dio [53], che cosa è l'animo che, quando, per cosí dire, scosse via le ceneri delle membra, è riattizzato dalla mano del sacerdote eterno, irraggia il calore del fuoco divino? Vergini beate, che olezzate di grazia immortale, come i giardini di fiori, come i templi di devozione, come gli altari di sacerdote [54]!

**3.** 19. Dunque la santa Maria sia l'esemplare su cui modellare la vostra condotta di vita. Tecla vi insegni come essere immolate, lei che, fuggendo il matrimonio e condannata per la rabbia del promesso sposo, cambiò persino la natura delle belve con la forza della sua venerazione per la verginità [55]. Infatti, pronta per le fiere, mentre evitava persino gli sguardi degli uomini e offriva

en avant avec une grande assurance, et toutes formeront un seul choeur et une seule symphonie dans la foi, bénissant Dieu et disant: "j'entrerai devant l'autel de Dieu, devant le Dieu qui réjouit ma jeunesse"; et: "j'immolerai une victime de bénédiction, je rendrai mes voeux au Seigneur"»; cf. anche sopra 1, 3, 12 *et Maria tympanum sumens pudore uirgineo choros duxit* e la mia nota *ad loc.*

[53] È questa un'immagine che ricorre frequentemente nella letteratura patristica sulla verginità. Cf. *2 Clem.* 9, 3 (BIHLMEYER, p. 75); *Acta Pauli et Theclae* 5 (ERBETTA 2, p. 259); PS. AMBROGIO, *laps. uirg.* 2, 7 (CAZZANIGA, p. 4) *facta es... de templo domini fanum immunditiae*; ATANASIO, *serm. de uirg.*, ed. CASEY 1037 (trad. dall'armeno) «da du (Jungfrau) ein Tempel Gottes hießest»; si veda anche della medesima opera il frammento siriaco edito da J. LEBON, *Athanasiana Syriaca* I, in «Le Muséon», 40 (1927), p. 219, 18 e p. 228, 26; inoltre l'anonima *hom. de uirg.* 2, 18, ed. D. AMOND - M. MOONS, «RB», 63 (1953), p. 39 e EUSEBIO DI EMESA, *hom. de uirg.* 27, in *Spicilegium sacrum Lovaniense* 26, 1, Louvain 1953, p. 194; PS. MACARIO, *epist. magna*, PG 34, 418 A; AFRAATE 6, 1 (PARISOT, p. 252); per Ambrogio cf. *exh. u.* 2, 10 *templa... pudicitiae atque integritatis* e la mia nota *ad loc.*

[54] Gli *horti*, i *templa* e gli *altaria* non sono delle estrinseche similitudini della verginità; bisogna invece considerare che introducono dei temi, come *odor, religio, sacerdotium,* che sono al fondamento delle riflessioni ambrosiane sulla verginità. Per *odor*/verginità cf. sopra 1, 10, 61; *inst. u.* 16, 100; 13, 83-86; *exh. u.* 9, 58; *uirgb.* 1, 3, 11; 1, 7, 39; 2, 6, 39; 2, 6, 42-43; *uirgt.* 9, 49; 9, 61-67; per *religio*/verginità cf. sopra 1, 4, 15; 1, 8, 52; per *sacerdotium*/verginità cf. *exc. fr.* 2, 132 (CSEL 73, pp. 323 s.); *off.* 2, 17, 87 (SAEMO 13, p. 232); qui sopra 1, 7, 32; *uirgt.* 3, 13; 9, 50. Ma gli *horti*, i *templa* e gli *altaria* sono essi stessi simboli fortemente evocatori della verginità. Per *hortus* (con riferimento a Cant 4, 12) cf. sopra 1, 8, 45-46; *exh. u.* 5, 29; *inst. u.* 9, 58; 9, 60; 17, 111; *uirgt.* 12, 69; 13, 80; *exp. Luc.* 4, 13 (CCL 14, p. 111); 7, 128 (CCL 14, p. 258); *apol. alt.* 9, 47 (CSEL 32, 2, p. 391, 14 s.); *Isaac* 48 (CSEL 32, 1, pp. 672 s.); *epist.* 34, 4-5 (CSEL 82, 1, p. 233); per *templum* cf. piú oltre 2, 4, 26; *inst. u.* 17, 105; *exh. u.* 14, 94; *hymn.* 4, 12; per *altaria* (cui si riconnette l'idea di sacrificio) cf. *inst. u.* 1, 2-3; *exh. u.* 14, 94.

[55] Le notizie del martirio di Tecla derivano dagli apocrifi *Acta Pauli et Theclae*. L'edizione critica è in *Acta Apostolorum Apocrypha*, 1, ed. R.A. LIPSIUS, Lipsiae 1891, pp. 235-272; si veda anche, per lo studio introduttivo e la trad. it., M. ERBETTA, *Gli apocrifi del Nuovo Testamento*, 2, Torino 1966, pp. 243-256 e 258-269, ma in Ambrogio la narrazione è piú stringata e drammatica, aggiustata con qualche particolare che non si ritrova nell'antica leggenda.

uirorum ac uitalia ipsa saeuo offerret leoni, fecit ut qui impudicos detulerant oculos pudicos referrent.

20. Cernere erat lingentem pedes bestiam cubitare humi, muto testificantem sono quod sacrum uirginis corpus uiolare non posset. Ergo adorabat praedam suam bestia et propriae oblita naturae nostram induerat quam homines amiserant. Videres quadam naturae transfusionem homines feritatem indutos saeuitiam imperare bestiae, bestiam exosculantem pedes uirginis docere quid homines facere deberent. Tantum habet uirginitas admirationis, ut eam etiam leones mirentur. Non impastos cibus flexit, non citatos impetus rapuit, non stimulatos ira exasperauit, non usus decepit adsuetos, non feros natura possedit. Docuerunt religionem, dum adorant martyrem, docuerunt etiam castitatem, dum uirgini nihil aliud nisi plantas exosculantur demersis in terram oculis tamquam uerecundantibus, ne mas aliquis uel bestia uirginem nudam uideret.

21. Dicet aliquis: «Cur exemplum attulisti Mariae, quasi repperiri queat matrem domini quae possit imitari, cur etiam Theclae, quam gentium doctor instituit? Da huiuscemodi doctorem, si discipulam requiris». Huiusmodi recens uobis exemplum profero, ut intellegatis apostolum non unius esse doctorem, sed omnium.

**4.** 22 Antiochiae nuper uirgo quaedam fuit fugitans publici uisus. Sed quo magis uirorum euitabat aspectus, eo amplius incendebat. Pulchritudo enim audita nec uisa plus desideratur duobus stimulis cupiditatum, amoris et cognitionis, dum et nihil occurrit

gli stessi organi vitali al leone feroce, fece sí che coloro che le avevano rivolto gli occhi impudichi, li ritraessero pudichi [56].

20. Si poteva vedere la bestia sdraiata a terra che le leccava i piedi [57], che affermava con un suono senza parole che non poteva violare il sacro corpo della vergine. Perciò la bestia adorava la sua preda e, dimentica della sua propria natura, si era rivestita della nostra, che gli uomini avevano perduto. Avresti potuto vedere gli uomini, per un certo quale travaso della natura [58] rivestiti di ferocia, ordinare alla bestia di infierire, mentre la bestia, baciando i piedi della vergine, insegnava che cosa gli uomini avrebbero dovuto fare. Da tanta ammirazione è circondata la verginità che anche i leoni l'ammirano. Il cibo non li piegò, anche se digiuni; l'impeto non li colse, anche se aizzati; l'ira non li esasperò, anche se provocati [59]; la consuetudine non li vinse, anche se abituati; l'istinto naturale non li possedette, anche se selvaggi. Insegnarono il dovere religioso, adorando la martire, insegnarono anche la castità, baciando nient'altro se non i piedi della vergine con gli occhi abbassati, come verecondi, perché nessun maschio, sia pure bestia, doveva vedere nuda la vergine [60].

21. Qualcuno dirà: «Perché hai portato l'esempio di Maria, come se si potesse trovare chi sia capace di imitare la madre del Signore? Perché anche quello di Tecla che fu istruita dal Dottore delle genti? Dacci un simile maestro, se vuoi una tale discepola». Vi racconto un esempio simile recente, perché comprendiate che l'Apostolo non è maestro di una sola vergine, ma di tutte.

**4.** 22. Ci fu poco tempo fa in Antiochia [61] una vergine che evitava di farsi vedere in pubblico. Ma quanto piú schivava gli sguardi degli uomini, tanto piú li stimolava. Infatti la bellezza di cui si è sentito parlare e che non si è vista, è maggiormente bramata per lo stimolo di un doppio desiderio, dell'amore e della conoscenza, dacché da una parte nulla, che piaccia poco, colpisce

[56] Sul martirio di Tecla cf. *epist. ex. c.* 14, 34 (CSEL 82, 3, p. 253) *quo munere autem uenerabilis Thecla etiam leonibus fuit ut ad pedes praedae suae stratae impastae bestiae sacrum deferrent ieiunium nec procaci oculo uirginem nec ungue uiolarent aspero, quoniam et ipso aspectu uirginitatis uiolatur sanctitas.*

[57] Cf. *Acta Pauli et Theclae*, 28 (ed. cit. ERBETTA, p. 264, 24 s.) «Tecla stava seduta, mentre la belva le leccava i piedi»; *ibid.* 33 (p. 265, 44 s.) «una leonessa feroce andò di corsa a gettarsi ai suoi piedi».

[58] *naturae transfusione*: cf. *exp. Luc.* 4, 19 (CCL 14, p. 112) *naturae alterius transfusione.*

[59] Ambrogio allude al testo degli Atti; cf. *Acta Pauli et Theclae* 35 (ERBETTA, p. 265, 43 ss.) «allora fu legata per i piedi fra due tori e per di piú furono messi dei ferri infocati sotto le loro pance, perché, aizzati maggiormente, la uccidessero».

[60] Cf. *Acta*, cit., 33 (p. 265, 40 s.) «Tecla fu strappata dalle mani di Trifena e denudata»; *ibid.*, 34 (p. 265, 38 s.) «...le bestie non poterono toccarla né si poteva osservare la sua nudità».

[61] È quasi certo che si tratta, invece, di Teodora di Alessandria (cf. l'Introduzione, 5.1), la cui passione è narrata negli *Acta proconsularia* (AA.SS., *aprilis* 3, pp. 573 s.).

quod minus placeat et plus putatur esse quod placeat, quod non iudex oculus explorat, sed animus amator exoptat. Itaque sancta uirgo, ne diutius alerentur potiendi spe cupiditates, integritatem pudoris professa sic restinxit improborum faces, ut iam non amaretur, sed proderetur.

23. Ecce persecutio. Puella fugere nescia, certe pauida, ne incideret insidiatores pudoris, animum ad uirtutem parauit, tam religiosa, ut mortem non timeret, tam pudica, ut expectaret. Venit coronae dies. Maxima omnium expectatio. Producitur puella duplex professa certamen et castitatis et religionis. Sed ubi uiderunt constantiam professionis, metum pudoris, paratam ad cruciatus, erubescentem ad aspectus, excogitare coeperunt, quemadmodum specie castitatis religionem tollerent, ut cum id abstulissent quod erat amplius, etiam id eriperent quod reliquerant. Aut sacrificare uirginem aut lupanari prostitui iubent.

24. Quomodo colunt deos suos qui sic uindicant, aut quemadmodum ipsi uiuunt qui ita iudicant? Hic puella non quo de religione ambigeret, sed de pudore trepidaret, ipsa secum: «Quid agimus? Hodie aut martyr aut uirgo. Altera nobis inuidetur corona. Sed nec uirginis nomen agnoscitur, ubi uirginitatis auctor negatur. Nam quemadmodum uirgo, si meretricem colas, quemadmodum uirgo, si adulteros diligas; quemadmodum uirgo, si amo-

l'attenzione, dall'altra ciò che piace è sopravvalutato, perché non l'occhio giudice esamina, ma l'animo bramoso desidera. E cosí la santa vergine, perché le brame non fossero troppo a lungo alimentate dalla speranza di possederla, fece professione di verginità, e cosí spense le fiamme dei malvagi, tanto che non fu piú amata, ma tradita.

23. Arriva la persecuzione. La fanciulla, incapace di fuggire, certamente timorosa di cadere nelle mani di coloro che insidiavano la sua pudicizia, si preparò a dar prova di coraggio; era tanto animata dalla fede da non temere la morte, tanto pudica da attenderla. Venne il giorno della corona [62]. L'attesa di tutti era grandissima [63]. Viene portata la fanciulla che si presentava per il duplice combattimento, della castità e della fede [64]. Ma quando videro la costanza della professione, il timore per il pudore, che era pronta ai tormenti, che arrossiva sotto gli sguardi, incominciarono a pensare come privarla della fede prendendo a pretesto la castità, affinché, dopo averle tolto il piú, le potessero strappare anche ciò che le avevano lasciato. Ordinarono che la vergine o sacrificasse o si prostituisse al lupanare [65].

24. Come possono adorare i loro dèi coloro che puniscono in questo modo, o come vivono loro stessi che giudicano cosí? A questo punto la fanciulla, non perché dubitasse della fede, ma in ansia per il pudore, disse tra sé [66]: «Che facciamo? Oggi, o confessore [67] o vergine. L'una delle due corone ci è negata. Ma dove è negato l'autore della verginità, è disconosciuto anche il titolo di vergine. Infatti, come si può essere vergine, se si adora una prostituta [68]? Come si può essere vergine, se ami gli adulteri? Come si può essere vergine, se si cerca l'amore [69]? È meglio

[62] La corona del martirio: cf. LATTANZIO, *mort.* 1, 1; ID., *inst.* 4, 25, 10; AGOSTINO, *serm.* 286, 7, 6 (PL 38, 1300 A); CIPRIANO, *epist.* 58, 11 (CSEL 3, 2, p. 666).

[63] Cf. AA.SS., *aprilis* 3, p. 573, 4 *ut incideres in tantam turbam quae tuam expectat sententiam.*

[64] *duplex... certamen...*: cf. sopra 1, 2, 9 *duplex martyrium* e nota relativa.

[65] Cf. AA.SS., *aprilis* 3, p. 573, 2 *iusserunt imperatores uos quae estis uirgines, aut diis sacrificare aut iniuria meritorii prouocari.* Il testo di questa sorta di editto imperiale è ripetuto poco oltre nel medesimo paragrafo degli Atti, che in seguito lo richiamano altre tre volte. Ci si è chiesti se veramente sia mai stata promulgata una tale legge (cf. F. AUGAR, *Die Frau im römischen Christenproceß*, TU N.F. 13, 4, Leipzig 1905, p. 39).

[66] Una brillante esegesi del soliloquio della vergine antiochena ci è data da J. DOIGNON, *L'«exemplum» de Judith*, in *Ambroise de Milan, XVIe centenaire de son élection épiscopale*, Paris 1974, pp. 219-228.

[67] *martyr*: qui è detto di chi soffre per la fede senza subire la pena capitale. Per la protagonista di questo racconto il martirio consisteva nell'essere condannata ad essere rinchiusa nel lupanare.

[68] Il termine *meretrix* nei testi biblici e negli autori cristiani è spesso usato con valore simbolico, a proposito dell'apostasia e dell'idolatria, come sopra, in 1, 8, 52 *meretrix quae deos fecit*; cf. Bar 6, 10 (Vulgata), ove si parla di meretrici; Is 1, 21 (Vulgata) *facta est meretrix ciuitas fidelis*; Ier 2, 20 (Vulgata); COMMODIANO, *instr.* 1, 41, 12 *Babillon meretrix.* Il FALLER (*ad loc.*) rinvia ad Apoc 17, 2-6 e 19, 2.

[69] Ambrogio si riferisce probabilmente a quei culti misterici pagani che erano accompagnati da orge, dei quali ha parlato sopra in 1, 4, 16.

rem petas? Tolerabilius est mentem uirginem quam carnem habere. Vtrumque bonum, si liceat. Si non liceat, saltem non homini castae, sed deo simus. Et Rahab meretrix fuit, sed postquam deo credidit, salutem inuenit [a]. Et Iudith se, ut adultero placeret, ornauit. Quae tamen quia hoc religione, non amore faciebat, nemo eam adulteram iudicabat. Bene successit exemplum. Nam si illa quae se commisit religioni et pudorem seruauit et patriam, fortassis et nos seruando religionem seruabimus etiam castitatem. Quodsi Iudith pudicitiam religioni praeferre uoluisset, perdita patria etiam pudicitiam perdidisset».

25. Itaque talibus informata exemplis, simul animo tenens uerba domini quibus ait: *Quicumque perdiderit animam suam propter me inueniet eam* [b], fleuit, tacuit, ne eam uel loquentem adulter audiret, nec pudoris elegit iniuriam, sed Christi recusauit. Aestimate utrum adulterare potuerit corpus quae nec uocem adulterauit.

26. Iamdudum uerecundatur oratio mea et quasi adire gestorum seriem criminosam atque explanare formidat. Claudite aurem, uirgines dei: ducitur puella dei ad lupanar. Sed aperite aurem, uirgines dei: uirgo prostitui potest, adulterari non potest. Vbicumque dei uirgo est, dei templum est. Nec lupanaria infamant castitatem, sed castitas etiam loci abolet infamiam.

27. Ingens petulantium concursus ad fornicem (discite martyrum miracula, sanctae uirgines, dediscite locorum uocabula): clauditur intus columba, strepunt accipitres foris, certant singuli, qui praedam primus inuadat. At illa manibus ad caelum leuatis, quasi ad domum uenisset orationis, non ad libidinis diuersorium,

4. [a] Ios 2, 1-21; 6, 17-25.
[b] Mt 10, 39.

conservare vergine la mente [70] piuttosto che la carne. Entrambe sono cose buone, se è possibile averle. Se non è possibile, che almeno siamo caste non di fronte all'uomo, ma di fronte a Dio [71]. Anche Raab fu prostituta, ma, dopo aver creduto in Dio, trovò la salvezza. Anche Giuditta si ornò per piacere all'adultero. Tuttavia, poiché faceva questo per fede, non per amore, nessuno la giudicava adultera. L'esempio è caduto a proposito. Infatti, se quella, scegliendo la fede, conservò il pudore e la patria, forse anche noi, conservando la fede, conserveremo anche la castità. Che se Giuditta avesse voluto preferire la pudicizia alla fede, dopo aver perduto la patria, avrebbe perduto anche la pudicizia».

25. E cosí, istruita da tali esempi e insieme tenendo presenti al suo animo le parole del Signore, con le quali dice: *Chiunque perderà la sua anima a causa mia, la troverà*, pianse, tacque, affinché l'adultero nemmeno la udisse parlare, e non scelse l'offesa del pudore, ma rifiutò di offendere Cristo. Pensate se avrebbe potuto profanare il corpo colei che non profanò nemmeno la voce.

26. Già da tempo il mio discorso si fa verecondo e quasi ha paura di inoltrarsi nella serie criminosa degli avvenimenti e di esporli. Tappatevi le orecchie, o vergini di Dio: la fanciulla di Dio [72] è condotta al lupanare. Ma apritevi le orecchie, o vergini di Dio: la vergine può essere prostituita [73], non può essere profanata. Ovunque si trova una vergine di Dio, là è un tempio di Dio [74]. Nemmeno i lupanari infamano la castità, ma la castità elimina anche l'infamia del luogo.

27. Si verificò un grande afflusso verso il bordello di gente senza pudore — tenete a mente i miracoli dei martiri, o sante vergini, dimenticate i nomi dei luoghi —: la colomba è chiusa dentro, fuori strepitano gli avvoltoi, lottano l'uno contro l'altro, chi per primo si avventi sulla preda [75]. Ma lei, con le mani alzate al cielo, come se fosse venuta alla casa della preghiera, non nell'albergo della libidine, dice [76]: «O Cristo, hai ammansito per

[70] L'apostasia viola la verginità della mente. *Mens* nell'antropologia ambrosiana è la parte superiore dell'anima che mantiene il cristiano fedele rivolto a Dio. Sulla verginità della mente cf. sopra 2, 2, 7 *uirgo erat non solum corpore sed etiam mente* e la nota relativa.

[71] Il passo *tolerabilius est - deo simus* è ripreso dal *Decretum Gratiani* C 32, q. 5, c. 1 (RICHTER-FRIEDEBERG, p. 1132).

[72] *puella dei*: sul valore semantico speciale dell'espressione si veda piú oltre la mia nota relativa a 3, 1, 1 (*puellis dei*).

[73] Il passo *uirgo prostitui - abolet infamiam* è ripreso dal *Decretum Gratiani* C. 32, q. 5, c. 1 (RICHTER-FRIEDEBERG, p. 1132).

[74] Per il tema della vergine come tempio di Dio, cf. sopra 2, 2, 18 *corpus uirginis dei templum est* e nota *ad loc.*

[75] Cf. AA.SS., *aprilis* 3, p. 574, 7 *turbae uero circumspiciebant sicut lupi, quis prior intraret ad agnam dei, aut certe sicut accipiter circa columbam.*

[76] Spesso Ambrogio rielabora il contenuto della fonte che utilizza. Qui modifica e arricchisce di esempi biblici la preghiera della vergine; cf. AA.SS., *aprilis* 3, p. 574, 7 *pater domini nostri Iesu Christi, adiuua me, et libera me de meritorio hoc, qui adiuuisti Petrum cum esset in carcere, qui eduxisti eum sine contumeliam, educ me sine macula hinc: ut omnes uideant, quoniam tua sum ancilla.*

«Christe, inquit, domuisti uirgini feros leones, potes domare etiam hominum feras mentes. Chaldaeis rorauit ignis [c], Iudaeis se unda suspendit [d], misericordia tua, non natura sua. Susanna ad supplicium genu fixit et de adulteris triumphauit [e]. Aruit dextera quae templi tui dona uiolabat [f]: nunc templum ipsum adtrectatur tuum. Ne patiaris incestum sacrilegi qui non passus es furtum. Benedicatur et nunc nomen tuum, ut quae ad adulterium ueni, uirgo discedam».

28. Vix compleuerat precem, et ecce uir militis specie terribilis irrupit. Quemadmodum eum uirgo tremuit, cui populus tremens cessit! Sed non illa immemor lectionis «Et Danihel, inquit, supplicium Susannae spectaturus aduenerat et quam populus damnauit unus absoluit [g]. Potest et in hoc lupi habitu ouis latere [h]. Habet et Christus milites suos qui etiam legiones habet. Aut fortasse percussor intrauit: ne uereare, anima, talis solet martyres facere». O uirgo, *fides tua te saluam fecit* [i].

29. Cui miles: «Ne quaeso paueas, soror. Frater huc ueni saluare animam, non perdere. Serua me, ut ipsa serueris. Quasi adulter ingressus, si uis, martyr egrediar. Vestimenta mutemus; conueniunt mihi tua et mea tibi, sed utraque Christo. Tua uestis

[c] Dan 3, 50.
[d] Ex 14, 21.
[e] Dan 13, 60-61.
[f] 3 Reg 13, 4 (?).
[g] Dan 13, 44 ss.
[h] Mt 7, 15.
[i] Lc 8, 48.

una vergine [77] leoni feroci, puoi domare anche le menti selvagge degli uomini. Per i Caldei il fuoco stillò rugiada, per i Giudei l'onda si arrestò per tua misericordia, non per sua natura. Susanna si inginocchiò [78] per subire il supplizio e trionfò sugli adulteri. Si inaridí la destra che violava i doni del tuo tempio [79]: ora si stende la mano sullo stesso tuo tempio [80]. Non tollerare questa impudica profanazione, tu che non hai tollerato un furto. Sia benedetto anche ora il tuo nome, cosicché io, che sono venuta per l'adulterio, riparta vergine».

28. Aveva appena terminato la preghiera, ed ecco che irruppe un soldato [81], dall'aspetto terrificante. Come fu atterrita la vergine da costui, al cui arrivo il popolo spaventato si ritrasse! Ma lei, rammentandosi della Sacra Scrittura, disse: «Anche Daniele era venuto per vedere il supplizio di Susanna, e quella che un popolo aveva condannato lui da solo assolse. Anche sotto queste vesti di lupo può nascondersi una pecora [82]. Anche Cristo ha i suoi soldati, lui che, anzi, possiede legioni. O forse è entrato il carnefice: non temere, anima, è lui che suole fare i martiri». O vergine, *la tua fede ti ha salvata.*

29. . A lei il soldato disse: «Ti prego, non temere, o sorella [83]. Come fratello sono venuto qui, per salvare la mia anima [84], non a perderla. Salvami, perché tu possa essere salva. Sono entrato come adultero; se vuoi, uscirò martire. Scambiamoci i vestiti [85]: a me stanno bene i tuoi e a te i miei, ma gli uni e gli altri si

[77] I Maurini hanno inteso in *uirgini* Daniele (cf. Dan 6, 23), senza escludere che il riferimento possa essere a Tecla (cf. sopra 2, 3, 19-20). In realtà sembra piú sicura questa seconda indicazione.

[78] Il FALLER (*ad loc.*) interpreta *genu fixit* = *genu confortauit*, ma non mi sembra che l'espressione possa significare altro che «si inginocchiò». Molti esempi di quest'uso di *figere* sono registrati da A. BLAISE, *Dictionnaire, s.u. figo* e *s.u. genu*; tra gli altri 3 Reg 8, 54 (Vulgata) *surrexit* (scil. *Salomon*) *de conspectu altaris domini, utrumque enim genu in terram fixerat*; AGOSTINO, *serm.* 319, 4 *pro se stans rogauit* (scil. *Stephanus*), *pro illis genu fixit*. Da notare che nel testo biblico di Dan 13, 42 non si dice che Susanna si inginocchiò: il particolare è introdotto da Ambrogio.

[79] Probabile riferimento, ma impreciso, a 3 Reg 13, 4; una seconda allusione al medesimo episodio in 2, 5, 38.

[80] La vergine è il tempio di Dio: cf. sopra 2, 2, 18 *corpus uirginis dei templum est* e la nota *ad loc.*

[81] Cf. AA.SS., *aprilis* 3, p. 574, 7 *nam de timentibus dominum fratribus unus, doctus uiam quae ducit ad caelum, induit se militari habitu et duplex in se compleuit martyrium. Intrauit ad eam utpote unus de sceleratis. At illa cum uidisset, habitu peregrino turbata, circumfugiebat per angulos.*

[82] Cf. *ibid.*, p. 574, 8 *cui frater coepit dicere: non sum quem uides; de foris, inquit, sum lupus, intrinsecus autem agnus.*

[83] Cf. *ibid.*, p. 574, 8 *noli inspicere uestimenta mea aduersa: frater enim uoluntate cum sim tuus, in diabolicis uestimentis ingressus sum, ut te hinc possem liberare.*

[84] Generalmente i traduttori hanno inteso «la tua anima». Ma dal seguito del racconto si deduce che il soldato era entrato nella prigione della vergine non solo per salvarla, ma per guadagnarsi il martirio. Del resto non si comprenderebbe, altrimenti, la frase successiva, *serua me ut ipsa serueris.*

[85] Cf. AA.SS., *aprilis* 3, p. 574, 8 *mutemus uestem.*

me uerum militem faciet, mea te uirginem. Bene tu uestieris, ego melius exuar, ut me persecutor agnoscat. Sume habitum qui abscondat feminam, trade, qui consecret martyrem. Induere clamidem quae occultet membra uirginis, seruet pudorem. Sume pilleum qui tegat crines, abscondat ora: solent erubescere qui lupanar intrauerint. Sane cum egressa fueris, ne respicias retro, memor uxoris Loth, quae naturam suam, quia impudicos licet castis oculis respexit, amisit [l]. Nec uereare, ne quid pereat sacrificio. Ego pro te hostiam deo reddo, tu pro me militem Christo, habens bonam militiam castitatis, quae stipendiis militat sempiternis, *loricam iustitiae* [m], quae spiritali munimine corpus includat, *scutum fidei* [n], quo uulnus repellas, *galeam salutis* [o]: ibi enim est praesidium nostrae salutis, ubi Christus, quoniam mulieris caput uir, uirginis Christus [p]».

30. Et inter haec uerba clamidem exuit; suspectus tamen adhuc habitus et persecutoris et adulteri. Virgo ceruicem, clamidem miles offerre. Quae pompa illa, quae gratia, cum in lupanari de martyrio certarent! Addantur personae, miles et uirgo, hoc est dissimiles inter se natura, sed dei miseratione consimiles, ut complaceatur oraculum: *Tunc lupi et agni simul pascentur* [q]. Ecce agna et lupus non solum pascuntur simul, sed etiam immolantur. Quid plura? Mutato habitu euolat puella de laqueo, iam non suis

[l] Gen 19, 26.
[m] Eph 6, 14.
[n] Eph 6, 16.
[o] Eph 6, 17.
[p] Eph 5, 23.
[q] Is 65, 25.

addicono a Cristo. La tua veste mi farà vero soldato [86], i miei ti preserveranno vergine. È bene che tu ti vesta, è meglio che io mi spogli, affinché il persecutore mi riconosca. Prendi l'abito che nasconda la tua femminilità, dammi quello che può consacrare un martire. Indossa la clamide che nasconda il tuo corpo di vergine, che preservi il pudore. Prendi il pileo che ti copra i capelli, ti nasconda il viso: solitamente arrossiscono quelli che sono entrati nel lupanare [87]. Appena sarai fuori, non guardare indietro [88], memore della moglie di Lot, la quale perse la propria vita per aver guardato gli impudichi, anche se con occhi casti. E non temere che venga meno qualcosa al sacrificio. Io al tuo posto mi offro a Dio, come vittima, tu al mio posto dai a Cristo un soldato, praticando la buona milizia della castità [89], che combatte per le eterne ricompense, portando *la corazza della giustizia*, che racchiude il corpo in una difesa spirituale, *lo scudo della fede*, con il quale ti difendi dalle ferite, *l'elmo della salvezza*: infatti il presidio della nostra salvezza è là dove è Cristo, poiché il marito è capo della moglie, Cristo della vergine [90]».

30. E dicendo queste parole si tolse la clamide; ma l'aspetto lo rendeva ancor sospetto d'essere un persecutore e un adultero. La vergine porgeva il collo, il soldato la clamide. Quale trionfo era quello, quale grazia, che essi nel lupanare gareggiassero per il martirio! Si considerino anche i personaggi: un soldato e una vergine, cioè per condizione diversi tra loro, ma simili per la bontà di Dio, onde sia assecondata la profezia: *Allora i lupi e gli agnelli pascoleranno insieme*. Ecco l'agnella e il lupo non solo pascolano insieme, ma sono anche immolati. Che, di piú? Dopo aver mutato l'abito [91], la fanciulla vola via [92] dai lacci, ma ormai non con le proprie ali, come era naturale per colei che era

[86] *uerum militem* (sott. *Christi*): nel senso di «martire»; cf. *Passio Aureae*, AA.SS., *Aug.* 4, p. 760, 38 *corpora sanctorum militum*; CIPRIANO, *Fortun.* 13, 38 (CCL 3, 2, p. 215) *si talem persecutio inuenerit dei militem*; *epist.* 28, 2 (CSEL 3, 2, p. 547).

[87] E perciò sono anche soliti uscire con il volto nascosto.

[88] Cf. AA.SS., *aprilis* 3, p. 574, 9 *accipiens itaque uirgo habitum militis capiti imposuit depresso pileum. Hoc enim antea prouiderat, ut quasi ueretur populum, quia prior ausus fuerat introire. Et praecepit ei ut deorsum respiceret et nulli loqueretur ad portam.*

[89] *militiam castitatis*: cf. sopra 1, 10, 60 *milites castitatis.*

[90] *uirginis Christus*: l'espressione si fonda sulla nota concezione secondo la quale Cristo è mistico sposo della vergine. Ma poiché il passo paolino sotteso di Eph 5, 23 (a torto, credo, il Faller rinvia a 1 Cor 11, 3) dice che Cristo è il capo della Chiesa, non si può escludere che Ambrogio — spesso incline all'uso delle ambivalenze semantiche — intenda alludere anche alla Chiesa, vergine sposa di Cristo (cf. sopra 1, 5, 22; 1, 6, 31; *exh. u.* 5, 28).

[91] Qui *habitus* parrebbe indicare — come del resto richiede il contesto — qualcosa di piú della semplice veste; è l'abito del corpo e insieme della «mente». Il cambio del vestito infatti è concomitante ad una interiore trasformazione della vergine in *miles Christi.*

[92] Insiste sulla vergine il linguaggio metaforico evocatore di immagini aeree e celesti: il volo, le ali; cf. sopra 2, 4, 27 *clauditur intus columba.*

alis, utpote quae spiritalibus ferebatur, et quod nulla umquam uiderunt saecula, egreditur de lupanari uirgo, sed Christi.

31. At illi, qui uidebant oculis et non uidebant [r], ceu raptores ad agnam lupi, fremere ad praedam. Vnus qui erat immodice districtior introiuit. Sed ubi hausit oculis rei textum «quid hoc, inquit, est? Puella ingressa est, uir uidetur. Ecce non fabulosum illud *cerua pro uirgine* [s], sed quod uerum est, miles ex uirgine. At etiam audieram et non credideram, quod aquas Christus in uina conuertit [t]: iam mutare coepit et sexus. Recedamus hinc, dum adhuc qui fuimus sumus. Numquid et ipse mutatus sum qui aliud cerno quam credo? Ad lupanar ueni, cerno uadimonium, et tamen mutatus egrediar, pudicus exibo qui adulter intraui».

32. Indicio rei, quia debebatur tanto corona uictori, damnatus est pro uirgine qui pro uirgine conprehensus est. Ita de lupanari non solum uirgo, sed etiam martyres exierunt. Fertur puella ad locum supplicii cucurrisse, certasse ambo de nece, cum ille diceret: «Ego sum iussus occidi, te obsoluit sententia, quando me tenuit», at illa clamaret: «Non ego te uadem mortis elegi, sed praedem pudoris optaui. Si pudor quaeritur, manet nexus, si sanguis exposcitur, fideiussorem non desidero, habeo unde dissoluam. In me lata est ista sententia quae pro me lata est. Certe si pecuniae te fideiussorem dedissem et absente me iudex tuum censum feneratori adiudicasset, eadem me sententia conuenires: meo patrimonio soluerem tuos nexus. Si recusarem, quis me indignam digna morte censeret? Quanto maior est capitis huius

[r] Mt 13, 13; Ps 113 (114), 13.
[s] *Prouerbium*: *cf. quae ad loc. notaui.*
[t] Io 2, 2-11.

sostenuta da ali spirituali [93], e, ciò che i secoli mai hanno veduto, esce vergine dal lupanare, ma vergine di Cristo.

31. E quelli che guardavano con gli occhi e non vedevano, come lupi rapaci ad un'agnella, ululavano alla preda [94]. Uno di loro, che era smodatamente esagitato, entrò. Ma, appena con i propri occhi vide com'erano le cose, disse: «Che cosa è questo? È entrata una fanciulla e vedo un uomo. Allora non appartiene alle favole quel detto: *una cerva in luogo della vergine* [95], ma è vero: una vergine si è trasformata in soldato. Ma avevo sí udito, e non avevo creduto, che Cristo ha mutato l'acqua in vino: ma ha già cominciato a mutare anche i sessi! Ritiriamoci da qui, finché siamo quelli che eravamo. Forse che anch'io sono stato cambiato dal momento che vedo una cosa diversa da quella che penso che sia? Sono venuto al lupanare e vedo una malleveria [96], e cosí uscirò cambiato, uscirò pudico, io che sono entrato come adultero [97]».

32. Quando fu denunciato il fatto, poiché a cosí gran vincitore era dovuta la corona, fu condannato in luogo della vergine colui che fu preso invece della vergine. Cosí non solo la vergine, ma anche i martiri uscirono dal lupanare. Si narra che la fanciulla sia corsa al luogo del supplizio, che entrambi facessero a gara per avere la morte; mentre lui diceva: «Io ho avuto la condanna a morte: la sentenza ti ha assolta, mentre ha colpito me», ma quella gridava: «Io non ti ho scelto come mallevadore di morte, ma ti ho voluto a garanzia del pudore. Se si tratta del pudore, vale ancora l'impegno, se è richiesto il sangue, non voglio malleverie, ho con che sdebitarmi. Contro di me è stata pronunciata questa sentenza che per me è stata pronunciata. Certamente se avessi presentato te come garante di denaro e, in mia assenza, il giudice avesse aggiudicato i tuoi beni all'usuraio, tu mi citeresti in giudizio per la medesima sentenza ed io ti scioglierei dai tuoi obblighi con il mio patrimonio. Se mi rifiutassi, chi mi riterrebbe immeritevole di una giusta morte? Quanto piú grande è l'usura

[93] AA.SS., *aprilis* 3, p. 574, 9 *accipiens itaque uirgo habitum militis... cum exisset eleuauit alas suas ad caelum ab ore accipitris liberata et ab ore leonis abstracta.* Sulle ali spirituali della vergine cf. *uirgt.* 13, 83.

[94] Cf. AA.SS., *aprilis* 3, p. 574, 7 *...sicut lupi, quis prior intret ad agnam dei...*; VIRGILIO, *Aen.* 2, 355 s. *inde lupi ceu / raptores*; 9, 59 s. *ueluti... lupus... quom fremit ad caulas*; cf. anche *exp. Luc.* 7, 82 (CCL 14, p. 241) *frementibus ad caulas rapacibus lupis.*

[95] Il mito di Ifigenia ridotto a proverbio. Ifigenia, figlia di Agamennone, doveva essere sacrificata ad Artemide, ma al momento dell'immolazione fu prodigiosamente sostituita da una cerva. Di tale detto, come segnala il Cazzaniga in apparato, abbiamo anche la testimonianza di LIBANIO, *epist.* 695 e 1533: ἔλαφος ἀντὶ παρθένου.

[96] In quanto il soldato aveva assunto il compito di garante per la vergine, come risulterà piú chiaro dal paragrafo seguente.

[97] Cf. AA.SS., *aprilis* 3, p. 574, 10 *cumque ora transiret, quidam ingressus est ex istis et inuenit pro uirgine uirum et stupefactus intrare dixit: putas et uirgines in uiros demutat Iesu? Qui enim intrauerat exiuit et dixit: quis est qui sedet? Vbi est quae inclusa est uirgo? Audiebam quoniam demutauit aquam in uinum et famulam existimabam id quod facilius erat: nunc autem quod maius est uideo, quoniam in uirum demutauit uirginem, et timeo ne me demutet in mulierem.*

usura! Moriar innocens, ne moriar nocens. Nihil hic medium est: hodie aut rea ero tui sanguinis aut martyr mei. Si cito redii, quis me audet excludere? Si moram feci, quis audet absoluere? Plus legibus debeo rea non solum fugae meae, sed etiam caedis alienae. Sufficiunt membra morti, quae non sufficiebant iniuriae. Est in uirgine uulneri locus, qui non erat contumeliae. Ego opprobrium declinaui, non martyrium tibi cessi. Vestem, non professionem mutaui. Quodsi mihi praeripis mortem, non redemisti me, sed circumuenisti. Caue, quaeso, ne contendas, caue ne contradicere audiaris. Noli eripere beneficium, quod dedisti. Dum mihi hanc sententiam negas, illam restituis superiorem. Sententia enim sententia [superiore] mutatur. Si posterior me non tenet, superior tenet. Possumus uterque satisfacere sententiae, si me prius patiaris occidi. In te non habent aliam quam exerceant poenam, in uirgine obnoxius pudor est. Itaque gloriosior eris, si uidearis de adultera martyrem fecisse quam de martyre adulteram reddidisse».

33. Quid expectatis? Duo contenderunt et ambo uicerunt, nec diuisa est corona, sed addita. Ita sancti martyres inuicem sibi beneficia conferentes altera principium martyrio dedit, alter effectum.

**5.** 34. At etiam philosophorum gymnasia Damonem et Phintiam Pythagoreos in caelum ferunt, quorum unus cum esset morti adiudicatus, commendandorum suorum tempus poposcit, tyrannus autem astutissimus, quod repperiri non posse aestimaret, petiuit ut sponsorem daret, qui pro se feriretur, si ipse faceret moram. Quid de duobus praeclarius nescio. Vtrumque praecla-

---

32, 25 superiore *exp. Castiglioni ap. Cazz. prob. Faller Cazz.*, posteriore *cod. Mantuanus.*

di questo capitale [98]! Morirò innocente, per non morire colpevole. Qui non c'è via di mezzo: oggi o sarò colpevole del tuo sangue o martire del mio. Se sono tornata subito, chi oserà escludermi? Se invece ho tardato, chi oserà assolvermi? Io sono maggiormente in debito nei confronti delle leggi, in quanto colpevole non solo della mia fuga, ma anche della morte altrui. Le mie membra possono sopportare la morte, esse che non potevano tollerare l'oltraggio. In me vergine c'è posto per il colpo di spada, mentre non c'era posto per l'ignominia. Io ho evitato il disonore, non ti ho ceduto il martirio. Ho cambiato la veste, non la professione. Se mi privi della morte, allora non mi hai salvata, ma raggirata. Ti prego, guardati dal contendere, evita che ti si oda contraddire. Non voler strappare il beneficio che hai fatto. Mentre mi neghi questa sentenza, mi restituisci quella di prima. Infatti una sentenza viene riformata da un'altra sentenza [99]. Se la seconda non mi raggiunge, mi raggiunge la prima [100]. Possiamo tutti e due sottostare alla sentenza, se mi permetti di essere uccisa per prima. A te non possono infliggere un'altra pena, in una vergine il pudore è esposto al pericolo. E cosí meriterai piú gloria, se apparirà che tu hai fatto di un'adultera una martire, piuttosto che se avessi reso adultera una martire».

33. Che cosa vi attendete? Gareggiarono in due ed entrambi vinsero, né la corona fu divisa, ma se ne aggiunse un'altra. Cosí i santi martiri si scambiarono l'un l'altro benefici: l'una diede inizio al martirio, l'altro lo portò a conclusione.

**5.** 34. Ma anche i ginnasi dei filosofi esaltano i pitagorici Damone e Finzia, dei quali l'uno, essendo stato condannato a morte, chiese tempo per l'affidamento dei suoi cari, e il tiranno [101], astutissimo, pretese una cosa che riteneva impossibile da trovare, che fornisse un garante che sarebbe stato ucciso al suo posto, se egli avesse tardato a presentarsi [102]. Non so quale delle due cose

[98] È probabile che la parola *caput* sia usata con studiata ambiguità: nel senso di «capitale» spirituale, ma anche con riferimento alla «testa» e quindi all'esecuzione capitale, al martirio, che la vergine chiede per sé. Un'analoga ambivalenza di *caput* è riscontrata in *Tob.* 12, 41 (CSEL 32, 2, p. 541, 19 e 21).

[99] Il testo tràdito accolto dal Faller e dal Cazzaniga, con *superiore* prima di *mutatur*, appare assai problematico, relativamente alla sua interpretazione. La lezione di P *posteriore* sembra una banalizzazione. Ho seguito la proposta di Castiglioni (cf. CAZZANIGA, app. *ad loc.*) di espungere *superiore*.

[100] Quella per la quale la vergine era stata rinchiusa nel lupanare.

[101] Dionisio (il Vecchio) tiranno di Siracusa, ma erroneamente: cf. nota seg.

[102] L'episodio è verosimilmente tratto da CICERONE, *off.* 3, 45 *Damonem et Phintiam Pythagoreos ferunt hoc animo inter se fuisse, ut cum eorum alteri Dionysius tyrannus diem necis destinauisset et is qui morti addictus esset paucos dies commendandorum suorum causa postulauisset, uas factus sit alter eius sistendi, ut si ille non reuertisset moriendum esset ipsi. Qui cum ad diem se recepisset, admiratus eorum fidem tyrannus petiuit, ut se ad amicitiam tertium adscriberent* (cf. anche *Tusc.* 5, 63; *fin.* 2, 79). La dipendenza da Cicerone sembra provata da alcune corrispondenze verbali, ma l'episodio ha testimonianze anche piú antiche: cf. GIAMBLICO, *uit. Pyth.* 233, il quale attesta di aver tratto il racconto dalla vita di Pitagora scritta da Aristosseno (IV sec.), al quale sarebbe stato narrato direttamente dal tiranno siracusano protagonista dell'episodio, precisamente da Dionisio il Giovane; la

rum. Alter uadem mortis inuenit, alter se optulit. Itaque cum reus moram supplicio faceret, fideiussor uultu sereno mortem non recusauit. Cum duceretur, amicus reuertit, ceruicem substituit, colla subiecit. Tunc admiratus tyrannus cariorem philosophis amicitiam fuisse quam uitam petiuit, ut ipse ab his quos damnauerat in amicitiam reciperetur. Tantam uirtutis esse gratiam, ut et tyrannum inclinaret!

35. Digna laude, sed minora nostris. Nam illic ambo uiri, hic una uirgo, quae primo etiam sexum uinceret. Illi amici, isti incogniti. Illi tyranno uni se obtulerunt, isti tyrannis pluribus, hoc etiam crudelioribus, quod ille pepercit, isti occiderunt. Inter illos in uno obnoxia necessitas, in his amborum uoluntas libera. Hoc quoque isti prudentiores, quod illis studii sui finis amicitiae gratia, istis corona martyrii; illi enim certarunt hominibus, isti deo.

36. Et quoniam regis istius fecimus mentionem, par est contexere quid de diis suis senserit, quo magis infirmos iudicetis quos irrident sui. Namque is cum uenisset in templum Iouis, amictum aureum, quo operiebatur simulacrum eius, detrahi iussit, inponi laneum, dicens aurum hieme frigidum, aestate onerosum esse. Sic deum irrisit suum, ut nec onus ferre posse nec frigus putaret. Item cum Aesculapio barbam uidisset auream, tolli imperauit incongruum esse appellans ut filius barbam haberet, cum Apollo pater eius adhuc non haberet. Item simulacris tenenti-

sia piú meravigliosa. L'una e l'altra meravigliosa. L'uno trovò un garante di morte, l'altro si offrí. E cosí, poiché il reo tardava a presentarsi al supplizio, il garante con volto sereno non rifiutò la morte. Mentre veniva condotto al patibolo, l'amico ritornò, sottopose la propria testa, offrí il suo collo. Allora il tiranno, meravigliato che i filosofi avessero piú cara l'amicizia che la vita, chiese di essere accolto anch'egli nell'amicizia di coloro che aveva condannato. Tanta è l'attrattiva della virtú da piegare anche un tiranno!

35. È un esempio degno di lode, ma non tanto come il nostro, perché in quel caso erano entrambi uomini, in questo una è una vergine, che doveva innanzi tutto vincere la debolezza del sesso. Quelli erano amici, questi non si conoscevano. Quelli si offrirono ad un solo tiranno, questi a molti, che erano anche piú crudeli, perché quello condonò, questi uccisero. Di quelli uno era costretto, in questi libera era la volontà di entrambi [103]. Anche per questo costoro erano piú saggi, perché mentre quelli avevano come scopo del proprio zelo la grazia dell'amicizia, questi cercavano la corona del martirio; infatti quelli combatterono per gli uomini, questi per Dio.

36. E poiché abbiamo fatto menzione di questo re [104], è giusto esporre quale opinione avesse dei suoi dèi, perché possiate meglio giudicare impotenti le divinità che i loro seguaci deridono. Infatti costui, essendo andato al tempio di Giove, comandò che fosse tolto il manto d'oro che ricopriva la statua del dio, e ordinò di metterglene uno di lana, dicendo che l'oro è freddo d'inverno e pesante d'estate. Cosí derise il suo dio, pensando che non potesse sopportare né un peso né il freddo. Analogamente avendo veduto che Esculapio aveva la barba d'oro, ordinò che gli fosse tolta, dicendo che era incongruente che il figlio avesse la barba, mentre suo padre Apollo non l'aveva ancora [105]. Allo stesso modo

medesima versione è data da PORFIRIO, *uit. Pyth.* 60 e DIODORO, *frag.* 10, 4, 3-6. L'identificazione del tiranno con Dionisio il Vecchio, fatta da Cicerone, seguita da VALERIO MASSIMO, 4, 7, 1 e accolta da Ambrogio (cf. piú avanti § 36), è dunque erronea. L'episodio è ripreso da Ambrogio in *off.* 3, 12, 80 (SAEMO 13, p. 322), sempre per dimostrare la superiorità degli *exempla* cristiani (o biblici) di virtú su quelli pagani. Per un piú dettagliato raffronto fra il nostro testo ambrosiano e le altre fonti antiche cf. P. COURCELLE, *Les sources de Saint Ambroise sur Denys le tyran*, in «Rev. de Philol.», 43 (1969), pp. 204 s.

[103] Libero era il soldato perché si era offerto spontaneamente a sostituire la vergine. Libera era la vergine che aveva affrontato le conseguenze della sua fedeltà cristiana.

[104] Il protagonista dell'episodio narrato in questo § 36 è Dionisio il Vecchio. La fonte principale di Ambrogio sembra essere CICERONE, *nat. deor.* 3, 83 s., che sarebbe stato contaminato da Ambrogio con LATTANZIO, *inst.* 2, 4, 16-26 (CSEL 19, pp. 110, 12 - 112, 6); cf. COURCELLE, *Les sources de Saint Ambroise*, pp. 206-210, che esclude la presenza di impronte di VALERIO MASSIMO, 1, 1 *ext.* 3; cf. anche PWRE 5, 900.

[105] In effetti l'iconografia antica rappresenta Apollo imberbe: cf. DAREMBERG-SAGLIO, 1, 1, p. 318, nota 177.

bus aureas pateras ademit allegans accipere se debere quod dii darent, «quoniam haec sunt uota, inquit, hominum, ut a diis quae bona sunt adipiscamur». Nihil autem auro melius: quod tamen si malum est, habere deos non debere, si bonum, habere magis homines debere, qui uti scirent.

37. Ita ludibrio habiti sunt, ut neque Iuppiter uestem suam defendere potuerit, nec barbam Aesculapius, nec Apollo pubescere adhuc coeperit, neque omnes qui dicuntur dii retrahere potuerint pateras quas tenebant, non tam furti reatum timentes quam sensum non habentes. Quis igitur eos colat, qui nec defendere se quasi dii nec abscondere quasi homines possunt?

38. At in templo dei nostri cum Hieroboam, rex sceleratissimus, dona quae pater eius posuerat auferret ac super sanctum altare libaret idolis, dextera eius quam tetendit aruit nec sua ei quae inuocabat idola profuerunt [a]. Deinde conuersus ad dominum rogauit ueniam statimque manus eius quae aruerat sacrilegio sanata est religione. Tam maturum in uno et misericordiae diuinae et indignationis exemplum extitit, ut sacrificanti subito dextera adimeretur, paenitenti uenia daretur.

**6.** 39. Haec ego uobis, sanctae uirgines, nondum triennalis sacerdos munuscula paraui, usu indoctus licet, sed uestris edoctus moribus. Quantus iste enim adolescere usus potuit tam parua initiatae religionis aetate? Si quos hic flores cernitis, de uestrae uitae collectos legite sinu. Non sunt haec praecepta uirginibus, sed de uirginibus exempla. Vestrae uirtutis effigiem nostra depinxit oratio, uestrae grauitatis imaginem quasi in speculo quodam sermonis istius cernitis refulgere. Vos, si qua est, nostro gratiam inhalastis ingenio: uestrum est quidquid iste redolet liber. Et quoniam quot homines tot sententiae, si quid defaecatum est in

5. [a] 3 Reg 13, 4-6 (?).

---

37, 2*s.* nec Apollo pubescere adhuc coeperit *exp. Castiglioni ap. Cazz.*

strappò patere d'oro alle statue che le avevano, dicendo di dover prendere quello che gli dèi davano «perché queste sono le preghiere degli uomini — disse —, che otteniamo dagli dèi le cose buone». E nulla è migliore dell'oro: che, però, se fosse cosa cattiva, non dovrebbero averlo gli dèi; se è buono, è meglio che lo abbiano gli uomini, che lo sanno usare.

37. Cosí furono tanto ridicolizzati, che né Giove poté difendere il proprio vestito, né Esculapio la barba, né Apollo ha ancora cominciato a farsi crescere la sua [106], né alcuno di quelli che sono chiamati dèi hanno potuto ritrarre le patere che avevano, non tanto perché intimoriti dal crimine del furto, quanto perché privi di capacità di intendere. Dunque, chi potrà venerarli, dato che non sono capaci di difendersi come dovrebbero poter fare gli dèi né nascondersi come fanno gli uomini?

38. Invece nel tempio del nostro Dio, quando Geroboamo, re scelleratissimo, portò via i doni che vi aveva collocato suo padre, e fece libagioni agli idoli sul santo altare, si inaridí la mano destra che aveva steso né gli furono di aiuto i suoi idoli che invocava. Poi, rivolto al Signore, chiese perdono e subito la sua mano, che si era inaridita per il sacrilegio, fu risanata per quell'atto di fede [107]. Tanto tempestivamente in una sola persona si espresse l'esempio della misericordia e dell'indignazione divine, che, a chi sacrificava, subito fu tolta la destra, al penitente fu concesso il perdono.

**6.** 39. Vescovo da meno di tre anni, vi ho preparato, o sante vergini, questi piccoli doni, anche se non sono istruito dall'esperienza — sono però edotto dalla vostra condotta. Quanto infatti è potuta crescere tale esperienza dal momento che è trascorso cosí poco tempo da quando mi sono votato a Dio? Se nella mia esposizione notate qualche fiore, coglietelo come dal seno della vostra vita. Questi non sono insegnamenti per le vergini, ma esempi tratti dalla vita delle vergini. Il nostro discorso ha raffigurato la vostra virtú: voi vedete in questo sermone, come in uno specchio, risplendere l'immagine della vostra prudenza. Voi, se ve n'è, avete ispirato grazia al nostro ingegno: è vostro ogni profumo che questo libro spira. E poiché tanti sono i pareri quanti gli uomini [108], se nel nostro discorso vi è qualcosa di limpido, che lo leggano tutti; se vi è qualcosa di buono [109], lo

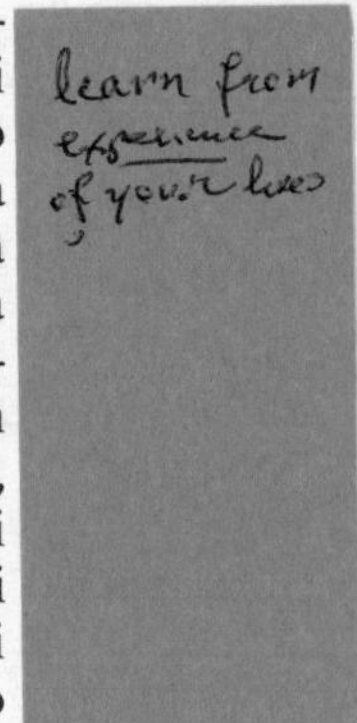


[106] Il Cazzaniga, seguendo un suggerimento del Castiglioni, ha espunto, senza comprensibile ragione, *nec Apollo pubescere adhuc coeperit*, un'espressione carica di ironia che ben si riconnette con la narrazione del paragrafo precedente: vista la fine fatta dalla barba del figlio Esculapio, Apollo, nonostante l'età, preferisce restare imberbe!

[107] L'episodio è quello di 3 Reg 12, 32 - 13, 6, ma riferito in modo assai impreciso e con l'aggiunta di elementi che non si ritrovano in quel luogo biblico.

[108] Proverbio: cf. CICERONE, *fin.* 1, 5, 15 *sed quot homines tot sententiae*; TERENZIO, *Phorm.* 454; ORAZIO, *sat.* 2, 1, 27 (e PORFIRIONE, *ad loc.*); OVIDIO, *ars am.* 1, 759; PERSIO, 5, 52; ENNODIO, p. 4, 1 (VOIO).

[109] Cf. PERSIO, 1, 125 *si forte aliquid decoctius audis.*

sermone nostro, omnes legant; si quid decoctum, maturiores probent; si quid modestum, pectoribus inhaereat, genas pingat; si quid florulentum, aetas florulenta non inprobet.

40. Debuimus sponsae citare amorem; scriptum est enim: *Diliges dominum deum tuum* [a]. Debuimus in nuptiis calamistris quibusdam crines saltim orationis ornare; scriptum est enim: *Plaude manu et percute pede* [b]. Debuimus perpetuos spargere thalamos rosis. Etiam in his coniugiis temporalibus nubenti prius plauditur quam imperatur, ne ante dura offendant imperia quam blanditiis amor fotus inolescat.

41. Eculeorum uis plausae sonitum discit amare ceruicis, ne recuset iugum; denique prius adsuescitur uerbo lasciuiae quam uerbere disciplinae. Ast ubi colla subdiderit iugo, et habena constringit et stimulus urguet et conpares trahunt et iugalis inuitat. Sic etiam uirgo nostra debuit prius amore pio ludere, aurea tori caelestis fulcra mirari in ipso uestibulo nuptiarum et postes frondium sertis cernere coronatos et chori strepentis interius haurire delicias, ne se prius dominico iugo timefacta subduceret quam uocata inclinaret.

42. *Veni* igitur *huc a Libano, sponsa, ueni huc a Libano: transibis et pertransibis* [c]. Saepius enim nobis iste uersiculus recantandus est, ut uel dominicis uocata uerbis sequatur, si qua non credit humanis. Hoc nos magisterium non inuenimus, sed accepimus; sic instituit mystici carminis doctrina caelestis: *Osculetur me ab osculis oris sui, quia bona ubera tua super uinum et odor unguentorum tuorum super omnia aromata, unguentum exinanitum est nomen tuum* [d]. Totus iste deliciarum locus ludum sonat, plausum excitat, amorem prouocat. *Ideo*, inquit, *adulescentulae dilexerunt te et attraxerunt te. Retro odorem unguentorum tuorum curramus. Induxit me rex in tabernaculum suum* [e]. Ab osculis coepit, ut ad tabernaculum perueniret.

6. [a] Deut 6, 5 (Mt 22, 37; Mc 12, 30; Lc 10, 27).
[b] Ez 6, 11.
[c] Cant 4, 8.
[d] Cant 1, 2-3 (1-2).
[e] Cant 1, 3-4.

approvino i piú maturi; se vi è qualcosa di giudizioso, lo accolgano i cuori, colori le guance; se vi è qualcosa di fiorito, non lo respinga l'età fiorente.

40. Abbiamo dovuto stimolare l'amore della sposa; infatti sta scritto: *Amerai il Signore Dio tuo*. Abbiamo dovuto, trattandosi di nozze, arricciare un po' la chioma del discorso come con dei calamistri; sta scritto infatti: *Batti le mani e batti i piedi* [110]. Abbiamo dovuto ricoprire con rose i talami eterni [111]. Anche in queste nozze temporali si plaude alla sposa, prima che le si comandi, affinché la durezza degli ordini non sia di offesa, prima che l'amore nutrito di blandizie cresca.

41. A forti puledri si fa sentire il piacere delle carezze sul collo [112], perché non rifiutino il giogo; e cosí si avvezzano con parole dolci prima che con la sferza della disciplina. Poi, quando hanno sottomesso il collo al giogo, la correggia stringe, il pungolo stimola, i compagni trascinano, chi è aggiogato insieme [113] invita. Cosí anche la nostra vergine deve dapprima dilettarsi del pio amore, ammirare i sostegni d'oro del talamo [114] celeste mentre sta sulla soglia delle nozze e guardare gli stipiti coronati di fronde intrecciate e gustare le delizie del coro che canta all'interno, affinché essa, intimorita dal giogo del Signore, non si sottragga prima di essere chiamata a sottomettersi.

42. Allora *vieni qui dal Libano, o sposa, vieni qui dal Libano: passerai e oltrepasserai*. Molto spesso dobbiamo cantare questo versetto [115], perché, se qualcuna non crede alle parole umane, segua almeno quando è chiamata dalle parole del Signore. Questo insegnamento non è una nostra invenzione, ma lo abbiamo ricevuto; cosí insegna la dottrina celeste del mistico canto: *Mi baci con i baci della sua bocca* [116], *perché le tue mammelle sono migliori del vino e il profumo dei tuoi unguenti supera tutti gli aromi: unguento esinanito è il tuo nome*. Tutto questo luogo di delizie esprime diletto, incita il plauso, suscita l'amore. *Perciò* — dice — *le giovinette ti hanno amato e ti hanno attratto. Corriamo dietro il profumo dei tuoi unguenti. Il re mi ha introdotto nella sua tenda*. Ha cominciato dai baci per giungere alla tenda.

[110] Ez 6, 11, secondo Ambrogio, attesta che, oltre alla danza riprovevole che accende le passioni del corpo, ne esiste anche una doverosa e lodevole con cui si esprimono i propri sentimenti religiosi; cf. *exp. Luc.* 6, 8 (CCL 14, p. 177); *epist.* 27, 5-7 (CSEL 82, 1, p. 182).

[111] Per la metafora del talamo nuziale e dei suoi ornamenti floreali cf. *exc. fr.* 2, 132 (CSEL 73, p. 324).

[112] Cf. VIRGILIO, *georg.* 3, 186 *...et plausae sonitum ceruicis amare.*

[113] In senso metaforico *iugalis* significa «sposo» (in questo caso si allude a Cristo sposo mistico della vergine): con analogo valore *iugalis* è usato in *off.* 3, 112 (SAEMO 13, p. 342); *expl. ps. 36* 5 (CSEL 64, p. 73, 12).

[114] Cf. VIRGILIO, *Aen.* 6, 604 *aurea fulcra toris.*

[115] *saepius... recantandus*: non a caso dunque Ambrogio cita e commenta molte volte Cant 4, 8. Per i riferimenti cf. la mia nota *ad loc.* in *exh. u.* 5, 23.

[116] *osculetur me ab osculis*: la rozzezza della costruzione latina si spiega come calco sul testo dei Settanta di Cant 1, 2: φιλησάτω με ἀπὸ φιλημάτων.

43. Atque illa tam patiens duri laboris exercitataeque uirtutis, ut aperiat manu claustra [f], in agrum exeat, in castellis maneat [g], in principio tamen retro odorem currit unguenti. Mox, cum in tabernaculum uenerit, unguentum mutatur a castellis; denique quo euadat uide: *Si murus,* inquit, *est, aedificemus super eum turres argenteas* [h]. Quae ludebat osculis iam turres erigit, ut pretiosis sanctorum turrita fastigiis non solum hostiles frustretur incursus, uerum etiam bonorum propugnacula struat tuta meritorum.

[f] Cant 5, 5.
[g] Cant 7, 11.
[h] Cant 8, 9.

43. E lei tanto capace di sopportare dure fatiche e l'esercizio della virtú da aprire con la mano catenacci [117], da uscire nella campagna, da restare nelle fortezze [118], all'inizio tuttavia corre dietro il profumo dell'unguento. Poi, quando giunge alla tenda, allora l'unguento è sostituito con le fortezze; osserva, infatti, ove va a concludere: *Se c'è un muro* — dice —, *edifichiamo sopra delle torri d'argento.* Lei che gioiva per i baci, ora alza torri, affinché, difesa come da torri dai preziosi fastigi dei santi, non solo respinga gli assalti dei nemici, ma costruisca anche i sicuri baluardi dei buoni meriti.

[117] Per il testo ambrosiano di Cant 5, 5, cui qui si allude, cf. *Isaac* 6, 53 (CSEL 32, 1, p. 677, 6 ss.); *uirgt.* 9, 60-61 *surrexi aperire fratri meo... digiti mei... in manibus clausurae,* secondo l'interpretazione di Ambrogio (cf. *ibid.*) la vergine, o l'anima, progredita nella virtú, apre la porta a Cristo.

[118] Il senso preciso di *castellum* è desumibile dall'ultima parte del paragrafo. È superfluo dire che, se si controlla il testo biblico cui il passo allude, vi si troverà che l'interpretazione di Ambrogio è singolare.

## LIBER TERTIVS

**1.** 1. Quoniam quae habuimus digessimus superioribus libris duobus, tempus est, soror sancta, ea quae mecum conferre soles beatae memoriae Liberii praecepta reuoluere, ut quo uir sanctior eo sermo accedat gratior. Namque is, cum Saluatoris natali ad apostolum Petrum uirginitatis professionem uestis quoque mutatione signares (quo enim melius die quam quo uirgo posteritatem adquisiuit?) adstantibus etiam puellis dei compluri-

## LIBRO TERZO

**1.** 1. Dal momento che abbiamo trattato nei due libri precedenti quanto dovevamo, è ora, o santa sorella, di ripensare a quegli insegnamenti di Liberio di santa memoria, dei quali sei solita discorrere con me, cosicché quanto piú santo è l'uomo, tanto piú gradito ti giunga il suo discorso. E infatti egli, quando tu nel giorno del Natale del Salvatore [1] presso l'apostolo Pietro [2] suggellavi la professione [3] della verginità anche con il cambio

[1] Due sono le questioni cronologiche che pone questo passo. Innanzi tutto ci si chiede in quale anno è avvenuta la consacrazione di Marcellina; in secondo luogo quale sia la data della festa del Natale cui si riferisce Ambrogio. In passato gli studiosi hanno ripetuto l'uno dopo l'altro che l'anno è il 353: cf. PALANQUE, *Saint Ambroise*, pp. 483 e 577. Ma D'IZARNY, *La virginité*, 2, Appendice III, nota 7, ha giustamente messo in dubbio tale opinione. Liberio infatti fu eletto papa il 17 maggio 352 e mandato in esilio da Costanzo II nel corso del 355, e secondo alcuni anche piú tardi (cf. GOEMAUS, *L'exil du Pape Libère*, in *Mélanges offerts à M.elle Chr. Mohrmann*, Utrecht 1963, pp. 184-189). La consacrazione dunque può essere avvenuta nel giorno di Natale del 352 o 353 o 354. Se si esclude che possa essere avvenuta dopo il ritorno di Liberio dall'esilio, nel 358, perché Ambrogio a quell'epoca non sarebbe stato piú un *adulescens*, come attesta PAOLINO, *vita*, 4 (BASTIAENSEN, p. 60). Quanto alla data esatta del Natale, sembra certo ormai che si tratti del 25 dicembre, giorno nel quale la festività era celebrata a Roma almeno fin dal 336 (cf. B. BOTTE, *Les origines de la Noël et de l'Epiphanie*, Louvain 1932, pp. 32-38; O. CULLMANN, *Noël dans l'Église ancienne*, Cahiers théologiques de l'actualité protestante, Neuchâtel 1949, p. 23) e non del 6 gennaio, giorno in cui — come qualcuno ha sostenuto — a Milano si celebravano Natale ed Epifania, secondo la consuetudine orientale. Da non confondere con queste la questione se Ambrogio, nel comporre il sermone che attribuisce a Liberio, abbia avuto in mente non la liturgia romana del 25 dicembre, ma quella milanese del 6 gennaio, e da questa, in realtà, abbia attinto il materiale omiletico, come sostiene TH. MICHELS, *Noch einemal die Ansprache des Papstes Liberius bei Ambrosius De virginibus III 1, 1 ff.*, in «Jahrb. f. Liturgiewiss.», 3 (1923), pp. 105-108. Ma anche quest'ultimo dubbio è stato verosimilmente risolto da H. FRANK, *Zur Geschichte von Weihnachten und Epiphanie*, 1: *Die Feier des Feste «natalis Salvatoris» und «epiphania» in Mailand zur Zeit des Bischofs Ambrosius*, in «Jahrb. f. Liturgiewiss.», 12 (1932), pp. 145-155 (trad. it.: *La celebrazione della festa «natalis Salvatoris» e «Epiphania» in Milano ai tempi di S. Ambrogio*, in «Sc. Catt.», 62 [1934], pp. 683-695); ID., *Zur Geschichte von Weihnachten und Epiphanie (Fortsetzung)*, in «Jahrb. f. Liturgiewiss.», 13 (1933), pp. 1-38, che ha sostenuto che a Milano al tempo di Ambrogio si celebravano già due feste distinte, il 25 dicembre e il 6 gennaio. Sull'intera questione cf. anche P. BORELLA, *Appunti sul Natale e l'Epifania a Milano al tempo di S. Ambrogio*, in *Mélanges liturgiques offerts au R.P. Dom Bernard Botte*, Louvain 1972, pp. 49-69.

[2] Nella basilica romana di San Pietro.

[3] *uirginitatis professionem*: sul valore del termine *professio* in relazione allo stato religioso cf. L. VON HERTLING, *Die professio der Kleriker und die Enstehung der drei Gelübde*, in «Zeitschr. f. kath. Theol.», 56 (1932), pp. 149 ss.

bus, quae certarent inuicem de tua societate, «Bonas, inquit, filia, nuptias desiderasti. Vides quantus ad natalem sponsi tui populus conuenerit, et nemo inpastus recedit. Hic est qui rogatus ad nuptias aquam in uina conuertit [a]. In te quoque sincerum sacramentum confert uirginitatis, quae prius eras uilibus obnoxia naturae materialis elementis. Hic est qui quinque panibus et duobus piscibus quattuor milia populi in deserto pauit [b]. Plures potuit, si plures iam tunc qui pascerentur fuissent. Denique ad tuas

1. [a] Io 2, 1-11.
[b] Mt 14, 15-33; 15, 32-39; Mc 6, 35-52; 8, 1-10; Lc 9, 12-17; Io 6, 5-21.

del vestito [4] — infatti, quale giorno migliore di quello nel quale una vergine ebbe posterità? —, alla presenza di tante fanciulle [5] di Dio, che si contendevano la tua compagnia, disse [6]: «O figlia, hai desiderato le buone nozze. Guarda quanta gente è convenuta per il Natale del tuo sposo, e nessuno torna a casa senza aver preso cibo. È lui che, invitato alle nozze [7], mutò l'acqua in vino. Anche a te dà il genuino sacramento della verginità, a te che prima eri soggetta ai meschini elementi della natura materiale. È lui che diede da mangiare nel deserto a quattromila persone con cinque pani e due pesci. Avrebbe potuto sfamarne di piú, se fossero state piú numerose da nutrire. Perciò ha invitato molta

[4] R. D'IZARNY, *La virginité*, 2, Appendice III, nota 10, osserva che *mutare uestem* significa «prendere il lutto» e ritiene, pertanto, che la vergine indossasse una veste di colore scuro, che era anche segno di povertà e di lutto; in proposito cf. GIROLAMO, *epist.* 24, 3 (LABOURT 2, p. 12) *tunicam fusciorem... induta... se repente domino consecrauit* (Girolamo parla della consacrazione della vergine Asella avvenuta a Roma nel 344) ed *epist.* 128, 2 (LABOURT 7, p. 149) *...solent quaedam, cum futuram uirginem spoponderint, pulla tunica eam induere et furuo operire palliolo*, su cui cf. R. SCHILLING, *Le voile de consécration*, p. 408; in *uid.* 9, 59 *uestem mutare* significa «smettere il lutto». Il Faller rinvia semplicemente a 1, 11, 65, dove si parla della *uelatio* della vergine. Sembra invece che la *mutatio uestis* e la *uelatio* fossero due momenti distinti della consacrazione. In ogni caso, abbiamo qui la piú antica attestazione di un rito particolare per la consacrazione di una vergine da accostare a quella della lettera di Papa Siricio (PL 13, 112), che precisa che la consacrazione ha luogo a Natale, Epifania e Pasqua. Da notare, però, che le seguenti due testimonianze non comprendono il Natale nell'elenco delle date in cui poteva avvenire la *uelatio uirginum*: GELASIO I, *epist.* 1 (THIEL, p. 369) *deuotis quoque uirginibus nisi aut epiphaniorum die aut in albis paschalibus aut apostolorum natalitiis sacrum minime uelamen imponant*; *Sacr. Gelas.* 1, 3 (WILSON, Oxford 1894, p. 156) *consecratio sacrae uirginis quae in epiphania uel secunda feria paschae aut in apostolorum nataliciis celebratur.*

[5] *puellis dei*: il termine *puella* in questo ed in altri simili contesti ha valore speciale: in relazione alla sua professione di consacrata, la vergine è detta *puella dei* indipendentemente dall'età: cf. sopra 2, 4, 26; *uirgt.* 7, 39; analogamente accade per *puer* nel senso di «consacrato»: cf. *Abr.* 1, 5, 39 (CSEL 32, 1, p. 532) *tradat illud* (scil. *sacramentum dominicae passionis*) *puero, qui innocentiam tenerae seruet aetatis, dolum nesciat, ferire non nouerit, incorrupti corporis custodiat castimonium*; *expl. ps. 36* 53 (CSEL 64, p. 112) *hic est puer qui patrem genitalem reliquit, secutus est patrem eum quem cognouit aeternum.* Vedi altri riferimenti e indicazioni bibliografiche in COURCELLE, *Les confessions de Saint Augustin dans la tradition littéraire. Antécédents et posteritée*, Paris 1963, p. 183, nota 4, e p. 184, note 1 e 3.

[6] M. KLEIN, *Meletemata Ambrosiana. Mytologica de Hippolyto, doxographica de Exameri fontibus* (Dissert. inaug.), Königsberg 1927, pp. 9 ss. ha dimostrato che il discorso di Liberio per la consacrazione di Marcellina è una *fictio rhetorica*. Ambrogio, nell'attribuire un proprio discorso a Liberio, segue una nota tradizione letteraria classica, ma il suo diretto ispiratore è ancora ATANASIO, *epist. ad uirg.*, CSCO 151, pp. 72, 14 - 76, 2, il quale attribuisce ad Alessandro, vescovo di Alessandria suo predecessore, un discorso rivolto a delle vergini venute a consultarlo. Tale interessante parallelismo è stato scoperto da L. DOSSI, *S. Ambrogio e S. Atanasio nel «De uirginibus»*, in «Acme», 4 (1951), pp. 253-257. Oltre questo importante suggerimento letterario, l'esposizione ambrosiana sui *praecepta* alle vergini non mostra che raramente qualche precisa dipendenza dal testo di Atanasio. Ma bisogna anche tener conto che l'epistola dell'Alessandrino ha una vasta lacuna (17 pagine del manoscritto copto), proprio dove trattava, secondo le intenzioni manifestate dall'autore, dei precetti.

[7] *rogatus ad nuptias*: parafrasi di Io 2, 2 (*uocatus... ad nuptias*: ed. WORDSWORTH-WHITE). Per la costruzione *rogare ad nuptias*, cf. AMMIANO MARCELLINO, 14, 6, 24.

nuptias plures uocauit, sed iam non panis ex hordeo, sed corpus ministratur e caelo.

2. Hodie quidem secundum hominem homo natus ex uirgine, sed ante omnia generatus ex patre, qui matrem corpore, uirtute referat patrem: unigenitus in terris, unigenitus in caelo, deus ex deo, partus ex uirgine, iustitia de patre, uirtus de potente, lumen ex lumine, non impar generantis, non potestate discretus, non uerbi extensione aut prolatione confusus, ut cum patre mixtus, sed ut a patre generationis iure distinctus sit. Ipse est fraternus tuus, sine quo nec caelestia nec marina nec terrena consistunt, uerbum patris bonum [c]. Quod *erat*, inquit, *in principio* [d]: habes eius aeternitatem; *et erat*, inquit, *apud patrem*: habes indiscretam

[c] Ps 44, (45), 2 (?).
[d] Io 1, 1.

gente alle tue nozze, ma non piú per distribuire un pane d'orzo, bensí un corpo disceso dal cielo.

2. Certo, oggi come uomo è nato uomo dalla Vergine, ma generato dal Padre prima di tutte le cose [8], lui che nel corpo richiama la madre [9], nella potenza il Padre: unigenito in terra, unigenito in cielo, Dio da Dio [10], figlio di una vergine, giustizia dal Padre [11], potenza dal potente [12], luce da luce [13], non impari a chi lo ha generato [14], non distinto per potestà [15], non confuso in quanto estensione o profferimento del Verbo [16], tanto da essere mescolato con il Padre, ma per generazione a buon diritto distinto [17]. Egli è il tuo diletto, senza del quale non esistono gli esseri celesti né quelli marini né quelli terrestri, è il Verbo buono del

[8] Questa professione di fede ricalca la formula del cosiddetto Simbolo Apostolico Orientale, attestatoci anche da Epifanio e da Cirillo di Gerusalemme (cf. A. HAHN - L. HAHN, *Bibliothek der Symbole und Glaubensregeln der alten Kirche*, Breslau 1897³, pp. 133 e 135) τὸν ἐκ τοῦ πατρὸς γεννηθέντα... πρὸ πάντων τῶν αἰώνων, come si legge anche nel Simbolo Niceno-Costantinopolitano (cf. *ibid.*, p. 164). Non crea difficoltà che *ante omnia* non ricalchi perfettamente il testo greco, come del resto accade sopra in 1, 5, 21 per la frase *a patre quidem natus ante saecula*. Le considerazioni antiariane dei §§ 2-3 sono solo genericamente ispirate da ATANASIO, *epist. ad uirg.*, CSCO 151, pp. 72 s.

[9] Cf. *Symbolum Quicunque*: HAHN, *Bibliothek der Symbole*³, p. 176, 29 *homo est ex substantia matris in saeculo natus.*

[10] *deus ex deo*: cf. *Symbolum Nicaenum* (HAHN, *Bibliothek der Symbole*³, p. 161), ma non è sicuro che Ambrogio abbia voluto citare la formula nicena, dal momento che l'espressione è comune a diverse altre formule ispirate al Credo niceno e non tutte le successive espressioni sono presenti in quel Credo.

[11] *iustitia de patre*: l'espressione presumibilmente appartiene ad una professione di fede, anche se non mi è stato possibile individuarla.

[12] *uirtus de potente*: ritroviamo l'espressione in una formula di fede tramandata da Marco Eremita: cf. HAHN, *Bibliothek der Symbole*³, p. 147 δύναμιν ἐκ δυνάμεως.

[13] *lumen ex lumine*: cf. *Symb. Nic.*, *ibid.*, p. 161.

[14] *non impar generantis*: cf. *ibid.* ...ὁμοούσιον τῷ πατρί.

[15] Formula antisubordinazionista: cf. *fid.* 4, 11, 150 (CSEL 78, p. 220) *nihil distare inter patris et filii potestatem*; 1, 1, 9 (p. 7) *ne fiat discretio potestatis*; *incarn.* 10, 114 (CSEL 79, p. 279) *omnipotentem etenim Christum... significatum.*

[16] *non uerbi extensione aut prolatione confusus*: si respinge quella concezione monarchiana (riconducibile a Sabellio ed anche a Marcello d'Ancira e Fotino), secondo la quale il Figlio sarebbe solo un'estensione della sostanza divina, avvenuta nei due momenti della creazione e dell'Incarnazione. Solo in quanto profferito, il Logos sarebbe distinto da Dio; come immanente, invece, non avrebbe sussistenza propria: cf. *fid.* 1, 8, 57 (CSEL 78, p. 25) *non permixtione confunditur* (*filius*), *sed manentis uerbi apud patrem solida perfectione distinguitur, ut Sabellius obmutescat... non ergo in prolatione sermonis hoc uerbum est... ut confutetur Fotinus*; *symb. Damasi, anath.* 8 (HAHN, *Bibliothek der Symbole*³, p. 273) *anathematizamus eos, qui uerbum filium dei extensione aut collectione et a patre separatum, insubstantiuum et finem habiturum esse contendunt*; ILARIO, *Trin.* 7, 11, 15 ss. (CCL 72, p. 270) *non quod prolatio uocis natura sit fili, sed ex deo deus cum natiuitatis ueritate subsistens.* Ma l'espressione di Ambrogio è un po' dura, forse perché ellittica; intendiamo: «il Figlio non è confuso con il Padre, come se fosse soltanto un'estensione della sua divinità o il profferimento del suo verbo». Per il senso teologico di *confusus* cf. *fid.* 1, 2, 17 (CSEL 78, p. 10) *nec confusum quod unum*; *spir. s.* 3, 11, 72 (CSEL 79, p. 184) *nec quasi confusus in confuso* (scil. *Christus in deo*).

[17] Cf. *fid.* 1, 2, 16 (CSEL 78, p. 10) *inter patrem et filium generationis expressa distinctio.*

a patre inseparabilemque uirtutem; *et deus erat uerbum* [e]: habes eius diuinitatem; de compendio enim tibi fides est haurienda.

3. Hunc, filia, dilige, quia bonus. *Nemo* enim *bonus nisi unus deus* [f]. Si enim non dubitatur quia deus filius, deus autem bonus est, utique non dubitatur quia deus bonus filius. Hunc, inquam, dilige. Ipse est quem pater ante luciferum genuit [g] ut aeternum, ex utero generauit ut filium, ex corde eructauit ut uerbum [h]. Ipse est in quo complacuit pater [i], ipse est patris brachium, quia creator est omnium, patris sapientia, quia ex dei ore processit [l], patris uirtus [m], quia diuinitatis in eo corporaliter habitat plenitudo [n]. Quem pater ita diligit, ut in sinu portet [o], ad dexteram [p] locet, ut sapientiam dicat, ut uirtutem nouerit.

4. Si igitur uirtus dei Christus [q], numquid aliquando sine uirtute deus? Numquid aliquando sine filio pater? Si semper utique pater, utique semper et filius. Perfecti ergo patris perfectus est filius. Nam qui uirtuti derogat derogat ei cuius est uirtus.

[e] Ibid.
[f] Mc 10, 18.
[g] Ps 109 (110), 3.
[h] Ps 44 (45), 2.
[i] Io 12, 38; Lc 3, 22; Mc 1, 11; Mt 3, 17; 2 Pt 1, 17.
[l] Eccli 24, 5.
[m] 1 Cor 1, 24.
[n] Col 2, 9.
[o] Io 1, 18.
[p] Eph 1, 20; Rm 8, 34.
[q] 1 Cor 1, 24.

Padre [18], il quale *era* — dice — *in principio*: ecco la sua eternità; *ed era* — dice — *presso il Padre*: ecco la potenza indivisa e inseparabile dal Padre; *e il Verbo era Dio*: ecco la sua divinità. Infatti la fede deve essere assunta in una formula sintetica [19].

3. Amalo, o figlia, perché è buono. Infatti *nessuno è buono, se non Dio solo*. Infatti, se non si dubita che il Figlio è Dio [20], e Dio è buono, allora certamente non si dubita che il Figlio è Dio buono [21]. Amalo — ti ripeto. È lui che il Padre ha generato come eterno prima della stella del mattino, dall'utero lo ha generato come figlio, dal cuore lo ha emesso come un parola. È lui, colui nel quale il Padre si è compiaciuto; è lui il braccio [22] del Padre, perché è creatore [23] di tutte le cose; sapienza del Padre, perché è proceduto dalla bocca di Dio; virtú del Padre, perché in lui abita corporalmente [24] la pienezza della divinità. Il Padre lo ama, tanto da portarlo nel suo seno, da metterlo alla sua destra, tanto da definirlo sapienza, da riconoscerlo come virtú.

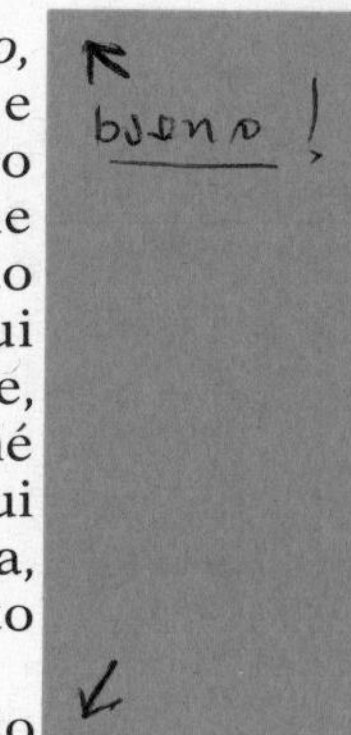


4. Se dunque Cristo è potenza di Dio, forse che talvolta Dio è senza potenza? Talvolta il Padre è senza il Figlio? Se è certo che il Padre esiste sempre, è certo che esiste sempre anche il Figlio. Dunque, di Padre perfetto, perfetto è il Figlio. E chi toglie

[18] Affermazione antiariana con riferimento alla controversa interpretazione di Mc 10, 18: cf. paragrafo seguente.

[19] La sintesi delle verità teologiche, che sono il contenuto della fede, è data dal primo versetto del prologo del quarto Vangelo: cf. *exp. Luc.* 10, 118 (CCL 14, p. 379) *denique Iohannes quasi quasdam intexit sententias, quibus uestiat fidem nostram...: in principio erat uerbum...* Io 1, 1 è per Ambrogio un versetto fondamentale per la discussione trinitaria e per la polemica antiariana. Quali verità ogni singola frase del versetto contenga e quali eretici siano da ciascuno di questi smentiti è detto piú chiaramente in *fid.* 1, 8, 57 (CSEL 78, p. 25).

[20] In effetti gli ariani omeusiani non negavano radicalmente la divinità del Figlio, che concepivano come un secondo Dio, per natura inferiore al Padre (cf. nota seguente).

[21] Gli ariani per difendere la propria concezione teologica citavano anche Mc 10, 18 (cf. piú avanti § 3: *nemo bonus nisi unus deus*), dove, secondo la loro interpretazione, Cristo dichiarerebbe la propria inferiorità rispetto al Padre (in proposito cf.: M. SIMONETTI, *La crisi ariana*, Roma 1975, p. 52). Affermando che la bontà è prerogativa esclusiva del Padre, Ambrogio sintetizza qui in meno di due righe l'interpretazione antiariana di Mc 10, 18, che è sviluppata in due capitoli in *fid.* 2, 1-2 (CSEL 78, pp. 62-67). Cf. anche *exp. Luc.* 8, 66 (CCL 14, p. 323); *Gesta concili Aquileiensis*, 28-30 (CSEL 82, 3, pp. 343 s.) *...bonum deum filium dei qui non confitetur anathema*; ILARIO, *Trin.* 9, 15-18 (CCL 72A, pp. 386 ss.). Sull'argomento mi permetto di rinviare al mio articolo *Dio, sommo bene, nell'esegesi patristica di Mc 10, 18 (e paralleli)*, in «Annali di Storia dell'Esegesi», 4 (1986), pp. 21-66.

[22] *brachium*: in senso biblico: la potenza di Dio (cf. p. es. Ps 97 [98], 1; Is 51, 1).

[23] Sul tema della creazione come opera di Cristo, cf. F. SZABÒ, *Le Christ créateur chez Saint Ambroise*, Roma 1968.

[24] Nell'interpretazione antiariana di Col 2, 9 *corporaliter* (σωματικῶς) acquistava spesso il valore di *substantialiter* (οὐσιωδῶς) o, comunque, era riferito alla sostanza, o natura divina che «abita» in Cristo. Per gli autori greci si vedano i riferimenti in LAMPE, *s.u.* σωματικῶς, nr. 6. Per i latini cf. ILARIO, *Trin.* 8, 54, 6 s. (CCL 72 A, p. 367); *ibid.* 9, 1, 14 ss. (p. 370). Non molto diversamente Ambrogio altrove intende che *corporaliter* esprima l'unità e l'indivisibilità della divinità di Dio: cf. *spir. s.* 2, 7, 69 (CSEL 79, p. 113); *fid.* 3, 12, 102 (CSEL 78, p. 144).

Inaequalitatem non recipit perfecta diuinitas. Dilige igitur quem pater diligit, honorifica quem honorificat pater; *qui* enim *non honorificat filium non honorificat patrem* [r] et *qui negat filium nec patrem habet* [s]. Haec quantum ad fidem.

**2.** 5. Sed interdum etiam cum fides tuta, iuuenta suspecta est. Modico itaque uino utere, ne infirmitatem corporis augeas [a], non ut uoluptatem excites; incendunt enim pariter duo, uinum et adulescentia. Infrenent etiam teneram aetatem ieiunia, et parsimonia cibi retinaculis quibusdam indomitas cohibeat cupiditates. Ratio reuocet, mitiget spes, restringat metus. Nam qui moderari nescit cupiditatibus sicut equis raptatus indomitis uoluitur, obteritur, laniatur, affligitur.

6. Quod aliquando iuueni ob amorem Dianae contigisse proditur. Sed poeticis mendaciis coloratur fabula, ut Neptunus praelati riualis dolore incitatus equis dicatur furorem immisisse, quo eius magna potentia praedicetur, quod iuuenem non uirtute uicit, sed fraude decepit. Vnde etiam sacrificium quotannis instaurant Dianae, ut equus ad eius immoletur aras. Quam uirginem dicunt, quae (id quod etiam meretrices erubescere solent) amare potuit non amantem. Sed habeant per me licet fabulae suae auctoritatem, quia, sit licet scelestum utrumque, minus tamen sit iuuenem amore adulterae sic flagrasse, ut periret, quam duos, ut ipsi dicunt, deos de adulterio certasse, Iouem autem dolorem scortantis filiae in medicum uindicasse adulteri, quod eius curasset uulnera qui

[r] Io 5, 23.
[s] 1 Io 2, 23.
2. [a] 1 Tim 5, 23.

qualcosa alla virtú, toglie a colui del quale è virtú [25]. La divinità perfetta non ammette ineguaglianza. Ama, dunque, colui che il Padre ama; onora colui che il Padre onora. Infatti *chi non onora il Figlio non onora il Padre* e *chi nega il Figlio non ha nemmeno il Padre*. Questo per quanto riguarda la fede.

**2.** 5. Ma talora, anche quando la fede è sicura, la giovinezza desta preoccupazione. Dunque bevi un po' di vino per non aggravare la debolezza del corpo [26], non per eccitare il piacere; infatti due sono le cause che ugualmente infiammano: il vino e la giovinezza. Anche il digiuno metta un freno alla giovane età, e la moderazione del cibo reprima come con dei legami le indomite passioni. La ragione le richiami, la speranza le mitighi, il timore le limiti. Infatti, chi non sa tenere a freno le passioni, come trascinato da cavalli indomiti [27], è travolto, pestato, dilaniato, rovinato.

6. Questo si dice che sia accaduto ad un giovane a motivo del suo amore per Diana. Ma la favola è colorata di poetiche menzogne; e cosí si dice che Nettuno, mosso da dolore perché gli fu preferito il rivale, infuse furore nei cavalli, in modo che fosse esaltata la sua grande potenza per aver vinto il giovane non con il proprio valore, ma per avergli teso un tranello. Perciò fanno anche un sacrificio a Diana ogni anno, immolando un cavallo sui suoi altari. La chiamano vergine, lei che poté amare uno che non l'amava — cosa di cui sogliono arrossire anche le meretrici. Ma, per quanto mi riguarda, le loro favole abbiano pure autorità, in quanto, pur essendo l'una e l'altra cosa scellerate, è meno grave tuttavia che un giovane si sia infiammato di amore per un'adultera tanto da perire, che due dèi, come essi li chiamano, abbiano conteso per un adulterio, e che Giove abbia vendicato sul medico dell'adultero il dolore per quella sgualdrina di sua figlia, perché aveva curato le ferite di colui che aveva sedotto

[25] In questo paragrafo e nel precedente il contesto e i passi paralleli, che indicherò, suggeriscono di attribuire a *uirtus* (termine che Ambrogio attinge da 1 Cor 1, 24) un significato analogo a quello di «perfezione». A ben vedere Ambrogio ripropone una ben nota argomentazione antiariana di ATANASIO, *c. Arian.* 1, 14 (PG 26, 41B); 1, 18 (49B); 1, 25 (64B), che dimostrava la consustanzialità del Figlio con il Padre partendo dal presupposto che il Figlio è la perfezione del Padre: cf. *fid.* 4, 9, 111 (CSEL 78, pp. 196 s.): se il Figlio avesse avuto origine nel tempo, bisognerebbe ammettere che prima della sua nascita Dio era imperfetto. Cf. anche *spir. s.* 3, 4, 18 (CSEL 79, p. 158).

[26] Influenzato da 1 Tim 5, 23, Ambrogio pensa che l'uso moderato del vino abbia effetti medicinali; cf. *Hel.* 5, 10 (CSEL 32, 2, p. 419) *inuentum suum ad remedium temperauit* (*Noe*), *non effudit ad uitium. Vnde apostolus ait: «uino modico utere propter frequentes tuas infirmitates»*.

[27] La metafora dei cavalli, per simboleggiare le passioni, è frequente in Ambrogio: cf. *Nab.* 15, 64-65 (CSEL 32, 2, pp. 507 ss.); *Abr.* 2, 7, 43 (CSEL 32, 1, p. 598, 3 s.); *uirgt.* 15, 94; *exam.* 6, 3, 10 (CSEL 32, 1, p. 210, 19 ss.); *exp. ps. 118* 4, 8 (CSEL 62, p. 71, 27).

Dianam in siluis adulteraret, uenatricem sane optimam non ferarum, sed libidinum (sed ferarum etiam), ut nuda uenetur.

7. Dent igitur Neptuno dominatum furoris, ut adstruant crimen incesti amoris. Dent Dianae regnum in siluis quas incolebat, ut confirment adulterium quod gerebat. Dent Aesculapio quod mortuum reformauerit, dummodo profiteantur quod fulminatus ipse non euaserit. Dent etiam Ioui fulmina quae non habuit, ut testificentur quae habuit obprobria.

8. Sed a fabulis ad proposita reuertamur. Escis quoque omnibus, quae gignant membris calorem, parce utendum puto; carnes enim etiam aquilas uolantes deponunt. In uobis quoque ales interior illa, de qua legimus: *Renouabitur sicut aquila iuuentus tua* [b]; sublime tenens uirgineo praepes uolatu superfluae carnis nesciat appetentiam. Conuiuiorum deuitandae celebritates, fugiendae salutationes.

**3.** 9. Ipsas uisitationes in iunioribus esse parciores uolo, si forte deferendum sit parentibus aut aequalibus. Teritur enim officiis pudor, audacia emicat, risus obstrepit, modestia soluitur, dum affectatur urbanitas: interroganti non respondere infantia,

[b] Ps 102 (103), 5.

Diana nelle selve, certo buona cacciatrice non di fiere, ma di libidini (però anche di fiere), tanto che andava a caccia nuda [28].

7. Dunque diano pure a Nettuno la supremazia del furore, purché aggiungano la colpa di un amore abominevole. Diano a Diana il regno delle selve, nelle quali abitava, purché confermino l'adulterio da lei commesso. Riconoscano a Esculapio di aver ridato vita ad un morto, purché ammettano che, colpito da fulmine, egli stesso non si salvò. Attribuiscano anche a Giove i fulmini che non ebbe, purché attestino le ignominie che ebbe.

8. Ma dalle favole torniamo al tema che ci eravamo proposti. Anche di tutti quei cibi che danno calore alle membra credo che si debba fare un uso moderato; le carni infatti fanno cadere anche le aquile che volano [29]. Anche in noi c'è quel volatile interiore, di cui leggiamo: *Si rinnoverà come un'aquila* [30] *la tua giovinezza*; mantenendosi a grande altezza, veloce in volo verginale, ignori il desiderio della carne superflua [31]. Bisogna evitare i conviti affollati, fuggire i convenevoli.

**3.** 9. Voglio che le stesse visite per le piú giovani siano molto rare, qualora sia necessario farne in ossequio a parenti o coetanee. Infatti per le cortesie si guasta il pudore, risalta la sfrontatezza, fa strepito il riso, svanisce la modestia, mentre si fa mostra di urbanità: se non si risponde a chi interroga, si è creduti incapaci di parlare; se si risponde, si fanno chiacchiere [32]. Preferi-

[28] Ambrogio si riferisce ad una versione del mito di Ippolito che non corrisponde esattamente a quella che ci attestano le fonti classiche. Cf. VIRGILIO, *Aen.* 7, 765 ss.; M. KLEIN, *Meletemata Ambrosiana. Mytologica de Hippolyto, doxographica de Exameri fontibus* (Dissert. inaug.), Königsberg 1927, pp. 16-39.

[29] Sull'astinenza dalla carne, per evitare il riscaldamento del corpo e la conseguente incentivazione delle passioni sensuali, cf. GIROLAMO, *epist.* 100, 6 (LABOURT 5, p. 75); PALLADE, *hist. Laus.* 1 e 38 (BUTLER, pp. 15, 15 e 122, 10: i grandi asceti d'Egitto, Isidoro ed Evagrio, hanno ignorato la carne); *reg. Ben.* 36, 9 (SCh 182, p. 570) *sed et carnium esus infirmis omnino debilibus pro reparatione concedatur. At ubi meliorati fuerint, a carnibus more solito omnes omnibus abstineatur comestio, praeter omnino debiles aegrotos*; FULGENZIO DI RUSPE, *epist.* 2, 27 (CCL 91, p. 206).

[30] *sicut aquila*: nei numerosi luoghi ove ricorre la citazione di Ps 102 (103), 5 troviamo che la tradizione manoscritta quasi sempre oscilla fra le lezioni *aquila* e *aquilae*: cf. *uirgt.* 18, 105; *epist.* 8, 7 (CSEL 82, 1, p. 70); *exh. u.* 10, 69; *exp. Luc.* 8, 55 (CCL 14, p. 318); *Isaac* 3, 10 (CSEL 32, 1, p. 649); *mort.* 5, 16 (p. 718, 2); *int. Iob* 9, 35 (CSEL 32, 2, p. 295); *expl. ps. 36* 59 (CSEL 64, p. 117, 12); *paenit.* 2, 2, 8 (CSEL 73, p. 166). Gli editori hanno sempre scelto *aquilae.* Solo nel nostro caso il Faller ha adottato la lezione *aquila*, poi approvata dal Cazzaniga (la lezione *aquilae* è attestata da un solo testimone). Non ritengo opportuno scostarmi da tale scelta, ma avverto che Ambrogio in ben tre luoghi dei suoi scritti dimostra di aver letto *aquilae* (genitivo di *iuuentus*): *myst.* 8, 43 (CSEL 73, p. 107) *in aquilae iuuentutem*; *exp. ps. 118* 14, 39 (CSEL 62, p. 325, 1) *in quandam aquilae renouatus es iuuentutem*; 18, 26 (p. 410, 18) *renouatus aquilae iuuentute.*

[31] Questo uso di *superfluus* per qualificare quanto nell'uomo è antitetico con l'orientamento razionale e spirituale (la carne, i sensi, le passioni) è particolarmente frequente in Ambrogio e sembra essergli derivato dalla lettura di Filone: cf. *Abr.* 2, 11, 79 (SAEMO 2, 2, p. 241, nota 5); *ibid.* 2, 11, 91 (p. 255, nota 43); *Hel.* 16, 61 (SAEMO 6, p. 101, nota 13).

[32] *fabula*: cf. *exh. u.* 10, 72 *inde nascuntur fabulae.*

respondere fabula est. Deesse igitur sermoni uirginem quam superesse malo. Nam si mulieres etiam de rebus diuinis in ecclesia iubentur tacere, domi uiros suos interrogare [a], de uirginibus quid cautum putamus, in quibus pudor ornat aetatem, taciturnitas commendat pudorem?

10. An uero mediocre pudoris exemplum est, quod Rebecca cum ueniret ad nuptias et sponsum uidisset, uelamen accepit, ne prius uideretur quam iungeretur [b]? Et utique pulchra uirgo non decori timuit, sed pudori. Quid Rachel? Quemadmodum extorto osculo fleuit et gemuit! Nec flere desisset, nisi proximum cognouisset [c]. Ita et pudoris seruauit officium et pietatis non omisit affectum. Quodsi uiro dicitur: *Virginem ne consideres, ne quando scandalizet te* [d], quid dicendum est sacratae uirgini, quae, si amet, animo peccat, si amatur, et facto?

11. Maxima est uirtus tacendi praesertim in ecclesia. Nulla te diuinarum sententia fugiet lectionum, si aurem admoueas, uocem premas. Nullum ex ore uerbum quod reuocare uelis proferes, si parcior loquendi fiducia sit. Copiosum quippe in multiloquio peccatum [e]. Homicidae dictum est: *Peccasti, quiesce* [f], ne peccaret amplius. Sed uirgini dicendum est: quiesce, ne pecces. *Conseruabat* enim Maria, ut legimus, *omnia in corde suo* [g] quae de filio dicebantur. Et tu, cum legitur aliquid quo Christus aut uenturus annuntiatur aut uenisse ostenditur, noli fabulando obstrepere, sed mentem admoue. An quidquam est indignius quam oracula diuina circumstrepi, ne audiantur, ne credantur, ne reue-

[b] Ps 102 (103), 5.
3. [a] 1 Cor 14, 34-35.
[b] Gen 24, 65.
[c] Gen 29, 11-12.
[d] Eccli 9, 5.
[e] Prou 10, 19 (?).
[f] Gen 4, 7.
[g] Lc 2, 19.

---

9, 5 quam: *add.* sermonem uirgini *Cazz.*

sco dunque che la vergine stia lontana dai discorsi, piuttosto che li frequenti troppo [33]. Infatti, se si ordina alle donne di tacere anche sulle cose divine e di interrogare a casa i propri mariti, quali precauzioni pensiamo di adottare circa le vergini, nelle quali il pudore è ornamento della giovinezza e la riservatezza raccomanda il pudore?

10. O è un esempio trascurabile di pudore che Rebecca, allorché andò in sposa e vide lo sposo, si mise il velo per non essere vista dallo sposo prima di unirsi a lui [34]? E senza dubbio la bella vergine non si preoccupò della propria avvenenza, ma del pudore. E che dire di Rachele? Come pianse e gemette per un bacio che le fu strappato [35]! E non avrebbe cessato di piangere, se non avesse riconosciuto il parente. Cosí da una parte conservò il dovere del pudore e dall'altra trascurò il sentimento della pietà. Che se all'uomo si dice: *Non osservare una vergine perché non ti scandalizzi*, che cosa si dovrà dire ad una vergine consacrata che, se ama, pecca intenzionalmente, se è amata, pecca anche di fatto?

11. Quella del silenzio, soprattutto in chiesa, è una virtú somma. Non ti sfuggirà alcun significato delle sacre letture, se tenderai l'orecchio e frenerai la voce [36]. Non proferirai alcuna parola che poi vorresti ritrattare, se sarai abbastanza guardinga nel parlare. Infatti molto si pecca quando si parla molto. All'omicida è stato detto: *Hai peccato, taci* [37], perché non peccasse ancora. Ma alla vergine si deve dire: "Taci, per non peccare". Infatti leggiamo che Maria *conservava nel suo cuore tutte le cose* che si dicevano del figlio. Anche tu, quando si legge qualcosa che annunzia che Cristo verrà o che è venuto, non importunare con le tue chiacchiere, ma presta attenzione. O vi è qualcosa di piú indegno che disturbare l'annuncio delle parole divine, perché non siano udite, credute, rivelate? che circondare i sacramenti di rumorosa

[33] Cf. *exp. Luc.* 2, 21 (CCL 14, p. 40) *discite, uirgines, non circumcursare per alienas aedes, non demorari in plateis, non aliquos in publico miscere sermones.* Sulla virtú del silenzio cf. piú avanti 3, 3, 11 e nota *ad loc.*

[34] Cf. *Abr.* 1, 9, 93 (CSEL 32, 1, p. 563, 7 s.) *caput obnubere suum coepit* (*Rebecca*) *docens uerecundiam nuptiis praeire debere.*

[35] Ambrogio ha frainteso il senso di Gen 29, 11 che nella *Vetus Latina* è cosí attestato: *et osculatus est Iacob Rachel et fleuit cum uoce magna*; dove, in realtà, è Giacobbe che piange per la commozione di aver ritrovato la parente Rebecca.

[36] Di frequente, soprattutto nelle opere sulla verginità, la parenesi ambrosiana tocca la virtú del silenzio, da intendere sia come atteggiamento interiore, che favorisce riservatezza e pudore, sia come disposizione all'ascolto della *lectio diuina*. Perciò particolare insistenza è riservata al silenzio da osservare in chiesa durante la celebrazione liturgica. Cf. sopra 2, 2, 7; 2, 2, 11; 3, 3, 9; *uirgt.* 1, 46; 13, 80-81; *inst. u.* 1, 4 *non solum enim mediocris uirtus tacere*; 10, 66; *exh. u.* 10, 72-73; 13, 86; *off.* 1, 2, 5-8 (SAEMO 13, pp. 24 ss.); *expl. ps. 1* 9, 4 (CSEL 64, p. 8).

[37] Il testo di Gen 4, 7, che non ha rispondenza in quello della Vulgata e dell'ebraico, è tratto dalla *Vetus Latina*, come risulta da altre citazioni ambrosiane dello stesso versetto; cf. *Vetus Latina, Genesis* 2, *ad loc.*

lentur, circumsonare sacramenta confusis uocibus, ut impediatur oratio pro salute deprompta omnium?

12. Gentiles idolis suis reuerentiam tacendi deferunt. Vnde illud exemplum proditur Alexandro sacrificante, Macedonum rege, puerulum barbarum qui ei lumen accenderet excepisse ignem brachio atque adusto corpore mansisse immobilem nec dolorem prodidisse gemitu nec tacito poenam indicasse fletu: tanta in puero barbaro fuit disciplina reuerentiae, ut naturam uinceret. Atque ille non deos, qui nulli erant, sed regem timebat. Quid enim timeret eos, quos idem ignis si contigisset arsissent?

13. Quanto melius quod quidam in conuiuio patris adulescens iubetur, ne meretricios amores indiciis insolentibus prodat! Et tu in mysterio, dei uirgo *gemitus, screatus, tussis, risus abstine* [h]. Quod ille in conuiuio potest, tu in mysterio non potes? Vocis uirginitas prima signetur, claudat ora pudor, debilitatem excludat religio, instituat consuetudo naturam. Virginem mihi prius grauitas sua nuntiet pudore obuio, gradu sobrio, uultu modesto, et praenuntia integritatis anteeant signa uirtutis. Non satis probabilis uirgo est, quae requiritur, cum uidetur.

[h] TERENT., *heaut.* 373.

confusione di voci [38], per disturbare la preghiera recitata per la salvezza di tutti [39]?

12. I pagani tributano ai loro idoli rispettoso silenzio. In proposito si racconta che, mentre Alessandro, re dei macedoni, offriva un sacrificio, del fuoco cadde sul braccio dello schiavo barbaro che gli accendeva il lume, e, mentre il suo corpo bruciava, rimase immobile, né emise gemito di dolore, né tradí sofferenza piangendo tacitamente [40]: tanta fu in uno schiavo barbaro l'educazione al rispetto, che fu capace di vincere la natura. E quello non temeva gli dèi, che erano delle nullità, ma un re. E perché avrebbe dovuto temere coloro che sarebbero arsi, se quel medesimo fuoco li avesse raggiunti?

13. Come è preferibile che nel convito del padre si ordini ad un giovane di non mettere in pubblico i suoi amori meretricii con atteggiamenti spudorati [41]! Anche tu, o vergine di Dio, durante la celebrazione del mistero [42] *evita di gemere, di scatarrare, di tossire, di ridere* [43]. Se quello può comportarsi cosí durante il banchetto, tu non puoi durante la celebrazione del mistero? Innanzi tutto la lingua abbia il sigillo della verginità [44], il pudore chiuda la bocca, la fede allontani la debolezza, l'esercizio rafforzi la natura! Mi annunzi la vergine per prima la sua verginità, dotata di pudore manifesto, composta nell'incedere, modesta nel volto, e gli emblemi della virtú vadano innanzi per annunziare la sua integrità. Non abbastanza raccomandabile è quella vergine, sul cui stato si devono fare domande, quando la si vede [45].

[38] Un indizio che l'attribuzione di questo sermone a Papa Liberio è fittizia, è dato anche dall'insistenza, tipica di Ambrogio, sul silenzio che i fedeli debbono osservare in chiesa; cf. *Hel.* 12, 41 (CSEL 32, 2, p. 436), dove il vescovo rimprovera gli uditori del suo sermone perché facevano chiasso; e ancora piú esplicitamente in *exp. ps. 1* 9, 4 (CSEL 64, p. 8): *quantum laboratur in ecclesia, ut fiat silentium, cum lectiones leguntur! Si unus loquatur, obstrepunt uniuersi.*

[39] È la preghiera eucaristica, universale: cf. *sacram.* 4, 4, 14 (CSEL 73, p. 52, 12-13) *defertur oratio, petitur pro populo, pro regibus, pro ceteris.* Come ha notato SAVON, *Le prêtre*, p. 269, nota 46, in questo passo accenna ai due momenti dell'assemblea eucaristica: il primo consiste nella lettura e nella spiegazione degli *oracula diuina*, il secondo è la celebrazione dei *sacramenta* e la preghiera eucaristica.

[40] Cf. VALERIO MASSIMO, 3, 3, *ext.* 1 *uetusto Macedoniae more regi Alexandro nobilissimi pueri praesto erant sacrificanti, e quibus unus turibulo arrepto ante ipsum astitit. In cuius brachio carbo ardens delapsus est. Quo etsi ita urebatur, ut adusti corporis eius odor ad circumstantium nares perueniret, tamen et dolorem silentio pressit et brachium immobile tenuit, ne sacrificium Alexandri aut concusso turibulo impediret aut edito gemitu aures aspergeret.*

[41] TERENZIO, *heaut.* 370 ss. In proposito cf. P. COURCELLE, *Ambroise de Milan face aux comiques latins*, in «Revue des Ét. Lat.», 50 (1972), pp. 227-228.

[42] *mysterium*: qui significa la celebrazione dell'eucarestia.

[43] TERENZIO, *heaut.* 373. Cf. anche *reg. mag.* 47, 21 (SCh 106, p. 216) *cauendum namque est, cum psallitur, ne frequens tussis aut anelus prolixus abundet aut saliuarum excreatus adsiduus.*

[44] Riflessioni analoghe sopra in 2, 2, 7.

[45] Cf. CIPRIANO, *hab. uirg.* 5 (CSEL 3, 1, p. 191) *uirgo non esse tantum, sed et intellegi debet et credi: nemo cum uirginem uiderit, dubitet an uirgo sit*; l'impronta sembra sicura: cf. Y.-M. DUVAL, *L'originalité du «De virginibus» dans le mouvement ascétique occidental. Ambroise, Cyprien, Athanase*, in *Ambroise de Milan. XVIe Centenaire de son élection épiscopale*, Paris 1974, pp. 23 s.

14. Frequens sermo est, cum plurima ranarum murmura religiosae auribus plebis obstreperent, sacerdotem dei praecepisse ut conticescerent ac reuerentiam sacrae deferrent orationi: tunc subito circumfusos strepitus quieuisse. Silent igitur paludes, homines non silebunt? Et inrationabile animal per reuerentiam recognoscit quod per naturam ignorat: hominum tantam esse immodestiam, ut plerique deferre nesciant mentium religioni quod deferunt aurium uoluptati!».

**4.** 15. Haec tecum sanctae memoriae Liberius. Quae apud alios maiora ueris, apud te minora exemplis: ita omnem disciplinam non solum uirtute adaequauisti, sed etiam aemulatione uicisti. Namque ieiunium in praeceptis habemus, sed singulorum dierum, tu autem multiplicatis noctibus ac diebus innumera tempora sine cibo transigis et, si quando rogaris ut cibum sumas, paulisper deponas codicem, respondes ilico: *Non in pane solo uiuit homo, sed in omni uerbo dei* [a]. Ipse epularum usus, cibus obuius, ut edendi fastidio ieiunium desideretur, potus e fonte, fletus in prece, somnus in codice.

16. Haec iunioribus conuenere annis, donec mens aeui matura canesceret. Ast ubi domiti tropaeum corporis uirgo sustulerit, moderandum labori, ut magistra suppari seruetur aetati. Cito fecundis onerata palmitibus emeritae aetatis uitis crepat, nisi aliquando reprimatur. Eadem tamen donec adolescit, exuberet: inueterata putetur, ne siluescat sarmentis aut fetu nimio exanimata moriatur. Bonus agricola optimam uitem et fotu terrae cohibet et defendit a frigore et ne meridiano sole uratur explorat. Agrum quoque uicibus exercet uel, si non patitur otiosum, diuersa alternat semina, mutatis ut fetibus arua requiescant. Tu quoque, uirgo

4. [a] Mt 4, 4.

14. Spesso si racconta che, allorché un gran gracidare di rane disturbava l'ascolto del popolo fedele, il sacerdote di Dio ordinò che tacessero per rispetto verso la sacra preghiera: allora immediatamente lo strepito tacque attorno [46]. Dunque le paludi tacciono, e non taceranno gli uomini? Anche un animale irrazionale riconosce con il comportamento rispettoso ciò che per sua natura non può conoscere: è tanta la smoderatezza degli uomini che molti non sanno offrire alla pietà della mente ciò che offrono al piacere degli orecchi!».

**4.** 15. Queste parole ti ha rivolto Liberio di santa memoria; parole che per altri sono al di sopra della realtà, per te invece sono inferiori agli esempi [che tu dài]: cosí non solo con la virtú hai uguagliato ogni insegnamento, ma lo hai superato con il tuo zelo. Infatti noi abbiamo il precetto del digiuno, ma riguarda singoli giorni [47]; tu invece, moltiplicando giorni e notti, trascorri un tempo incredibilmente lungo senza cibo e, se a volte ti si prega di prendere cibo, di posare un momento il libro, subito rispondi: *Non di solo pane vive l'uomo, ma di ogni parola di Dio*. Quando si mangia, il cibo sia ordinario [48], cosicché il fastidio del mangiare faccia desiderare il digiuno, la bevanda dalla fonte, il pianto durante la preghiera, il sonno sul libro [49].

16. Queste cose si addicono agli anni giovanili, finché la mente, per l'età avanzata [50], incanutisce. Quando poi la vergine ha riportato vittoria sul proprio corpo ormai ridotto all'obbedienza, dovrà moderare la fatica per conservarsi maestra per la generazione successiva. Si spezza all'improvviso una vite decrepita per l'età, quando è appesantita dai tralci carichi di frutti, se ad un certo momento non la si pota. Ma quella medesima, finché è giovane sia rigogliosa: quando è invecchiata la si poti [51], perché non inselvatichisca nei tralci e per eccessiva produzione non muoia sfinita. Un buon agricoltore circonda l'ottima vite con il tepore della terra e la difende dal freddo e fa attenzione a che non sia bruciata dal sole del meriggio. Coltiva anche il campo con rotazione e, se non permette che resti a riposo, avvicenda le diverse sementi, perché i campi riposino nel produrre i frutti diversi [52]. Anche tu, o vergine, di veneranda età, semina almeno

[46] Non sono in grado di indicare la fonte precisa di questo aneddoto, ma sulla mitologia delle rane mute cf. PWRE 7, 114, dove sono dati i riferimenti delle varie versioni del mito; si vedano anche PLINIO, *nat. hist.* 7, 227 e il relativo commento di A. ERNOUT, Paris 1952, p. 177, note 1 e 2.

[47] Quali fossero i giorni del digiuno prescritto non è detto, ma cf. *Hel.* 10, 34 (CSEL 32, 1, p. 430) *quadragesima totis praeter sabbatum et dominica ieiunatur diebus*.

[48] Sul digiuno e la qualità del cibo abbiamo trovato qualche espressione sopra, a 2, 2, 8.

[49] Sulle letture della vergine cf. sopra 2, 2, 7 *legendi studiosior* e nota *ad loc.*

[50] Cf. VIRGILIO, *Aen.* 5, 73 *aeui maturus*.

[51] Cf. CICERONE, *senect.* 15, 52 *quam serpentem multiplici lapsu et erratico ferro amputans coercet ars agricolarum, ne siluescat sarmentis et in omnes partes nimia fundatur*.

[52] VIRGILIO, *georg.* 1, 71 s. *alternis idem tonsas cessere noualis / et segnem patiere situ durescere campum*; 1, 79 *sed tamen alternis facilis labor*; 1, 82 *sic quoque mutatis requiescunt fetibus arua*; 1, 98 *exercetque frequens tellurem*.

ueterana, pectoris tui colles diuersis saltim seminibus sere, nunc alimoniis mediocribus, nunc ieiuniis parcioribus, lectione, opere, prece, ut mutatio laboris induciae sint quietis.

17. Non totus messem generat ager. Hinc de collibus uineta consurgunt, illic purpurascentes cernas oliuas, hic olentes rosas. Saepe etiam relictis aratris ipse ualidus agricola digito solum scalpit, ut florum deponat radices, et asperis manibus, quibus luctantes inter uineta flectit iuuencos, molliter ouium pressat ubera. Eo quippe melior ager quo numerosior fructus. Ergo et tu boni agricolae exemplum secuta non perennibus ieiuniis tamquam depressis uomeribus humum tuam findas. Floreat in hortis tuis rosa pudoris, lilium mentis, et irriguum sacri sanguinis uiolaria bibant fontem. Vulgo hoc ferunt: quod uelis prolixe facere, aliquando ne feceris. Debet esse aliquid, quod quadragesimae diebus addatur, sed ita ut nihil ostentationis causa fiat, sed religionis.

18. Oratio quoque nos deo crebra commendet. Si enim propheta dicit: *Septies in die laudem dixi tibi* [b], qui regni erat necessitatibus occupatus, quid nos facere oportet, qui legimus: *Vigilate et orate, ne intretis in temptationem* [c]? Certe sollemnes orationes cum gratiarum actione sunt deferendae [d], cum e somno surgimus, cum prodimus, cum cibum paramus sumere, cum sumpserimus, et hora incensi [e], cum denique cubitum pergimus.

[b] Ps 118 (119), 164.
[c] Mt 26, 41.
[d] Phil 4, 6; Col 4, 2; 1 Tim 2, 1.
[e] Lc 1, 10.

i colli del tuo cuore con sementi diverse, ora con moderati cibi, ora con ben limitati digiuni, con la lettura, il lavoro, la preghiera, affinché, mutando attività, tu abbia una tregua di riposo.

17. Non ogni parte della campagna produce messe [53]. Di qui, dai colli sorgono vigneti, là vedi olive purpurescenti, qui le odorose rose [54]. Spesso, messi anche da parte gli aratri, lui, il forte agricoltore, scalfisce il terreno con il dito per deporvi le radici dei fiori, e con le ruvide mani, con cui doma fra i vigneti i giovenchi riluttanti [55], munge delicatamente le mammelle delle pecore [56]. Certamente tanto migliore è un campo quanto piú abbondante è il frutto. Dunque, anche tu seguendo l'esempio del buon agricoltore, non fendere il tuo terreno con continui digiuni, come con vomeri profondamente affondati [57]. Fiorisca nei tuoi orti la rosa del pudore, il giglio della mente e le viole bevano alla fonte irrigua [58] del sacro sangue. Un proverbio dice: «Ciò che vuoi fare a lungo, talora non farlo». Bisogna aggiungere qualcosa nei giorni della Quaresima, in modo tale, però, da non far nulla per ostentazione, ma per spirito di fede.

18. Anche l'orazione frequente ci raccomandi a Dio. Infatti, se il profeta dice: *Sette volte al giorno sono solito rivolgerti la lode*, lui che era preso dalle cure del regno, che cosa dobbiamo fare noi, che leggiamo: *Vegliate e pregate per non entrare in tentazione*? Certamente preghiere solenni [59] con rendimento di grazie devono essere elevate quando ci svegliamo [60], quando usciamo, quando ci prepariamo a prendere cibo, dopo aver mangiato e sul far della sera [61], infine quando andiamo a dormire [62].

[53] *Ibid.* 2, 109 *nec uero terrae ferre omnes omnia possunt.*

[54] *Ibid.* 1, 54 s. *hic segetes, illic ueniunt felicius uuae / arborei fetus alibi...*

[55] *Ibid.* 2, 357 *flectere luctantis inter uineta iuuencos.*

[56] VIRGILIO, *Aen.* 3, 642 *lanigeras claudit pecudes atque ubera pressat.*

[57] VIRGILIO, *georg.* 2, 356 *aut presso exercere solum sub uomere...*

[58] *Ibid.* 4, 32 *floreat, irriguumque bibant uiolaria fontem.*

[59] *sollemnes*: è da credere che l'aggettivo esprima non solo il carattere solenne, liturgico, delle preghiere, ma anche la loro «abituale» pratica giornaliera.

[60] Sulla preghiera in genere, del mattino in particolare, cf. *uirgt.* 12, 72; *inst. u.* 2, 8.10; *exh. u.* 10, 70; *uid.* 9, 56; *exp. ps. 118* 7, 32 (CSEL 62, p. 146); 19, 22 (p. 433); 19, 32 (pp. 438 s.); 20, 52 (p. 470); per la vigilia cf. *exp. ps. 118* 7, 30-31 (pp. 144 s.); 8, 45-47.49.52 (pp. 178 s., 180 s., 182 s.); 19, 32 (pp. 438 s.); *expl. ps. 36* 65-66 (CSEL 64, pp. 124 s.); *exp. Luc.* 2, 76 (CCL 14, p. 64, 1014); 7, 87-89 (pp. 242 s.).

[61] *hora incensi*: è l'ora della preghiera vespertina; l'espressione è tratta da Lc 1, 10 *multitudo populi erat orans foris hora incensi.* Secondo il rituale ebraico, ogni sera sull'altare del tempio si faceva l'oblazione dell'incenso, che era accompagnata dalla preghiera del popolo. A questo rito allude anche Ps 140 (141), 2 *dirigatur oratio mea sicut incensum in conspectu tuo, eleuatio manuum mearum sacrificium uespertinum.* In Ambrogio cf. anche *expl. ps. 1* 9 (CSEL 64, p. 7, 28 s.); *exp. Luc.* 7, 88-89 (CCL 14, p. 243, 877.884).

[62] Qualcuno ha visto in questo passo un abbozzo di quello che sarà chiamato l'Ufficio delle ore. Come si sa, la ripartizione delle ore dell'Ufficio liturgico, riprende la consuetudine veterotestamentaria sancita dal rituale ebraico, cui si riferisce appunto Ps 118 (119), 164, che Ambrogio qui commenta. Si tratta dunque di una ripresa di cui la Chiesa antica era consapevole (cf. CIPRIANO, *dom. or.* 34, CCL 3A, p. 111 *in orationibus uero celebrandis inuenimus obseruasse cum Danihele tres pueros... horam tertiam sextam nonam*). La terminologia e il contesto sembrano proprio suggerire che si riferisca alla ripartizione ufficiale della preghiera liturgica, regolar-

19. Sed etiam in ipso cubili uolo psalmos cum oratione dominica frequenti contexas uice, uel cum euigilaueris, uel antequam corpus sopor inriget, ut te in ipso quietis exordio rerum saecularium cura liberam, diuina meditantem somnus inueniat. Denique etiam ille philosophiae ipsius qui nomen inuenit, cotidie, priusquam cubitum iret, tibicinem iubebat molliora canere, ut anxia curis saecularibus corda mulceret. Sed ille, sicut is qui laterem lauat, saecularia saecularibus frustra cupiebat abolere; magis enim se oblinebat luto qui remedium a uoluptate quaerebat. Nos autem terrenorum uitiorum conluuione detersa ab omni inquinamento carnis mentium interna mundemus.

20. Symbolum quoque specialiter debemus tamquam nostri signaculum cordis antelucanis horis cotidie recensere, quo etiam cum horremus aliquid, animo recurrendum est. Quando enim sine militiae sacramento miles in tentorio, bellator in proelio?

19. Ma voglio che anche nel letto tu intrecci ripetutamente i salmi alternandoli con l'orazione del Signore, sia quando vegli, sia prima che il sonno distenda il corpo, affinché il sonno ti trovi, all'inizio del tuo riposo, libera dalle preoccupazioni mondane, mentre mediti sulle cose divine. E infatti anche quel personaggio [63] che inventò il termine «filosofia», ogni giorno, prima di andare a letto, ordinava al flautista di suonare musiche dolci, per dare sollievo al cuore oppresso dalle preoccupazioni mondane [64], invano voleva eliminare cose mondane con strumenti mondani; infatti ancor piú si infangava colui che cercava rimedio nel piacere. Noi, invece, dopo aver eliminato ogni sozzura di vizi terreni, purifichiamo le menti [65] nel nostro intimo da ogni contaminazione della carne.

20. Dobbiamo, in particolar modo, ogni giorno, prima dell'alba, recitare anche la professione di fede come fosse il sigillo del nostro cuore, alla quale dobbiamo far ricorso con coraggio anche quando qualcosa ci spaventa [66]. Quando mai infatti un soldato si trova nella tenda, un combattente in battaglia senza che abbiano fatto il giuramento militare?

mente praticata — è da credere — dal gruppo delle vergini milanesi. Ambrogio parla infatti di *sollemnes orationes* che distingue dalle preghiere personali e occasionali che prescrive alla vergine in attesa di prendere sonno o nelle pause del sonno notturno (*sed etiam in ipso cubili uolo...*). Una coeva elencazione delle ore della preghiera ci è data da GIROLAMO, *epist.* 130, 15 (LABOURT 7, p. 186) *praeter psalmorum et orationis ordinem quod tibi hora tertia, sexta, nona, ad uesperum, medio noctis et mane semper est exercendum.* Sull'argomento cf. E. CATTANEO, *Il breviario ambrosiano. Note storiche ed illustrative*, Milano 1943, partic. pp. 22 s.; A.G. MARTIMORT, *L'Église en prière. Introduction à la liturgie*, Paris-Tournai-Rome-New York 1963², pp. 812-820 e S. BÄUMER - R. BIRON, *Histoire du Bréviaire*, 1, Paris 1905, part. 189-195. Sulla preghiera delle vergini cf. anche GREGORIO DI NISSA, *uita s. Macr.* 3 (SCh 178, p. 150): «essa non ignorava nulla anche del Salterio, e ne recitava le parti appropriate ai momenti della giornata, quando si alzava dal letto, quando iniziava il lavoro o quando lo terminava, quando prendeva il cibo o lasciava la tavola, quando andava a dormire o quando si levava per pregare»; GIROLAMO, *epist.* 22, 37 (LABOURT 1, p. 153); 107, 9 (LABOURT 5, p. 154).

[63] È Pitagora; cf. *Abr.* 2, 7, 32 *eius (philosophiae) inuentor nominis Pythagora*; CICERONE, *Tusc.* 5, 4, 10 *nec uero Pythagoras nominis solum inuentor...*; si vedano anche le testimonianze di Plutarco e Stobeo in DIELS, *Doxographi Graeci*, p. 280, 8.

[64] Cf. CICERONE, *Tusc.* 4, 2, 3 *nam cum carminibus soliti illi esse dicantur et praecepta quaedam occultis tradere et mentes suas a cogitationum intentione cantu fidibusque ad tranquillitatem traducere...*

[65] La *mens*, per Ambrogio, è la parte superiore, razionale dell'anima, mentre è unita ai sensi del corpo; perciò è detto che può essere contaminata dalla carne.

[66] A proposito della recita del Simbolo cf. AMBROGIO, *expl. symb.* 9 (CSEL 73, pp. 11 s.) *illud sane monitos uos uolo esse, quoniam symbolum non debet scribi... quod enim scribis, securus quasi relegas, non cottidiana meditatione incipis recensere. Quod autem non scribis, time<n>s, ne amittas, cottidie incipis recensere*; AGOSTINO, *sermo* 58, 11, 13 (PL 38, 399) *cum autem tenueritis (symbolum), ut non obliuiscamini, quotidie dicite; quando surgitis, quando uos ad somnum collocatis, reddite symbolum uestrum*; ID., *sermo de symb.* 1, 1 (PL 40, 627) *antequam dormiatis, antequam procedatis, uestro symbolo uos munite*; e *ibid.* 1, 2, ove è riportato il testo di tale Simbolo. In questo passo Ambrogio sottolinea che l'identità del cristiano è contrassegnata dal suo «credo», che è anche termine di riferimento per le sue certezze, una sorta di giuramento di fedeltà.

**5.** 21. Iam illud quis non ad nostram institutionem dictum intellegat quod ait sanctus propheta: *Lauabo per singulas noctes lectum meum, lacrimis meis stratum meum rigabo* [a]? Nam siue lectum iuxta litteram intellegas, tantam ubertatem ostendit profundi oportere lacrimarum, ut lauetur lectus, stratum rigetur fletibus obsecrantis (fletus enim praesentium merces est futurorum, quoniam: *Beati qui fletis, ipsi enim ridebitis* [b]), siue pro corpore accipiamus propheticum dictum, delicta corporis paenitentiae lacrimis abluamus. *Fecit* enim *sibi lectum Salomon ex lignis Libani; columnae eius erant argenteae, acclinatorium eius aureum, dorsum eius gemmatum stratum* [c]. Qui est iste lectus nisi nostri corporis species? Namque in gemmis aer specie fulgoris ostenditur, in auro ignis, aqua in argento, terra per lignum: ex quibus corpus humanum quattuor constat elementis, in quo nostra recubat anima, si non aspero montium, non humi arido expers quietis existat, sed sublimis a uitiis ligno fulta requiescat. Vnde etiam Dauid dicit: *Dominus opem ferat illi super lectum doloris eius* [d]. Nam lectus doloris esse qui potest, cum dolere non possit qui non habet sensum? Corpus autem doloris sicut corpus est mortis: *Infelix ego homo, quis me liberabit de corpore mortis huius?* [e].

22. Et quoniam uersiculum induximus, in quo dominici corporis fecimus mentionem, ne quem forte perturbet legentem quod

5. [a] Ps 6, 7.
[b] Lc 6, 21.
[c] Cant 3, 9-10.
[d] Ps 40 (41), 4.
[e] Rm 7, 24.

21, 10 *ante* dorsum *lacunam indicauit Cazz.*

**5.** 21. E chi non intenderà che siano state dette per nostro insegnamento le parole del santo profeta: *Laverò ogni notte il mio letto, di lacrime irrigherò il mio giaciglio*? Infatti si può intendere il letto letteralmente e allora mostra che bisogna effondere una tale quantità di lacrime da lavare il letto, da irrigare il giaciglio con il pianto di colui che implora — infatti il pianto per le cose presenti è ricompensa dei beni futuri, perché *beati voi che piangete, poiché voi stessi riderete* — oppure intendiamo il detto del profeta riferito al corpo, e allora siamo esortati a lavare i delitti del corpo [67] con le lacrime della penitenza. Infatti *Salomone si fece un letto di legno del Libano; le sue colonne erano d'argento, la spalliera d'oro, lo schienale era una coltre guarnita di gemme* [68]. Che cosa è questo letto, se non l'immagine del nostro corpo? Infatti nelle gemme l'aria prende l'aspetto del fulgore, nell'oro si esprime il fuoco, l'acqua nell'argento, la terra è simboleggiata dal legno: di questi quattro elementi [69] è costituito il corpo umano, nel quale riposa la nostra anima, se non starà senza quiete sulle asperità dei monti o sulle aridità del suolo, ma, elevata sopra i vizi, riposi appoggiata al legno. Perciò anche Davide dice: *Il Signore gli porti aiuto sul letto del suo dolore*. E cosa può essere il letto del dolore, dal momento che non può provare dolore ciò che non ha sensibilità? Ma il corpo del dolore [70] è come il corpo della morte: *Infelice uomo che sono io! Chi mi libererà dal corpo di questa morte?*

22. E poiché abbiamo citato il versetto nel quale abbiamo menzionato il corpo del Signore [71], perché qualche lettore non

[67] In allegoria il letto di Ps 6, 7 è il corpo: cf. *exp. Luc.* 5, 14 (CCL 14, p. 139).

[68] Il Cazzaniga segna questo luogo con una *crux*, indotto, pare, dalla costatazione che c'è discrepanza fra il testo di Cant 3, 9 s. citato da Ambrogio e quello corrispondente dei Settanta. L'espressione *dorsum eius gemmatum stratum*, confrontata con ἐπίβασις αὐτοῦ πορφυρᾶ, ἐντὸς αὐτοῦ λιθόστρωτον, gli è parsa corrotta e senza senso. Ma se si ammette che Ambrogio ometta la prima di queste due espressioni greche — e infatti poco sotto, nel medesimo paragrafo, dove sono ripresi e interpretati tutti e quattro gli elementi della citazione del Cantico (gemme, oro, argento, legno), di nuovo non è menzionata la porpora, e vedremo perché —, allora non vi sono difficoltà per accettare con il Faller quell'espressione latina, come versione della seconda espressione greca (ἐντὸς αὐτοῦ λιθόστρωτον). Intendo che *dorsum eius* in senso metonimico (parte del letto ove si adagia la schiena) esprima liberamente ἐντὸς αὐτοῦ e che il *gemmatum stratum* non sia altro chè un calco su λιθό-στρωτον.

[69] In realtà in Cant 3, 9 s. si parla anche di un quinto elemento di cui era fatto il letto di Salomone (cf. nota precedente); ora comprendiamo che Ambrogio l'ha omesso perché avrebbe intralciato l'interpretazione allegorica, secondo la quale nel passo sarebbero indicati i quattro tradizionali elementi della materia.

[70] Il «letto del dolore» dell'anima è, dunque, il corpo, che perciò Ambrogio definisce «corpo del dolore» e poi «corpo di morte» per l'accostamento a Rm 7, 24.

[71] Ma qual è il versetto sopra citato in cui è menzionato il corpo del Signore? L'espressione risulta, a prima vista, misteriosa. Probabilmente si tratta del primo emistichio di Ps 40 (41), 4, sopra citato. Ma il lettore per intendervi l'allegoria del corpo di Cristo — interpretazione che Ambrogio non dà né qui né altrove, ove cita il medesimo testo — deve scendere al § 23, ove è citato il secondo emistichio del medesimo Ps 40 (41), 4 e si dà l'interpretazione allegorica qui solo presunta:

dominus corpus suscepit doloris, recordetur quia Lazari mortem et doluit et fleuit [f] et in passione est uulneratus atque ex uulnere aqua et sanguis exiuit [g] spiritumque exhalauit [h]. Aqua ad lauacrum, sanguis ad potum, spiritus ad resurrectionem [i]. Vnus enim Christus est nobis spes fides caritas: spes in resurrectione, fides in lauacro, caritas in sacramento [l].

23. Tamen ut corpus suscepit doloris, ita etiam stratum in infirmitate uersauit [m], quia conuertit in commodum carnis humanae. Nam passione infirmitas est soluta, mors resurrectione. Et tamen maerere pro saeculo, gaudere debetis in domino [n], tristes ad paenitentiam [o], alacres ad gratiam, licet et *flere cum flentibus et gaudere cum gaudentibus* [p] oportere gentium doctor [q] salutari praeceptione praescripserit.

24. Verum qui penitus enodare cicatricem omnem desiderat quaestionis ad eundem confugiat apostolum: *Omne* enim, inquit, *quodcumque facietis in uerbo aut in facto in nomine domini nostri Iesu Christi gratias agentes deo patri per ipsum* [r]. Omnia ergo dicta nostra factaque referamus ad Christum, qui uitam fecit ex morte, lucem creauit ex tenebris [s]. Namque ut corpus aegrotum nunc calidioribus fouetur, nunc frigidioribus temperatur remediorumque mutatio, si iuxta praeceptum fiat medici, salutaris est, si contra mandatum usurpetur, languoris augmentum est, ita medico nostro quidquid penditur Christo remedium est, quidquid usurpatur incommodum.

25. Debet igitur bene consciae mentis esse laetitia, non inconditis comessationibus [t], non nuptialibus excitata symphoniis;

[f] Io 11, 33-35.
[g] Io 19, 34.
[h] Io 19, 30.
[i] 1 Io 5, 8.
[l] 1 Cor 13, 13.
[m] Ps 40 (41), 4.
[n] Phil 3, 1; 4, 4.
[o] 2 Cor 7, 9.
[p] Rm 12, 15.
[q] 1 Tim 2, 7.
[r] Col 3, 17.
[s] Gen 1, 3; 2 Cor 4, 6 (?); 2 Tim 1, 10 (?).
[t] Rm 13, 13.

sia turbato dal fatto che il Signore ha preso un corpo di dolore, si ricordi che egli provò dolore e pianse per la morte di Lazzaro, e nella sua passione fu trafitto, e dalla ferita uscí acqua e sangue, ed esalò lo spirito. L'acqua per il lavacro, il sangue per bevanda, lo spirito per la risurrezione. Infatti un solo Cristo è per noi speranza, fede e carità: speranza nella risurrezione, fede nel lavacro, carità nel sacramento [72].

23. Tuttavia, come prese il corpo del dolore, cosí anche rivoltò il giaciglio nell'infermità, perché lo trasformò a vantaggio della carne umana [73]. Infatti l'infermità fu eliminata con la passione, la morte con la risurrezione [74]. E tuttavia voi dovete essere afflitte per il mondo e dovete gioire nel Signore, tristi per la penitenza, alacri per la grazia, anche se il Dottore delle genti ha salutarmente insegnato che bisogna *piangere con chi piange e gioire con chi gioisce.*

24. Ma chi vuole chiarire fino in fondo ogni residuo di questo problema [75], si rivolga al medesimo apostolo; infatti dice: *Qualunque cosa facciate in parole o in opere, fatela nel nome del Signore nostro Gesú Cristo rendendo grazie a Dio Padre per suo tramite.* Dunque riferiamo ogni nostra parola e ogni nostra opera a Cristo, che ha tratto la vita dalla morte, che ha creato la luce dalle tenebre. Infatti, come un corpo malato a volte è riscaldato da impacchi caldi, a volte è raffreddato da impacchi freddi, e l'alternanza dei medicamenti è salutare, se fatta secondo le istruzioni del medico, mentre se fatta contro le sue disposizioni aggrava l'infermità, allo stesso modo qualunque cosa è attribuita a Cristo nostro medico, è un rimedio, qualunque cosa sia indebitamente fatta propria è di danno.

25. Dunque la letizia deve essere di una mente ben consapevole [76], non eccitata da disordinate gozzoviglie, da musiche nuziali;

*corpus suscepit doloris, ita etiam stratum in infirmitate uersauit, quia conuertit in incommodum carnis humanae.* Il nesso esegetico fra il primo emistichio e il secondo è dato dalla presenza nel primo di *lectum* e nel secondo del sinonimo *stratum*. Dunque se lo *stratum* è il corpo di Cristo, bisogna intendere che anche nel precedente *lectum* è indicato il corpo di Cristo, anche se Ambrogio non l'ha detto.

[72] Con il termine *sacramentum* Ambrogio suole indicare l'eucarestia, quando non sia diversamente specificato.

[73] Singolare interpretazione cristologica di Ps 40 (41), 4 (*uniuersum stratum eius uersasti in infirmitate eius*). La medesima esegesi sopra nel § 61 a proposito del primo emistichio del medesimo versetto. *Lectus* o *stratum* è il corpo di Cristo. Per l'interpretazione allegorica di Ps 40 (41), 4 cf. *expl. ps. 40* 12 (CSEL 64, pp. 235 s.); *interp.* 3, 7 (CSEL 32, 2, p. 253); *exp. Luc.* 8, 47 (CCL 14, p. 314). Per l'interpretazione letterale cf. *expl. ps. 36* 51 (CSEL 64, p. 109).

[74] La medesima espressione in *expl. ps. 40* 13 (CSEL 64, p. 236, 15 s.) *itaque passione infirmitas est soluta, mors resurrectione.*

[75] Si tratta del problema del dolore e della gioia nella vita del cristiano.

[76] L'espressione *bene consciae* può essere rettamente intesa solo in riferimento al concetto ambrosiano di *mens*, a cui qui essa è anche grammaticalmente connessa. La «buona consapevolezza» per Ambrogio può essere solo della mente, cioè della parte razionale dell'anima, allorché si sia liberata dalla conoscenza sensibile. Si tratta di quella che noi chiameremmo «conoscenza spirituale», non dipendente dalle stimolazioni sensuali, alle quali Ambrogio accenna di seguito. È utile il

ibi enim intuta uerecundia, illecebra suspecta est, ubi comes deliciarum est extrema saltatio. Ab hac uirgines dei procul esse desidero. *Nemo enim*, ut dixit quidam saecularium doctor, *saltat sobrius, nisi insanit* [u]. Quodsi iuxta sapientiam saecularem saltationis aut temulentia auctor est aut dementia, quid diuinarum scripturarum cautum putamus exemplis, cum Iohannes, praenuntius Christi, saltatricis optione iugulatus [v] exemplo sit plus nocuisse saltationis illecebram quam sacrilegi furoris amentiam?

**6.** 26. Et quoniam talis uiri non strictim praetereunda est recordatio, interest ut quis et a quibus et quam ob causam, quomodo et quo tempore sit occisus aduertere debeamus. Ab adulteris iustus occiditur et a reis in iudicem capitalis sceleris poena conuertitur. Deinde praemium saltatricis est mors prophetae. Postremo, quod omnes etiam barbari horrere consuerunt, inter epulas atque conuiuia consummandae crudelitatis profertur edictum et a conuiuio ad carcerem, de carcere ad conuiuium feralis flagitii circumfertur obsequium. Quanta in uno facinore sunt crimina!

27. Extruitur regifico luxu furiale conuiuium et explorato quando maior solito turba conuenerit reginae filia intimis amendanda secretis in conspectum uirorum saltatura producitur. Quid

[u] CIC., *Mur.* 6, 13.
[v] Mt 14, 3-12; Mc 6, 17-29.

infatti, dove da ultimo la danza è compagna dei piaceri [77], lí il pudore è esposto al pericolo, lí la seduzione è sospettabile. Dalla danza vorrei che stessero lontano le vergini di Dio. *Nessuno infatti* — ha detto un maestro di cose mondane — *danza quando è sobrio, se non impazzisce* [78]. Che se, secondo la sapienza del mondo, l'ubriachezza o la pazzia sono la causa della danza, quale avvertimento pensiamo che vi sia negli esempi delle Sacre Scritture, dal momento che Giovanni, precursore [79] di Cristo, decapitato per la voglia di una danzatrice, è un esempio di come fu piú perniciosa la seduzione della danza che non la pazzia del furore sacrilego [80]?

**6.** 26. E poiché non si deve mettere rapidamente da parte il ricordo di un sí grande uomo [81], è importante porre in evidenza chi e da chi e perché, come e in che tempo [82] fu ucciso. Il giusto è ucciso da adulteri, e da rei la pena di un delitto capitale è rivolta contro il giudice. Inoltre la morte del profeta è il premio per una danzatrice [83]. Infine — ciò per cui anche i barbari sogliono inorridire — la sentenza, che ordinava di compiere quell'atto di ferocia, è pronunciata a tavola, mentre si banchetta, e l'ossequio verso quella ferale scelleratezza passa dal convito al carcere, dal carcere al convito. Quanti crimini in un solo delitto!

27. Viene imbandito con sontuosità regale un convito [84] degno di furie [85] e, colto il momento in cui si è radunata una folla maggiore del solito, si porta a danzare davanti agli uomini la figlia della regina, che doveva essere tenuta appartata nelle stanze

confronto con *Abr.* 2, 5, 22 (CSEL 32, 1, p. 580, 7 ss.) *est autem mentis optimae diligentia, ut uerbo dei intenta nihil faciat inrationabile, unde tristitia subeat, ut integer actuum suorum bene conscia laetitiam bonae seruet conscientiae.* Al contrario i *male conscii* sono gli insipienti asserviti ai sensi e al peccato che sono anche nebbia nella quale la *mens* si smarrisce (cf. *Abr.* 2, 4, 16, CSEL 31, 1, pp. 575 s.).

[77] Una vivace condanna della danza è espressa in *Hel.* 18, 66 (CSEL 32, 2, p. 450, 18 ss.).

[78] CICERONE, *Mur.* 6, 13.

[79] Sul titolo di *praenuntius* dato a Giovanni Battista cf. *exp. Luc.* 2, 73 (CCL 14, pp. 62, 946 s.); 2, 75 (p. 62, 975); *fid.* 4, 1, 4 (CSEL 78, p. 159, 14).

[80] Il ragionamento può essere compreso appieno, tenendo a mente la narrazione di Mt 14, 6 ss. Con *illecebra* Ambrogio si riferisce alle capacità di seduzione della danza, per la quale Erode si mostrò accondiscendente verso i desideri di Salomè; con «furore sacrilego» penso che si alluda al desiderio di vendetta di Erodiade.

[81] Sulla morte di Giovanni Battista cf. anche *expl. ps. 35* 13 (CSEL 64, pp. 58 s.).

[82] *quis et a quibus et...*: sono elencati i punti che la retorica antica riteneva fondamentali per una buona analisi di un avvenimento.

[83] Cf. *Nab.* 5, 20 (CSEL 32, 2, p. 478) *aliud unde saltatrici praemium solueret non inueneret nisi ut pauperem* (scil. *Iohannem*) *iuberet occidi*; cf. anche CESARIO DI ARLES, *serm.* 218, 3 (CCL 104, p. 865) *tanti prophetae caput in pretium saltationis excipitur.*

[84] Cf. VIRGILIO, *Aen.* 6, 604 s. *epulae ante ora paratae / regifico luxu.*

[85] Forse a ragione il Cazzaniga ha approvato la lezione *furiale* del solo Z (Monza, Bibl. Capit. C 1-61) contro *ferale* attestato dalla maggior parte dei testimoni e accolta dai Maurini e dal Faller; tuttavia va osservato che *furialis* sarebbe un *hapax* in Ambrogio, secondo O. FALLER - L. CRESTAN, *Wortindex zu den Schriften des hl. Ambrosius*, Wien 1978, che non registra la voce.

enim potuit de adultera discere nisi damnum pudoris? An quicquam est tam pronum ad libidines quam inconditis motibus ea quae uel natura abscondit uel disciplina uelauit membrorum operta nudare, ludere oculis, rotare ceruicem, comam spargere? Merito inde in iniuriam diuinitatis proceditur.

28. Quid enim ibi uerecundiae potest esse, ubi saltatur, strepitur, concrepatur? Tunc rex, inquit, delectatus dixit puellae ut peteret de rege quod uellet. Deinde iurauit quod uel dimidium regni, si petisset, concederet [a]. Vide quemadmodum saeculares ipsi de saecularibus suis iudicent potestatibus, ut pro saltatione etiam regna donentur. Puella autem admonita a matre sua poposcit afferri sibi in disco caput Iohannis. Quod dicit: *Rex contristatus est* [b], non paenitentia regis, sed confessio iniquitatis est, quam diuinae habet consuetudo sententiae, ut qui gesserunt impia ipsi propria confessione se damnent. *Sed propter discumbentes* [c], inquit. Quid indignius quam ut homicidium fieri iuberet, ne discumbentibus displiceret? *Et propter ius*, inquit, *iurandum* [d]: o religionem nouam! Tolerabilius perierasset. Vnde non immerito dominus in euangelio iubet non esse iurandum [e], ne sit causa periurii, ne sit necessitas delinquendi. Itaque ne iusiurandum uiolaretur, percutitur innocens. Quid prius horrescam nescio. Tolerabiliora periura quam sacramenta sunt tyrannorum.

6. [a] Mt 14, 6-7; Mc 6, 22-23.
[b] Mt 6, 26.
[c] Ibid.
[d] Ibid.
[e] Mt 5, 34.

piú remote [86]. Che cosa infatti poté apprendere da un'adultera, se non la rovina del pudore? O vi è qualche comportamento piú disponibile alle libidini che denudare con movimenti scomposti quelle parti coperte del corpo che e la natura ha nascosto e l'educazione ha coperto di veli, ammiccare con gli occhi, roteare il collo, sciogliere i capelli [87]? Di conseguenza, di qui si giunge a offendere la divinità.

28. Infatti, che pudore può esservi dove si danza, si fa strepito, si fa fracasso? Allora il re — è detto —, essendosi compiaciuto, disse alla fanciulla di domandargli quello che volesse. Poi giurò che, se lo avesse chiesto, gli avrebbe dato anche metà del suo regno. Guarda come gli uomini del mondo valutano i loro poteri mondani: per una danza sono concessi anche dei regni. Ma la fanciulla, dietro suggerimento della madre, domandò che le si portasse, su un vassoio, la testa di Giovanni. L'espressione: *Il re si rattristò*, non esprime la penitenza del re, ma la confessione della sua iniquità, secondo l'uso della Sacra Scrittura, e cioè che coloro che hanno commesso iniquità si condannano con la propria confessione. *Ma a motivo dei commensali* — è detto. Che cosa di piú indegno che ordinare un omicidio per non dispiacere ai commensali? *E a motivo del giuramento* — è detto. O nuova religione! Sarebbe stato meglio se avesse spergiurato. Perciò giustamente il Signore nel Vangelo comanda di non giurare, perché non vi sia motivo di spergiuro, perché non vi sia necessità di commettere crimini [88]. E cosí, per non violare un giuramento, si colpisce un innocente. Non so per che cosa io debba prima provare orrore. Sono piú tollerabili gli spergiuri dei giuramenti dei tiranni.

[86] Sulla virtú della riservatezza che si richiede ad una vergine cf. *uirgt.* 8, 46; *exh. u.* 10, 71-73; *uid.* 9, 57.

[87] Cf. *Hel.* 18, 66 (CSEL 32, 2, p. 450, 17 ss.) *illae in plateis inuerecundos etiam uiris sub conspectu adulescentulorum intemperantium choros ducunt, iactantes comam, trahentes tunicas, scissae amictus, nudae lacertos, personantes uocibus... petulanti oculo...* I. CAZZANIGA, *Colore retorico nell'episodio ambrosiano della cena di Erode*, in «Latomus», 13 (1954), p. 573 rinvia a QUINTILIANO 11, 3, 71 *iactare caput et comam excutientem rotare fanaticum est.*

[88] Qui, come in *exh. u.* 11, 74, ritroviamo un diffuso orientamento esegetico tendente ad attenuare l'assolutezza del precetto evangelico che vieta di fare giuramenti (Mt 5, 34), in considerazione del fatto che nella Scrittura si trovano dei giuramenti (anche in Paolo: Rm 9, 1; Phil 1, 8; Gal 1, 20): cf. AGOSTINO, *mend.* 28 (PL 40, 507) *dico uobis non iurare omnino* (Mt 5, 34), *ne scilicet iurando ad facilitatem iurandi ueniatur, ex facilitate in consuetudinem, atque ita ex consuetudine in periurium decidatur*; *epist.* 157, 40 (PL 33, 693); *serm.* 307, 4 (PL 38, 1407): la proibizione non riguarda il giuramento in sé, ma lo spergiuro: cf. *reg. mag.* 3, 32 (SCh 105, p. 366) *non amare iurare ne forte periuret*; 11, 67 (SCh 106, p. 22); A. DE VOGÜÉ, in SCh 105, p. 367, nota 32, aveva supposto che l'autore della *Regula magistri*, Ambrogio e Agostino leggessero una particolare lezione del testo evangelico, quale, grosso modo, sembrerebbe qui attestare Ambrogio: *non esse iurandum, ne sit causa periurii*, ma tale opinione è ritrattata dal medesimo studioso in SCh 184, p. 150, nota 87: non si tratta di una particolare lezione del Vangelo, ma di un medesimo orientamento esegetico.

29. Quis non, cum e conuiuio ad carcerem cursari uideret, putaret prophetam iussum esse dimitti? Quis, inquam, cum audisset natalem esse Herodis, sollemne conuiuium, puellae optionem eligendi quod uellet datam, missum ad Iohannis absolutionem non arbitraretur [f]? Quid crudelitati cum deliciis, quid cum funeribus uoluptati? Rapitur ad poenam propheta conuiuali tempore, conuiuali praecepto, quo non cuperet uel absolui. Perimitur gladio [g], caput eius adfertur in disco [h]. Hoc crudelitati ferculum debebatur, quo insatiata epulis feritas uesceretur.

30. Intuere, rex acerbissime, tuo spectacula digna conuiuio. Porrige dexteram, ne quid saeuitiae tuae desit, ut inter digitos tuos riui defluant sancti cruoris. Et quoniam non exsaturari epulis fames, non restingui poculis potuit inauditae saeuitiae sitis, bibe sanguinem scaturrientibus adhuc uenis exsecti capitis profluentem. Cerne oculos in ipsa morte sceleris tui testes, auersantes conspectum deliciarum. Clauduntur lumina non tam mortis necessitate quam horrore luxuriae; os aureum illud exsangue, cuius sententiam ferre non poteras, conticescit et adhuc timetur. Lingua tamen, quae solet etiam post mortem officium seruare uiuentis, palpitante licet motu damnabat incestum. Portatur hoc caput ad Herodiadem: laetatur, exultat, quasi crimen euaserit, quia iudicem trucidauit.

31. Quid dicitis uos, sanctae feminae? uidetis quid docere, quid etiam dedocere filias debeatis? Saltet, sed adulterae filia. Quae uero pudica, quae casta est filias suas religionem doceat, non saltationem. Vos autem, graues et prudentes uiri, discite detestabilium hominum et epulas euitare: talia sunt conuiuia qualia iudicia perfidorum.

**7.** 32. Iam ad finem orationis uela pandenti bene suggeris, soror sancta, quid super eorum meritis aestimandum sit qui se

[f] Mc 6, 21-27; Mt 14, 6-10.
[g] Mc 6, 27.
[h] Mc 6, 28.

29. Chi, vedendo che si correva dal convito al carcere, non avrebbe pensato che si ordinava di mettere in libertà il profeta? Chi — ripeto — avendo udito che quello era il giorno natalizio di Erode, che era in corso un banchetto ufficiale, che era stata offerta alla fanciulla la possibilità di scegliere ciò che voleva, non avrebbe pensato che si sarebbe ordinata la liberazione di Giovanni? Che c'è in comune fra crudeltà e piaceri, fra godimento e morte? Un profeta viene portato al supplizio durante il convito, per un ordine conviviale, con il quale non avrebbe voluto essere nemmeno assolto. È ucciso da spada, la sua testa è portata su un vassoio. Alla crudeltà era dovuta questa portata [89], con la quale si potesse sfamare la ferocia non saziata dalle vivande.

30. Osserva, o spietatissimo re, lo spettacolo degno del tuo convito. Stendi la tua destra, perché nulla manchi alla tua ferocia e i rivoli del santo sangue scorrano fra le tue dita! E poiché le vivande non hanno potuto saziare la tua fame, le coppe non hanno potuto spegnere la tua sete di inaudita ferocia, bevi il sangue che ancora sgorga dalle vene del capo reciso [90]. Guarda gli occhi che anche nella morte sono testimoni del tuo delitto, i quali distolgono lo sguardo dalle tue delizie [91]. Si spegne la loro luce non tanto come conseguenza necessaria della morte quanto per l'orrore dell'intemperanza; quella bocca d'oro, ora esangue, le cui parole non potevi sopportare, tace ed è ancora temuta. La lingua, però, che suole anche dopo la morte continuare a svolgere il proprio compito, come in vita, anche se con movimento palpitante, condannava l'incesto. Questa testa è portata a Erodiade: lei gioisce, esulta, come se avesse evitato l'incriminazione per aver trucidato il giudice.

31. Che dite voi, sante donne? Vedete che cosa dovete insegnare alle vostre figlie e da che cosa distorglierle? Danzi pure, ma la figlia dell'adultera! Colei, invece, che è pudica, che è casta, insegni alle sue figlie la fedeltà a Dio, non la danza. E voi, uomini gravi e prudenti, imparate a evitare anche la tavola degli uomini spregevoli: i conviti sono come le sentenze dei profeti [92].

**7.** 32. Mentre ormai spiego le vele del mio sermone verso la fine [93], opportunamente mi suggerisci, o santa sorella, che cosa

[89] L'espressione è ripresa da CESARIO DI ARLES, *serm.* 218, 4 (CCL 104, p. 865) *hoc crudelitati suae* (scil. *Herodis*) *ferculum debebatur.*

[90] L'orrore, di cui è tinto tutto l'episodio del convito di Erode, ha nell'accostamento dissacrante di sangue umano e cibo della mensa il suo culmine, la cui topica è ben illustrata dal CAZZANIGA, *Colore retorico*, pp. 574 ss. Da notare, però, che Ambrogio non opera semplicemente un inserimento dell'episodio biblico in una tradizione letteraria profana, ma ne fa l'*exemplum* tipico dell'orrido conviviale; cf. *Nab.* 5, 20 (CSEL 32, 2, p. 478) *ille ante oculos tuos, si quid forte displicuit, uerebatur ad mortem atque ipsas epulas fuso respergit. Denique diues erat, qui sibi ad mensam caput prophetae pauperis iussit adferri.*

[91] A ragione Cazzaniga sceglie *auersantes* — in luogo della lezione *aduersantes*, adottata dal Faller — adducendo SENECA RETORE, *contr.* 9, 2 (KIESSLING, p. 403, 7) *alius auertebat ab illa crudelitate oculos* (cf. CAZZANIGA, *Colore retorico*, p. 575).

[92] Allusione alla sentenza di Erode nei confronti di Giovanni Battista.

[93] Cf. CICERONE, *Tuscul.* 4, 5, 9 *quaerebam igitur utrum panderem uela orationis statim an eam ante paululum dialecticorum remis propellerem.*

praecipitauere ex alto uel in fluuium demerserunt, ne persecutorum inciderent manus, cum scriptura diuina uim sibi Christianum prohibeat inferre [a]. Et quidem de uirginibus in necessitate custodiae constitutis enodem habemus adsertionem, cum martyrii extet exemplum.

33. Sancta Pelagia apud Antiochiam quondam fuit annorum fere quindecim, soror uirginum et ipsa uirgo. Haec primo domi classico persecutionis inclusa cum se a praedonibus fidei uel pudoris circumsederi uideret, absente matre et sororibus uacua praesidio, sed deo plenior, «Quid agimus, inquit, nisi prospicias, captiua uirginitas? Et uotum est et metus est mori, quia mors non excipitur, sed adsciscitur. Moriamur, si licet, uel si nolunt licere, moriamur. Deus remedio non offenditur et facinus fides ableuat. Certe si uim ipsam nominis cogitemus, quae uis uoluntaria? Illa magis est uis mori uelle nec posse. Nec difficultatem ueremur. Quis enim est qui uult mori et non possit, cum sint ad mortem tam procliues uiae? Iam enim sacrilegas aras praecipitata subuertam et accensos focos cruore restinguam. Non timeo, ne dextera deficiens non peragat ictum, ne pectus se dolore subducat: nullum peccatum carni relinquam. Non uerebor, ne desit gladius: possumus mori nostris armis, possumus mori sine carnificis beneficio matris in gremio».

34. Fertur ornasse caput, nuptialem induisse uestem, ut non ad mortem ire diceres, sed ad sponsum. Ast ubi detestandi persecutores ereptam sibi uiderunt praedam pudoris, matrem et soro-

7. [a] Deut 32, 39 (?).

si debba pensare dei meriti di coloro che si sono precipitate dall'alto o si sono gettate nel fiume per non cadere nelle mani dei persecutori, dato che la Sacra Scrittura proibisce al cristiano di farsi violenza. Orbene, abbiamo una chiara testimonianza circa le vergini poste in una situazione di costrizione, dal momento che abbiamo un esempio di martirio.

33. C'era, un tempo, ad Antiochia santa Pelagia [94] di circa quindici anni, sorella di vergini ed anche lei vergine. Costei chiusasi in casa al primo segnale di tromba della persecuzione, vedendosi assediata dai predoni della fede e del pudore [95], mentre la madre era assente e senza l'aiuto delle sorelle, ma ripiena di Dio, disse: «Che facciamo, se non stai in guardia, o verginità prigioniera? C'è desiderio e timore [96] di morire, perché la morte non è ricevuta, ma cercata. Moriamo, se è lecito; o, se non è lecito, moriamo lo stesso. Dio non si offende per il modo, e la fede elimina il delitto. Certo, se riflettiamo sul significato della parola, quale violenza è volontaria? Piuttosto quella è violenza: voler morire e non potere. E non temiamo la difficoltà. Infatti chi mai vuol morire e non può, mentre vi sono tanto facili vie alla morte? Or dunque mi getterò sui sacrileghi altari sconvolgendoli, e spegnerò col sangue i fuochi accesi. Non temo che la mia destra, venendo meno, non affondi il colpo, che il petto si sottragga al dolore: non lascerò alla carne alcun peccato [97]. Non temerò che manchi la spada: possiamo morire con le nostre mani, possiamo morire senza l'aiuto del carnefice, nel grembo della madre [98]».

34. Si narra che si adornò il capo, che indossò la veste nuziale, perché non si dicesse che andava a morte, ma incontro allo sposo [99]. Ma quando i detestabili persecutori si videro sottrat-

[94] Sempre a proposito del martirio di Pelagia cf. *epist.* 7, 38 (CSEL 82, 1, p. 62). La fonte migliore per la conoscenza di questa vergine martire è costituita da due omelie attribuite a Giovanni Crisostomo di cui solo la prima è autentica (BHG² 1477). Anche EUSEBIO DI CESAREA, *hist. eccl.* 8, 12, 2 (SCh 55, pp. 24-25) allude a Pelagia, allorché parla di martiri di Antiochia che si precipitavano volontariamente dall'alto delle case per sfuggire alle violenze. Ma il racconto di Ambrogio altera i dati della tradizione. Volendo forse connettere due storie distinte, presenta Pelagia come figlia di Domnina e sorella di Bernice e Prosdoce, delle quali narra di seguito il martirio anch'esso volontario. Per notizie piú dettagliate cf. H. DELEHAYE, *Les légendes hagiographiques*, Bruxelles 1955⁴, pp. 186-195; ID., *Les origines du culte des martyrs*, Bruxelles 1933², p. 231.

[95] Negli *exempla* addotti da Ambrogio in quest'opera, il martirio è quasi sempre presentato come una scelta di fede e di castità, cf. sopra 1, 2, 9 *in una hostia duplex martyrium, pudoris et religionis*; 2, 3, 19-20 *docuerunt religionem, dum adorant martyrem, docuerunt etiam castitatem*; piú avanti 3, 7, 35 *hostias... praesules castitatis... comites passionis*; ma sul tema martirio-castità cf. anche *exh. u.* 5, 30: Nabot difende, a costo della vita, il simbolo della verginità, la vigna; *uid.* 14, 85 *persecutores fidei, persecutores fuerunt etiam uiduitatis*; piú in generale *exp. Luc.* 7, 128 (CCL 14, p. 258).

[96] La vergine desidera il martirio, ma teme che il suicidio sia illecito.

[97] *nullum peccatum*: nessun peccato la vergine permetterà alla propria carne, nemmeno l'istintivo rifiuto di fronte alla morte.

[98] La «madre» è la terra, sulla quale la vergine si precipitò per morire: questa l'interpretazione del Faller. Assai meno plausibile è l'ipotesi suggerita dal Cazzaniga (cf. app. *ad loc.*) di intendere in *matris* la Vergine Maria.

[99] Analogo accostamento fra martirio e nozze mistiche in 1, 2, 8, sopra, nel racconto del martirio di Agnese.

res coeperunt quaerere. Verum illae spiritali uolatu iam campum castitatis tenebant, cum subito hinc persecutoribus imminentibus, inde torrente fluuio exclusae a fuga, inclusae ad coronam «Quid ueremur?, inquiunt, ecce aqua: quis nos baptizari prohibet [b]? Et hoc baptisma est, quo peccata donantur, regna quaeruntur. Et hoc baptisma est, post quod nemo delinquit. Excipiat nos aqua, quae regenerare consueuit, excipiat nos aqua, quae uirgines facit, excipiat nos aqua, quae caelum aperit, infirmos tegit, mortem abscondit, martyres reddit. Te, rerum conditor, precamur, deus, ne exanimata spiritu corpora uel unda dispergat, ne mors separet funera, quarum uita non separauit affectus. Sit una constantia, una mors, una etiam sepultura».

35. Haec effatae et suspenso paululum incinctae sinu, quo pudorem tegerent, nec gressum impedirent, consertis manibus, tamquam choros ducerent, in medium progrediuntur alueum, ubi unda torrentior, ubi profundum abruptius, illo uestigium dirigentes; nulla pedem retulit, nulla suspendit incessum, nulla temptauit ubi gressum figeret, anxiae, cum terra occurreret, offensae uado, laetae profundo; uideres piam matrem stringentem nodo manus gaudere de pignore, timere de casu, ne sibi filias uel fluctus auferret. «Has tibi, inquit, hostias, Christe, immolo praesules castitatis, duces itineris, comites passionis».

36. Sed quis iure miretur tantam uiuentibus fuisse constantiam, cum etiam defunctae inmobilem stationem corporum uindicauerint? Non cadauer unda nudauit, non rapidi cursus fluminis uolutarunt. Quin etiam sancta mater licet sensu carens pietatis tamen adhuc seruabat amplexum et religiosum quem strinxerat

[b] Act 8, 36.

ta la preda del pudore [100], cominciarono a cercare la madre e le sorelle. Ora quelle [101] avevano ormai raggiunto con volo spirituale il libero spazio della castità, quando, all'improvviso, da una parte furono raggiunte dai persecutori, dall'altra un fiume impetuoso sbarrava loro la strada della fuga; trovandosi circondate, in vista della corona [102], dissero: «Che temiamo? Ecco l'acqua: chi ci proibisce di battezzarci? Anche questo è un battesimo, per il quale i peccati sono perdonati, il regno è guadagnato. Anche questo è un battesimo, dopo del quale nessuno commette colpa [103]. Ci accolga l'acqua che suole rigenerare, ci accolga l'acqua che fa i vergini, ci accolga l'acqua che apre il cielo, copre gli infermi, nasconde la morte, fa i martiri [104]. Te, Dio, creatore delle cose [105], preghiamo che le onde non disperdano i nostri corpi privati dello spirito, che la morte non separi le nostre spoglie, dal momento che la vita non ha diviso le nostre volontà. Unica sola sia la nostra perseveranza, una sola la morte, una sola anche la tomba».

35. Dette queste parole e tirata su un po' la veste attorno, in modo da proteggere il pudore, ma da non impedire il passo, tenendosi per mano, come se conducessero delle danze, avanzano verso il centro del fiume, dirigendosi là dove la corrente è piú forte, la profondità è maggiore; nessuna ritrasse il passo, nessuna si fermò, nessuna provò ove appoggiare il piede, preoccupate quando incontravano terra, rattristate dall'acqua bassa, allietate dalla profondità; avresti potuto vedere la pia madre che teneva strette come in un nodo le mani delle figlie, gioire per questi suoi beni, temere che potessero cadere, che le fossero strappate via dalla corrente. «Queste vittime — disse —, o Cristo, ti sacrifico, maestre di castità, guide del cammino, compagne di passione».

36. Ma chi avrebbe buone ragioni per stupirsi che esse da vive avessero tanta fermezza, se anche da morte conservarono salda la posizione dei loro corpi? L'onda non denudò il cadavere, le correnti vorticose non lo rotolarono. Anzi, la santa madre, anche se ormai priva di vita, tuttavia manteneva l'amplesso di pietà e nemmeno nella morte allentava il religioso nodo che

[100] *pudoris*: genitivo soggettivo: per i persecutori il pudore della vergine era come una preda di cui impossessarsi. L'oratoria ambrosiana tende, come è noto, a personificare o, comunque, a concretizzare i concetti astratti, particolarmente le virtú.

[101] L'episodio del martirio volontario di Domnina, Bernice e Prosdoce è già menzionato da EUSEBIO DI CESAREA, *hist. eccl.* 8, 12, 3 (SCh 55, p. 25), poi arricchito nei panegirici di EUSEBIO DI EMESA, ed. E.M. BUYTAERT, *Eusèbe d'Emèse. Discours conservés en latin*, 1, Louvain 1953, pp. 151-174 e di GIOVANNI CRISOSTOMO, *hom. paneg.*, PG 50, 629 ss.

[102] Il discorso è qui reso vivace e pregnante da un'intraducibile figurazione retorica, ove *esclusae a fuga* è in antitesi semantica e sintagmatica a *inclusae ad coronam*.

[103] Ancora al tempo di Ambrogio l'obbligo di non commettere peccati gravi dopo il battesimo era considerato imperativo inderogabile.

[104] Tutti questi benefici dell'acqua vanno riferiti in senso spirituale al battesimo.

[105] *rerum conditor*: cf. *hymn.* 1 (PL 16, 1473) *aeterne rerum conditor.*

nodum nec in morte laxabat, ut quae religioni debitum soluerat pietate herede moreretur. Nam quas ad martyrium iunxerat usque ad tumulum uindicabat.

37. Sed quid alienigenis apud te, soror, utor exemplis, quam hereditariae castitatis inspirata successio parentis infusione martyris erudiuit? Vnde enim didicisti quae non habuisti unde disceres, constituta in agro nulla socia uirgine, nullo informata doctore? Non ergo discipulam, quod sine magisterio fieri non potest, sed heredem uirtutis egisti.

38. Qui enim fieri posset, ut sancta Soteris tibi non esset mentis auctor, cui auctor est generis? Quae persecutionis aetate seruilibus quoque contumeliis ad fastigium passionis euecta etiam uultum ipsum, qui inter cruciatus totius corporis liber esse consueuit iniuriae et spectare potius tormenta quam perpeti, carnifici dedit tam fortis et patiens, ut cum teneras poenae offerret genas, prius carnifex caedendo deficeret quam martyr iniuriae cederet. Non uultum inflexit, non ora conuertit, non gemitu uicta lacrimam dedit. Denique cum cetera poenarum genera uicisset, gladium quem quaerebat inuenit.

aveva stretto; e cosí colei che aveva pagato il debito di fedeltà a Dio, moriva avendo per erede la pietà. Infatti quelle che aveva condotte strette a sé al martirio, fino alla tomba le teneva unite.

37. Ma perché uso esempi estranei con te, o sorella, che sei stata educata da una ispirata tradizione di castità ereditaria, che ti è stata trasmessa da una parente martire [106]? Infatti d'onde sei stata istruita tu che non avevi d'onde apprendere, dal momento che stavi in campagna senza avere alcuna vergine per compagna, alcun maestro che ti istruisse? Dunque, non sei stata discepola, ché non potevi esserlo senza insegnamento, ma sei stata erede di virtú.

38. Come infatti potrebbe santa Sotere non essere l'ispiratrice della tua decisione, se è all'origine della tua famiglia [107]? Costei, al tempo della persecuzione, innalzata al vertice della passione persino da maltrattamenti riservati agli schiavi, offrí al carnefice anche il volto, che solitamente, mentre tutto il resto del corpo veniva sottoposto a tormenti, era preservato da offese, e aspirava alle sofferenze, invece che patirle; tanto forte e paziente che, avendo offerto le tenere guance, il carnefice si spossò nel colpirle prima che la martire cedesse alle percosse. Non piegò il volto, non volse il viso, non lasciò cadere una lacrima per essere stata sopraffatta dalla sofferenza [108]. Infine, poiché aveva resistito ad ogni altro genere di pene, trovò la spada che cercava.

[106] Si tratta di santa Sotere, nobile vergine martire, antenata paterna di Ambrogio; subí il martirio presumibilmente durante la persecuzione di Diocleziano. Cf. anche AMBROGIO, *exh. u.* 12, 82 dove troviamo un'analoga testimonianza del martirio della santa. Un'epigrafe (DE ROSSI, ICUR 1, 495) indica come suo *dies natalis* (data del martirio) l'11 febbraio, come anche il martirologio geronimiano.

[107] Solo in senso improprio Sotere può essere detta *auctor generis*, perché, come nel paragrafo precedente Ambrogio lascia intendere e come espressamente afferma in *exh. u.* 12, 82, era vergine.

[108] Cf. VIRGILIO, *Aen.* 4, 369 s. *num fletu ingemuit nostro, num lumina flexit? / Num lacrimas uictus dedit aut miseratus amantem est?*

# De uiduis
# Le vedove

# DE VIDVIS

**1.** 1. Bene accidit, fratres, ut, quoniam tribus libris superioribus de uirginum laudibus disseruimus, uiduarum tractatus incideret. Neque enim inhonoras debuimus praeterire, et a uirginum praeconio separare quas apostolica sententia cum uirginibus copulauit, iuxta quod scriptum est: *Et mulier innupta et uirgo cogitat quae sunt domini, ut sit sancta corpore et spiritu* [a]. Quodammodo enim magisterium uirginitatis uiduarum ualescit exemplis. Quae cum uiro castum cubile custodiunt, documento uirginibus sunt integritatem deo esse seruandam. Et propemodum non inferioris uirtutis est eo abstinere coniugio, quod aliquando delectauerit, quam coniugii oblectamenta nescire. In utroque fortes, ut eas et coniugii non poeniteat, cui fidem seruent [b], et coniugalia oblectamenta non alligent, ne uideantur infirmae, quae sibi adesse non possint.

1. [a] 1 Cor 7, 34.
[b] 1 Tim 5, 12 *(cf. quae in praefatione nr. 3.2.1 notaui).*

# LE VEDOVE

**1.** 1. È capitato a proposito, o fratelli, che, avendo esposto le lodi delle vergini nei tre precedenti libri, ci occorresse di parlare delle vedove. Infatti non potevamo passare oltre senza onorare, escludendole dall'apologia delle vergini, quelle che le parole dell'Apostolo hanno accomunato alle vergini, come sta scritto: *La donna non sposata e la vergine si danno pensiero per le cose del Signore, perché siano sante nel corpo e nello spirito.* In un certo senso infatti il magistero sulla verginità è rafforzato dagli esempi delle vedove. Quelle che insieme con il marito conservano casto il loro letto [1], testimoniano alle vergini che devono conservare per Dio la loro integrità. E forse non è meno virtuoso astenersi dal matrimonio, di cui una volta si sono provate le gioie, che ignorarne i piaceri [2]. Le vedove sono forti sotto entrambi gli aspetti: non si pentono del matrimonio, cui conservano fede [3], e non sono schiave dei piaceri del matrimonio, acciocché non sembrino deboli, incapaci di provvedere a se stesse [4].

[1] Cf. VIRGILIO, *Aen.* 8, 402 *castum ut seruare cubile...* L'eco non è segnalata da M.D. DIEDERICH, *Vergil in the Works of St. Ambrose*, Washington 1931, pp. 82 s.

[2] Questo primo paragrafo del *De uiduis* è ripreso nella prima metà del IX secolo dall'abbate di Corbie PASCASIO RADBERTO, *De assumptione* 17, 113 (CCCM 56C, p. 160) *ideo uiduae semper uirginibus bene copulantur, ut ait apostolus: Mulier innupta et uirgo cogitat quae sunt domini, ut sit sancta corpore et spiritu. Quodammodo enim magisterium uirginitatis uiduarum gliscit et confortatur exemplis, quae cum uiris castum seruarunt connubium docent integritatem magis uirginibus deo seruandam, et quod prope modum non inferioris uirtutis est coniugio abstinere, quod aliquando delectauit, quam coniugii delectamenta nescire. In utroque siquidem gradu fortitudo laudatur, et caelestis uitae praedicatur uirtus.* Nell'ultimo periodo (*in utroque siquidem...*) Radberto o ha frainteso il senso del periodo ambrosiano corrispettivo (*in utroque fortes...*) oppure vi ha colto solo uno spunto per sviluppare un proprio diverso pensiero. Cf. anche ID., *in ps. 44* 3 (PL 120, 1058D-1059A) *unde, charissimae... sitis uobis inuicem supplementum uirtutis et magisterium castitatis, ita ut uirginitas discat exemplo casti coniugii Christo deferre castitatem, quatenus sicut illa custodiuit cubile immaculatum, ita uirginitas eo amplius quam nouit, deo integritatem custodiat mentis et corporis, quoniam propemodum non inferior uirtus est eo abstinere coniugio <quod aliquando delectauerit, quam coniugii> oblectamenta nescire. Sed et uiduitas exemplo uirginum multa debet ediscere quae deploret, multa quae imitetur, multa etiam quae congaudeat, ut quae perdidit uidua in coniugio, totum possideat gaudens cum charitate in flore uirginitatis. Sicque in utroque fortes.* L'integrazione fra gli uncini è mia.

[3] Sul tema della *fides* fra vedova e marito defunto cf. Introduzione nr. 3.2.1.

[4] Il passo non è del tutto perspicuo. A mio parere il vescovo respinge l'opinione di chi riteneva che le vedove che fanno professione di vedovanza sono destinate

2. In hac ipsa tamen uirtute praemia sunt reposita libertatis: *Mulier* enim *uincta est quanto tempore uir eius uiuit; quod si dormierit uir eius, liberata est, cui uult nubat, tantum in domino. Beatior autem erit, si sic permanserit secundum meum consilium; puto enim et ego spiritum dei habeo* [c]. Euidenter igitur expressit apostolus quid intersit, cum aliam uinctam esse dixerit, aliam beatiorem esse memorauerit: idque non tam ex suo iudicio quam diuini spiritus docuit infusione depromptum, ut coelestis ista, non humana sententia uideretur.

3. Quid uero illud quod temporibus iis, quibus fames omne genus urgebat humanum, Elias ad uiduam destinatus est [d]? Et uide quemadmodum propria singulis gratia reseruetur: angelus ad uirginem [e], propheta ad uiduam. Adde quod Gabriel ille, hic Elias, ut ex angelorum et prophetarum numero praestantissimi principes uideantur electi. Sed non simplex uiduitatis laus est, nisi uirtus etiam uiduitatis accedat. Nam utique multae uiduae, sed una omnibus antefertur [f]; in quo non tam ceterae reuocantur a studio, quam uirtutis prouocantur exemplo.

4. Sollicitas igitur aures praefatio facit, quamuis simplicitas

[c] 1 Cor 7, 34.
[d] 3 Reg 17, 9.
[e] Lc 1, 26-28.
[f] Lc 4, 25.

---

3, 4 ille *plerique codd. classis* α: illic *Maur. et codd. quidam cl.* α
7 uiduae: *add.* ante *Maur.*
9 a: ab *Maur. (errore typ.?).*

2. Ma in questa forza sta la ricompensa della libertà. Infatti *la donna è vincolata per tutto il tempo che vive suo marito; quando il marito muore, è libera: si sposi con chi vuole, purché nel Signore. Ma piú beata sarà se rimarrà cosí, secondo il mio consiglio. Infatti penso di avere anch'io lo spirito di Dio.* Dunque con chiarezza l'Apostolo ha indicato qual è la differenza fra l'una, che ha detto essere vincolata, e l'altra, che ha ricordato essere piú beata. E ciò ha detto non secondo il suo giudizio, ma piuttosto avendolo ricevuto per l'infusione dello spirito divino, di modo che tale insegnamento apparisse soprannaturale, non umano [5].

3. E che cosa significa che, in quel tempo in cui la fame assillava tutto il genere umano, Elia fu inviato ad una vedova? E si osservi come a ciascuno è riservata una grazia particolare: un angelo fu inviato alla vergine, un profeta alla vedova. Si aggiunga che quello era Gabriele, questo era Elia: cosí appare chiaro che furono scelti i principi eminentissimi degli angeli e dei profeti [6]. Ma non vi può essere semplicemente una lode della vedovanza, se non vi è anche la virtú della vedovanza. Infatti vi erano certamente molte vedove allora, ma una è preferita a tutte; con questo non si vogliono distogliere le altre dallo zelo, ma piuttosto stimolare con l'esempio della virtú.

4. Dunque questo esordio rende attente le orecchie [7], quan-

ad affrontare i problemi della vita in condizioni di debolezza, propria del sesso femminile, e di inferiorità giuridica e sociale. Temi che saranno sviluppati nei capitoli seguenti.

[5] *diuini spiritus docuit infusione*: la sottolineatura dell'ultima espressione della citazione paolina ha una precisa ragione. Ambrogio distingue nell'agiografo della Sacra Scrittura la funzione di semplice strumento passivo, attraverso cui si esprime lo spirito di Dio che gli è stato infuso, da quella di interprete della volontà divina, il quale si esprime talora *ex suo iudicio*, tanto che le sue parole, pur autorevoli, possono essere definite come *humana sententia*. Non a caso anche altrove, quando fa riferimento a 1 Cor 7, 40, Ambrogio insiste sulla dichiarata origine divina di quel consiglio di Paolo: cf. piú avanti 14, 82 *non tantum suo consilio, sed etiam dei spiritu definiuit* (*Paulus*); *exh. u.* 7, 46 *consilium apostoli, donum spiritus sancti*; per la medesima ragione in *epist. ex. c.* 14, 39 (CSEL 82, 3, p. 255) l'espressione *meum consilium* (cioè di Paolo) è parafrasata in *consilium dei*. Su questo punto, e in generale sul problema dell'ispirazione in Ambrogio, si veda PIZZOLATO, *La dottrina esegetica*, pp. 88 ss.

[6] La ragione, per la quale alla Vergine Maria fu inviato l'angelo Gabriele e alla vedova di Sarepta il profeta Elia, non è espressa, ma possiamo ricostruirla. Alla Vergine fu inviato il principe degli angeli in considerazione dell'angelicità della vita verginale e dell'alto compito affidatole. Ricordiamo che il tema della vita angelica compare nelle opere sulla verginità ogni volta se ne offra lo spunto all'Autore. Il principe dei profeti fu invece inviato alla vedova, nella quale Ambrogio vede la profezia della Chiesa (cf. piú oltre 3, 14-15) e l'esercizio perfetto delle virtú (cf. piú avanti in questo paragrafo).

[7] Abbiamo in queste parole uno degli indizi dell'originaria forma omiletica del trattato, e l'espressione vuole significare che il senso mistico, appena accennato nel precedente paragrafo, dell'*exemplum* biblico della vedova di Sarepta richiede particolare attenzione. Ma di seguito la premessa è accantonata per sviluppare riflessioni a livello morale. Piú oltre (3, 14) si riprenderà la spiegazione mistica, cui è premessa un'espressione analoga (*ad magisterium uidetur sollicitare aures*).

intellectus ipsa moralis sit, quae ad uirtutis exemplum uiduas cohortetur, quia non professione, sed merito uidetur unaquaeque praestare, et hospitalitatis apud deum gratiam non perire, qui potum aquae frigidae, sicut in euangelio ipse memorauit [g], praemio aeternitatis remuneretur amplissimo: et farinae breuis oleique mensuram [h] indeficienti affluentium copiarum ubertate compenset [i]. Nam si quis de gentilibus dixit communia omnia amicorum esse debere, quanto magis debent esse communia cognatorum! Cognati enim sumus, qui in unam seriem corporis copulamur.

5. Sed tamen non praescripto quodam hospitalitatis fine concludimur. Cur enim proprium id quod in saeculo est, putes, cum commune sit saeculum? Aut cur priuatos terrae, deputes fructus, cum terra communis sit? *Respicite*, inquit, *uolatilia caeli, quoniam non serunt neque metunt* [l]. Etenim quibus nihil est proprium, nihil deest, et sententiae suae deus arbiter nouit seruare promissum. Denique aues non congregant, et edunt; quia pater caelestis pascit illas [m]. Nos autem generalis monita sententiae ad usus proprios deriuantes: *Omne*, inquit, *lignum quod habet in se*

[g] Mt 10, 42; Mc 9, 41.
[h] 3 Reg 17, 12.
[i] 3 Reg 17, 16.
[l] Mt 6, 26.
[m] Ibid.

---

5, 7 edunt: redundant α.
8 monita: monimenta α.

tunque anche una semplice comprensione abbia valore morale [8], se spinge le vedove a seguire l'esempio della virtú, perché non per la professione [9], ma per il merito ognuna di esse si segnala, e non perisce la grazia dell'ospitalità [10] presso Dio, il quale ricompensa un bicchiere di acqua fresca, come egli stesso ha ricordato nel Vangelo, con il premio ricchissimo dell'eternità, e ripaga una piccola porzione di farina e di olio con l'incessante elargizione di abbondanti ricchezze. Infatti, se qualcuno dei pagani ha detto che tutto deve essere in comune fra gli amici [11], quanto piú fra parenti tutto deve essere in comune. Infatti siamo parenti, dal momento che quanto al corpo facciamo parte di un'unica catena che ci unisce.

5. Tuttavia non siamo limitati da un confine prestabilito riguardo all'ospitalità. Perché infatti pensi che sia tuo ciò che è nel mondo, se il mondo è di tutti? O come puoi ritenere privati i frutti della terra, se è di tutti [12]? *Guardate* — dice — *gli uccelli del cielo, che non seminano né mietono.* Infatti coloro che non possiedono nulla, non mancano di nulla: e Dio giudice sa mantenere le promesse delle sue parole. Infatti gli uccelli non ammassano, e mangiano, perché il Padre celeste li nutre. Noi invece, traendo a personale vantaggio un ammonimento della Scrittura di valore generale (*ogni albero* — dice — *che ha frutti con semi*

[8] *Simplex intellectus* indica il senso letterale, quello immediatamente percettibile dell'episodio della vedova di 3 Reg 17, 9 ss. E tale livello di comprensione contiene già un valore morale — l'ospitalità della vedova è di per sé un esempio di virtú. Il concetto è ribadito in *Ios.* 14, 83 (CSEL 32, 2, p. 121, 16); *Abr.* 1, 9, 87 (CSEL 32, 1, p. 558, 12); 2, 1, 1 (p. 564, 1 s.). Sull'argomento si veda PIZZOLATO, *La dottrina esegetica*, pp. 229 s.

[9] *professione*: il termine è usato anche per indicare la «professione» della verginità.

[10] La virtú dell'ospitalità: altro tema ricorrente negli scritti del nostro Autore, in ragione delle condizioni di vita nel mondo antico e in particolare al tempo di Ambrogio, investito da una profonda crisi economica. Cf. *exam.* 5, 16, 54 (CSEL 32, 1, p. 181); *exp. ps. 118* 8, 50 (CSEL 62, pp. 181 s.); *exp. Luc.* 6, 66-67 (CSEL 32, 4, pp. 259 s.); l'esposizione piú ampia in tema di ospitalità, che utilizza l'*exemplum* di Abramo, è in *Abr.* 1, 5, 32-37 (CSEL 32, 1, pp. 526-530).

[11] Il detto, secondo gli antichi, risale a Pitagora, precisamente secondo TIMEO presso DIOGENE LAERZIO 8, 10; ZENOBIO 4, 79; ELIO DONATO, *in Adelph.* 804 (WESSNER, 2, p. 157, 10). P. COURCELLE, *Les Confessions de Saint Augustin dans la tradition littéraire. Antécédents et postérité*, Paris 1963, p. 25, nota 1, fornisce i riferimenti di numerose altre attestazioni: CICERONE, *off.* 1, 16, 51 (MÜLLER, p. 19, 14) *ut in Graecorum prouerbio est «amicorum esse omnia communia»*; *leg.* 1, 12, 33 (PLINVAL, p. 19), ma l'attestazione non è sicura perché il testo è ricostruito per congettura; MARZIALE 2, 43, 1; PS. CLEMENTE presso RUFINO, *recogn.* 10, 5 (GCS 51, p. 327) *Graecorum quidam sapientissimus... ait communia debere esse amicorum omnia*; GIROLAMO, *ep. adu. Rufinum* 39, 46 ss. (CCL 79, p. 109), che traduce PORFIRIO, *uit. Pyth.* 33 (NAUCH, p. 34) κοινὰ... φίλων, espressione che ritroviamo spesso in Platone, ma senza attribuzione a Pitagora (*Phaedr.* 279c; *resp.* 4, 424a; 5, 449c; *leg.* 5, 739c; *Lys.* 207c); anche in ARISTOTELE, *eth. Nicom.* 8, 9, 1 e MENANDRO, fr. 9 (COCK).

[12] La questione della proprietà privata in Ambrogio è di quelle piú dibattute. È notevole che se ne trovino alcuni spunti anche in questo opuscolo, con espressioni che ricompaiono analoghe, come un *Leitmotiv*, in numerose opere. Potrebbe essere questo il primo accenno in ordine cronologico, almeno se si tiene conto

*fructus seminis satiui erit uobis in escam et omnibus bestiis et omnibus auibus et omnibus serpentibus super terram* [n], congregando egemus et congregando uacuamur. Non possumus enim sperare promissum, qui non seruamus oraculum. Salubre est igitur praeceptum quoque hospitalitatis aduertere, ut hospitibus deferamus, quia nos quoque sumus hospites [o] mundi.

6. Quam uero sancta uidua, quae, cum fame urgeretur extrema, uenerationem deo debitam reseruabat, nec soli sibi usurpabat alimenta, sed cum filio diuidebat ne caro pignori superuiueret [p]! Magnum pietatis officium, sed religionis uberius. Nam sicut neminem filio oportuit anteferri, ita propheta dei et filio praeferri debuit et saluti, cui non exiguum uictum, sed uitae suae omne subsidium existimanda est detulisse, quae nihil reliquit sibi. Tam hospitalis, ut totum daret, tam fidelis, ut cito crederet.

**2.** 7. Ergo uidua non abstinentia corporis tantum definitur, sed uirtute designatur, cui praecepta non do ego, sed apostolus tribuit. Honorificentiam non solus impertio, sed gentium doctor [a] prius detulit dicens: *Viduas honora, quae uere uiduae sunt. Si qua autem uidua filios aut nepotes habet, discat primum suam domum regere et mutuam uicem reddere parentibus* [b]. Vnde aduertitur utrumque pietatis affectum uiduae inesse debere, ut filios diligat, parentibus deferat. Ita dum obsequium parentibus rependit, magi-

[n] Gen 1, 29-30.
[o] Deut 10, 19 (?); Eph 2, 19 (?).
[p] 3 Reg 17, 12.
2. [a] 1 Tim 2, 7.
[b] 1 Tim 5, 3-4.

6, 2 soli sibi α (solum sibi *Mantuanus*): sibi soli *Maur.*
5 et α: eius *Maur.*
7, 3 impertio: impartior *Maur.*
4 uere *scripsi (cf. exh. u. 2, 11)*: uerae *Maur.*
6 unde: *add.* et *Maur.*

*da seminare, sarà fonte di cibo per voi e per tutte le bestie e per tutti gli uccelli e per tutti i rettili della terra*), mentre ammassiamo, ci troviamo nell'indigenza e, mentre accumuliamo, siamo spogliati [13]. Non possiamo infatti sperare di avere quello che è stato promesso, se non osserviamo le parole divine. È dunque salutare tenere in considerazione il precetto dell'ospitalità, dando soccorso agli ospiti, perché anche noi siamo ospiti del mondo [14].

6. In verità, quanto era santa quella vedova che, pur oppressa da estrema fame, tributava a Dio la venerazione dovutagli, e non riservava il cibo a sé soltanto, ma lo divideva con il figlio, perché non sopravvivesse alla cara prole! Grande compito di pietà, ma ancor piú grande compito di fede! Infatti, come nessuno doveva essere anteposto al figlio, cosí il profeta di Dio doveva essere anteposto sia al figlio che alla salvezza. Bisogna ritenere che a lui ella abbia offerto non una piccola porzione di cibo, ma ogni mezzo di sopravvivenza, dal momento che niente riservò per sé. Fu tanto ospitale da dare tutto, tanto fedele da credere subito.

**2.** 7. Dunque la vedova non si qualifica solo per la continenza del corpo, ma per la virtú [15]. A lei non io do precetti, ma l'Apostolo. A lei non io solo rendo onore, ma prima l'Apostolo delle genti lo tributò, quando disse: *Onora le vedove che sono veramente vedove. E se una vedova ha dei figli o nipoti, sappia innanzi tutto governare la propria casa e rendere l'aiuto vicendevole ai genitori*. Perciò si dice che la vedova deve avere entrambi i sentimenti di pietà, l'amore per i figli e il rispetto per i genitori. Cosí, mentre rende ai genitori l'ossequio dovuto, dà un insegna-

delle date di pubblicazione dei diversi scritti: eppure è generalmente trascurato dagli studiosi. V.R. VASEY, *The social Ideas in the Works of St. Ambrose*, Roma 1982, non lo menziona; a questo recente lavoro rinviamo, tuttavia, per una piú ampia panoramica sull'argomento e per i riferimenti alle altre opere di Ambrogio, ove il tema è trattato (cf. pp. 17 ss.).

[13] Il concetto è sviluppato in *exp. Luc.* 7, 124 (CCL 14, p. 256) *nam si uolatilibus caeli, quibus nullum exercitium cultionis, nullus de messium fecunditate prouentus est, indeficientem tamen prouidentia diuina largitur alimoniam, uerum est causam inopiae nostrae auaritiam uideri. Etenim illis idcirco inelaborati pabuli usus exuberat, quod fructus sibi communem ad escam datos speciali quodam nesciunt uindicare dominatu, nos communia amisimus, dum propria uindicamus; nam nec proprium quicquam est, ubi perpetuum nihil est, nec certa copia, ubi incertus euentus. Cur enim diuitias tuas aestimes, cum tibi deus etiam uictum cum ceteris animantibus uoluerit esse communem? Aues caeli speciale sibi nihil uindicant et ideo pabulis indigere nesciunt*; cf. anche *exp. ps. 118* 19, 14 (CSEL 62, pp. 428 s.). Il tema della povertà del ricco è anche trattato con sferzante ironia in alcune belle pagine del *De Nabuthae*: 4, 18-19 e 6, 30-31.

[14] La virtú dell'ospitalità ha per fondamento l'intima convinzione del cristiano di essere straniero sulla terra: si basa cioè su un presupposto di fede. Analogamente dobbiamo valutare le riflessioni sulla comunione dei beni in questo paragrafo (ma anche altrove), tenendo conto che hanno innanzi tutto una motivazione ascetica, che nel nostro caso vale anche ad armonizzarle con il tema dell'opuscolo.

[15] Concetto ripreso piú oltre (2, 11) ed anche piú volte applicato alla verginità: cf. *uirgb.* 2, 2, 7 *uirgo erat non solum corpore, sed etiam mente*, e la mia nota relativa.

sterium exercet in filios suoque se ipsa remuneratur officio, cum id quod aliis defert sibi proficit.

8. *Hoc enim acceptum est coram deo* [c]. Et ideo si cogitas, uidua, quae dei sunt [d], debes id sequi quod domino placere didicisti. Et supra quidem sanctus apostolus ad continentiae studium uiduas cohortatus dixit eas cogitare quae sunt domini. Alibi autem ubi eligitur uidua [e] quae probata est, non solum cogitare praecipitur, sed etiam sperare de domino: *Quae enim uere*, inquit, *uidua est et desolata, speret in deum et instet obsecrationibus et orationibus nocte ac die* [f]. Nec immerito has irreprehensibiles [g] ostendit esse debere, quibus ut opus uirtutis indicitur, ita etiam honorificentia larga defertur, ut etiam ab episcopis honorentur [h].

9. Qualis autem eligi debeat, ipso doctoris [i] sermone describitur: *Non minus*, inquit, *sexaginta annorum, quae fuerit unius uiri uxor* [l]. Non quo senectus sola uiduam faciat, sed quo uiduitatis merita stipendia senectutis sint. Nam utique illa praeclarior, quae calorem adolescentiae et iunioris feruescentem edomat aetatis ardorem, nec mariti gratiam, nec uberiora liberorum oblectamenta desiderans, quam quae effeta iam corpore, frigida senectute, matura aeui, nec calere uoluptatibus potest, nec sperare de partu.

10. Neque uero si qua in secundas nuptias inciderit, quas utique apostolica praecepta non damnant, quasi fructu pudoris

[c] Ibid.
[d] 1 Cor 7, 34.
[e] 1 Tim 5, 9.
[f] 1 Tim 5, 5.
[g] 1 Tim 5, 7.
[h] 1 Tim 5, 3.
[i] 1 Tim 2, 7.
[l] 1 Tim 5, 9.

8, 1 enim: *add.* inquit *Maur.*
et: *om. Maur. (errore typ.?).*
2 domino: deo *Maur.*
6 uera α.
uidua est inquit *transp. Maur.*
7 sperat α.
deum *Maur. (cf. infra 9, 56)*: dominum α (-no *Monacensis).*
instat α.
8 die ac nocte *transp. Maur.*
9, 1 ipso: ipsius *Maur.*
3 solum α (-a *Monacensis).*
4 sint senectutis *transp. Maur.*

mento ai figli, e compiendo il suo dovere si ricompensa da sé, perché ciò che dona agli altri giova a lei stessa.

8. *Infatti questo è accetto di fronte a Dio.* E perciò, o vedova, se ti preoccupi delle cose di Dio, devi seguire ciò che sai che piace a Dio. Anche precedentemente [16] il santo Apostolo, esortando le vedove allo zelo per la continenza, ha detto che esse si preoccupano delle cose del Signore. E altrove, ove si sceglie la vedova che è stata approvata, non solo si prescrive che deve preoccuparsi [delle cose del Signore], ma anche che deve sperare in lui: *Infatti colei che è veramente* [17] *vedova* — dice — *e desolata, speri in Dio e perseveri nelle suppliche e nelle preghiere notte e giorno.* E giustamente spiega che devono essere irreprensibili coloro cui, come si prescrive il compito della virtú, cosí si tributa il grande privilegio di essere onorate persino dai vescovi [18].

9. Quale poi si debba scegliere, è spiegato dalle stesse parole del Dottore: *Non abbia* — dice — *meno di sessanta anni, che sia stata moglie di un solo uomo.* Non perché l'anzianità faccia da sola la vedova, ma perché i meriti della vedovanza costituiscono l'emolumento [19] della vecchiaia. Infatti certamente è piú insigne colei che sa frenare il calore dell'adolescenza e il fuoco ardente dell'età giovanile e che non desidera il piacere di avere un marito né la gioia piú grande di avere dei figli, piuttosto che colei che, ormai sfiorita nel corpo [20], fredda per la vecchiaia, avanzata negli anni, non può piú né ardere di passioni né sperare di avere dei figli [21].

10. Se poi qualcuna è incappata [22] nelle seconde nozze, che i precetti dell'Apostolo certamente non condannano, se sarà di

[16] Cf. sopra 1, 1.

[17] Diversi manoscritti in luogo di *uere* hanno *uera*: dire con sicurezza che cosa leggesse Ambrogio non è possibile (il testo greco ha ὄντως). Noi abbiamo scelto badando alla coerenza con tutti quei luoghi ove la citazione di 1 Tim 5, 5 ritorna: cf. qui oltre 9, 56 e per l'analogo problema di 1 Tim 3, 3 cf. sopra 2, 7; 2, 11; *exp. Luc.* 8, 75 (CCL 14, p. 326).

[18] *ab episcopis honorentur*: si allude a 1 Tim 5, 3 *uiduas honora*: l'esortazione, indirizzata a Timoteo, è considerata come rivolta ai vescovi.

[19] Con *stipendia* sono indicati i meriti che la vedova acquisiva nella Chiesa con il «servizio» della sua professione (in analogia con il servizio militare) e che davano diritto ad un riconoscimento e ad un sussidio, all'età di 60 anni. Cf. piú oltre 14, 85; *exh. u.* 4, 25; *exp. Luc.* 2, 62 (CCL 14, p. 57).

[20] *effeta iam corpore*: cf. piú oltre 4, 22.

[21] Cf. *Ios.* 10, 58 (CSEL 32, 2, p. 110, 15) *ceterum maior in iuuene quam in sene laus castitatis est.*

[22] *in secundas nuptias inciderit*: il verbo esprime una certa disistima nei confronti delle seconde nozze. TERTULLIANO, *uirg.* 17, 1 lo usa per indicare il matrimonio: *quae in nuptias incidistis* (CCL 2, p. 1225).

amisso, si rursus soluta fuerit uiro, ab affectu uiduitatis arcetur. Habebit illa quidem uel serae meritum castitatis, sed probatior erit quae alterius non fuerit experta coniugium [m]; in illa enim studium eminet castitatis: huic aut senectus aut pudor modum uidetur fecisse nubendi.

11. Nec sola tamen castitas corporis uiduae fortitudo est, sed magna et uberrima disciplina uirtutis: *Quae in operibus bonis testimonium habeat, si filios educauerit, si hospitio receperit, si sanctorum pedes lauerit, si tribulationem patientibus subministrauerit, si postremo omne opus bonum fuerit subsecuta* [n]. Vides quam multas uirtutum comprehenderit disciplinas: primum, pietatis officium; secundum, hospitalitatis studium et humilitatis obsequium; tertium, misericordiae ministerium liberalitatisque subsidium; ad summam, omnis exsecutionem boni operis flagitauit.

12. Et ideo adolescentiores deuitandas putat [o], eo quod non queant tantae operam implere uirtutis. Etenim uicina est lapsibus adolescentia, quia uariarum aestus cupiditatum feruore calentis inflammatur aetatis: bonique doctoris est, materiam arcere peccati. Prima enim institutionis est disciplina culpam auertere, secunda uirtutem infundere. Tamen cum scierit apostolus Annam illam ab adolescentia octogenariam uiduam dominicorum operum exstitisse praenuntiam [p], non puto quod iuniores reuocandas putarit a uiduitatis affectu, maxime cum dixerit: *Melius est nubere quam uri* [q]. Nam utique pro remedio nuptias suasit, ut peritura

[m] Ibid.
[n] 1 Tim 5, 10.
[o] 1 Tim 5, 11.
[p] Lc 2, 36-37.
[q] 1 Cor 7, 9.

---

10, 6 eminet studium *transp. Maur.*
12, 6 scierit apostolus α (sciuerit ap. *Herbipolitanus*): apostolus sciret *Maur.*

nuovo libera per la morte del marito, non le è proibito di abbracciare la vedovanza, come se avesse perduto il pregio del pudore. Certo lei acquisirà il merito della castità pur tardiva, ma piú meritevole sarà quella che non si sarà risposata con un altro. Infatti in quella [che non si è risposata] risplende l'amore per la castità, a questa [che si è risposata] o la vecchiaia o il pudore hanno imposto un limite alle nozze.

11. D'altra parte il valore della vedova non consiste solo nella castità del corpo, ma nell'esercizio intenso e abbondante della virtú [23]: *Colei alla quale diano testimonianza le buone opere: se ha educato bene i figli, se ha dato ospitalità, se ha lavato i piedi delle persone sante, se ha portato soccorso al dolore dei sofferenti, se infine ha compiuto ogni buona opera.* Guarda quanti esercizi di virtú ha elencato: in primo luogo il dovere della pietà; in secondo luogo lo zelo per l'ospitalità e il servizio fatto con umiltà; in terzo luogo il ministero della misericordia e l'aiuto della generosità; come coronamento finale ha chiesto il compimento di ogni opera buona.

12. E per questa ragione pensa che si debbano evitare le piú giovani, perché non sono in grado di adempiere un compito che richiede cosí grande virtú. Infatti l'adolescenza è facile alle cadute, perché il fuoco delle diverse passioni si accende per il calore dell'ardente età [24]: un buon maestro tiene lontana la causa del peccato [25]. Infatti il primo insegnamento consiste nell'allontanare la colpa, il secondo nell'infondere la virtú. Tuttavia poiché l'Apostolo sapeva che quell'Anna, vedova da ottanta anni fin dall'adolescenza [26] era stata profetessa delle opere del Signore, non penso che abbia inteso dire che le piú giovani devono essere allontanate dal desiderio della vedovanza [27], soprattutto perché ha detto: *È meglio sposarsi che bruciare.* Certamente infatti ha consigliato le nozze come rimedio [28], perché colei che è avviata alla rovina, sia guarita; non le ha prescritte come una scelta

[23] Cf. sopra 2, 7.

[24] Cf. *Ios.* 10, 58 (CSEL 32, 2, p. 110, 12 ss.) *adulescentiores uiduas praedicat declinandas, non propter aetatem, sed propter quandam pubiscentium delictorum lasciuiam inmaturitatemque uirtutis.* La sequenza dei termini che esprimono fuoco e calore è da mettere in relazione con 1 Cor 7, 9 che Ambrogio ha in mente e poco oltre cita. Cf. *exp. Luc.* 4, 63 (CCL 14, p. 129); *paenit.* 1, 14, 68 (CSEL 73, p. 151).

[25] Per *materia peccati* cf. AGOSTINO, *nat. et gr.* 22, 24.

[26] Ho collegato *ab adulescentia* con *uiduam*, perché questa sembra essere la soluzione voluta dal contesto, anche se la costruzione latina ammette la possibilità, e la probabilità, di un nesso anche con *extitisse.* Dobbiamo poi intendere *octuagenariam* alla luce di *exp. Luc.* 2, 62 e di *epist.* 14, 29, dove Ambrogio riferisce gli 84 anni non all'età di Anna, ma — concedendosi una *pia fraus* — alla sua vedovanza: *non otiose tamen annos LXXXIIII uiduitatis eius expressit* (CCL 14, p. 57); *Anna octoginta quattuor annos in uiduitate sua* (CSEL 82, 3, p. 251).

[27] *uiduitatis affectu*: cf. sopra 2, 10; piú avanti 7, 38 *ut discas maturae uiduitatis affectum.*

[28] *pro remedio*: Ambrogio concepisce il matrimonio come un rimedio per la natura debilitata dal peccato originale. La natura primigenia dell'umanità non contemplava le nozze: cf. *epist. ex. c.* 15, 3 (CSEL 82, 3, p. 303) *neque uero nos negamus sanctificatum a Christo esse coniugium diuina uoce dicente: «Erunt ambo*

sanetur: non pro electione praescripsit, ne castitatem continens sequatur; aliud est enim subuenire labenti, aliud suadere uirtutem.

13. Et quid de humanis iudiciis loquar, cum diuinis iudiciis in nullo grauius Iudaei dominum laesisse prodantur, quam quod uiduae gratiam, minorumque iura uiolarent [r]? Haec propheticis causa uocibus conclamatur, quae meritum Iudaeis reiectionis inuexerit [s]. Haec sola causa delicti inuidiam mitigatura memoratur si honoretur uidua, minoribusque aequi iustitia iudicii deferatur; sic enim habes: *Iudicate pupillo, et iustificate uiduam et uenite, disputemus, dicit dominus* [t]. Et alibi: *Pupillum et uiduam suscipiet* [u]. Et alibi: *Viduam eius benedicens benedicam* [v]. In quo ecclesiae quoque figura praetexitur. Videtis igitur, sanctae uiduae, nequaquam lubrico munus studio deserendum, quod diuinae benedictionis subsidiis honoratur.

**3.** 14. Quid uero illud, ut ad superiora redeamus, quod cum in omni terra esset fames maxima, uiduae tamen deo cura non defuit, atque ad alendum ad eam propheta directus est [a]? In quo cum me admoneat dominus quod *in ueritate* dicturus sit [b], ad

[r] Mal 3, 5.
[s] Ez 22, 7.15.
[t] Is 1, 17-18.
[u] Ps 145 (146), 9.
[v] Ps 131 (132), 15.
3. [a] 3 Reg 17, 9-16.
[b] Lc 4, 25.

11*s.* praescripserit casta et continens quid sequatur α.
12*s.* uirtuti α.
14, 3 ad alendum ad eam *codd. quidam cl.* β *(i.e. Cantabr., Corp. Chr. 274, Oxon. Bodl. 768, Turonensis 268, Paris. 1751)*: ad alendum eam *Maur.*: ad alendam eam α.

volontaria per impedire che una donna da continente [29] segua la castità. Infatti una cosa è portare aiuto a chi cade, un'altra è consigliare la virtú.

13. E perché parlare delle sentenze umane [30], quando le divine sentenze dichiarano che i Giudei in nulla hanno offeso il Signore piú gravemente che nel fare ingiuria alla grazia delle vedove e ai diritti dei minori? Questa è la causa, proclamata dalle parole dei profeti, che ha meritato ai Giudei il ripudio. Si ricorda che l'unica ragione per la quale sarà mitigata la pena per la colpa, consiste nell'onore che si riserva alla vedova e nella giustizia che viene resa con equo giudizio ai minori. Cosí infatti sta scritto: *Giudicate per l'orfano e rendete giustizia alla vedova e venite, discutiamo, dice il Signore.* E altrove: *Prenderà con sé l'orfano e la vedova.* E altrove ancora: *Benedicendo benedirò la sua vedova.* In questo è anche prefigurata la Chiesa. Vedete dunque, o sante vedove, che per un desiderio pericoloso non bisogna abbandonare un ufficio che è onorato dal sostegno della benedizione divina.

**3.** 14. E che cosa significa — per tornare a quanto si diceva sopra [31] — il fatto che, mentre su tutta la terra c'era una gravissima carestia, ciò nonostante Dio ebbe cura di una vedova e a lei fu inviato un profeta per procurarle cibo? Su questo punto il Signore nell'ammonirmi che sta per parlare *secondo verità* [32], pare voler

*in una carne et in uno spiritu», sed prius est quod nati sumus quam quod effecti, multoque praestantius diuini operis mysterium quam humanae fragilitatis remedium.* Cf. anche *exh. u.* 6, 36.

[29] *continens*: la precisazione è necessaria per distinguere, come piú volte fa Ambrogio, la castità di chi è continente da quella di chi è sposato.

[30] *de humanis iudiciis*: potrebbe sembrare sorprendente che Ambrogio si riferisca al pensiero dell'apostolo Paolo, commentato nei paragrafi precedenti, definendolo «giudizio umano». Ma bisogna tener presente che il nostro Autore distingueva nettamente nella Scrittura da una parte le espressioni dell'agiografo e quelle che l'agiografo attribuisce a persone umane, dall'altra le parole con cui l'autorità divina si esprime in prima persona, come nei Vangeli o in qualunque altro scritto profetico. La concezione di Ambrogio circa l'ispirazione della Sacra Scrittura non prescinde dal diverso grado di *auctoritas* di chi realmente parla in questo o in quel passo del testo biblico. Perciò il giudizio che Paolo ha dato *ex sua persona* sulla vedovanza non ha lo stesso valore di quello espresso *ex persona dei* in Isaia o nei Salmi. Si veda anche sopra, una mia nota a 1, 2 e PIZZOLATO, *La dottrina esegetica*, pp. 80 ss.

[31] Cf. sopra 1, 3.

[32] *in ueritate*: Ambrogio riprende l'espressione da Lc 4, 25, riproponendola con un ben preciso valore ermeneutico. Che cosa significhi *ueritas* sul piano esegetico e quali concetti richiami per opposizione, è detto dallo stesso Ambrogio sulla traccia di Col 2, 17 in *apol.* 1, 12, 58 (CSEL 32, 2, pp. 339 s.) *ecce iam non in umbra nec in figura, non in typo, sed in ueritate lux aperta resplendet.* Ma il nostro passo pone la *ueritas* anche in positiva relazione con un'altra categoria esegetica: *mysterium*; vi troviamo confermata una valutazione che gli studiosi hanno già espressa sulla base di altri luoghi ambrosiani: «Quando si è in presenza di una situazione di rinvio da mondo veterotestamentario a mondo neotestamentario, al termine *ueritas* può essere sostituito quello di *mysterium*» (PIZZOLATO, *La dottrina esegetica*, p. 70), e qui Ambrogio afferma espressamente l'equivalenza *ueritas* = *mysterium*, anzi che il *mysterium* è la massima espressione della *ueritas*.

mysterium uidetur sollicitare aures. Quid enim uerius Christi et ecclesiae potest esse mysterio? Non igitur otiose inter multas uiduas una praefertur. Quae enim talis, ad quam tantus propheta, qui ad caelum raptus est [c], dirigatur, eo praesertim tempore quando clausum est caelum annis tribus et mensibus sex [d], cum facta esset fames magna in omni terra [e]? Vbique ergo fames erat, et adhuc tamen haec uidua non egebat. Qui sunt isti tres anni? Ne forte illi quibus dominus uenit in terras, et fructum in ficulnea inuenire non potuit, iuxta quod scriptum est: *Ecce anni tres sunt, ex quo ueni quaerens fructum in ficulnea hac, et non inuenio* [f].

15. Haec est profecto uidua illa, de qua dictum est: *Laetare, sterilis quae non paris, erumpe et exclama, quae non parturis, quoniam multi filii desertae magis quam eius quae habet uirum* [g]. Et bene uidua, cui bene dicitur: *Ignominiae et uiduitatis tuae non eris memor, quia ego dominus qui facio te* [h]. Et fortasse ideo uidua, quae amisit quidem uirum, secundum corporis passionem, sed in die iudicii, filium hominis, quem amisisse uisa est, receptura:

[c] 4 Reg 2, 11 (raptus: 2 Cor 12, 2 [?]).
[d] Lc 4, 25.
[e] 1 Reg 18, 1.
[f] Lc 13, 7.
[g] Is 54, 1; Gal 4, 27.
[h] Is 54, 4-5.

11 isti: hi *Maur.*

sollecitare le orecchie alla comprensione del mistero [33]. Infatti, che cosa vi può essere di piú vero del mistero di Cristo e della Chiesa? Dunque non è senza preciso significato che fra tutte le vedove una sola è scelta. Chi è infatti colei a cui un profeta cosí grande da essere stato rapito in cielo [34] è inviato, particolarmente in quel tempo in cui il cielo rimase chiuso per tre anni e sei mesi [35], e una grande carestia venne su tutta la terra? Dunque, ovunque c'era la carestia e ancora questa vedova non si trovava nell'indigenza. Quali sono questi tre anni? Forse sono quelli durante i quali il Signore è venuto sulla terra, e non poté trovare frutti sul fico, secondo quanto è scritto: *Ecco da tre anni vengo a cercare frutti in questo fico e non ne trovo* [36].

15. Certamente questa è la vedova [37] di cui è stato detto: *Rallegrati, o sterile che non generi, esulta e grida, tu che non partorisci, perché molti sono i figli dell'abbandonata, piú numerosi dei figli di colei che ha marito.* E beata la vedova a cui è rivolta la benedizione: *Non ti rammenterai della tua vergogna e della tua vedovanza, perché io sono il Signore che ti faccio.* E forse per questo è vedova [38] — colei che ha perduto il marito quanto al corpo che soffre, ma nel giorno del giudizio riceverà il Figlio dell'uomo che parve avesse perduto: *Infatti per breve tempo*, dice, *ti ho abbandonata*

[33] Il senso mistico della Scrittura richiede un'attenzione particolare: l'espressione richiama quella di 1, 4 *sollicitas igitur aures praefatio facit.*

[34] Circa l'espressione *ad caelum raptus* (cf. 2 Cor 12, 2) si veda quanto ho osservato in una nota a *uirgb.* 1, 3, 12.

[35] Ambrogio legge l'episodio della vedova di Sarepta nella versione che ne dà Lc 4, 24 ss. Di qui è tratta la notizia che la carestia durò tre anni e sei mesi (Lc 4, 25 = Iac 5, 17), mentre da 3 Reg 18, 1 si desume che durò tre anni. Cf. *off.* 2, 14 (SAEMO 13, p. 192); 3, 4 (p. 276); *Hel.* 2, 2 (CSEL 32, 2, p. 412, 17); 22, 84 (p. 464) *tribus annis et sex mensibus*; invece *epist.* 10, 7 (CSEL 82, 1, p. 76, 67) *per triennium.*

[36] Il parallelismo, sul piano esegetico, fra i tre anni di siccità, che la vedova di Sarepta trascorre senza soffrirne (cf. 1 Reg 17), e i tre anni, durante i quali il fico di Lc 13, 7 rimane sterile, si fonda su un'interpretazione di quest'ultimo passo evangelico piú volte ripetuta negli scritti di Ambrogio. Il fico rappresenta la Sinagoga; i tre anni indicano il tempo dei patriarchi, il tempo dei profeti e quello della venuta di Cristo, durante i quali la Sinagoga non produsse i frutti spirituali attesi. Ma, dopo la venuta di Cristo, il fico, ormai simbolo della Chiesa, comincia a produrre frutti. Analoga è l'interpretazione dell'episodio di cui è protagonista la vedova di Sarepta: i tre anni della carestia, cioè la sterilità del popolo giudaico, non coinvolgono la vedova che è figura della fecondità della Chiesa. Cf. *exp. Luc.* 1, 36 (CCL 14, p. 24) *hic post triennium arescentem nostri corporis humum fidei imbre perfudit... mysticus enim numerus debebatur, ut salus populis redderetur: unus in patriarchis annus... alius in Moyse et prophetis ceteris, tertius in domini salutaris aduentu*; 2, 76 (pp. 82 s.); *parad.* 13, 67 (CSEL 32, 1, p. 325); *Iac.* 1, 1, 2 (CSEL 32, 2, p. 4). Per chiarire, poi, che con la frase *quibus* (scil. *tribus annis*) *dominus uenit in terras* Ambrogio si riferisce, in modo arditamente ellittico, a tre successive «venute» del Signore; è necessario confrontare *exp. Luc.* 7, 166 (CCL 14, p. 271) *uenit ad Abraham, uenit ad Moysen, uenit ad Mariam, hoc est uenit in signaculo, uenit in lege, uenit in corpore.*

[37] La riflessione ora si sviluppa sul piano spirituale, come Ambrogio ha avvertito nel paragrafo precedente. Allora è alla Chiesa, mistica vedova di Cristo, che sono rivolte le parole di Is 54, 1.4.5.7.

[38] Intendiamo la Chiesa divenuta apparentemente e per breve tempo vedova per la morte di Cristo, ma in attesa di ricongiugersi al suo Sposo.

*Tempus enim breue*, inquit, *dereliqui te* [i], ut gloriosius scilicet fidem derelicta seruaret.

16. Habent itaque omnes quod imitentur exemplum, uirgines, nuptae, uiduae. Et fortasse ideo ecclesia uirgo, nupta, uidua, quia unum corpus in Christo sunt [l]. Haec igitur illa uidua est, propter quam, uerbi caelestis siccitas cum esset in terris, prophetae sunt destinati; erat enim quae sterilis erat [m], sed partum suo tempore reseruabat.

17. Vnde nec illius nobis uidetur persona mediocris, qui aridam terram uerbi rigauit rore caelestis, clausumque caelum non humana utique potestate reserauit. Quis enim est qui caelum potest aperire, nisi Christus, cui quotidie de peccatoribus cibus, ecclesiae cumulo congregatur? Neque enim humanae facultatis est dicere: *Hydria farinae non deficiet, et uas olei non deficiet usque in diem quo dabit dominus pluuiam super terram* [n]. Nam licet mos sit ita praefari prophetis, tamen haec uera dei uox est. Ideo praemissum est: *Quia haec dicit dominus* [o]; domini est enim perpetuitatem sacramentorum spondere caelestium, et non defuturam spiritalis exsultationis gratiam polliceri, largiri munimenta uitae, fidei signacula, dona uirtutum.

18. Quid autem est: *Vsque in illum diem quo dabit dominus pluuiam super terram* [p], nisi quia *descendet sicut pluuia in uellus et sicut stillicidia stillantia super terram* [q]? In quo ueteris mysterium reseratur historiae quo sanctus Gedeon mystici certaminis praeliator, futurae capiens insigne uictoriae, spiritale sacramentum uigore mentis agnouit, pluuiam illam uerbi rorem esse diuini, quae primo pluit in uellus, cum terra omnis perpetuis siccitatibus aestuaret: secundo uero indicio uniuersa terrarum fuso imbre madefecit, cum siccitas esset in uellere [r].

[i] Is 54, 7.
[l] Rm 12, 5.
[m] Is 54, 1.
[n] 3 Reg 17, 14.
[o] Ibid.
[p] Ibid.
[q] Ps 71 (72), 6.
[r] Iudic 6, 37-40.

---

15, 9 relicta α.
16, 2 uiduae: *praem.* et *Maur.*
5 quae α: uidua quae *Maur. (et Herbipolitanus).*
17, 2 caelesti *Maur.*
5 cumulo α *(-um Monacensis)*: cumulus *Maur.*
congregatur α *Maur.*: congeratur *quidam codd. cl.* β *(i. e. Oxon. Bodl. 768, Turonensis 268, Paris. 1751).*
8 haec: hic α *(fort.).*
9 enim est *transp. Maur.*
18, 1 autem est *Nazzaro («Civ. cl. e cr.» 6, 1985, p. 435) cum codd. fere omnibus*: est autem *Maur.*
2 quia *Nazzaro (ibid.) codd.*: quia et *Maur.*
8 uniuersa terrarum *Nazzaro (ibid.) cum plerisque codd. cl.* α: uniuersae terrae. aream *Maur. cum codd. cl.* β.

— perché con piú gloria colei che è stata abbandonata conservasse la fedeltà.

16. Dunque tutte hanno un esempio da imitare: le vergini, le sposate, le vedove. E forse la Chiesa è vergine, sposa, vedova, perché tutte sono un sol corpo in Cristo. Questa dunque è la vedova per la quale sono stati mandati i profeti, quando sulla terra c'era siccità del Verbo celeste; infatti era colei che era sterile, ma riservava il parto al tempo opportuno [39].

17. Perciò non è personaggio di scarso valore [40], colui che irrigò la terra arida con la rugiada del Verbo celeste [41] e aprí il cielo chiuso con un potere certamente non umano. Infatti, chi è colui che può aprire il cielo, se non Cristo, per il quale ogni giorno viene raccolto il cibo tra i peccatori, per l'ammasso della Chiesa? E infatti non è facoltà umana poter dire: *L'orcio della farina non si esaurirà e il vaso dell'olio non finirà fino al giorno in cui il Signore farà piovere sulla terra.* Infatti, anche se è consuetudine dei profeti far simili predizioni, tuttavia questa è la vera voce di Dio. Perciò è stato premesso: *Perché cosí dice il Signore* [42]. Infatti è del Signore impegnarsi a garantire la perpetuità dei celesti sacramenti e promettere che la grazia della gioia spirituale non verrà meno, distribuire i conforti della vita, i segni della fede, i doni delle virtú.

18. Ma che cosa significa: *Fino al giorno in cui il Signore farà piovere sulla terra,* se non che *scenderà come pioggia sul vello e come gocce stillanti sulla terra*? Evento nel quale si rivela il mistero dell'antica storia, per il quale il santo Gedeone, combattente della mistica battaglia, comprendendo il segno della vittoria futura [43], riconobbe il sacramento spirituale con la forza della mente, cioè che quella pioggia era la rugiada del Verbo divino [44], la quale in un primo tempo cadde sul vello, mentre tutta la terra era riarsa da una siccità continua, ma con il secondo segno bagnò tutta la terra con pioggia torrenziale, mentre la siccità era sul vello.

[39] Intendiamo: la vedova di Sarepta è misticamente da identificare con la donna sterile di Is 54, 1, tipo della Chiesa feconda. A questo passo del *De uiduis* rinvia Ambrogio in *exp. Luc.* 4, 50 (CCL 14, pp. 123 s.) *diximus enim in libro alio in uidua illa ad quam Helias directus est typum ecclesiae praemissum.*

[40] Grosso modo a questi §§ 17-20 rinvia Ambrogio in *exp. Luc.* 4, 49 (CCL 14, p. 123).

[41] *caelestis*: i Maurini hanno *caelesti,* da concordare con *rore,* ma almeno i codici della classe α, da me collazionati, attestano *caelestis,* che è da preferire, perché già nel paragrafo precedente abbiamo incontrato l'espressione *uerbi caelestis* e nel paragrafo seguente leggiamo una frase singolarmente analoga con il medesimo iperbato *uerbi... diuini*; similmente nel successivo § 18 *diuini... sermonis*; e poi, logicamente, è *uerbum* che necessita della specificazione «celeste», non *ros.*

[42] Si è già detto (cf. sopra la nota 16 a 2, 13) che per Ambrogio la Sacra Scrittura ha vari livelli di autorevolezza: il massimo si ha quando Dio parla in prima persona.

[43] Tutta la storia dell'A.T., eventi profezie personaggi, è orientata secondo un *ordo mysticus* verso Cristo e i suoi misteri. Certi personaggi ebbero il privilegio, pur vivendo nell'*umbra* dell'A.T., di vedere quell'*ordo mysticus* che unisce le loro vicende a quelle di Cristo.

[44] La pioggia biblica come simbolo della venuta di Cristo: cf. *inst. u.* 13, 82; *spir. s.* 1, prol. 8 (CSEL 79, p. 19).

19. Aduertit enim uir praesagus futuri ecclesiae crescentis insigne. Nam primo intra Iudaeam diuini coepit ros sermonis [s] humescere (*notus* enim *in Iudaea deus* [t]), cum arido fidei totius orbis uniuersa torrerent. Sed ubi Ioseph greges deum negare coeperunt et ausu uario immanium delictorum contrahere diuinitatis offensam, tunc per omnes terras fuso imbris rore caelestis, populus Iudaeorum aestu perfidiae suae coepit arescere, cum ecclesiam sanctam ex omnibus terrarum partibus congregatam propheticae nubes et salutaris imber apostolicus irrigarent. Haec est illa pluuia non terrarum humido, non nebuloso concretą montium, sed caelestium scripturarum salubri per totum orbem imbre diffusa.

20. Ostenditur igitur exemplo non omnium esse diuinae mereri miracula potestatis, sed eorum quibus religiosae deuotionis studia suffragentur, et diuini eos fructu operis abdicari, qui reuerentiae sunt coelestis exsortes. Ostenditur etiam in mysterio

[s] Deut 32, 2.
[t] Ps 75 (76), 2.

19, 1 futuri *Nazzaro (ibid. p. 436) cum codd. cl.* α: futurae *Maur.*
3*s.* arido... uniuersa torrerent *Nazzaro (ibid.) cum codd. cl.* α: arida... uniuersa terra maneret *Maur. cum codd. cl.* β *fere omnibus.*

19. Infatti l'uomo presago del futuro riconobbe il segno della Chiesa nascente. Infatti dapprima dentro la Giudea la rugiada della parola divina [45] cominciò a inumidire — *infatti Dio era conosciuto in Giudea* [46] —, mentre per l'aridità dovuta alla mancanza di fede tutto il mondo era riarso. Ma quando i greggi di Giuseppe cominciarono a negare Dio e ad attirarsi l'avversione divina con l'audacia di svariati immani delitti, allora, diffusasi su tutta la terra la rugiada della celeste pioggia, il popolo dei Giudei cominciò ad ardere per il calore della sua infedeltà, mentre le profetiche nubi e la salutare pioggia apostolica irrigavano la santa Chiesa radunata da ogni parte della terra. Questa è la pioggia non formatasi dall'umidità della terra o dalle nebbie dei monti, ma quella che si diffonde in tutto il mondo per la precipitazione salutare delle Scritture celesti [47].

20. Dunque con questo esempio [48] si mostra che non è di tutti meritare i miracoli della potestà divina, ma di coloro che sono sostenuti dallo zelo di una pia devozione; e sono esclusi dal beneficio dell'opera divina coloro che non prendono parte all'adorazione divina. In senso mistico si mostra anche che il Figlio di

[45] L'allusione a Deut 32, 2 è assai probabile: cf. *epist.* 11, 4 (CSEL 82, 1, p. 80); 12, 9 (p. 96); *exp. ps. 118* 11, 13 (CSEL 62, p. 241, 20 s.); *exp. Luc.* 7, 15 (CCL 14, p. 220); *exp. ps. 1* 4 (CSEL 64, p. 5).

[46] Come di consueto, quando commenta Ps 75 (76), 2, Ambrogio mette in antitesi due Giudee: l'una che rappresenta la *fides*, l'altra la *perfidia*: cf. *exh. u.* 2, 10; *exp. Luc.* 8, 38 (CCL 14, pp. 311, 411 s.); *spir. s.* 3, 21, 162 (CSEL 79, p. 218); ma, mentre in quei luoghi l'interpretazione allegorica mette in opposizione giudaismo (*perfidia*) e Chiesa (*fides*), in questo nostro passo l'esegesi sottolinea il processo storico per il quale il giudaismo è passato dalla fedeltà all'infedeltà, invece il popolo pagano da infedele è divenuto fedele.

[47] È da segnalare il luogo parallelo di *spir. s.* 1, prol. 7-8 (CSEL 79, pp. 18 s.), ove è riproposta un'analoga esegesi di Iudic 6, 37-40 e di Ps 71 (72), 6. L'editore, O. Faller, ha rilevato una chiara influenza origeniana su quel passo, senza rinviare al nostro *De uiduis* che ci testimonia che Ambrogio aveva utilizzato Origene già alcuni anni prima della pubblicazione del *De spiritu sancto* (381); cf. ORIGENE, *in Iudic. hom.* 8, 4 (GCS 30, p. 511, 23 ss.) *nunc autem cum uideamus quia et in primo signo «ros cecidit super uellus lanae, in omni autem terra facta est siccitas», et in secundo «super omnem terram cecidit ros, siccitas autem fuit in uellere», in quo et fiduciam accepit Gedeon quia dominus in manu eius saluum faciet Istrahel, uidenda est mysterii huius ratio, de qua memini etiam quendam ex praecessoribus nostris in libellis suis «uellus lanae» populum dixisse Istrahel, reliquam autem terram reliquas gentes posuisse et «ros», qui cecidit «super uellus», uerbum esse dei, quod illi soli populo coelitus fuisset indultum. Supra solum namque Istrahel «ros» diuinae legislationis aduenerat; «siccitas» autem habebat omnes gentes, quia nullus iis humor diuini infundebatur eloquii. Secundi uero ratio signi in contrarium permutati, in quo ait: «ut supra omnem terram ros descendat, supra uellus autem maneat siccitas», talis quaedam deprehenditur. Vide omnem hunc populum, qui per omnem terram ex gentibus congregatus est, habentem nunc in se rorem diuinum; uide eum Moysei rore infundi, prophetarum litteris irrorari; uide eum etiam euangelico et apostolico humore uiridantem; illud autem uellus, id est iudaicum populum, siccitatem et ariditatem uerbi dei patientem, secundum quod scriptum est quia: «erunt filii Istrahel multo tempore sine rege, sine principe, sine profeta; non erit altare neque hostia neque sacrificium».*

[48] *exemplo*: il riferimento è all'episodio di Gedeone.

quod ad instaurandam ecclesiam dei filius humani corporis sacramenta susceperit, abdicato populo Iudaeorum, quibus *consiliarius* et *propheta* [u] beneficiorumque adempta sunt miracula diuinorum, eo quod ciuico quodam inuidiae naeuo in dei filium credere noluerunt [v].

**4.** 21. Docuit igitur scriptura quantam collatio praeferat gratiam, quantum etiam sit munus diuinae benedictionis in uiduis. Quibus quoniam honorificentia a deo tanta confertur, est aduertere qualis debeat uita competere. Docet enim Anna quales deceat esse uiduas, quae, immaturo mariti obitu destituta, maturae tamen adoream laudis inuenit, non minus religionis officio, quam studio castitatis intenta. Vidua, inquit, octoginta et quatuor annorum, uidua quae non discederet de templo, uidua quae ieiuniis et obsecrationibus die ac nocte seruiret [a].

22. Vides qualis uidua praedicetur: unius uiri uxor, aetatis quoque iam probata processu [b], uiuida religioni et effeta iam

[u] Is 3, 2-3.
[v] Mt 13, 57-58 (Mc 6, 4-6).
4. [a] Lc 2, 36-37.
[b] 1 Tim 5, 9.

---

20, 7 diuinorum *Nazzaro (ibid. p. 438) cum codd. cl.* α: dominicorum *Maur. cum codd. cl.* β
21, 1 quantam collatio praeferat gratiam *codd. quidam cl.* β *(i.e. Oxon. Bodl. 768, Turon. 268, Cantabr. Corp. Chr. 274)*: quantam collatio conferat gratiam *Maur.* quanta collatio gratiae α.

Dio per costruire la Chiesa ha assunto i sacramenti [49] del corpo umano, essendo stato escluso il popolo dei Giudei, al quale sono stati tolti *consigliere* e *profeta* [50] e i miracoli dei benefici divini, in quanto per una sorta di vizio d'invidia, proprio di concittadini, non vollero credere al Figlio di Dio [51].

**4.** 21. La Scrittura, dunque, insegna quanta grazia conferisca l'elemosina [52] e anche quanto grande sia nelle vedove il dono della benedizione divina [53]. Poiché ad esse è conferito cosí grande onore da Dio, bisogna considerare quale deve essere il loro modo di vivere. Infatti Anna insegna quali convenga che siano le vedove, lei che, privata del marito per la sua morte immatura, ebbe tuttavia la gloria di una lode matura; dedita non meno ai doveri della pietà religiosa che allo zelo della castità [54]. Una vedova — è detto — di ottantaquattro anni, una vedova che non si allontanava dal tempio, una vedova che con digiuni e suppliche prestava servizio giorno e notte [55].

22. Vedi quale vedova è lodata: colei che è stata moglie di un solo marito ed è anche confermata dall'età avanzata, piena di

[49] *Sacramentum* in Ambrogio è termine usuale per indicare l'umanità di Cristo: *uirgb.* 1, 8, 46 *corporis sacramenta*; *exp. ps. 118* 3, 8 (CSEL 62, p. 44) *sacramentum incarnationis*; *fid.* 2, 10, 85 (CSEL 79, p. 88) *corporis sacramentum*; 3, 7, 50 (p. 126) *sacramentum suscepti corporis*; 5, 14, 177 (p. 281, 72) *in corporis sacramento*; *spir. s.* 2, 6, 59 (CSEL 79, p. 109); 3, 17, 126 (p. 204); ricordiamo anche il titolo dell'opera *Incarnationis dominicae sacramentum* e *incarn.* 2, 11 (CSEL 79, p. 229). Altre volte Ambrogio per indicare l'Incarnazione usa *mysterium*: cf. *uirgb.* 1, 8, 46 *mysterium incorporationis*; *inst. u.* 16, 98; *spir. s.* 2, 6, 58 (CSEL 79, p. 109). Per lo piú una sfumatura di significato diverso: *sacramentum* indica l'umanità di Cristo in senso concreto e visibile (il corpo), *mysterium* è riferito al modo dell'Incarnazione. Ma in qualche caso l'uso dei due termini non rispecchia questa distinzione come in *spir. s.* 2, 6, 58 (CSEL 79, p. 109) *mysterium dominici corporis*, e *exp. Luc.* 2, 2 (CCL 14, p. 31, 30).

[50] Erroneamente i Maurini invece che a Is 3, 2-3, rinviano a Is 9, 6 (per il testo di questo versetto cf. *interp. Iob et Dau.* 4, 4, 17, CSEL 32, 2, p. 279, 17 ss.), ma con esattezza il Faller ha segnalato Is 3, 2-3 nel passo parallelo di *spir. s., prol.* 7-8 (CSEL 79, p. 18); cf. anche *exp. ps. 118* 21, 12 (CSEL 62, pp. 479 s.); *fid.* 3, 8, 58 (CSEL 78, 129).

[51] Ambrogio estende all'intero popolo giudaico quanto è riferito alla sola Nazaret e ai suoi abitanti in Mt 13, 57-58 (= Mc 6, 4-6). A.V. NAZZARO, *Ambrosiana V. Il duplice segno di Gedeone*, in «Civ. Cl. e Crist.», 6 (1985), p. 438, nota 44 intende diversamente, attribuendo a *ciuicus* il senso di «pagano».

[52] *collatio*: i Maurini hanno giustamento inteso «elemosina», quella fatta dalla vedova di Sarepta a beneficio del profeta Elia (cf. sopra 1, 9). Il medesimo termine è piú oltre (5, 28) usato per indicare l'offerta della vedova di Lc 21, 2-4. Quanto poi alla lezione dei mss. della famiglia α *quanta collatio gratiae*, che mi sembra *facilior*, condivido la spiegazione data dal BALLERINI, *ad loc.*: «lectio inde orta quod sensus uocis *collatio* non fuerit perspectus».

[53] Non si tratta di una benedizione destinata solo alle vedove, ma per loro tramite rivolta a tutti, dal momento che — secondo l'interpretazione spirituale dell'episodio della vedova di Sarepta — una vedova meritò il segno profetico della venuta di Cristo.

[54] Nelle vedove, come anche nelle vergini consacrate, non può esistere la virtú della *castitas* senza la *religio*, e viceversa: l'una in mancanza dell'altra sarebbe inconsistente: cf. *uirgb.* 1, 2, 9; 1, 4, 15; 1, 8, 45; 2, 4, 23; anzi è nello speciale vincolo che lega a Dio chi pratica la castità che va ricercata l'etimologia di *religio* (cf. *ibid.* 1, 8, 52).

[55] Cf. *exp. Luc.* 2, 62 (CCL 14, p. 57).

corpore, cui diuersorium in templo, colloquium in prece, uita in ieiunio, quae dierum noctiumque temporibus indefessae deuotionis obsequio [c], cum corporis agnosceret senectutem, pietatis tamen nesciret aetatem. Sic instituitur a iuuentute uidua, sic praedicatur in senectute ueterana, quae uiduitatem non occasione temporis, non imbecillitate corporis, sed uirtutis magnanimitate seruauerit. Etenim cum dicit septem annis eam cum uiro fuisse a uirginitate sua [d], ab adolescentiae utique studiis inchoata praedicat subsidia senectutis.

23. Docemur itaque triplicem castitatis esse uirtutem: unam coniugalem, aliam uiduitatis, tertiam uirginitatis; non enim sic aliam praedicamus, ut excludamus alias. Suis quibusque professionibus ista conducunt. In hoc ecclesiae est opulens disciplina, quod quos praeferat habet, quos reiiciat non habet, atque utinam numquam habere possit! Ita igitur uirginitatem praedicauimus ut uiduas non reiceremus, ita uiduas honoramus ut suus honos coniugio reseruetur. Non nostra hoc praecepta, sed diuina testimonia docent.

24. Reminiscamur itaque quemadmodum Maria, quemadmodum Anna, quemadmodum Susanna laudentur. Sed quoniam non laudes earum tantummodo praedicandae sunt, sed disciplinae etiam sunt sequendae, reminiscamur ubi Susanna [e], ubi Anna [f], ubi Maria [g] sint repertae, et aduertamus quemadmodum singulae aptis laudibus praedicentur et ubinam commorentur: nupta in paradiso, uidua in templo, uirgo in secreto.

25. Sed in illis tardior fructus, in uirgine maturior. Illas senectus probat, uirginitas laus aetatis est, nec adiumenta quaerit

[c] Lc 2, 37.
[d] Lc 2, 36.
[e] Dan 13, 7.
[f] Lc 2, 37.
[g] Lc 1, 28.

23, 2*s.* aliam sic *transp. Maur.*
6 habere numquam *transp. Maur.*
24, 2 sed: et α.

vita per la pietà religiosa e ormai sfiorita nel corpo [56]; colei il cui alloggio è nel tempio, il colloquio è nella preghiera, la vita nel digiuno; colei che per la sua devozione ossequiente e indefessa, praticata di giorno e di notte, mentre conosceva la vecchiaia del corpo, non conosceva l'età della pietà [57]. Cosí viene educata fin dalla giovinezza, cosí viene lodata, nella sua vecchiaia carica d'esperienza, la vedova che ha conservato la sua vedovanza non in ragione del tempo, non per l'invalidità del corpo, ma per la grandezza della sua virtú. Infatti, poiché la Scrittura dice che essa restò sette anni con il suo marito, dopo la sua verginità, certamente afferma che il sostegno della sua vecchiaia aveva la sua origine nello zelo dell'adolescenza.

23. Perciò ci viene insegnato che la virtú della castità è triplice: la prima è quella coniugale, la seconda è quella della vedovanza, la terza è quella della verginità [58]. Infatti noi non elogiamo l'una per escludere le altre. Queste sono virtú che convengono ciascuna alla sua propria professione. Per questo la disciplina della Chiesa è splendida, perché ha delle preferenze [59] per alcuni, ma non respinge nessuno [60], e magari potesse non respingere mai alcuno! Dunque abbiamo fatto l'elogio della verginità cosí da non respingere le vedove; onoriamo le vedove cosí da riservare al matrimonio il suo onore [61]. Questo insegnano non i nostri precetti, ma le divine attestazioni.

24. Rammentiamo perciò come Maria, come Anna, come Susanna sono elogiate. Ma poiché bisogna non soltanto proclamare le loro lodi, ma anche seguirne gli insegnamenti, rammentiamo dove furono trovate Susanna, dove Anna, dove Maria, e facciamo attenzione a come ciascuna di esse sia elogiata con lodi appropriate e consideriamo dove stavano: la sposa nel giardino, la vedova nel tempio, la vergine nell'interno della casa [62].

25. Ma in quelle il frutto è piú lento a maturare, nella vergine è piú precoce. Quelle sono confermate dalla vecchiaia, la verginità è ornamento della giovinezza; e non cerca il sostegno degli anni,

[56] *effeta iam corpore*: cf. sopra 2, 9.

[57] L'immagine della vedova ideale è delineata unitamente da 1 Tim 5, 9 e Lc 2, 37.

[58] Sulle tre specie della castità, o tre stadi di vita cristiana, cf. piú oltre 14, 83; *uirgt.* 6, 34 e *epist. ex. c.* 14, 40 (CSEL 82, 3, p. 256) *sunt ergo uirginitatis praemia, sunt merita uiduitatis, est etiam coniugali pudicitiae locus.*

[59] La scaletta delle preferenze, dal meno al piú, è quella dell'inizio di questo paragrafo: matrimonio, vedovanza, verginità.

[60] La Chiesa ha delle preferenze per chi sceglie lo stato di verginità o di vedovanza, ma non respinge chi sceglie il matrimonio.

[61] Sulla difesa del matrimonio cf. *uirgb.* 1, 6, 24; 1, 7, 34.35. L'opinione qui espressa su matrimonio, vedovanza e verginità è ripresa piú oltre a 14, 83; cf. anche *uirgt.* 6, 34.

[62] Cf. *exh. u.* 10, 71 *nusquam alibi, nisi in cubiculo reperitur* (*Maria*); *uirgb.* 2, 2, 10 *inuenta domi in penetralibus sine comite*; *uirgt.* 8, 42 *intra domum Maria ab angelo benedicitur*; *epist.* 5, 16 (PL 16, 934C) *quid autem praestantius, praesertim in uirgine cuius praecipuum opus uerecundia, quam secretum?*; *epist.* 33, 2 (CSEL 82, 1, p. 230); *exp. Luc.* 2, 8 (CCL 14, pp. 33 s.).

annorum, quae omnium est fructus aetatum. Adolescentiam decet, iuuentutem ornat, amplificat senectutem, omnique aeuo habet iustitiae suae canos, maturitatem grauitatis, uelamen pudoris, quae deuotionem non impediat, religionem augeat. Aduertimus enim ex sequentibus quia quotannis *in die solemni Paschae* sancta Maria cum Ioseph Ierusalem petebat [h]. Vbique impigra deuotio, ubique assiduus uirgini comes pudoris adiungitur. Nec inflatur domini mater quasi secura de meritis, sed quo meritum magis agnouit, eo uotum uberius exsoluit, officium copiosius detulit, munus religiosius uexit, mysticum tempus impleuit.

26. Quanto igitur uos magis conuenit intentas esse studio castitatis, ne locum sinistrae relinquatis opinioni, quae pudicitiae testimonium in solis habetis moribus! Virgo enim, licet in ea quoque maior sit morum praerogatiua quam corporis, calumniam tamen integritate carnis abiurat; uidua, quae probandae subsidium uirginitatis amiserit, non in uoce obstetricis, sed in suis moribus habet castitatis examen. Docuit igitur scriptura quam attentus uiduae esse debeat et religiosus affectus.

**5.** 27. Docuit etiam libro eodem, sed alio loco, quam misericordem in pauperes et liberalem esse conueniat, nec paupertatis debere contemplatione reuocari; quia liberalitas non cumulo patrimonii, sed largitatis definitur affectu. Denique dominica uoce illa uidua omnibus antefertur, de qua dictum est: *Vidua haec plus*

[h] Lc 2, 41.

essa che è il frutto di tutte le età. Conviene all'adolescenza, adorna la giovinezza, esalta la vecchiaia; e in ogni tempo ha i capelli bianchi della sua equità, la maturità della ponderatezza, il velo del pudore, essa che non è di ostacolo alla devozione, anzi accresce la fede. Sappiamo infatti dal seguito della narrazione evangelica che ogni anno *nel giorno della festa di Pasqua* la santa Maria, insieme a Giuseppe, andava a Gerusalemme. Ovunque la devozione sollecita, ovunque l'assidua compagnia del pudore si unisce alla vergine [63]. E la madre del Signore non insuperbisce, come se fosse sicura dei propri meriti, ma quanto piú riconobbe il merito, tanto piú completamente adempí la promessa, tanto piú pienamente portò a compimento il proprio dovere, tanto piú scrupolosamente espletò il suo compito, adempí il tempo mistico [64].

26. Dunque, quanto conviene che voi piuttosto vi dedichiate allo zelo della castità, per non dare adito a malvagi sospetti, dal momento che la testimonianza della vostra pudicizia è solamente nei vostri costumi! Infatti la vergine, quantunque anche in lei il pregio dei costumi sia piú importante di quello del corpo, tuttavia può respingere le calunnie dimostrando l'integrità della propria carne; invece la vedova, avendo perduto la possibilità di dimostrare la propria verginità, ha la prova della propria castità non nella dichiarazione di un'ostetrica, ma nei suoi costumi [65]. Dunque la Scrittura [66] dimostra quanto debba essere vigile e scrupoloso il proposito della vedova.

**5.** 27. La Scrittura nel medesimo libro, ma in un altro luogo [67], insegna anche come convenga essere misericordiosi e generosi verso i poveri e che non bisogna tirarsi indietro in considerazione della propria povertà, perché la generosità non si valuta in base all'ammontare dei beni donati, ma in base alla disposizione d'animo con cui si fa la donazione [68]. Pertanto le parole del Signore [69] antepongono a tutti quella vedova di cui egli dice:

[63] Il pudore che deve accompagnare la vergine è impersonato da Giuseppe. Si veda il passo parallelo di *uirgb.* 2, 2, 14 che illumina assai bene il nostro. Ma anche a prescindere dalla sua personificazione il pudore è sempre buon compagno della castità: cf. *off.* 1, 18, 68 (SAEMO 13, p. 66); *exp. Luc.* 2, 1 e 17 (CCL 14, pp. 30 e 38); *exh. u.* 8, 71.

[64] Il tempo mistico è quello della vita di Cristo, la cui persona è al centro di tutti i *mysteria.*

[65] Ma nell'*epist.* 5 (PL 16, 929 ss.) Ambrogio insisterà perché anche l'autenticità della castità verginale sia giudicata sulla base della condotta della vergine e non dell'*inspectio corporalis,* il cui uso viene respinto.

[66] Ambrogio si riferisce all'*exemplum* evangelico della profetessa Anna, come dimostra l'inizio del capitolo seguente.

[67] Cioè in un altro passo del medesimo Vangelo di Luca. A questi §§ 27 ss., ove si commenta l'episodio della vedova di Lc 21, 2-4, Ambrogio rinvia in *exp. Luc.* 10, 6 (CCL 14, p. 347).

[68] Cf. *off.* 1, 149 citato nella nota seguente.

[69] *dominica uoce*: non è casuale che Ambrogio sottolinei che la vedova di Lc 21, 2-4 è stata lodata dalla viva voce di Cristo: cf. *exh. u.* 14, 93 *quod duo aera detulit, dominica uoce laudatur*; *epist.* 24, 4 (PL 16, 1087 B) *duo aera mulieris uiduae diuitum muneribus censuit praeferenda, diuino uidelicet testimonio.*

*omnibus misit* [a]. In quo moraliter dominus instituit uniuersos, ne quis a collatione ministerii paupertatis pudore reuocetur; nec sibi diuites blandiantur, quod plus uideantur conferre quam pauperes. Vberior est enim nummus e paruo quam thesaurus e maximo, quia non quantum detur, sed quantum resideat, expenditur. Nemo plus tribuit, quam qui sibi nihil relinquit.

28. Quid tu, diues, egeni comparatione te iactas? et cum tota onereris auro, pretiosam per humum trahens uestem, quasi inferior tuis et parua diuitiis, honorari desideras, quia inopem collatione uicisti? Et flumina superfluunt cum redundant; gratior tamen haustus e riuulo est. Spumant et musta dum feruent, nec damnum putat agricola quod effluxerit. Gementibus areis, dum caeditur messis, frumenta desiliunt, sed deficientibus messibus non deficit hydria de farina, et plena olei testa desudat [b]. Exinani-

5. [a] Lc 21, 3 (Mc 12, 43).
[b] 3 Reg 17, 16.

27, 11 qui: quae *Maur.*
nihil sibi *transp. Maur.*
reliquit *Maur.*

*Questa vedova ha dato piú di tutti.* Con tale giudizio il Signore dà a tutti un insegnamento morale: che nessuno, per la vergogna di essere povero, sia distolto dal prestare il proprio servizio; né i ricchi si facciano illusioni per il fatto che credono di dare di piú dei poveri. Infatti vale di piú una monetina presa dal poco che un tesoro attinto da una ricchezza grandissima, poiché si valuta non quanto si dà, ma quanto resta. Nessuno dà di piú di chi nulla conserva per sé [70].

28. Perché tu, che sei ricca, ti vanti al confronto con chi è povero? E mentre ti copri tutta d'oro, strascicando la veste preziosa per terra, come fossi da meno e piccola di fronte alle tue ricchezze, vuoi essere onorata perché hai superato nell'elemosina il povero [71]? Anche i fiumi straripano quando ridondano; tuttavia è piú gradito bere ad un ruscello. Anche i mosti spumeggiano quando fermentano, e l'agricoltore non giudica un danno ciò che si versa [72]. Mentre le aie gemono [73], quando la messe è battuta, il grano salta fuori; eppure, mancando le messi, l'anfora non manca di farina [74] e l'orcio pieno d'olio gocciola. La siccità provocò

[70] A questo luogo rinvia Ambrogio in *exp. Luc.* 10, 6 (CCL 14, p. 347): *quam* (scil. *uiduam*) *quoniam iam in libro quem de uiduis scripsimus praedicauimus, nunc sequestramus.* L'*exemplum* della vedova che si priva di tutto per aiutare i poveri, offre piú volte ad Ambrogio lo spunto per l'elogio della povertà o per l'invettiva contro la pretesa generosità dei ricchi: cf. piú oltre 5, 31; *epist.* 26, 4 (PL 16, 1087 B); *uirgb.* 1, 9, 54; *off.* 1, 149 (SAEMO 13, p. 114) *denique duo aera uiduae illius diuitum muneribus praetulit, quia totum illa, quod habuit contulit, illi autem ex abundantia partem exiguam contulerunt. Affectus igitur diuitem conlationem aut pauperem facit et pretium rebus imponit*; *epist.* 26, 4 (PL 16, 1087 B) *duo aera mulieris uiduae diuitum muneribus censuit praeferenda, diuino uidelicet testimonio praeferens optimae praemiis largitatis sedulae liberalitatis affectum.* Ma il nostro Autore ha trattato dell'argomento piú spesso di quanto non attestino le sue opere. Infatti POSSIDIO, *uit. Aug.* 24, 17, scrive che Agostino per sopperire alle necessità dei poveri, in circostanze eccezionali, fece fondere i vasi liturgici preziosi e tenne un discorso *de neglecto gazofilacio et secretario*, ove riferiva che Ambrogio si era comportato allo stesso modo, sia quanto alla fusione dei vasi che al sermone: *...sed et de neglecto a fidelibus gazofilacio et secretario, unde altari necessaria inferrentur, aliquando in ecclesia loquens admonebat, quod etiam beatissimum Ambrosium se praesente in ecclesia tractauisse nobis aliquando retulerat* (BASTIAENSEN, p. 194). Né il discorso di Ambrogio, né quello di Agostino ci sono pervenuti. In proposito si veda COURCELLE, *Les confessions de Saint Augustin*, pp. 518-621.

[71] Sul lusso delle vesti, dei profumi e dei gioielli cf. *uirgt.* 12, 68; *uirgb.* 1, 9, 55; *exh. u.* 2, 9; 10, 64; *Hel.* 10, 36 (CSEL 32, 2, p. 432); *Nab.* 5, 25-26 (pp. 480 s.); *Tob.* 5, 19 (p. 528); 6, 23 (p. 529); *paenit.* 2, 9, 88 (CSEL 73, p. 198); *Cain et Ab.* 1, 4, 14 (CSEL 32, 1, p. 350, 7 s.); *exp. Luc.* 5, 107 (CCL 14, p. 171) *sericas uestes tectis per terram uerrunt uestigiis usuque faciunt ut amictus oneri sit*; 8, 14 (p. 303, 150); 8, 76 (p. 327).

[72] Come la spuma del mosto trabocca senza danno per l'agricoltore, cosí l'elemosina del ricco è donazione di ciò che è superfluo, perciò senza valore di merito per chi dona.

[73] Cf. VIRGILIO, *georg.* 3, 133 *cum grauiter tunsis gemit area frugibus.* Le aie «gemono» perché le messi vi vengono battute con i *flagella.*

[74] La lezione *non deficit hydria de farina* è particolarmente dura e non trova corrispondenza nelle diverse citazioni o parafrasi di 3 Reg 17, 16, cui si riferisce. Tra tutte, quella che dal punto di vista sintagmatico parrebbe meno lontana dalla nostra lezione, è *Hel.* 2, 2 (CSEL 32, 2, p. 413, 4) *non defecit hydria polentā.* Mentre *epist.* 10, 7 (CSEL 82, 1, p. 76, 67) *hydria farinae... non deficiebat* (= *uid.* 17; *off.* 2, 14 e 3, 4, SAEMO 13, pp. 192 e 276) corrisponde al testo greco dei Settanta (ἡ ὑδρία

uit tamen dolia diuitum siccitas, cum uiduae pauxillulum olearium redundaret. Non ergo quid fastidio expuas, sed quantum deuotione conferas aestimandum est. Denique nulla plus tribuit quam illa quae de filiorum alimentis pauit prophetam. Et ideo quia nulla plus contulit, nulla plus meruit. Haec moraliter.

29. Nec mystice tamen despexeris hanc mulierem in gazophylacium duo aera mittentem. Magna plane femina, quae diuino iudicio meruit omnibus anteferri [c]. Ne forte illa sit quae de fide sua ad subsidium hominum duo testamenta contulerit, et ideo nulla plus fecit. Nec quisquam hominum quantitatem potuit collationis eius aequare, quae fidem cum misericordia copulauit. Et tu igitur, quaecumque uitam studio uiduitatis exerces, ne dubites ad gazophylacium duo aera deferre, uel fidei plena uel gratiae.

30. Felix illa quae de thesauro suo integram regis imaginem profert [d]. Thesaurus tuus sapientia, thesaurus tuus castitas atque iustitia est, thesaurus tuus intellectus bonus: quasi ille thesaurus fuit de quo magorum uiri, aurum, thus, myrrham, cum adorarent dominum, protulerunt [e], auro regis potentiam declarantes, deum thure uenerantes, myrrha resurrectionem corporis confitentes.

[c] Lc 21, 3.
[d] Mt 13, 52.
[e] Mt 2, 11.

28, 10 redundarit *Maur.*
30, 2 proferat α.

l'esaurimento delle botti dei ricchi, mentre il minuscolo contenitore d'olio della vedova ridondava. Dunque non si deve considerare ciò che sputi per fastidio, ma quanto offri per devozione. Pertanto nessuna ha offerto piú di colei che ha nutrito un profeta con il cibo dei figli. E perciò, poiché nessuna ha offerto di piú, nessuna ha meritato di piú. Questa è l'interpretazione morale.

29. Tuttavia, nemmeno a livello di interpretazione mistica [75] è trascurabile questa donna che getta due denari nel gazofilacio. È certamente grande costei che per giudizio divino ha meritato di essere anteposta a tutti. Forse è quella che, attingendo dalla sua fede, ha offerto in sostegno agli uomini i due testamenti [76], e perciò nessuna ha fatto di piú. E nemmeno alcun uomo ha potuto uguagliare in quantità l'elemosina di colei che ha unito la fede alla misericordia [77]. Anche tu dunque, chiunque tu sia che trascorri la tua vita esercitandoti nello zelo per la vedovanza, non dubitare di gettare due monete nel gazofilacio, perfetta come sei e nella fede [78] e nella grazia [79].

30. Beata colei che trae dal suo tesoro l'immagine integra del re [80]. Il tuo tesoro è la sapienza, il tuo tesoro è la castità e la giustizia, il tuo tesoro è il buon intelletto [81], simile al tesoro dal quale i Magi trassero oro, incenso, mirra, quando adorarono il Signore, indicando con l'oro la potenza del re, manifestando con l'incenso l'adorazione a Dio, confessando con la mirra la risurre-

τοῦ ἀλεύρου), la lezione di *Abr.* 1, 5, 35 (CSEL 32, 1, p. 529, 18) ...*de hydria farina non deficeret* è confortata dalla *Vetus Latina* di Gen 21, 15 *defecit... aqua de utre* (cf. *Vetus Latina* 2, *Genesis, ad loc.*).

[75] Come sopra dell'episodio della vedova di Sarepta era stata data prima l'interpretazione morale, poi quella mistica, cosí ora all'interpretazione morale del gesto della vedova di Lc 21, 3 segue quella mistica.

[76] Sull'interpretazione mistica delle due monete offerte dalla vedova di Lc 21, 2 cf. *exh. u.* 14, 93 e la mia nota *ad loc.*

[77] L'offerta della vedova è gesto di misericordia sul piano morale, attestazione di fede perfetta sul piano mistico.

[78] *fidei plena*: cf. *exh. u.* 14, 93 *duo aera detulit... id est plenam fidem.*

[79] Di nuovo in *fides* e *gratia* dobbiamo vedere i due livelli, mistico e morale: allora *gratia* qui è da mettere in relazione con la generosità della vedova che dona tutto quello che possiede.

[80] Per ben comprendere la frase è necessario avvertire l'allusione a Mt 13, 52 (il cui testo nella lezione ambrosiana è dato da *epist.* 8, 6, CSEL 82, 1, p. 70 *scriba doctus... qui profert de thensauro suo noua et uetera*) e il parallelismo dell'interpretazione mistica delle due monete della vedova di Lc 21, 2-4 con l'interpretazione del duplice tesoro dello *scriba doctus*, anch'esso allegoria dei due testamenti: cf. *Tob.* 19, 64 (SAEMO 6, p. 262; nell'edizione dello SCHENKL, CSEL 32, 2, p. 557, 11 non è segnalato il riferimento a Mt 13, 52). Inoltre con *integram regis imaginem* si allude all'effigie del monarca impressa sulle monete, simbolo per Ambrogio della perfetta immagine di Cristo re (cf. anche il paragrafo seguente) costruita sulla base della rivelazione dell'A.T. e del N.T. Al simbolismo dell'effigie impressa sulle monete si accenna anche in *Tob.* 19, 64 (*ibid.*) per affermare che i Giudei non vi riconobbero l'immagine di Cristo e perciò furono privati del tesoro spirituale che era stato loro affidato.

[81] L'elenco delle quattro virtú della vedovanza corrisponde a quello dato in *uirgt.* 17, 108 *supra mundum enim iustitia est, supra mundum castitas, supra mundum bonitas, supra mundum sapientia.*

Habes et tu thesaurum hunc si in te requiras. *Habemus* enim *thesaurum in uasis fictilibus* [f]. Habes aurum quod conferas; non enim renitentis metalli pretium de te deus exigit, sed illud aurum quod in iudicii die nequeat ignis exurere [g]. Nec dona pretiosa deposcit, sed odorem fidei quem altaria tui cordis exhalent et religiosae mentis spiret affectus.

31. Ex hoc igitur thesauro non solum magorum tria munera [h], sed etiam duo uiduae aera [i] promuntur, in quibus integra caelestis imago regis effulgeat, splendor gloriae eius, et imago substantiae. Bona et illa plane laboriosae stipendia castitatis, quae de suo opere quotidianoque penso conferat uidua, nocturnis pariter ac diurnis iugi exercens labore pensa temporibus et pudicitiae quaestuosae peruigili opere mercedem congregans, ut intemeratum defuncti coniugis cubile custodiat, alere dulces liberos possit, ministrare pauperibus. Haec est praeferenda diuitibus; haec est quae Christi iudicium non timebit.

32. Hanc aemulamini, filiae: *Bonum est* enim *aemulari in bono semper* [l]. *Aemulamini meliora charismata* [m]. Spectat uos dominus, spectat, inquam, Iesus, cum ad gazophylacium [n] acceditis et de bonorum operum mercedibus stipem putatis egentibus conferendam. Quantum est igitur ut aera tua conferas et Christi corpus acquiras! Noli ergo uacua prodire in conspectum domini dei tui, uacua misericordiae, uacua fidei, uacua castitatis. Non enim inanes dominus, sed uirtutibus opimas spectare Iesus et laudare

[f] 2 Cor 4, 7.
[g] Mt 13, 50 (?).
[h] Mt 2, 11.
[i] Lc 21, 2.
[l] Gal 4, 18.
[m] 1 Cor 12, 31.
[n] Lc 21, 1; Mc 12, 41.

---

31, 4 laboriosa *Maur.*
32, 2 semper *om. Maur.*
2*s.* dominus: *add.* semper *Herbipolitanus et Maur.*
3 accedit *Maur.*
6 conspectu *plerique codd. cl.* α.

zione del corpo [82]. Anche tu hai questo tesoro, se lo cerchi in te stessa. Infatti *abbiamo un tesoro in vasi di creta* [83]. Questo è il tesoro che devi offrire, perché Dio non esige da te il valore del metallo luccicante, ma quell'oro che nel giorno del giudizio il fuoco [84] non può consumare. Né richiede doni preziosi, ma l'odore della fede che gli altari del tuo cuore esalano e la volontà della mente fedele spira.

31. Dunque, da questo tesoro sono tratti non solo i tre doni dei Magi, ma anche le due monete della vedova, nelle quali risplende integra l'immagine [85] del re celeste, lo splendore della sua gloria e l'immagine della sua sostanza. Certamente buone anche le ricompense della castità operosa che la vedova offre attingendo dal suo lavoro e dal dovere quotidiano, compiendo con fatica i propri doveri di notte come di giorno senza interruzione e mettendo insieme la ricompensa della ben remunerata pudicizia con impegno vigilantissimo, in modo tale da custodire inviolato il letto del marito defunto, da allevare i suoi dolci figli [86], servire i poveri. Ecco colei che è preferibile ai ricchi; ecco colei che non temerà il giudizio di Cristo.

32. Gareggiate con costei, o figlie: infatti *è buona cosa gareggiare sempre nel bene. Gareggiate per doni migliori.* Il Signore vi guarda; vi guarda — ripeto — Gesú, mentre vi avvicinate al gazofilacio e pensate di dover offrire una piccola moneta tratta dalla ricompensa per le vostre buone opere. Dunque qual grande cosa è che tu offra le tue monete e acquisti il corpo di Cristo! Perciò non presentarti a mani vuote di fronte al Signore tuo Dio: vuote di misericordia, vuote di fede, vuote di castità. Infatti il Signore Gesú non è solito guardare e lodare quelle che sono

[82] Cf. *fid.* 1, 4, 7 (CSEL 78, p. 15, 7 ss.) *auro regem fatentes, ut deum thure uenerantes... murra est sepolturae*; in *exp. Luc.* 2, 44 (CCL 14, pp. 50 s.) si spiega come la mirra, da simbolo della sepoltura, passi a significare anche la risurrezione — come vuole il nostro testo —: *aliud enim regis insigne, aliud diuinae sacrificium potestatis, aliud honor est sepolturae quae non corrumpat corpus mortui, sed reseruet* (*ibid.*, p. 51). Tenendo conto di tale peculiare sviluppo ambrosiano dell'interpretazione della mirra, il parallelismo fra l'esegesi di Ambrogio e quella di Origene appare evidente: cf. ORIGENE, *in Matt.*, frag. 30 (GCS 41, p. 28) «condotti da Dio gli "offrirono in dono oro e incenso e mirra", per indicarlo a tutti come re e perfetto Dio e perfetto uomo, e in procinto di morire per noi»; cf. anche *c. Cels.* 1, 60 (SCh 132, p. 240); IRENEO, *haer.* 3, 9, 2; CLEMENTE AL., *paed.* 2, 63, 5 (SCh 108, p. 128). Ma sull'interpretazione patristica dei doni dei Magi si vedano gli studi di F. SCORZA BARCELLONA, *«Oro e incenso e mirra» (Mt 2, 11): l'interpretazione cristologica dei tre doni e la fede dei Magi*, in *Annali di storia dell'esegesi*, 2, Bologna 1985, pp. 137-147 e ID., *«Oro e incenso e mirra» (Mt 2, 11)*, II. *Le interpretazioni morali*, *ibid.*, 3, Bologna 1986, pp. 227-245, partic. pp. 235 s.

[83] Il medesimo sviluppo di pensiero con la medesima citazione di 2 Cor 4, 7 in *exp. Luc.* 2, 44 (CCL 14, p. 51).

[84] Si tratta probabilmente del fuoco di Mt 13, 50: abbiamo rilevato un'allusione al medesimo contesto biblico anche all'inizio del paragrafo.

[85] Cioè la fede perfetta: cf. sopra § 30 (inizio).

[86] Imitazione di VIRGILIO, *Aen.* 8, 411-413 *noctem addens operi, famulasque ad lumina longo / exercet penso, castum ut seruare cubile / coniugis et possit paruos educere natos.*

consueuit. Videat te adolescentula laborantem, uideat ministrantem. Haec est enim merces quam deo debes, ut de aliarum quoque profectibus mercedem tuam deo conferas. Nulla merces deo melior, quam ea quae habet pietatis munera.

**6.** 33. An uero mediocris tibi uidua illa uidetur Noemi, quae uiduitatem suam messis manipulis sustentabat alienae, quam aeuo grauem alebat nurus [a]? Nam hoc quoque et ad subsidium et ad gratiam uiduarum proficit, ut ita instituant nurus suas, quo possint in his maturae habere subsidium senectutis; et quasi stipendium magisterii, mercedem quoque suae capere disciplinae. Etenim quae bene instituerit, bene erudierit nurum suam, Ruth ei deesse non poterit, quae uiduitatem socrus paternae domui praeferat. Etsi uir quoque eius mortuus fuerit, non relinquat tamen, alat inopem, soletur moerentem, nec dimissa discedat: nescit enim egere optima disciplina. Sic illa Noemi duobus destituta filiis et marito [b], quae fructus fecunditatis amiserat, pietatis emolumenta non perdidit; nam et solatium moeroris et subsidium paupertatis inuenit.

34. Videtis igitur, sanctae feminae, quam fecunda sit uidua prole uirtutum, meritorumque suorum sobole, quae perire non possit. Bona igitur uidua egere non nouit. Etsi fessae fuerit aetatis, et supremae paupertatis, eruditionis tamen suae solet habere mercedem. Etsi proximi defuerint, inuenit tamen extraneos qui matrem colant, reuereantur parentem, paruisque alimentorum sumptibus mercedem cupiant suae commendationis acquirere. Plus enim uiduae rependunt merita, quam cibus quaerit, sumptus impendit.

35. Sed tristes uidetur ducere dies et lacrimis tempus exigere. Hoc beatior, quod perpetua sibi gaudia exiguis fletibus emit paruisque momentis tempora acquirit aeterna. Quibus bene dicitur: Beatae tristes, ipsae enim ridebitis [c]. Quis igitur falsas praesentium imagines gaudiorum futurae securitatis praeferat uoluptati? An despicabilis nobis auctor uidetur, ille dominici corporis auctor electus, qui cinerem sicut panem manducabat et potum cum fletu miscebat [d] et uespertinis lacrimis matutinae sibi laeti-

6. [a] Ruth 2, 2 ss.
[b] Ruth 1, 5.
[c] Lc 6, 21.
[d] Ps 101 (102), 10.

33, 4 proficit uiduarum *transp. Maur.*
34, 8 quam cibus: nam cibos *Maur.*
35, 8*s.* et... acquirebat: ut... acquireret α (ut... acquiret *Coloniensis*).

sprovviste, ma quelle ricche di virtú. La giovinetta ti veda mentre lavori, ti veda mentre servi. Infatti la ricompensa che devi a Dio è che tu gli attribuisca anche la ricompensa a te dovuta per i progressi delle altre. Nessuna ricompensa offerta a Dio è migliore di quella che è fatta di doni di pietà.

**6.** 33. O ti pare trascurabile la vedova Noemi che sosteneva la propria vedovanza con i manipoli dell'altrui messe, dal momento che, oppressa dall'età, era nutrita dalla nuora? Infatti al sostegno e all'aiuto delle vedove giova anche che esse insegnino alle nuore come possano dare sostegno alla loro vecchiaia avanzata, e ricevano anche, come salario dell'istruzione impartita, la ricompensa per il proprio insegnamento. Infatti la vedova che ha ben istruito, ben educato la propria nuora, non potrà mancare della propria Ruth che preferisca la vedovanza della suocera alla casa paterna. E se anche suo marito fosse morto, non abbandoni la suocera, ma la nutra se è bisognosa, la consoli se è afflitta, e non se ne vada, anche se è rimandata a casa sua. Infatti un ottimo insegnamento non conosce indigenza. Cosí Noemi, dopo aver perduto due figli e il marito, lei che non aveva piú il pregio della fecondità, non perse la ricompensa della pietà; infatti trovò consolazione per l'afflizione e sostegno per la povertà.

34. Vedete dunque, o sante donne, quanto la vedova sia feconda di prole di virtú e di discendenza di propri meriti che non può perire. Dunque la buona vedova non conosce l'indigenza. Se anche fosse indebolita dall'età ed estremamente povera, tuttavia solitamente ha la ricompensa dell'insegnamento impartito. Anche se mancano i congiunti, trova degli estranei che hanno cura di lei come di una madre, che la onorano come genitrice e che con la piccola spesa degli alimenti desiderano ricevere la ricompensa della sua raccomandazione, poiché i meriti di una vedova sono una ricompensa maggiore di quanto il cibo richieda e la spesa faccia sborsare.

35. Ma sembra trascorrere giorni tristi e passare il tempo nelle lacrime. Per questo è ancor piú beata, perché acquista gioie eterne con un breve pianto e guadagna a prezzo di brevi momenti l'eternità. Ad esse è ben detto: «Beate voi che siete tristi, perché riderete». Dunque, chi preferirà le false apparenze delle gioie presenti al piacere della futura sicurezza? O ci sembra un autore disprezzabile colui che fu scelto per scrivere del corpo del Signore [87], che mangiava la cenere come pane, mescolava la bevanda con il pianto, e con le lacrime della sera si procurava la gioia

[87] La menzione del corpo di Cristo in questo contesto, ove si evoca Ps 101 (102), 6.10 si basa sulla convinzione di Ambrogio che il contenuto del Ps 101 può essere riferito alla passione del corpo di Cristo, come è detto anche in *fug.* 5, 30 (CSEL 32, 2, p. 188) a proposito di Ps 101 (102), 6-7.

tiam [e] redemptionis acquirebat? Vnde igitur plurimum gaudere meruit, nisi quia plurimum fleuit et tamquam lacrimarum suarum pretio futurae sibi gloriae gratiam comparauit?

36. Habet igitur uidua bonam commendationis materiam, ut, dum uirum luget, fleat saeculum, et in promptu sint lacrimae redemptrices, dum impenduntur mortuis, uiuentibus profuturae. Paratus est maestitudine animi fletus oculorum: misericordiam conciliat, laborem minuit, dolorem ableuat, seruat pudorem; nec iam misera sibi uidetur, quae consolationem in lacrimis habet, in quibus sunt caritatis stipendia et pietatis officia.

**7.** 37. Sed nec fortitudo bonae uiduae deesse consueuit. Haec enim uera est fortitudo, quae naturae usum, sexus infirmitatem mentis deuotione transgreditur, qualis in illa fuit, cui nomen Iudith, quae uiros obsidione fractos, perculsos metu, tabidos fame, sola potuit a colluuione reuocare, ab hoste defendere. Ea enim, ut legimus, cum Holophernes, successu multorum terribilis praeliorum, intra muros innumera uirorum millia coegisset, armatis pauentibus et de extrema iam sorte tractantibus [a], extra murum processit [b]; et illo praestantior exercitu quem liberauit, et eo fortior quem fugauit.

38. Sed ut discas maturae uiduitatis affectum, seriem ipsam persequere scripturarum. A diebus enim uiri sui quibus ille defunctus est, uestem iucunditatis [c] deposuit, moeroris assumpsit; per omnes dies intenta ieiunio, sabbato tantum et dominica sacratarumque temporibus feriarum [d], non refectioni indulgens, sed reli-

[e] Ps 29 (30), 6.
7. [a] Iudith 7, 24-28.
[b] Iudith 10, 5 ss.
[c] Iudith 10, 3.
[d] Iudith 8, 4-6.

10 et *om. Maur.*
11 pretio suarum *transp. Maur.*
36, 1 materiam: *add.* suae α.
2 et: ac *Maur.*
4 maestitudini animae *Maur.*
37, 5 ea: et α.
38, 1 *an* mature?

della redenzione del mattino? Come dunque ha meritato di gioire molto, se non perché molto ha pianto e, per cosí dire, con il prezzo delle lacrime si è acquistata la grazia della gioia futura?

36. La vedova dunque ha un buon titolo di raccomandazione: mentre si addolora per il marito, piange per il mondo ed ha a disposizione lacrime redentrici, che, mentre vengono versate per i morti, giovano ai vivi. Il pianto degli occhi è cagionato dalla mestizia dell'animo: concilia la misericordia, diminuisce la fatica, toglie il dolore, conserva il pudore; e non si considera piú misera, lei che ha la propria consolazione nelle lacrime, che sono per lei ricompensa della carità e compito di pietà.

**7.** 37. Ma la buona vedova possiede abitualmente anche la fortezza. Infatti la vera fortezza è questa, che supera per devozione della mente la consuetudine della natura [88], la debolezza del sesso [89]: la fortezza che ebbe quella donna, di nome Giuditta, che da sola poté salvare dalla rovina e difendere dal nemico uomini indeboliti dall'assedio, atterriti dalla paura, finiti dalla fame. Infatti leggiamo che, allorché Oloferne, che per le molte battaglie vinte incuteva terrore, aveva costretto dentro le mura innumerevoli migliaia di uomini, mentre gli armati erano in preda alla paura e già discutevano della loro estrema sorte, ella uscí fuori dalle mura. Fu piú coraggiosa dell'esercito che liberò e piú forte di quello che mise in fuga.

38. Ma per apprendere lo zelo per la vedovanza [90] matura, segui l'ordine narrativo delle Scritture. Infatti dal giorno della morte di suo marito smise il vestito della gaiezza e indossò quello del lutto. Ogni giorno osservava il digiuno, eccetto il sabato e la domenica [91] e i tempi delle feste sacre, non per indulgere al cibo,

[88] L'idea che la vedovanza è al di sopra della consuetudine di natura richiama le analoghe riflessioni fatte a proposito della verginità: cf. *uirgb.* 1, 2, 5; 1, 2, 8; 1, 3, 11.

[89] Ambrogio si accinge a smontare la piú forte delle obiezioni alla vedovanza: l'*infirmitas sexus.* Bisogna tener presente che non consisteva solo in un'opinione diffusa, ma in una condizione giuridica della donna nella società romana. L'*infirmitas sexus* della donna era l'equivalente giuridico dell'*infirmitas aetatis* dell'uomo; in relazione ad essa era previsto l'istituto della *tutela mulierum.* In proposito si suole citare *digest.* 11, 1 (Ulpiano) *tutores constituuntur tam masculis quam feminis, sed masculis quidem impuberibus dum taxat propter aetatis infirmitatem; feminis autem tam impuberibus quam puberibus et propter sexus infirmitatem et propter forensium rerum ignorantiam*; su cui cf. P. ZANNINI, *Studi sulla tutela mulierum*, 1, Torino 1976, pp. 43 ss. Per la rilevanza dell'argomento Ambrogio prolunga le sue argomentazioni: cf. piú avanti 8, 44; 8, 51.

[90] *uiduitatis affectum*: cf. sopra 2, 12 ...*reuocandas putarit a uiduitatis affectu.*

[91] *dominica*: l'anacronismo è dovuto all'opportunità di trasporre in senso cristiano la terminologia veterotestamentaria di Iudith 8, 6, ove, secondo i Settanta, leggiamo: καὶ ἐνήστευε πάσας τὰς ἡμέρας τῆς χηρεύσεως αὐτῆς χωρὶς προσαββάτων καὶ σαββάτων καὶ προνουμηνιῶν καὶ νουμηνιῶν καὶ ἑορτῶν καὶ χαρμοσυνῶν οἴκου Ἰσραήλ. Ci si può chiedere se questo versetto non abbia qualche relazione con la consuetudine della Chiesa milanese di osservare il digiuno, in tempo di Quaresima, tutti i giorni eccetto il sabato e la domenica — cf. *Hel.* 10, 34 (CSEL 32, 2, p. 430) *quadragesima totis praeter sabbatum et dominicam ieiunatur diebus* — o almeno se la sua trasposizione cristiana qui operata da Ambrogio non sia stata influenzata da tale consuetudine.

gioni deferens. Hoc est enim, *siue manducatis, siue bibitis* [e], *in nomine Iesu Christi* agenda esse *omnia* [f]; ut etiam ipsa refectio corporalis sacro religionis cultui deferatur. Diuturnis igitur moeroribus, et quotidianis roborata ieiuniis sancta Iudith, quae saeculi oblectamenta non quaerit, periculi negligens, mortisque contemptu fortior, ut commento strueret dolum, uestem illam iucunditatis, quam uiuente uiro uestiri solebat, se induit [g], quasi placitura uiro, si patriam liberaret. Sed uirum alium uidebat, cui placere quaerebat; illum utique, de quo dictum est: *Post me uenit uir, qui ante me factus est* [h]. Et bene coniugales pugnatura resumpsit ornatus, quia monimenta coniugii arma sunt castitatis; neque enim uidua alias aut placere posset aut uincere.

39. Quid caetera persequamur, quod inter millia hostium casta permansit? Quid eius sapientiam praedicemus, quod huiuscemodi est commentata consilium ut dum potentem elegit, intemperantiam a se inferioris arceret, occasionem pararet uictoriae, abstinentiae meritum, pudicitiae gratiam reseruaret? Nec cibo enim [i], ut legimus, maculata, nec adultero [l], non minorem seruatae castitatis ex hostibus reuexit triumphum quam patriae liberatae.

40. Quid sobrietatem loquar? Temperantia enim uirtus est feminarum. Inebriatis uino uiris et somno sepultis [m] abstulit uidua gladium [n], exseruit manum, bellatoris abscidit caput [o], per medias hostium acies intemerata processit [p]. Aduertitis igitur quantum nocere mulieribus possit ebrietas, quando uiros uina sic soluunt,

[e] 1 Cor 10, 31.
[f] Col 3, 17.
[g] Iudith 10, 3.
[h] Io 1, 30.
[i] Iudith 12, 2.
[l] Iudith 13, 20.
[m] Iudith 13, 2.
[n] Iudith 13, 8.
[o] Iudith 13, 10.
[p] Iudith 13, 12.

8 sacrae *Maur.*
11 commenta strueret doli *Maur.*
12 qua *Maur.*
uestire *Herbipolitanus et codd. quidam cl.* β *(i.e. Oxon., Bodl. 768, Cantabr. Corp. Chr. 274, Paris. 1751)*: uestiri *plerique codd. cl.* α *et Maur. (fort.).*
17 aliis α.
39, 3 ut dum *om. Maur. (aliter interpungentes).*
3*s.* intemperantiam: *praem.* ut *Maur.*
5 reseruauit *Maur.*
6 adultero α *(-io Monacensis)*: adulterio *Maur.*

ma per ossequio alla fede. Questo infatti significa *sia che mangiate sia che beviate tutto* deve essere fatto *nel nome di Gesú Cristo* [92], che anche la refezione corporale deve essere dedicata al santo ossequio della fede. Dunque fortificata da lunghe afflizioni e da digiuni quotidiani la santa Giuditta, che non cerca i piaceri del mondo, incurante del pericolo, resa ancor piú forte dal disprezzo della morte, per predisporre l'inganno con astuzia, indossò la veste della gaiezza che soleva portare [93] quando era vivo il marito, come se volesse piacere allo sposo, se avesse liberato la patria. Ma essa vedeva un altro sposo, al quale cercava di piacere, cioè quello di cui è detto: *Dopo di me viene un uomo che mi ha sopravanzato* [94]. E giustamente accingendosi alla battaglia riassunse gli ornamenti coniugali, perché i segni distintivi del matrimonio sono le armi della castità; altrimenti infatti la vedova non avrebbe potuto né piacere né vincere [95].

39. E perché continuare a narrare il resto, che cioè rimase casta fra migliaia di nemici? Perché esaltare la sua sapienza nel mettere a punto un simile piano, che prevedeva che lei, avendo scelto un uomo potente, lo respingesse come inferiore per la sua intemperanza, preparasse l'occasione della vittoria, conservasse il merito dell'astinenza e la grazia della pudicizia? Infatti — come si legge — non fu macchiata dal cibo né dall'adultero [96]; non riportò minor trionfo sui nemici per aver conservato la castità che per aver liberato la patria [97].

40. Che dire della sobrietà [98]? Infatti la temperanza è una virtú propria delle donne. Mentre gli uomini erano ebbri di vino e sepolti nel sonno [99], la vedova prese una spada, levò la mano [100], tagliò la testa del guerriero, avanzò incontaminata in mezzo alle schiere dei nemici. Vedete dunque quanto l'ubriachezza possa nuocere alle donne, se il vino debilita a tal punto gli uomini che

[92] La contaminazione di 1 Cor 10, 31 con Col 3, 17 non è singolare né casuale: cf. *exp. Luc.* 2, 84 (CCL 14, pp. 69, 160 ss.).

[93] *quam... uestiri*: la costruzione di *uestior* con l'accusativo e attestata (cf. BLAISE, *Dictionnaire, s.u. uestio*).

[94] Per l'interpretazione ambrosiana di Io 1, 30 cf. *fid.* 3, 10, 67-68 (CSEL 78, p. 133).

[95] Intendo: senza le armi della castità la vedova non sarebbe piaciuta allo sposo — allegoricamente a Cristo —, per il quale rivestiva gli ornamenti matrimoniali, né avrebbe vinto le battaglie della castità, quelle di cui si parla nei paragrafi seguenti.

[96] Ho scelto la lezione *adultero* perché mi sembra *difficilior* rispetto ad *adulterio*, e anche per coerenza con l'analoga scelta operata nel paragrafo seguente (cf. nota 101).

[97] Cf. *off.* 3, 82 (SAEMO 13, p. 324) *primus triumphus eius fuit quod integrum pudorem de tabernaculo hostis reuexit; secundus, quod femina de uiro reportauit uictoriam, fugauit populos consilio suo*; *Hel.* 9, 29 (CSEL 32, 1, p. 428) *seruauit pudicitiam, uictoriam reciperauit.*

[98] In *Hel.* 9, 29 (CSEL 32, 2, p. 428) l'episodio di Giuditta è addotto come *exemplum* di sobrietà nel bere.

[99] Cf. VIRGILIO, *Aen.* 2, 265 *inuadunt urbem somno uinoque sepultam*; la medesima allusione virgiliana nel passo parallelo di *Hel.* 9, 29 (CSEL 32, 2, p. 428).

[100] *exseruit manum*: cf. ILARIO, *in ps. 118 het* 10 *manum ad agendum aliquid exseruit.*

ut uincantur a feminis? Esto igitur, uidua, temperans: casta primum a uino, ut possis casta esse ab adultero. Nequaquam te ille tentabit, si uina non tentent. Nam si Iudith bibisset, dormisset cum adultero, sed quia non bibit, haud difficile ebrios exercitus unius sobrietas et uincere potuit et eludere.

41. Nec dexterae tantum hoc opus, sed multo maiora trophaea sapientiae. Nam manu solum Holophernem uicisset, consilio omne, autem omnem hostium uicit exercitum. Suspenso enim Holophernis capite [q], quod uirorum consilio non potuit excogitari, suorum erexit animos, hostium fregit, suos pudore excitans, hostes quoque terrore percellens, eoque caesi sunt et fugati. Ita unius uiduae temperantia atque sobrietas non solum naturam suam uicit, sed, quod est amplius, fecit uiros etiam fortiores [r].

42. Nec his tamen elata successibus, cui utique gaudere et exsultare licebat iure uictoriae, uiduitatis reliquit officium, sed contemptis omnibus qui eius nuptias ambiebant [s], uestem iucunditatis deposuit, uiduitatis resumpsit; nec triumphorum suorum amauit ornatus [t], illos existimans esse meliores quibus uitia corporis quam quibus hostium arma uincuntur.

**8.** 43. Ac ne una uidua tantum hoc opus inimitabile aliis uideatur implesse, plures alias uel parilis uel proximae fuisse uirtutis nequaquam dubitandum uidetur; bona enim seges plurimas spicas fructu refertas ferre consueuit. Nec dubites illam ueterum segetem temporum in complurium feminarum moribus fecundasse. Sed quia prolixum est complecti omnes, cognoscite aliquas, et praecipue Debboram, cuius nobis prodidit scriptura uirtutem [a].

44. Haec enim docuit non solum uiri auxilio uiduas non egere, uerum etiam uiris esse subsidio: quae nec sexus infirmitate reuocata, munia uirorum obeunda suscepit, et suscepta cumulauit. Denique cum Iudaei iudicum regerentur arbitrio, quia uirili

[q] Iudith 14, 1.
[r] Iudith 15, 1 ss.
[s] Iudith 16, 22.
[t] Iudith 16, 19.
8. [a] Iudic 4, 4 ss.

---

40, 7 adulterio *Maur.*
41, 2 nam *om. Maur.*
4 consilio *post* excogitari *transp. Maur.*
43, 7 aliquas *Maur.*: alias α.
44, 2 esse: *praem.* posse α.
4 quia: qui α.

sono vinti dalle donne? Dunque, o vedova, sii temperante, dapprima incontaminata dal vino in modo che tu possa essere incontaminata dall'adultero [101]. Quello non ti tenterà, se non ti tenta il vino. Infatti, se Giuditta avesse bevuto, avrebbe dormito con l'adultero, ma, poiché non bevve, la sobrietà di una sola senza difficoltà poté vincere e prendersi gioco di eserciti ubriachi [102].

41. E questa non fu opera della sola sua mano, ma assai maggiori furono i trofei della sapienza. Infatti con la mano avrebbe vinto il solo Oloferne, mentre con la saggezza vinse tutto l'esercito dei nemici. Infatti, avendo innalzato la testa di Oloferne — cosa che la saggezza degli uomini non fu capace di escogitare —, diede coraggio ai suoi, spezzò quello dei nemici, facendo leva sul senso dell'onore, incutendo terrore anche ai nemici, che perciò furono battuti e messi in fuga. Cosí la temperanza e la sobrietà di una sola vedova non solo vinsero la di lei natura, ma, di piú, resero piú forti anche gli uomini [103].

42. Tuttavia non si insuperbí per questi successi colei che per la vittoria aveva diritto di gioire e di esultare, e non abbandonò il ministero della vedovanza, ma disprezzando tutti quelli che ambivano sposarla, si tolse la veste della gaiezza e riprese quella della vedovanza, e nemmeno gli piacquero gli ornamenti del suo trionfo, ritenendo che quelli con cui si vincono i vizi del corpo siano migliori di quelli che servono a sconfiggere le armi dei nemici.

**8.** 43. E non si creda che una sola sia stata la vedova che ha potuto compiere questa impresa inimitabile dalle altre, perché appare indubitabile che molte altre furono di virtú pari o prossima. Infatti una buona messe suole produrre molte spighe piene di frutti. Ed è certo che essa fecondò la messe dei tempi antichi nella condotta di vita di molte donne. Ma, poiché sarebbe troppo lungo parlare di tutte, vi basti conoscerne alcune, e innanzi tutto Debora, di cui la Scrittura ci ha mostrato la virtú.

44. Infatti costei mostrò che le vedove non solo non hanno bisogno dell'aiuto dell'uomo, ma sono anche di aiuto agli uomini, lei che, non trattenuta dalla debolezza del sesso, si accollò i compiti degli uomini e, assuntili, li compí. Infatti, al tempo in cui i Giudei erano governati dai giudici, poiché non potevano né

[101] La lezione *adultero* mi sembra qui preferibile, rispetto ad *adulterio* dei Maurini, anche perché è richiamata dal seguente *ille*.

[102] *ebrios exercitus*: tale lezione di cui i Maurini annotano una variante (*ebrios excitatos*), pare anche confermata da *Hel.* 9, 29 (CSEL 32, 2, p. 428, 10) *unius mulieris ieiunium innumeros strauit exercitus ebriorum.*

[103] Cf. *epist. ex. c.* 14, 29 (CSEL 82, 3, p. 250).

non poterant uel aequitate regi uel uirtute defendi, bellis hinc inde ardentibus, Debboram sibi, cuius regerentur iudicio, cooptarunt [b]. Itaque multa millia uirorum una uidua et in pace rexit et ab hoste defendit. Multi iudices in Israel, sed nulla ante iudex femina; multi iudices post Iesum, sed nullus propheta. Et ideo lectum istius puto esse iudicium et gesta eius arbitror esse descripta, ne mulieres a uirtutis officio muliebris sexus infirmitate reuocentur. Vidua populos regit, uidua ducit exercitus, uidua duces eligit, uidua bella disponit, mandat triumphos. Non ergo natura est rea culpae nec infirmitati obnoxia: strenuos non sexus, sed uirtus facit.

45. Et in pace quidem nulla querimonia, nullus error mulieris inuenitur, cum plerique non mediocrium peccatorum auctores populo suo iudices exstitissent. Vbi uero Chananaei, gens ferox praelio et affluentium copiarum opima successu, hostiles in populum Iudaeorum animos extulerunt, uidua prae ceteris bellicos instruit apparatus. Et ut discas non publicis copiis domesticas necessitates fuisse subnixas, sed domesticis disciplinis munus publicum gubernatum, domo propria filium ducem producit exercitus [c], ut agnoscatis quod possit instituere uidua bellatorem, quem quasi mater erudiit, quasi iudex praeposuit, quasi fortis instituit, quasi prophetissa uictoriae certa transmisit.

46. Denique in mulieris manu summam fuisse uictoriae docet Barach filius dicens: *Nisi tu ueneris mecum, non ibo, quia non noui diem in qua dirigit dominus angelum suum mecum* [d]. Quanta ergo feminae istius uirtus, cui dux dicit exercitus: *Nisi tu ueneris non ibo*! Quanta, inquam, uiduae fortitudo, quae a periculis filium nec materno reuocat affectu, imo ad uictoriam filium studio matris hortatur, docens quod in manu mulieris sit summa uictoriae!

47. Debbora ergo proelii prophetauit euentum, Barach iussus produxit exercitum [e], Iael cepit triumphum [f]; huic enim pro-

[b] Iudic 4, 5.
[c] Iudic 4, 6.
[d] Iudic 4, 8-9.
[e] Iudic 4, 14.
[f] Iudic 4, 17-22.

---

14 rea est *transp. Maur.*
45, 11 prophetissa: profetis α (-ticis *Ambrosianus*). certae *Maur.*
46, 7 docens *scripsi (cf. supra 46 in init.)*: dicens α, *Maur.*
47, 2*s.* prophetiae in Debbora *Maur.*

essere equamente governati né valorosamente difesi da uomini, dato che qua e là divampavano guerre, scelsero Debora per essere governati da lei quale giudice. E cosí una sola vedova e governò molte migliaia di uomini in tempo di pace e li difese dal nemico. Molti furono i giudici in Israele, ma in precedenza nessuna donna fu giudice; molti furono i giudici dopo Giosuè, ma nessuno fu profeta. E a questo scopo penso che sia stato scelto il giudizio di lei e ritengo siano state descritte le sue gesta, perché le donne non siano distolte dal loro compito di virtú a motivo della debolezza del sesso femminile. Una vedova [104] governa popoli, una vedova guida eserciti, una vedova sceglie giudici, decide le guerre, ordina i trionfi. Dunque la natura non è colpevole né soggetta a debolezza: infatti non il sesso rende valorosi, ma la virtú.

45. Ed anche in tempo di pace non si registra alcuna lagnanza, alcun errore della donna, mentre molti giudici avevano commesso non lievi peccati che ricadevano sul loro popolo. Ma quando i Cananei, gente fiera in battaglia e ben provvista di forze abbondanti, rivolsero la loro ostilità contro il popolo dei Giudei, la vedova, in testa a tutti, organizza i preparativi di guerra. E perché si sappia che i bisogni privati non si appoggiavano alla forza pubblica, ma che i pubblici uffici erano governati con l'ausilio dell'educazione privata, trae dalla propria casa il figlio per farlo capo dell'esercito, perché cosí possiate capire che una vedova può preparare un guerriero, che come madre istruí, come giudice costituí capo, come donna forte formò, come profetessa condusse sicura alla vittoria.

46. Infatti, che la decisione della vittoria fosse nelle mani di quella donna lo dichiara il figlio Barach dicendo: *Se tu non verrai con me, non andrò, perché non so quale sarà il giorno in cui il Signore manderà con me il suo angelo.* Quanto grande fu dunque la virtú di questa donna a cui il capo dell'esercito dice: *Se non vieni non andrò*! Quanto grande fu — ripeto — la fortezza della vedova che nemmeno trattiene con affetto materno il figlio dal pericolo, anzi esorta il figlio alla vittoria con lo zelo di madre, mostrando cosí che la chiave della vittoria è nelle mani di una donna!

47. Dunque Debora profetizzò l'esito della battaglia, Barach condusse l'esercito, come gli era stato ordinato, Giaele riportò il trionfo; a suo favore infatti militò la profezia di Debora [105], la

[104] Anche Girolamo nell'epistola alla vedova Furia elenca gli *exempla* di Anna, della vedova di Sarepta, di Giuditta, ma a proposito di Debora rimprovera aspramente ad Ambrogio, senza nominarlo, di averla erroneamente (o forse arbitrariamente) presentata come vedova e di aver creduto che Barac fosse suo figlio: *quidam imperite Debboram inter uiduas numerant, ducemque Barac arbitrantur Debborae filium, cum aliud scriptura commemoret* (*epist.* 54, 17, ed. LABOURT, 3, p. 39).

[105] L'espressione *huic* (scil. *Iael*) *enim prophetia Debborae militauit* è ripresa poco oltre da *nobis igitur prophetarum oracula dimicarunt*: il parallelismo sintattico e semantico conferma la lezione qui scelta contro quella approvata dai Maurini. Ma, oltre al parallelismo letterale, è importante il rapporto esegetico mistico fra

phetia Debborae militauit, quae mystice nobis ortum surrecturae ex gentibus ecclesiae reuelauit, cui thriumphus de Sisara spiritali, hoc est de aduersariis potestatibus [g], quaereretur. Nobis igitur prophetarum oracula dimicarunt, nobis illa prophetarum iudicia et arma uicerunt. Et ideo non populus Iudaeorum, sed etiam Iael uictoriam de hoste quaesiuit. Infelix ergo populus, qui hostem quem fugauit, persequi fidei uirtute non potuit. Itaque illorum delicto salus gentibus; illorum desidia nobis seruata uictoria est.

48. Iael ergo prostrauit Sisaram, quem tamen corusco duce (hoc enim significat interpretatio Barach) manus ueterum fugauerat Iudaeorum: frequenter enim, ut legimus, orationibus et meritis prophetarum caelestia patribus adfuere subsidia. Sed his iam tunc de nequitiis spiritalibus [h] uictoria parabatur, quibus dicitur in euangelio: *Venite, benedicti patris mei, possidete paratum uobis regnum a constitutione mundi* [i]. Ergo principium uictoriae a maioribus, finis in ecclesia.

49. Ecclesia autem non armis saecularibus uincit aduersarias potestates [l], sed armis spiritalibus, quae sunt fortia deo ad destruendas munitiones et altitudinem nequitiae spiritalis [m]. Et ideo Sisarae sitis lactis poculo restinguitur [n], quia ratione superatur [o]; quod enim nobis salutare ad escam, hoc aduersariae potestati letale ad infirmitatem. Arma ecclesiae fides [p], arma ecclesiae oratio [q] est, quae aduersarium uincit.

50. Ergo secundum historiam ad prouocandos animos feminarum femina iudicauit, femina disposuit, femina prophetauit, femina triumphauit et praeliaribus intermista copiis imperio uiros docuit militare femineo. Secundum mysterium uero fidei militia ecclesiae uictoria est.

[g] Eph 6, 12.
[h] Ibid.
[i] Mt 25, 34.
[l] Eph 6, 12.
[m] 2 Cor 10, 4-5; Eph 6, 12.
[n] Iudic 4, 19.
[o] 1 Cor 3, 2 (?).
[p] Eph 6, 16 (?).
[q] Eph 6, 18 (?).

quale con il suo significato mistico ci ha rivelato la nascita della Chiesa che sarebbe sorta di tra i popoli pagani, per la quale si otteneva il trionfo sul Sisara spirituale, cioè sulle potenze avverse. Dunque le profezie dei profeti hanno combattuto per noi, per noi hanno vinto quei giudizi dei profeti [106] e le loro armi. E perciò non il popolo dei Giudei, ma anzi Giaele ottenne la vittoria sul nemico. Infelice dunque quel popolo che mise in fuga il nemico, ma non poté inseguirlo con la virtú della fede. E cosí per il loro delitto è giunta la salvezza alle genti; per la loro inerzia ci è stata riservata la vittoria.

48. Dunque Giaele abbatté Sisara, che però grazie ad un brillante condottiero — questa infatti è l'interpretazione di Barach [107] — un manipolo di antichi Giudei aveva messo in fuga; infatti leggiamo che spesso per le preghiere e i meriti dei profeti aiuti celesti vennero in soccorso dei padri. Ma già fin da allora si preparava la vittoria sulle iniquità spirituali per coloro ai quali si dice nel Vangelo: *Venite benedetti del Padre mio, possedete il regno preparato per voi fin dalla fondazione del mondo*. Dunque la vittoria fu iniziata dagli antenati, la conclusione è nella Chiesa.

49. Ma la Chiesa non vince le potenze avverse con le armi del mondo, ma con le armi spirituali che sono forti di Dio per distruggere le difese e l'altezza dell'iniquità spirituale. E perciò la sete di Sisara è spenta con la bevanda del latte, perché egli è superato con la ragione [108]; infatti ciò che per noi è cibo salutare, nella potenza avversa provoca infermità mortale. Le armi della Chiesa sono la fede, le armi della Chiesa sono la preghiera che vince l'avversario.

50. Dunque, sul piano storico, per incoraggiare gli animi delle donne, una donna giudicò, una donna prese decisioni, una donna profetò, una donna trionfò, e in mezzo a truppe combattenti con femminile imperio insegnò agli uomini a combattere. Invece sul piano mistico la milizia della fede è vittoria della Chiesa [109].

le due frasi. La prima rappresenta il momento dell'evento storico della profezia di Debora, la seconda esprime la realizzazione di quella profezia secondo il suo senso mistico. Per la storia veterotestamentaria Giaele, una pagana, uccise il nemico di Israele; secondo la verità mistica, la Chiesa, formata da popoli pagani, sconfigge le antagoniste potestà spirituali. E cosí è anche riproposto un tema frequente negli scritti ambrosiani: l'esclusione di Israele dalla realizzazione finale delle profezie che pure storicamente si sono manifestate in mezzo a quel popolo e che, anche in senso mistico, erano ad esso indirizzate.

[106] L'espressione apparentemente generica cela l'opinione che Ambrogio ha di Debora: giudice e profetessa (cf. sopra § 44).

[107] Cf. GIROLAMO, *interpr. hebr. nom.*, ed. LAGARDE, pp. 31, 22 e 77, 27 *Barac fulgurans*.

[108] *ratione superatur*: è probabile una sia pur vaga allusione a 1 Cor 3, 2. Il nutrimento del latte è metafora per esprimere l'immaturità di chi non è ancora dotato di intelligenza spirituale; cf. *exp. ps. 118* 2, 32 (CSEL 62, p. 39, 15 ss.) *in tantum doctrina apostoli Corinthii profecerunt, ut, qui ante non poterant nisi sicut paruuli lac solum bibere, postea in omnibus diuitiis abundarent cognitionis et uerbi*; *epist.* 2, 6 (PL 16, 918 C) *qui enim fortiorem cibum epulari non queunt, succo lactis ingenii sui exercent infantiam*; *epist. ex. c.* 14, 81 (CSEL 82, 3, p. 278); *Abr.* 1, 7, 64 (CSEL 32, 1, p. 544).

[109] Seguo la punteggiatura del Ballerini.

51. Non ergo habetis quod per naturam uos excusetis, feminae. Non habetis, uiduae, quod ad infirmitatem sexus aut ad amissionem subsidii maritalis mobilitatem uestram referre possitis; satis unicuique praesidii est, si uirtus animi non desit. Et ipse in uiduis frequens processus aetatis munimen pudoris est; et ipse amissi coniugis dolor, usus operis, domus cura, sollicitudo liberorum, noxiam pudori solet arcere lasciuiam; atque ipse lugubris habitus, pompa funebris, fletus assiduus et moestae frontis inarantibus rugis impressa tristitia petulantium premit oculos, restinguit libidines, procaces auertit aspectus. Bonus custos pudoris pietatis dolor; non obrepit culpa, si cura non desit.

**9.** 52. Didicistis igitur, uiduae, subsidio uos non egere naturae et posse salubritatem tenere consilii, nec domestico indigere praesidio, quae etiam publicae potestis apicem potentiae uindicare.

53. Sed fortasse dicit aliqua ei tolerabilem uiduitatem cui profluant res secundae, aduersis uero uiduas cito frangi, facile succumbere. De quo etsi ipso doceamur usu laeta uiduis lubrica magis esse quam seria; tamen scripturarum instruimur exemplis, infirmitatibus quoque uiduarum non deesse solere subsidia, faciliusque quam ceteris diuina atque humana suppetere, si bene filios instituant, generos legant. Denique cum socrus Simonis magnis febribus detineretur, Petrus et Andreas rogauerunt dominum pro ea. *Et stans super illam imperauit febri et remisit illam et continuo surgens ministrabat illis* [a].

54. *Magnis*, inquit, *tenebatur febribus et rogauerunt illum pro ea* [b]. Et tu habes proximos, qui pro te supplicent. Habes apostolos

9. [a] Lc 4, 38-39.
[b] Lc 4, 38.

51, 4 animi non desit: non desit animae *Maur.*
8 fronti *Maur.*
53, 8*s.* dominum: deum *Maur.*

51. Dunque, o donne, non avete ragione di addurre la condizione naturale a vostra giustificazione. Non avete ragione, o vedove, di attribuire la vostra instabilità alla debolezza del sesso [110] o alla perdita del sostegno del marito. È sufficiente a vostra difesa che non manchi la forza d'animo. Ed anche il celere avanzare dell'età nelle vedove è difesa del pudore. E anche il dolore per il marito defunto, la consuetudine del lavoro, le occupazioni domestiche, la preoccupazione per i figli sogliono tenere lontana l'immodestia nociva al pudore. E lo stesso abito da lutto, l'apparato funebre, il pianto continuo e la tristezza scolpita nelle scavate rughe della fronte mesta, frenano gli occhi degli spudorati, spengono la libidine, respingono gli sguardi procaci. Il dolore mosso dal sentimento di pietà è buon custode del pudore; la colpa non si insinua, se non vien meno l'occupazione.

**9.** 52. Avete, dunque, imparato [111], o vedove, a non aver bisogno del sostegno della natura e a conservare salutare saggezza, né ad aver bisogno dentro casa di difesa, voi che potete persino raggiungere il vertice del potere pubblico.

53. Ma qualcuna di voi potrebbe dire che la vedovanza è tollerabile per colei che gode di abbondante prosperità; ma nelle avversità le vedove sono subito fiaccate e facilmente soccombono. A tal riguardo anche se la consuetudine ci mostra che per le vedove le cose liete sono piú pericolose delle cose serie, tuttavia gli esempi delle Scritture ci insegnano che le vedove anche nella malattia non sogliono mancare di aiuti [112], e piú facilmente che altri hanno a sufficienza risorse sia divine che umane, se educano bene i figli e scelgono con cura i generi. Infatti, mentre la suocera di Simone era in preda ad una gran febbre, Pietro e Andrea pregarono il Signore per lei. *E chinandosi su di lei comandò alla febbre e la febbre la lasciò e subito si levò a servirli* [113].

54. *Era presa* — dice — *da una gran febbre e lo pregarono per lei.* Anche tu hai persone a te prossime che pregano per te.

[110] Sulla *infirmitas sexus* cf. 7, 37 e nota *ad loc.*

[111] Il § 51 sembra effettivamente concludere la prima sezione dell'opera (cf. A.V. NAZZARO, *Il De uiduis di Ambrogio*, «Vichiana», n.s. 13 [1984], pp. 282 ss.) e il § 52 rappresenta una pausa riassuntiva; ma con il § 53 si riprende a discutere delle obiezioni alla vedovanza e la conclusione generale dell'argomento parrebbe quella del § 67 (cf. la nota relativa). Si noti il singolare parallelismo, nella forma e nel contenuto, fra § 52 e § 67.

[112] Pare proprio che Ambrogio intenda alludere all'*exemplum* della suocera di Pietro, di seguito citato. In realtà da Lc 4, 39 non risulta che quella suocera fosse vedova, ma sappiamo che il nostro autore non si fa scrupolo di adeguare, nei particolari, gli *exempla* biblici alle proprie esigenze; rammentiamo che poco sopra, in 8, 44, allo stesso modo senza fondamento parla della vedovanza di Debora.

[113] Nei §§ 53-66 è sviluppato il tema di Cristo medico, spesso ricorrente negli scritti di Ambrogio: cf. *Cain* 2, 3, 11 (CSEL 32, 1, pp. 387 s.); *interp.* 3, 2, 4 (CSEL 32, 2, p. 251); *apol.* 1, 16, 75 (p. 349); *expl. ps. 35* 3 (CSEL 64, p. 51); *expl. ps. 37* 4 (p. 139); *expl. ps. 39* 21 (p. 226); *expl. ps. 43* 10 (p. 267); *expl. ps. 61* 4 (pp. 379 s.); *expl. ps. 118* 3, 22-23 (pp. 531 s.); 19, 2 (p. 423); *exp. Luc.* 5, 19.27.46 (CCL 14, pp. 141.145.151); 6, 67-71 (pp. 197-199); 7, 207 (p. 286); *off.* 3, 94 (SAEMO 13, p. 330); *fid.* 2, 89-92 (CSEL 78, pp. 89-91); *epist.* 78, 8 (PL 16, 1324 D); *uirgb.* 3, 5, 24; *uirgt.* 16, 99.

proximos, habes martyres proximos, si ipsa martyribus deuotionis societate, misericordiae quoque muneribus appropinques; proximus est enim qui misericordiam facit. Fac et tu misericordiam [c] et eris Petro proxima. Non sanguinis necessitudo, sed uirtutis cognatio proximos facit, quia non in carne ambulamus, sed in spiritu. Ama ergo propinquitatem Petri, affinitatem Andreae, ut pro te rogent et recedant cupiditates tuae. Verbo dei pulsata surges illico [d], quae in terris iacebas, et Christo ministres [e]. *Nostra* enim *conuersatio in caelis est, unde et Saluatorem exspectamus dominum Iesum* [f]. Nemo ergo iacens Christo ministrat. Ministra pauperi, et ministrasti Christo: *Quod enim uni horum fecistis, mihi,* inquit, *fecistis* [g]. Habetis ergo, uiduae, auxilium, si tales uobis generos, posteritatis uestrae patronos, tales proximos eligatis.

55. Ergo rogauerunt pro uidua Petrus et Andreas [h]. Vtinam exsistat aliquis qui tam cito possit rogare pro nobis, uel certe isti qui pro socru rogant, Petrus et Andreas frater eius. Tunc enim pro affine poterant, nunc iam possunt pro nobis et pro omnibus impetrare. Videtis enim quod magno peccato obnoxia, minus idonea sit quae pro se precetur, certe quae pro se impetret. Adhibeat igitur ad medicum alios precatores. Aegri enim nisi ad eos aliorum precibus medicus fuerit inuitatus, pro se rogare non possunt. Infirma est caro, mens aegra est et peccatorum uinculis impedita, ad medici illius sedem debile non potest explicare uestigium. Obsecrandi sunt angeli pro nobis, qui nobis ad praesi-

[c] Lc 10, 37.
[d] Cant 5, 2; Lc 12, 36 (?).
[e] Lc 4, 39.
[f] Phil 3, 20.
[g] Mt 25, 40.
[h] Lc 4, 38.

54, 3 ipsa: *praem.* in *Maur.*
7 facit proximos *transp. Maur.*
10 et: ut *Maur.*
12 ergo: enim *Maur.*
55, 2*s.* iste... rogat *α*.

Hai come prossimi gli Apostoli, hai come prossimi i martiri, se tu ti fai prossima dei martiri per il vincolo della devozione ed anche per i doni della misericordia. Infatti il prossimo è colui che fa la misericordia. Fa' anche tu la misericordia [114] e sarai prossima di Pietro: non il vincolo del sangue, ma il legame della virtú fa prossimi, perché non camminiamo nella carne, ma nello spirito. Ama dunque la parentela con Pietro, l'affinità [115] con Andrea, perché preghino per te e i tuoi desideri recedano. Quando il Verbo di Dio bussa, tu, che giacevi in terra [116], sorgi subito e servi Cristo. Infatti *la nostra dimora è nei cieli, da dove attendiamo anche il Salvatore Signore Gesú*. Perciò nessuno che giace può servire Cristo. Servi il povero, e hai servito Cristo: *Infatti quello che avete fatto a uno solo di questi lo avete fatto* — dice — *a me*. Avete dunque, o vedove, assistenza, se, come protettori della vostra posterità, vi scegliete tali generi, tali prossimi.

55. Dunque Pietro e Andrea pregarono per la vedova. Magari esistesse qualcuno che con tanta sollecitudine possa pregare per noi, o almeno costoro che pregano per la suocera, Pietro e Andrea suo fratello. Allora infatti potevano impetrare per colei che era loro affine, ormai possono impetrare per noi e per tutti. Vedete infatti che colei che è colpevole di un grande peccato [117], non è in grado di pregare per sé, non certamente di impetrare per sé. Perciò ricorra ad altri che supplichino il Medico. Infatti i malati non possono pregare il medico per sé, se questi non è presso di loro invitato per la preghiera di altri. La carne è debole, la mente è malata e impedita dai lacci dei peccati, non può muovere il debole passo verso l'abitazione di quel Medico. Bisogna supplicare per noi gli angeli, che ci sono stati dati a difesa [118]; bisogna

[114] L'espressione *facere misericordiam* è sconosciuta all'uso classico della lingua latina e deriva da un calco sul greco di Lc 10, 37. Ritroviamo l'espressione, sempre con riferimento alla parabola del buon samaritano, in *paen.* 1, 11, 52 (CSEL 73, p. 145) e *Abr.* 1, 9, 85 (CSEL 32, 1, p. 556); cf. H. PÉTRÉ, *«Misericordia». Histoire du paganisme au christianisme*, REL, 12 (1934), pp. 387 s.

[115] *Propinquitas* indica il rapporto di parentela acquisita fra Pietro e la sua suocera; *affinitas* il rapporto fra la suocera di Pietro e il fratello di questi (cf. Mc 1, 16), Andrea.

[116] *in terris*: intendiamo in senso allegorico, in antitesi a *in caelis* della successiva citazione di Phil 3, 20. In proposito rammentiamo *Abr.* 1, 2, 4 (CSEL 32, 1, p. 504, 2 ss.) ...*exire de terra sua, de huius terrae, hoc est de corporis nostri quadam commoratione egredi, de qua exiuit Paulus, qui dixit: «nostra autem conuersatio in caelis est», et de inlecebris et delectationibus corporalibus...*; *bon. mort.* 3, 10 (p. 711, 1 ss.); *epist.* 11, 13 (CSEL 82, 1, p. 86).

[117] *magno peccato obnoxia*: è parafrasi esegetica dell'espressione evangelica di Lc 4, 38: *magnis tenebatur febribus*.

[118] Per l'Occidente è questa forse la prima testimonianza del culto degli angeli (cf. DUDDEN, *The Life*, 2, p. 587). Circa il culto degli angeli nei primi secoli del cristianesimo cf. DTC 1, 1221. Sul tema degli angeli protettori cf. *exp. ps. 118* 1, 9 (CSEL 62, p. 10, 23 s.); *Hel.* 21, 79 (CSEL 32, 2, p. 461, 2); *spir. s.* 1, 7, 83 (CSEL 79, pp. 50 s.); *epist.* 75a, 11 (CSEL 82, 3, p. 88); 77, 11 (CSEL 82, 3, p. 133); *expl. ps. 43* 14 (CSEL 64, p. 272, 18); *exam.* 3, 12, 50 (CSEL 32, 1, p. 91, 21 s.); *uirgb.* 1, 8, 51; *exp. Luc.* 1, 26 (CCL 14, p. 19); 2, 50 (p. 53); 7, 210 (p. 287), ma in quest'ultimo luogo si parla degli angeli cui è affidata la custodia delle singole chiese e dei loro pastori (cf. Apoc 2).

dium dati sunt; martyres obsecrandi, quorum uidemur nobis quodam corporis pignore patrocinium uindicare. Possunt pro peccatis rogare nostris, qui proprio sanguine, etiam si qua habuerunt peccata, lauerunt; isti enim sunt dei martyres, nostri praesules, speculatores uitae actuumque nostrorum. Non erubescamus eos intercessores nostrae infirmitatis adhibere, quia ipsi infirmitatem corporis, etiam cum uincerent, cognouerunt.

56. Inuenit ergo Petri socrus qui pro se rogarent [i]. Et tu, uidua, inuenis qui pro te supplicent, si quasi *uere uidua et desolata* in deum speres, instes obsecrationibus, insistas orationibus [l], afficias corpus tuum [m] quasi quotidie moriens [n], ut moriendo reuiuiscas, fugias delicias, ut etiam aegra saneris: *Nam quae in deliciis est, uiuens mortua est* [o].

57. Sublata est tibi causa nubendi, habes qui pro te intercedant. Ne dixeris: «Destituta sum». Querela nupturae est. Ne dixeris: «Sola sum». Castitas solitudinem quaerit; pudica secretum, impudica conuentum. Sed negotium habes et intercessorem aduersarii uereris? Apud iudicem pro te dominus interuenit dicens: *Iudicate pupillo et iustificate uiduam* [p].

58. Sed et patrimonium uis tueri. Maius pudoris est patrimonium, quod melius regit uidua quam nupta. Seruus peccauit. Ignosce; melius est enim alterius culpam feras, quam tuam prodas. Sed uis nubere. Licet. Non habet crimen simplex uoluntas. Causam non quaero. Cur fingitur? Si honestam putas, fatere; si incongruam, sile. Ne accuses deum, ne accuses propinquos, quod praesidia tibi desint; utinam non desit uoluntas! Nec te consulere liberis dicas, quibus matrem eripis.

59. Est etiam quod facultate licet et aetate non licet. Cur maternae parantur nuptiae inter nuptias filiarum et plerumque post nuptias? Cur adulta filia discit prius sponsum matris quam suum erubescere? Suasimus, fateor, ut uestem mutares, non ut

[i] Ibid.
[l] 1 Tim 5, 5.
[m] 1 Cor 9, 27 (?).
[n] 1 Cor 15, 31.
[o] 1 Tim 5, 6.
[p] Is 1, 17.

17*s.* infirmitates *Maur.*
57, 3 sum: *praem.* ego *Maur.*
4 habes *iter. Maur.*
5 aduersarii α (-ium *Herbipolitanus*): aduersarium *Maur.*
59, 1 facultati... aetati α.
3 *s.* quam suum: *om. plerique codd. cl.* α.

supplicare i martiri, il patrocinio dei quali pensiamo di poter rivendicare, per le reliquie del loro corpo che conserviamo come in pegno [119]. Essi possono pregare per i nostri peccati, dato che se anche hanno avuto dei peccati, li hanno lavati con il proprio sangue. Costoro infatti sono martiri di Dio, nostri intercessori [120], testimoni oculari della nostra vita e dei nostri atti. Non vergogniamoci di usarli come intercessori della nostra debolezza, perché essi, anche se l'hanno vinta, hanno conosciuto la debolezza del corpo.

56. Dunque la suocera di Pietro trovò chi pregò per lei. Anche tu, o vedova, trovi chi supplica per te, se, come una che *veramente è vedova e desolata,* speri in Dio, se sei intenta alle suppliche, se sei perseverante nelle preghiere [121], se estenui il tuo corpo, come se ogni giorno morissi, cosicché morendo tu possa rivivere, se fuggi i piaceri, cosicché, anche se malata, possa essere risanata: *Infatti colei che è tra i piaceri, pur vivendo, è morta.*

57. Ti vien meno il motivo per sposarti: hai coloro che intercedono per te. Non dire: «Sono senza sostegno». È il lamento di chi si sta per sposare. Non dire: «Sono sola». La castità cerca la solitudine; colei che è pudica cerca la riservatezza, colei che è impudica cerca la compagnia. Ma hai una causa in tribunale e temi l'avvocato dell'avversario? Il Signore interviene per te presso il giudice dicendo: *Fate giustizia all'orfano e trattate con giustizia la vedova.*

58. Ma tu vuoi conservare anche il patrimonio. Il patrimonio del pudore è piú grande, e la vedova lo amministra meglio di una sposata. Un servo ha commesso qualche colpa? Perdonagli [122], perché è meglio sopportare una colpa altrui piuttosto che tu ne commetta. Ma tu vuoi sposarti. Ti è lecito. Il semplice desiderio non è colpevole. Non chiedo il motivo. Perché fingere? Se lo ritieni onesto, dillo; se lo ritieni sconveniente, taci. Non accusare Dio, non accusare i parenti, perché ti mancano sostegni; magari non ti mancasse la volontà! E non dire che vuoi cosí provvedere ai figli, ai quali togli la madre.

59. Si dà anche il caso che ciò che è di per sé lecito, non è consentito per riguardo all'età. Perché si preparano le nozze della madre, mentre si celebrano quelle delle figlie e spesso dopo le loro nozze? Perché una figlia adulta impara ad avere soggezione prima dello sposo della madre [che del proprio]? Ti abbiamo consigliata di smettere il lutto [123] — lo ammetto —, ma non a

[119] Sul culto delle reliquie dei santi e, in particolare, dei martiri, cf. DTC *s.u. reliques.*

[120] Per il significato di *praesul* cf. *ob. Theod.* 16, 3 e 25, 3 (CSEL 73, pp. 379 e 383).

[121] Per la citazione esatta di 1 Tim 5, 5 cf. sopra 2, 8.

[122] Si risponde a una delle obiezioni mosse alla vedovanza. Intendiamo: come può una vedova provvedere alla punizione di servi colpevoli?

[123] *mutare uestem*: l'espressione, secondo DUDDEN, *The Life*, 1, p. 158, attesterebbe l'uso di una particolare veste vedovile di colore scuro; ma giustamente NAZZARO, *Il De uiduis*, p. 276, nota 21, respinge tale opinione. In effetti l'espressione in questo contesto significa «smettere il lutto»; è certo solo che scuro era il vestito da lutto che la vedova avrebbe dovuto smettere. Ciò detto, rammentiamo tuttavia che

flammeum sumeres, ut a sepulcro recederes, non ut thalamum praeparares. Quid sibi uult noua nupta, post generos? Quam indecorum est iuniores habere liberos, quam nepotes!

**10.** 60. Sed ad propositum reuertamur, ne qui nostrorum dolemus uulnera peccatorum, medicum relinquamus, et, dum alienis medemur ulceribus, ulcera nostra cumulemus. Rogatur ergo hic medicus. Ne timeas quia magnus est dominus et fortasse ad aegram dedignetur uenire: uenit enim ad nos saepe de caelo, nec solum diuites, sed etiam pauperes solet et seruulos pauperum uisitare. Venit et nunc rogatus ad Petri socrum: *et stans super illam, imperauit febri et remisit illam et continuo surgens ministrabat illis* [a]. Sicut dignus memoria ita dignus desiderio, dignus etiam caritate dominicae in singulos dignationis affectus et facta miranda. Visitare uiduas non dedignatur et tugurii uilis penetralia angusta succedere. Quasi deus imperat, quasi homo uisitat.

61. Gratias euangelio per quod etiam nos qui oculis nostris uenientem in hunc mundum non uidimus Christum, uidemur ei, dum facta eius legimus, interesse, ut sicut illi quibus appropinquabat, fidem mutuabantur ex eo, ita nobis, dum gestis eius credimus, appropinquet.

62. Vides qualia habeat genera sanitatum. Imperat febri, imperat spiritibus immundis [b], alibi ipse imponit manus [c]. Non solum igitur uerbo, sed etiam tactu aegros curare consueuit. Et tu igitur quae uariis mundi aestuas cupiditatibus, uel forma uiri alicuius capta uel pecunia, roga Christum, adhibe medicum, porrige ei dexteram tuam, tangat interiora tua dei manus, uerbique caelestis gratia interiorum uenas scrutetur animorum, pulset dei dextera secreta cordis [d]. Aliis oculos luto illinit [e], ut uidere possint, creatorque omnium docet nos nostrae memores debere esse naturae et corporis cernere uilitatem. Nemo enim magis potest uidere diuina, nisi qui humilitate conscia sui nescit attolli. Alius sacerdoti

10. [a] Lc 4, 39.
[b] Lc 4, 36.
[c] Lc 4, 40.
[d] Cant 5, 2 (?).
[e] Io 9, 6-7.

---

60, 1*s.* ne qui... dolemus: neque... dolentes *Maur.*
9 illi α *(fort.).*
61, 4 nobis: *praem.* etiam α.
62, 1 habet *Maur.*
2 manus imponit *transp. Maur.*
11 humilitatis conscientia suae *Maur.*

prendere il velo nuziale, di allontanarti dal sepolcro, ma non a preparare il letto nuziale. Ma colei che si risposa, che cosa vuole oltre i generi? Quanto è indecoroso avere figli piú giovani dei nipoti!

**10.** 60. Ma torniamo al tema, perché noi che siamo addolorati per le ferite dei nostri peccati non abbandoniamo il Medico; e mentre curiamo le ferite altrui, accumuliamo le nostre [124]. Si supplica dunque questo Medico. Non temere per il fatto che il Signore è grande e potrebbe non degnarsi di venire da una malata, perché egli viene a noi spesso dal cielo, e non suole visitare solo i ricchi, ma anche i poveri e i servi dei poveri. Se è supplicato, viene anche ora dalla suocera di Pietro: *e, chinandosi su di lei, comandò alla febbre e la febbre la lasciò e subito si levò a servirli.* Il sentimento di accondiscendenza del Signore verso le singole persone e i relativi fatti straordinari, come sono degni di ricordo, cosí sono degni di desiderio, degni anche di amore. Il Signore non disdegna di visitare le vedove e di entrare nell'angusta abitazione di un vile tugurio. Dà ordini come Dio, fa visita come un uomo.

61. Siamo grati al Vangelo, per il quale anche noi, che non abbiamo visto con i nostri occhi Cristo venire in questo mondo, sembriamo essergli presenti, quando leggiamo le opere da lui compiute: come quelli ai quali si avvicinava, ricevevano da lui la fede, cosí si avvicini a noi quando crediamo alle opere da lui compiute.

62. Tu vedi quali generi di guarigioni può compiere [125]. Comanda alla febbre, comanda agli spiriti immondi, altrove egli stesso impone le mani. Dunque era solito curare i malati non solo con la parola, ma anche con il tatto. Anche tu, dunque, che bruci a causa delle varie passioni del mondo, o perché attratta dal bell'aspetto di qualche uomo o dal denaro, prega Cristo, ricorri al Medico, porgigli la tua destra, la mano di Dio tocchi le tue viscere e la grazia del Verbo celeste scruti le vene interiori dell'animo, la destra di Dio bussi ai segreti dei cuori. Ad altri spalma gli occhi con del fango, perché possano vedere, e cosí il creatore di tutti ci insegna che dobbiamo essere memori della nostra natura e riconoscere la viltà del nostro corpo. Nessuno infatti può vedere meglio le cose divine di colui che per consapevole umiltà non sa insuperbirsi [126]. Ad un altro si ordina

l'uso di una particolare veste da parte delle vedove che facevano professione di vedovanza è attestato: cf. GIROLAMO, *epist.* 38, 3 (LABOURT 2, p. 69) *uidua quae soluta est uinculo maritali nihil necesse habet nisi perseuerare. At scandalizat quempiam uestis fuscior...*; *epist.* 39, 3 (p. 77) *hoc est quod mihi monasterium promittebas, quod habitu a matronis ceteris separato tibi quasi religiosior uidebaris?*

[124] Eco di un proverbio antico: SENECA, *uit. b.* 27, 4 *papulas obseruatis alienas, obsiti plurimis ulceribus*; PLUTARCO, *de inim. util.* 4; ORAZIO, *sat.* 1, 3, 25.

[125] Cf. *exp. Luc.* 4, 68 (CCL 14, p. 131) *...dominus multis impertiuit uaria genera sanitatum.* Sulle guarigioni operate da Cristo cf. anche *uirgt.* 8, 42.

[126] Il fango spalmato sugli occhi del cieco nato, che cosí riacquista la vista, simbolicamente dà al cristiano la consapevolezza della propria umile condizione e anche dei propri peccati: cf. *sacram.* 3, 13-14 (CSEL 73, pp. 44 s.).

se offerre praecipitur, ut carere in perpetuum leprae possit exuuiis [f]. Solus enim mentis et animi potest seruare munditiam, qui ei sacerdoti se nouit offerre, quem pro peccatis nostris accepimus aduocatum [g], illum utique cui dicitur: *Tu es sacerdos in aeternum secundum ordinem Melchisedech* [h].

63. Nec uereare moram aliquam sanitatis. Nescit impedimentum qui sanatur a Christo. Opus est ut remedium adhibeas, quod acceperis; simul enim ut praeceptum dederit, caecus uidet [i], paralyticus ambulat [l], mutus loquitur, surdus audit [m], febriens ministrat [n], lunaticus liberatur [o]. Et tu igitur quaecumque indecore alicuius rei cupiditate languescis, obsecra dominum, fidem defer, nec ullam timeas moram. Vbi adest oratio, adest uerbum, fugatur cupiditas, libido discedit. Nec confessionis uerearis offensam; immo magis praesume praerogatiuam. Incontinenti enim quae morbo antea corporis laborabas, Christo incipies ministrare [p].

64. Potest etiam hoc loco uideri Petri socrus affectio uoluntatis, ex qua sibi uelut semen futurae posteritatis assumpserat, quod unicuique uoluntas sua posteritatis est auctor. Ex uoluntate enim sapientia nascitur, quam sapiens in matrimonium adsciscit sibi, dicens: *Proposui ego hanc adducere mihi in coniugium* [q]. Ergo uoluntas illa quae primo uariarum cupiditatum aestibus madefacta languebat, postea per apostolatus officium in ministerium Christi iam robusta surrexit.

65. Simul qualis esse debeat qui Christo ministrat [r] ostenditur: oportet enim primo carere uariarum illecebris uoluptatum,

[f] Lc 5, 14.
[g] 1 Io 2, 1.
[h] Ps 109 (110), 4; Hebr 5, 6.
[i] Mc 10, 52; Lc 18, 42.
[l] Mt 9, 7; Mc 2, 12; Lc 5, 25; Io 5, 9.
[m] Mc 7, 35.
[n] Mt 8, 15; Mc 1, 31; Lc 4, 39.
[o] Mt 17, 18.
[p] Lc 4, 39.
[q] Sap 8, 2.
[r] Lc 4, 39.

---

63, 10 corporis *ante* morbo *transp. Maur.*
64, 5 ego: ergo *plerique codd. cl.* α *(fort.)*.
65, 1*s.* qui... enim: quae... eam α *(fort.)*.

di offrirsi [127] al sacerdote per liberarsi per sempre dei residui della lebbra. Infatti può preservare la purezza della mente e dell'animo solo chi sa offrire se stesso a quel sacerdote che abbiamo accolto come avvocato per i nostri peccati [128], cioè quello cui è detto: *Tu sei sacerdote in eterno secondo l'ordine di Melchisedech.*

63. E non temere un qualche ritardo della guarigione. Non conosce ostacoli chi è guarito da Cristo. È inevitabile che tu ti avvalga del rimedio che hai ricevuto; infatti, appena egli lo comanda, il cieco vede, il paralitico cammina, il muto parla, il sordo ode, chi ha febbre si mette a servire, il lunatico è liberato. Anche tu, dunque, chiunque tu sia che langui indecorosamente per il desiderio di qualcosa, supplica il Signore, presenta la tua fede e non temere alcun ritardo. Dove è la preghiera c'è la parola, è allontanato il desiderio, si allontana la libidine. E non temere che la confessione ti rechi danno; piuttosto pregusta il privilegio. Infatti tu che prima soffrivi per la malattia dell'intemperanza del corpo [129], comincerai a servire Cristo.

64. In questo luogo la suocera di Pietro può anche significare la facoltà della volontà, da cui aveva tratto il seme, per cosí dire, della futura posterità, giacché la volontà è per ciascuno fonte di posterità. Infatti dalla volontà nasce la sapienza che il sapiente prende come sua sposa, dicendo: *Mi sono proposto di prendere costei come mia sposa.* Perciò la volontà [130], che dapprima languiva perché macerata dal calore delle diverse passioni, poi, divenuta vigorosa per il ministero dell'apostolato, si è levata per mettersi al servizio di Cristo.

65. Nello stesso tempo si mostra quale deve essere colui [131] che serve Cristo. È necessario infatti innanzi tutto che sia libero

[127] Come ha giustamente notato SAVON, *Le prêtre*, p. 71, nota 11, il testo evangelico (Lc 5, 14), sottaciuto, ha *se ostendere*, che Ambrogio, come altrove, trasforma in *se offerre*, in funzione della propria interpretazione.

[128] Il ministero sacerdotale di Cristo è essenzialmente quello di avvocato intercessore presso il Padre per la remissione dei peccati degli uomini. I passi ambrosiani su questo tema sono numerosi: cf. *off.* 1, 239 (SAEMO 13, p. 166) ...*apud patrem pro nobis quasi aduocatus interuenit; expl. ps. 38* 25-26 (CSEL 64, pp. 203 s.) ...*ipse quidem nobis apud patrem aduocatus adsistit* (*ibid.*, p. 203, 25 s.); *expl. ps. 39* 8 (CSEL 64, p. 217); *expl. ps. 48* 15 (p. 369); *epist. ex. c.* 14, 5 (CSEL 82, 3, p. 237); *inst. u.* 11, 69; *epist.* 31, 19 (CSEL 82, 1, p. 225); *exp. Luc.* 7, 225 (CCL 14, p. 292, 2484-2492); *fug.* 2, 13 (CSEL 32, 2, p. 173).

[129] La febbre è metafora che esprime le passioni del corpo: cf. il seguente § 65 e PRUDENZIO, *perist.* 2, 251 *mersis anhelat febribus.*

[130] Nella scelta della vedovanza è fondamentale l'atteggiamento della volontà che converte la persona dal trascorso stato di vita a quello della completa dedizione a Cristo. Come dalla passata vita matrimoniale è derivata una posterità umana, cosí dalla decisione di far professione di vedovanza nasce una posterità, sia puramente spirituale sia quella delle attività ministeriali nella Chiesa cui la vedova si dedica. Una posterità che è vista come frutto del mistico matrimonio fra la sapienza che corrisponde alla vita virtuosa della vedova e il sapiente che è Cristo. Si ripresenta dunque il tema delle nozze spirituali collegato alla pratica della castità.

[131] La lezione *quae... eam* in luogo di *qui... enim* potrebbe essere preferita da chi ritenesse che quest'ultima sia una correzione dettata dalla preoccupazione di

uitare internum corporis animique languorem, ut corpus et sanguinem Christi ministret. Neque enim potest quisquam peccatis suis aeger minimeque sanus immortalium sanitatum remedia ministrare. Vide quid agas, sacerdos, ne febrienti manu Christi corpus attingas. Prius curare, ut ministrare possis [s]. Si mundos eos qui fuerant ante leprosi Christus iubet occurrere sacerdotibus [t], quanto magis mundum ipsum conuenit esse sacerdotem! Non habet igitur quod moleste ferat illa uidua quod sibi non pepercerim, quando nec mihi parco.

66. Surrexit itaque Petri, inquit, socrus, et *ministrabat illis* [u]. Et bene surrexit; sacramenti enim typum apostolica iam gratia ministrabat. Proprium autem est surgere Christi ministros iuxta quod scriptum est: *Surge, qui dormis, et exsurge a mortuis* [v].

**11.** 67. Didicimus igitur nec sumptibus egere uiduas, quae donare consueuerint, nec subsidio a quibus saepe in periculis maximis defensae copiae sunt uirorum, maritalia iis quoque officia uel a generis uel a proximis facile solere reparari, esse etiam in eas diuinam misericordiam promptiorem. Et ideo, cum suppetere non uideatur causa nubendi, studium abesse debere.

[s] Ibid.
[t] Lc 17, 14.
[u] Lc 4, 39.
[v] Eph 5, 14.

---

6 nec *Maur.*
6*s.* corpus Christi *transp. Maur.*
8 ante fuerant *transp. Maur.*
66, 3 est autem *transp. Maur.*
67, 1 didicimus: dicimus *Maur.*
2 a *om.* α.

dalle seduzioni dei diversi piaceri, che eviti l'interiore languore del corpo e dell'animo, perché possa servire il corpo e sangue di Cristo. Infatti nessuno, che sia malato per i propri peccati e assolutamente non sano, può amministrare le medicine della salute immortale. Fai attenzione a quello che fai, o sacerdote, per non toccare con mano febbricitante il corpo di Cristo. Prima fatti curare per poter servire. Se Cristo ordina a quei mondati, che prima erano stati lebbrosi, di andare dai sacerdoti, quanto piú conviene che proprio il sacerdote sia mondo! Dunque non ha ragione di averne a male quella vedova [132] perché non sono stato indulgente con lei, dal momento che non lo sono nemmeno con me stesso.

66. Dunque la suocera di Pietro — è detto — si levò e *si mise a servirli.* E giustamente si levò; infatti già per grazia apostolica [133] serviva ciò che era tipo del sacramento. Ed è proprio dei ministri di Cristo sorgere, secondo quanto è scritto: *Sorgi, tu che dormi, e risorgi dai morti* [134].

**11.** 67. Abbiamo dunque appreso [135] che le vedove non mancano dei mezzi di sostentamento, dal momento che sono solite elargirli, né di aiuto, dato che in situazioni di massimo pericolo esse hanno difeso le milizie di uomini; anche le incombenze proprie dei mariti nei loro confronti sogliono essere surrogate dai generi o dai parenti; persino la misericordia divina è piú pronta verso di esse. E perciò, dal momento che non pare esistere una ragione per sposarsi, bisogna non averne il desiderio.

escludere che Ambrogio abbia potuto parlare dell'amministrazione dell'eucarestia da parte di donne (*corpus et sanguinem ministret*).

[132] La vedova il cui desiderio di risposarsi aveva dato ad Ambrogio lo spunto per trattare della vedovanza, si era sentita veramente offesa dall'intervento del vescovo, se questi in *uirgt.* 8, 46 la inviterà alla riconciliazione.

[133] Perché era suocera dell'apostolo Pietro e perché era stata guarita grazie all'intercessione degli apostoli Pietro e Andrea: cf. 9, 53-54.

[134] Eph 5, 14 conviene ai ministri di Cristo quanto al suo significato spirituale, che è spiegato in *Abr.* 2, 7, 39 (CSEL 32, 1, p. 595).

[135] La lezione *didicimus*, segnalata dai Maurini — che stampano la variante *dicimus* — è qui preferita sia perché confermata dai codici della famiglia α che per il parallelismo con l'inizio di 9, 52 (cf. la mia nota *ad loc.*). In questo § 67 sono riassunte le argomentazioni a favore della vedovanza, o meglio le risposte alle varie obiezioni sollevate contro la vedovanza. Con *didicimus* Ambrogio si riferisce agli *exempla* della Sacra Scrittura da cui ha tratto le argomentazioni sopra sviluppate, riprendendo cosí l'espressione di 9, 52 *didicistis igitur.* In particolare con *nec sumptibus egere uiduas* si fa riferimento alla vedova di Sarepta (cf. 5, 28) e alla vedova di Lc 21, 2-4 (cf. 5, 29); con *nec subsidio...* si richiamano gli *exempla* di Giuditta (cf. 7, 37-42) e di Debora (cf. 8, 44-48); con *maritalia... solere reparari* si rinvia alla guarigione della suocera di Pietro (cf. 9, 53); infine con *esse... misericordiam promptiorem* si allude al medesimo episodio (cf. 9, 55).

Si pone un problema. In quale rapporto sta la cesura segnata da questo § 67 con quella sopra notata a 9, 52? Quale delle due rappresenta il passaggio da un'omelia all'altra? Alla lettura appare piú netta la pausa di questo § 67, ma non si può escludere che essa sia frutto di un'operazione redazionale tendente a mettere un po' di ordine nello sviluppo dei pensieri sopra svolti, non determinata cioè dal passaggio da un'omelia ad un'altra.

68. Quod tamen pro consilio dicimus, non pro praecepto imperamus, prouocantes potius uiduam, quam ligantes. Neque enim prohibemus secundas nuptias, sed non suademus. Alia est enim infirmitatis contemplatio, alia gratia castitatis. Plus dico, non prohibemus secundas nuptias, sed non probamus saepe repetitas; neque enim quidquid licet et decet: *Omnia mihi licent*, apostolus dixit, *sed non omnia sunt utilia* [a]. Et uinum bibere licet, sed plurimum non decet.

69. Licet ergo nubere, sed est pulchrius abstinere; sunt enim uincula nuptiarum. Vultis scire quae uincula? *Quae sub uiro est mulier, uiuente uiro, ligata est legi; si autem mortuus fuerit uir, soluta est a lege uiri* [b]. Probatum est igitur uinculum esse coniugium, quo mulier ligatur et soluitur. Bona mutui amoris gratia, sed maior est seruitus. *Neque enim mulier sui corporis potestatem habet, sed uir* [c]. Et ne forte non coniugii tibi uideatur ista seruitus esse, sed sexus: *Similiter et uir sui corporis potestatem non habet, sed mulier* [d]. Quanta igitur coniugii necessitas, quae subicit alteri etiam fortiorem! Mutuis enim necessitatibus ab utroque seruitur. Nec temperanti licet iugo subducere caput, cum alterius intemperantiae seruiendum sit. *Pretio*, inquit, *empti estis, nolite fieri serui hominum* [e]. Videtis quam euidens sit coniugalis definitio seruitutis. Non ego hoc dico, sed apostolus; nec ille, sed Christus qui loquebatur in eo. Et hanc utique seruitutem de bonis coniugibus definiuit. Namque supra sic habes: *Sanctificatus est enim uir infidelis per uxorem fidelem, et sanctificata est mulier infidelis per maritum fidelem* [f]. Et infra: *Quod si infidelis discedit, discedat. Non est seruituti deditus frater aut soror in talibus* [g]. Si igitur bonum coniu-

11. [a] 1 Cor 6, 12.
[b] Rm 7, 2.
[c] 1 Cor 7, 4.
[d] Ibid.
[e] 1 Cor 7, 23.
[f] 1 Cor 7, 14.
[g] 1 Cor 7, 15.

---

68, 6 quidquid licet et decet α (sed *loco* et *Herbipolitanus*): expedit quidquid licet et decet *Maur.*
7 dicit apostolus *Maur.*
69, 1 pulchrius est *transp. Maur.*
3 alligata *Maur.*
7 tibi non coniugii *transp. Maur.*
12-21 pretio *usque* perdere *laudat Hier. epist. 49, 14.*
13 uidete *Hier.*
sit coniugalis *Hier. Maur.*: coniugalis sit α.
16 enim *om. Maur.*

68. Ma questo diciamo come consiglio, non lo imponiamo come precetto, perché vogliamo piuttosto stimolare la vedova, non obbligarla. E infatti non proibiamo le seconde nozze, ma non le consigliamo, perché una cosa è la considerazione della debolezza, un'altra è la grazia della castità [136]. Dico di piú, non proibiamo le seconde nozze, ma non approviamo che siano ripetute spesso, poiché non qualsiasi cosa lecita è anche conveniente [137]. L'Apostolo ha detto: *Tutto mi è lecito, ma non tutto è utile.* È lecito anche bere il vino, ma non conviene berne molto.

69. Pertanto è lecito sposarsi, ma è meglio astenersi; infatti esistono i vincoli delle nozze. Volete sapere quali vincoli? *La donna che è soggetta al marito è vincolata alla legge fino a che vive il marito, ma se il marito è morto, è libera dalla legge del marito.* Dunque è provato che il matrimonio è un vincolo dal quale la donna è legata e sciolta. Buona è la grazia del reciproco amore, ma maggiore è la servitú. *E infatti la donna non ha potere sul proprio corpo, ma l'uomo.* E perché non ti sembri eventualmente che si tratti di una servitú non del matrimonio, ma del sesso: *Similmente neanche l'uomo ha potere sul proprio corpo, ma la donna* [138]. Dunque quanto grande è la costrizione del matrimonio che sottomette alla volontà altrui anche il piú forte! Infatti entrambi sono schiavi delle necessità dell'altro. E nemmeno a chi è temperante, è lecito sottrarre il capo al giogo, poiché è obbligato a servire all'altrui intemperanza. *Siete stati acquistati* — è detto — *a prezzo, non vogliate diventare servi degli uomini.* Vedete come è chiara l'affermazione della servitú coniugale [139]. Non io dico questo, ma l'Apostolo; e nemmeno lui, ma Cristo che parlava in lui [140]. E ha affermato questa servitú riferendosi a buoni coniugi. Infatti sopra ha detto: *Il marito non credente, infatti, è stato santificato grazie alla moglie credente. E la moglie non credente è stata santificata grazie al marito credente.* E piú oltre: *Se il coniuge non credente se ne va, se ne vada. In tal caso il fratello o la sorella non sono tenuti alla servitú.* Dunque, se il buon matrimonio è servitú,

[136] ...*infirmitatis... castitatis*: in considerazione della debolezza umana le seconde nozze non sono proibite, in considerazione della castità non sono consigliate.

[137] La lezione *neque enim quidquid licet et decet*, segnalata in nota dai Maurini, attestata dai mss. della famiglia α, è preferibile a quella stampata dagli stessi Maurini, *neque enim expedit quidquid licet.* Quest'ultima pare un tentativo ingegnoso di sanare la corruttela provocata dalla caduta per omeoteleuto di *et decet*: chi ha tentato la sanazione si è lasciato influenzare dal testo di 1 Cor 6, 12 *omnia mihi licent, sed non omnia expediunt*, di lí mutuando *expedit*, anche se di seguito Ambrogio cita il versetto con la variante *sunt utilia* in luogo di *expediunt* (*expediunt* è però attestato in *exp. Luc.* 7, 186, CCL 14, p. 279).

[138] Da segnalare il passo singolarmente parallelo di *exh. u.* 4, 21; cf. anche *uirgt.* 6, 33; *exp. ps. 118* 3, 32 (CSEL 62, p. 59).

[139] Il passo *pretio - seruitutis* è citato da GIROLAMO, *epist.* 49, 14 (LABOURT 2, p. 139, 7 ss.).

[140] Cf. *exp. Luc.* 2, 88 (CSEL 32, 4, p. 92, 6 s.) *crede uel Paulo, in quo Christus loquutus est.*

gium seruitus est, malum quid est, quando nequeunt se inuicem sanctificare, sed perdere?

70. Sed, ut ad gratiam uirtutis uiduas adhortamur, ita etiam ad ecclesiae disciplinam feminas prouocamus, quia ecclesia constat ex omnibus. Licet Christi grex, grex tamen in aliis pabulo uescitur, in aliis adhuc lacte nutritur [h]; quibus lupi illi qui latent in uestitu ouium, sunt cauendi [i], abstinentiae speciem praetendentes, prouocantes autem intemperantiae foeditatem. Etenim quia sciunt ualida onera castitatis, cum ipsi ea attingere digitulis non queant [l], ab aliis supra modum exigunt, cum ipsi seruare nec modum possint, sed iniusto sub fasce succumbant. Mensura enim oneris pro mensura debet esse gestantis, alioquin impositi oneris fit ruina, ubi uectoris infirmitas est; nam et infantium fauces strangulat esca robustior.

71. Et ideo, sicut multitudo uectorum non paucorum uiribus aestimatur, nec tamen fortioribus de aliorum infirmitate praescribitur, sed unicuique quantum oneris subire cupiat relaxatur, manente mercedis cumulo in uirtutis augmento, ita etiam feminis non laqueus iniciendus [m], non supra uires abstinentiae grauioris uectura subeunda est, sed relinquendum ut unaquaeque se pendat, non auctoritate aliqua coacta praecepti, sed incremento gratiae prouocata. Et ideo diuersis uirtutibus merces diuersa proposita est. Nec aliud reprehenditur, ut aliud praedicetur, sed omnia praedicantur, ut quae meliora sunt praeferantur.

**12.** 72. Honorabile itaque coniugium, sed honorabilior integritas. Nam *et qui matrimonio iungit uirginem suam bene facit, et qui non iungit melius facit* [a]. Quod igitur bonum est non uitandum est, quod est melius eligendum est. Itaque non imponitur, sed praeponitur. Et ideo bene apostolus dixit: *De uirginibus autem praeceptum domini non habeo, consilium autem do* [b]. Etenim prae-

[h] 1 Cor 3, 2.
[i] Mt 7, 15.
[l] Mt 23, 4 (?); Lc 11, 46 (?).
[m] 1 Cor 7, 35.
12. [a] 1 Cor 7, 38.
[b] 1 Cor 7, 25.

---

20 est[1] *om. Hier.*
malum: *add.* coniugium *Maur.*
70, 2 ecclesiae: ecclesiasticam *Maur.*
quia: quae α.
3 licet: *praem.* et α.
grex *om. Maur.*
10 onereris: muneris α.
72, 4 quod: *praem.* et *Maur.*
5 autem *om. Maur.*

che cosa è il cattivo [141], nel caso in cui non possono santificarsi a vicenda, ma perdersi?

70. Ma, come esortiamo le vedove alla grazia della virtú, cosí pure sollecitiamo le donne all'osservanza della disciplina della Chiesa [142], perché la Chiesa è costituita da tutti. Se è vero che è gregge di Cristo, tuttavia il gregge in alcuni si ciba di pascolo, in altri si nutre ancora di latte, i quali devono guardarsi da quei lupi che si celano nella veste di pecora e fanno mostra di un'apparente astinenza, mentre suscitano la turpitudine dell'intemperanza. Infatti, poiché sanno che i pesi della castità sono grevi, mentre essi non sono in grado di toccarli con un ditino [143], la esigono al di là di ogni giusta misura dagli altri, mentre essi non sanno conservarne la giusta misura, ma soccombono sotto il fardello insopportabile [144]. Infatti la gravità del carico deve essere commisurata alle capacità di chi lo porta, altrimenti il carico imposto va in rovina, in caso di debolezza del portatore. Infatti un cibo troppo robusto può anche soffocare la bocca dei bambini.

71. E perciò, come la moltitudine dei portatori non è valutata in base alla forza di pochi, né d'altra parte si prescrive ai forti tenendo conto della debolezza degli altri, ma a ciascuno si concede di portare la quantità di peso che desidera, essendo la somma della ricompensa in relazione alla crescita della virtú, cosí anche alle donne non si deve tendere il laccio, non devono sopportare il carico di un'astinenza insopportabile, ma bisogna lasciare che ciascuna valuti le proprie capacità e che non sia costretta dall'autorità di un precetto, ma sollecitata dall'aumento della grazia. E perciò alle diverse virtú è proposta una diversa ricompensa. Né una cosa è riprovata perché sia lodata un'altra, ma tutte sono lodate, cosicché siano scelte le migliori.

**12.** 72. Pertanto onorevole è il matrimonio, ma piú onorevole l'integrità. Infatti *chi unisce in matrimonio la sua figlia vergine fa bene, chi non la unisce fa meglio.* Dunque ciò che è buono non deve essere evitato, ciò che è migliore deve essere scelto. Perciò [il meglio] non è imposto, ma preposto. E perciò ha ben detto l'Apostolo: *Circa le vergini non ho alcun precetto del Signore, ma*

[141] I Maurini stampano *malum coniugium*, ma avvertono che la maggior parte dei mss. omettono *coniugium* (cosí anche i codici della famiglia α da me controllati), e il Ballerini segnala la citazione di GIROLAMO, *epist.* 49, 14 (LABOURT 2, p. 139, 9 ss.), ove pure è omesso *coniugium*.

[142] Quale sia questa disciplina è detto di seguito: la Chiesa insegna moderazione e consiglia una valutazione prudente delle capacità e dei limiti delle singole persone. In relazione a tale giudizio si deve scegliere lo stato di vita, tenendo anche conto che la Chiesa è composta sia da coloro che fanno professione di castità (vergini e vedove) che da coloro che sono sposati o risposati.

[143] Allusione biblica (cf. Mt 23, 4; Lc 11, 46) o proverbio? Cf. PLAUTO, *Pers.* 793 *uno digito attigeris*; *rud.* 810; TERENZIO, *eun.* 740 *si illam digito attigerit*; CATONE presso GELLIO, 10, 23, 15; CICERONE, *Tusc.* 5, 19, 55; APULEIO, *met.* 4, 21; GIROLAMO, *epist.* 82, 10 *tangat saltem digitulo* (LABOURT 4, p. 122).

[144] Cf. VIRGILIO, *georg.* 3, 347 *iniusto sub fasce uiam dum carpit.*

ceptum in subditos fertur, consilium amicis datur. Vbi praeceptum est, lex est; ubi consilium, gratia est. Praeceptum, ut ad naturam reuocet; consilium, ut ad gratiam prouocet. Et ideo lex Iudaeis lata est, gratia autem electioribus reseruata est. Lex, ut a naturae finibus culpae studio demeantes ad naturae obseruantiam poenae terrore reuocaret; gratia autem, ut electos cum studio bonorum tum propositis etiam praemiis prouocaret.

73. En tibi distantia praecepti atque consilii, si illum recorderis, cui in euangelio ante praescribitur, ne homicidium faciat, ne adulterium admittat, ne falsum testimonium dicat [c] (praeceptum etenim ibi est, ubi est poena peccati); at uero cum se praecepta legis memorasset implesse, consilium eidem datur, ut uendat omnia et sequatur dominum [d]; haec enim non praecepto imperantur, sed pro consilio deferentur. Duplex namque forma mandati est: una praeceptiua, altera uoluntaria. Vnde et dominus in alia dicit: *Non occides* [e], ubi praecepit; in alia: *Si uis perfectus esse, uende omnia tua* [f]. Ergo hic liber est a praecepto, cui defertur arbitrium.

74. Itaque qui praeceptum impleuerint, possunt dicere: *Serui inutiles sumus: quod debuimus facere fecimus* [g]. Hoc uirgo non dicit, non dicit ille qui bona sua uendidit: sed quasi reposita exspectat praemia, sicut sanctus apostolus qui ait: *Ecce nos reliquimus omnia et secuti sumus te; quid ergo erit nobis?* [h]. Non enim quasi inutilis seruus, quod debuit facere fecisse se dixit, sed quasi utilis domino, qui commissa sibi talenta quaesitis multiplicauit usuris [i], mercedem fidei atque uirtutis bene sibi conscius, meritorumque securus exspectat. Et ideo ei cum ceteris dicitur: *Vos qui secuti estis me, in regeneratione cum sederit filius hominis in sede maiestatis suae, sedebitis et ipsi supra duodecim sedes, iudicantes tribus Israel* [l]. At uero illi qui talenta seruauerat, etsi praemia, minora tamen pollicetur dicens: *Quoniam super pauca fuisti fidelis, supra multa te constituam* [m]. Fides igitur ex debito, misericordia

[c] Mt 19, 18; Mc 10, 19; Lc 18, 20.
[d] Mt 19, 21; Mc 10, 21; Lc 18, 22.
[e] Lc 18, 20; Mc 10, 19.
[f] Mt 19, 21.
[g] Lc 17, 10.
[h] Mt 19, 27.
[i] Mt 25, 15.
[l] Mt 19, 28.
[m] Mt 25, 21.23.

---

8 lex: *praem.* ibi *Maur.*
gratia: *praem.* ibi *Maur.*
73, 10 praecepto: peccato *plerique codd. cl.* α *(fort.).*
10*s.* cuius... arbitrio α (cui *loco* cuius *Monacensis).*
74, 5 nobis erit transp. *Maur.*
enim *om. Maur.*
13 tamen: *add.* praemia α.

*do un consiglio*[145]. Infatti il precetto è emanato per i sottoposti, il consiglio è dato agli amici. Dove è un precetto, c'è la legge; dove è un consiglio, c'è la grazia. Il precetto richiama alla natura: il consiglio stimola alla grazia. E perciò la legge è emanata per i Giudei, mentre la grazia è riservata agli eletti. La legge ha come scopo di condurre con la minaccia della pena al comportamento secondo natura coloro che per amore del peccato travalicano i limiti segnati dalla natura. La grazia invece sollecita gli eletti sia con l'amore per le cose buone che proponendo anche dei premi.

73. Eccoti la differenza fra precetto e consiglio, se ti rammenti di colui al quale nel Vangelo dapprima si prescrive di non uccidere, di non commettere adulterio, di non dire falsa testimonianza — infatti c'è precetto quando si commina la pena per il peccato —; avendo però quello ricordato di aver osservato i precetti della legge, al medesimo si dà un consiglio, di vendere tutto e di seguire il Signore. Infatti queste cose non sono comandate con un precetto, ma sono presentate come consiglio. Infatti la forma di un mandato può essere duplice: l'una è precettiva, l'altra è volontaria. Perciò anche il Signore nella prima forma dice: *Non uccidere* — e lí dà un precetto —; nell'altra forma dice: *Se vuoi essere perfetto, vendi tutti i tuoi beni.* Dunque costui, al quale si concede di agire a suo arbitrio, è libero dal precetto.

74. Perciò coloro che hanno osservato il precetto possono dire: *Siamo servi inutili: quello che dovevamo fare lo abbiamo fatto.* Non dice cosí la vergine, non dice cosí colui che ha venduto tutti i suoi beni, ma attende la ricompensa, quasi che gli sia stata messa da parte, come il santo apostolo che dice: *Ecco noi abbiano lasciato tutto e ti abbiamo seguito: che cosa dunque riceveremo?* Infatti non come un servo inutile ha detto di aver fatto ciò che doveva, ma come uno che è utile al Signore, che ha moltiplicato i talenti affidatigli con la riscossione di interessi, attende la ricompensa della fede e della virtú, ben consapevole di sé e sicuro dei propri meriti. E perciò a lui insieme agli altri è detto: *Voi che mi avete seguito, nella rigenerazione, quando il Figlio dell'uomo sederà sul trono della sua maestà, sederete anche voi su dodici troni per giudicare le tribú d'Israele.* Invece a colui che aveva conservato i talenti promette, sí, premi, ma premi minori, dicendo: *Poiché sei stato fedele nel poco, ti darò potere su molto.* Dunque la fedeltà è

[145] Ambrogio adatta al tema della vedovanza riflessioni e citazioni assai piú convenienti alla verginità: cf. *uirgb.* 1, 5, 23; *exh. u.* 3, 17.

in praemio. Qui bene credidit, ut ei credatur emeruit; qui bene contulit, quoniam suum non quaesiuit [n], quod caeleste est impetrauit.

**13.** 75. Ideo ergo praeceptum non datur, consilium datur. Praeceptum enim castitatis est, consilium integritatis. *Sed non omnes capiunt uerbum istud, sed quibus datum est. Sunt enim spadones qui de matris utero sic nati sunt* [a], in quibus naturae necessitas, non uirtus est castitatis. *Et sunt spadones qui facti sunt ab hominibus* [b]. *Et sunt spadones qui se ipsos castrauerunt* [c]; uoluntate utique, non necessitate, et ideo magna in iis continentiae gratia; quia uoluntas facit non infirmitas continentem. Nam decet integrum diuini operis seruare munus. Nec illis forte parum sit lubrico corporis non teneri; nam si erepta est subeundi istius palma certaminis, erepta etiam materia periculi; et quamuis non queunt coronari, non queunt tamen uinci. Habent alia genera uirtutum, quibus commendare se debeant, si fides firma sit, proflua misericordia, aliena auaritia, frequens gratia; sed in istis nulla culpa, quia facti ignorantia.

76. Non eadem causa eorum qui in se ipsos ferro utuntur, quo non imprudenter defleximus. Sunt enim qui uirtutis loco ponant, ferro culpam compescere. De quibus etsi nostram nolumus proferre sententiam, quamuis sint statuta maiorum, considerent tamen ne quis id ad professionem infirmitatis trahat, non

[n] 1 Cor 13, 5.
13. [a] Mt 19, 11-12.
[b] Mt 19, 12.
[c] Ibid.

---

75, 5-7 castitatis *usque* et ideo *ego*: castitatis hominibus et sunt spadones qui se ipsos castrauerunt uoluntate utique non necessitate et sunt spadones qui facti sunt ab hominibus et ideo *α Maur.*

d'obbligo, la misericordia è in premio. Colui che ha avuto una buona fedeltà ha meritato fiducia; colui che ha dato con generosità, poiché non ha cercato il suo interesse, ha ottenuto beni celesti.

**13.** 75. Perciò dunque non si dà un precetto, ma un consiglio. Infatti il precetto riguarda la castità, il consiglio l'integrità. *Ma non tutti comprendono questa parola, ma coloro ai quali è concesso. Infatti vi sono degli eunuchi che sono nati cosí dal seno della madre*: in questi uomini c'è una necessità di natura, non la virtú della castità. *E vi sono eunuchi che sono stati resi tali dagli uomini. E vi sono eunuchi che si sono essi stessi castrati*, certamente per propria volontà, non per necessità [146], e perciò grande è in questi la grazia della continenza, perché è la volontà non l'impotenza che fa il continente. Infatti conviene conservare integro il dono dell'opera divina [147]. E nemmeno per quelli [148] è cosa di poco conto non essere in balia del pericolo costituito dal corpo, perché, se è tolta loro la palma destinata a quelli che devono affrontare questa lotta, è tolta anche la materia del pericolo; e, anche se non possono essere coronati, non possono però essere vinti. Essi hanno virtú d'altro genere, per le quali devono acquistare pregio: fede salda, misericordia abbondante, avarizia lontana, grazia continua; ma in costoro non c'è alcuna colpa, perché ignorano il fatto [149].

76. Non è il medesimo il caso di coloro che usano il ferro su se stessi, per cui non senza prudenza abbiamo preso da loro le distanze. Ci sono infatti quelli che, invece che con la virtú, reprimono la colpa col ferro [150]. Circa costoro noi non vogliamo esprimere un giudizio, anche se esistono prescrizioni sancite dai Padri [151]; tuttavia facciano attenzione a che qualcuno non giunga

[146] Diverse ragioni mi hanno indotto a ritenere corrotto il testo tràdito stampato dai Maurini. Innanzi tutto i tre cola di Mt 19, 12 vi risultano citati in disordine: e tale disordine non solo manca di giustificazione, ma turba gravemente la coerenza del ragionamento ambrosiano. Inoltre la parola *hominibus* sarebbe del tutto incomprensibile senza la precedente integrazione del versetto evangelico.

[147] È enunciato il principale argomento teologico contro l'evirazione, considerata peccato contro la creazione (o contro la natura): cf. la considdetta *Costituzione ecclesiastica degli Apostoli can.* 22 (ed. P.-P. IOANNOU, *Les canons des synodes particuliers*, Grottaferrata 1962, pp. 17 ss.); GIOVANNI CRISOSTOMO, *in Rom. hom.* 4 (PG 60, 420).

[148] *illis*: è in opposizione al precedente *in iis*, perciò si riferisce alla prima categoria di eunuchi, tali per nascita.

[149] Poiché sono eunuchi fin dalla nascita.

[150] Cf. VIRGILIO, *georg.* 3, 468.

[151] Presumibilmente il riferimento è al primo canone del Concilio di Nicea (cf. ed. ALBERIGO - DOSSETTI e altri, Bologna 1963³, p. 6): «Chiunque subisce l'operazione chirurgica da parte dei medici per malattia o è mutilato dai barbari, costui resti nel clero. Chiunque invece, essendo sano, si mutila, pur essendo annoverato nel clero, è bene che sia allontanato. E conseguentemente nessuno di costoro deve essere promosso [al sacerdozio]». Della questione si era già occupato il Concilio di Acaia, di cui si conoscono le decisioni (cf. PALAZZINI, *Dizionario dei concili*, 1, Roma 1963, p. 1). Al canone niceno si sono ispirate le successive decisioni ecclesiastiche, come, per es., quelle del secondo Concilio arelatense (452 circa): *hos qui se carnali uitio repugnare nescientes abscindunt, ad clerum peruenire non posse*; analogamente GELASIO, *epist. et decr.* 9, 17 (PL 59, 53). Come si vede si tratta

ad gloriam firmitatis. Ergo nemo militet ne aliquando uincatur, nec pedis utatur obsequio, qui gradiendi periculum reformidat, nec oculi intendat officio qui concupiscentiae timet lapsum. Sed quid prodest carnem abscidere, cum etiam ipso culpa sit in aspectu? *Nam et qui uiderit mulierem ad concupiscendum, iam maechatus est eam in corde suo* [d]. Et quae similiter uirum in concupiscentiam uiderit, adulteratur. Castos ergo, non infirmos esse nos conuenit, pudicos oculos habere, non debiles.

77. Nemo igitur, ut plerique arbitrantur, se debet abscidere, sed magis uincere; uictores enim recipit ecclesia, non uictos. Et quid argumentis utar, cum praesto sit apostolici forma praescripti? Sic enim habes: *Vtinam et abscidantur* qui uolunt uos circumcidi [e]! Cur enim coronae occasio et uirtutis usus eripitur homini, qui natus ad laudem est, ad uictoriam praeparatus, qui potius uirtute animi castrare se possit? *Sunt* enim *spadones qui se ipsos castrauerunt propter regnum caelorum* [f].

78. Sed et hoc non omnibus imperatur, sed ab omnibus flagitatur. Etenim qui mandata dat, decretorum semper debet tenere mensuram: et qui pensa distribuit, aequitatem debet examinis reseruare. *Statera* enim *fallax abominatio est apud deum* [g]. Est ergo minus pondus et maius, sed utrumque non recipit ecclesia. *Pondus* enim *maius et minimum et mensurae duplices, immunda in conspectu domini utraque* [h]. Sunt pensa quae diuidit sapientia, et ita diuidit ut uirtutem uiresque aestimet singulorum. Et ideo dicit: *Qui potest capere, capiat* [i].

79. Scit enim creator omnium affectus esse uarios singulorum; et ideo uirtutem praemiis prouocauit, non infirmitatem uinculis alligauit. Scit et ille gentium doctor [l], bonus morum

[d] Mt 5, 28.
[e] Gal 5, 12.
[f] Mt 19, 12.
[g] Prou 11, 1.
[h] Prou 20, 10.
[i] Mt 19, 12.
[l] 1 Tim 2, 7.

76, 6 firmitatis gloriam *transp. Maur.*
9 abscindere *Maur.*
culpa sit in ipso *transp. Maur.*
77, 1 abscindere *Maur.*
4 abscindantur *Maur.*
6 preparatus: *add.* est α.
qui: *add.* ipse α.
7 animae *Maur.*
78, 1 et *om.* α.
2*s.* tenere debet *transp. Maur.*
79, 2 praemiis uirtutem *transp. Maur.*

per questa via alla professione dell'impotenza, non alla gloria della fortezza. Allora nessuno si arruoli in un esercito per timore di essere talvolta sconfitto; e non faccia uso dei piedi chi teme il pericolo di camminare; e non usi gli occhi colui che teme la caduta a motivo della concupiscenza. Ma a che serve mutilare la carne, se vi è colpa persino nello sguardo? *Infatti anche chi abbia guardato una donna per desiderarla ha già commesso peccato con lei nel suo cuore.* E similmente colei che abbia guardato un uomo con desiderio, commette adulterio. Dunque ci conviene essere casti, non impotenti; avere occhi pudichi, non essere mutilati.

77. Dunque nessuno, come molti pensano, si deve mutilare; piuttosto deve vincere se stesso, perché la Chiesa accoglie vincitori, non vinti. E perché far ricorso ad argomentazioni, dal momento che abbiamo una formale disposizione apostolica? Cosí infatti trovi: *Magari si mutilassero anche*[152] coloro che vogliono che vi circoncidiate! Perché infatti si toglie all'uomo la possibilità della corona e l'esercizio della virtú, lui che è nato per la lode ed è pronto per la vittoria, lui che piuttosto può da sé evirarsi con la virtú dell'animo? Infatti *vi sono degli eunuchi che si sono essi stessi evirati per il regno dei cieli.*

78. Tuttavia anche questo non è prescritto a tutti, ma è a tutti chiesto. Infatti chi dà ordini deve usare moderazione nei precetti, e chi distribuisce pesi deve essere equo nella valutazione, perché *una bilancia falsa è un abominio davanti a Dio.* Dunque c'è un peso minore ed uno maggiore, ma la Chiesa li respinge entrambi. Infatti *un peso troppo grande ed uno eccessivamente piccolo e le misure doppie, entrambe le cose sono immonde di fronte al Signore.* Ci sono dei pesi che distribuisce la sapienza e li distribuisce valutando la virtú e le forze dei singoli. E perciò dice: *Chi può intendere intenda.*

79. Infatti il creatore di tutti sa che i sentimenti dei singoli sono diversi, e perciò ha sollecitato la virtú con premi, non ha legato la debolezza con lacci. Lo sa anche il Dottore delle genti, buon auriga dei nostri costumi e in un certo modo reggitore dei sentimenti interiori, il quale dall'esperienza personale aveva appreso che la legge del corpo fa guerra alla legge della mente — ma la medesima è sottomessa alla legge di Cristo —, egli sa,

di sanzioni abbastanza blande riservate ai membri del clero; ciò spiega l'atteggiamento prudente di Ambrogio, il quale doveva inoltre ben sapere che tra coloro che avevano interpretato alla lettera Mt 19, 12 non c'erano solo encratiti in senso stretto: basti pensare al caso di Origene (cf. EUSEBIO, *hist. eccl.* 6, 8, 1-3).

[152] In luogo di *abscindantur* dei Maurini e del Ballerini, ho restituito *abscidantur* sulla base della corrispondente lezione *Vetus Latina* di Gal 5, 12 e del valore semantico di tale lezione, che ho trovato confermata nei mss. della famiglia α. Coerentemente anche nei due luoghi precedenti (§§ 76 e 77) ho stampato la lezione *abscidere* attestata dalla medesima famiglia di mss., in luogo di *abscindere*.

auriga nostrorum et quidam interiorum rector affectuum, qui de se ipso didicerat legi mentis legem corporis repugnare [m], eamdem tamen Christi gratiae cedere [n], scit, inquam, uarios cursus mentium repugnari; et ideo neque in tantum adhortationem integritatis intendit, ut aboleret gratiam nuptiarum, neque ita coniugium praetulit, ut studia integritatis exstingueret. Sed a continentiae persuasione incipiens, ad incontinentiae remedia descendit, et cum brauium supernae uocationis [o] fortioribus demonstrasset, deficere tamen in uia neminem passus est [p], ita plaudens prioribus, ut non despiceret et sequentes. Didicerat enim et ipse quia dominus Iesus aliis panem hordeaceum [q], ne in uia deficerent, aliis corpus suum [r] ut ad regnum contenderent, ministrauit.

80. Nec dominus ipse praeceptum imposuit, sed uoluntatem inuitauit [s]; nec apostolus praeceptum statuit, sed consilium dedit [t]. Sed non hoc humanum consilium humanarum uirium habere mensuram, diuinae munus misericordiae confitetur in se esse collatum, ut fideliter sciret prima praeferre, secunda disponere. Et ideo *existimo*, inquit, non statuo, et *existimo bonum esse propter instantem necessitatem* [u].

[m] Rm 7, 23.
[n] Rm 7, 25.
[o] Phil 3, 14.
[p] Mt 15, 32; Mc 8, 3.
[q] Io 6, 9.
[r] Mt 26, 26.
[s] Mt 19, 21.
[t] 1 Cor 7, 25.
[u] 1 Cor 7, 26.

---

6 cursus α (*cf. quae ad loc. notaui*): incursus *Maur.*
7 repugnari *conieci*: repugnare α *Maur.*
8-15 neque ita *usque* ministrauit *laudat Hier. epist. 49, 14.*
80, 6 et: sed *Maur.*

ripeto, che i vari modi di correre delle menti sono osteggiati [153]; e perciò né ha spinto a tanto l'esortazione alla verginità, fino ad annullare la grazia del matrimonio, né tanto ha esaltato il matrimonio da spegnere lo zelo per la verginità. Ma, partendo dalla persuasione alla continenza, è sceso a indicare i rimedi per l'incontinenza, e, pur indicando ai piú forti il premio della superiore vocazione, non ha però permesso che alcuno venisse meno per via, lodando i primi in modo tale da non disprezzare nemmeno quelli che seguono. Anch'egli infatti sapeva che il Signore Gesú ad alcuni distribuí il pane d'orzo [154], perché non venissero meno per via, ad altri distribuí il proprio corpo, perché giungessero al regno.

80. E nemmeno il Signore ha imposto un precetto, ma ha sollecitato la volontà; e nemmeno l'Apostolo ha stabilito un precetto, ma ha dato un consiglio. Dichiara tuttavia che questo consiglio umano non è a misura delle forze umane, che gli è stato concesso il dono della divina misericordia di saper preferire con fedeltà le cose migliori e di saper regolare quelle inferiori. E perciò dice *ritengo*, non «stabilisco», e *ritengo che sia una buona cosa per la necessità presente.*

[153] Il testo dei Maurini (cf. a lato l'app.) non ha un senso coerente con il contesto, perciò ho accolto *cursus* dei mss. della famiglia α ed ho emendato *repugnare* in *repugnari* (*repugnare* potrebbe essere un errore dovuto all'influsso della precedente medesima forma verbale). Tale mia proposta è provvisoria, non essendo fondata su una recensione completa della tradizione manoscritta. Resta non facile intendere l'espressione *uarios cursus mentium repugnari*, ma proprio tale difficoltà potrebbe essere all'origine della corruttela. Suggerisco un'ipotesi interpretativa. *Varios* si ricollega al medesimo termine dell'inizio del paragrafo, dove si dice che le interiori disposizioni nella pratica della virtú variano da individuo a individuo. I *cursus mentium* richiamano probabilmente la metafora platonica (*Phaedr.* 246 ss.) della biga trainata dai due cavalli della razionalità e dell'irrazionalità: se ciò corrisponde a verità, l'espressine *cursus mentium* potrebbe molto significativamente essere correlata alle precedenti ugualmente metaforiche espressioni — riferite a Paolo —, già in qualche modo evocatrici del mito platonico, *morum auriga nostrorum* e *interior rector affectuum.* Infine *repugnari* sarebbe la prova filologica dell'avvenuta contaminazione fra la metafora platonica e Rm 7, 23. Il ragionamento di Ambrogio non è limpido, e l'anacoluto ne accresce l'impaccio, ma proviamo a chiarirlo: Paolo, quando dice che «la legge del corpo fa guerra alla legge della mente», esprime un concetto che può essere metaforicamente rappresentato dalla corsa di un cavallo (la mente) ostacolata dal comportamento del compagno di giogo (il corpo). Dunque la disposizione della mente nella pratica della virtú, oltre che essere diversa nei diversi individui, è anche osteggiata dalle passioni del corpo. Perciò ad ognuno è data la possibilità di scegliere, in base alle proprie interiori attitudini, fra verginità e matrimonio. Avremmo dunque un'altra utilizzazione, seppure appena percettibile, del famoso mito del *Fedro*, da aggiungere alle altre rilevate nei diversi scritti ambrosiani: segnaliamo in particolare il parallelismo con *Isaac* 8, 67 (CSEL 32, 1, p. 690, 2 ss.) *hinc philosophi currilia illa animarum in suis libris expressere certamina*; cf. anche *uirgt.* 15, 96; *exp. Luc.* 7, 139 (CCL 14, p. 262); *Nab.* 15, 64 (CSEL 32, 2, p. 507); *Isaac* 8, 65 (CSEL 32, 1, p. 688).

[154] Il pane d'orzo, anch'esso distribuito da Cristo (cf. Io 6, 9), è l'alimento per quanti conducono una vita carnale e sensitiva, mentre i perfetti e spirituali si nutrono del pane dell'eucarestia; cf. *exp. Luc.* 6, 81 (CCL 14, p. 203) *docuit inquam me quinque istos panes hordiaceos fuisse. Et ideo non inepte diximus escam istam esse habilem corporalibus.*

81. Non ergo copula nuptialis quasi culpa uitanda, sed quasi necessitatis sarcina declinanda. Lex enim astrinxit uxorem, ut in laboribus et tristitia filios generet, et conuersio eius ad uirum sit, quod ei ipse dominetur [v]. Ergo laboribus et doloribus in generatione filiorum addicitur nupta, non uidua, et dominatui uiri sola subditur copulata, non uirgo. Omnium autem horum uirgo libera est, quae uerbo dei suum spopondit affectum, quae sponsum benedictionis cum facibus exspectat [z], bonae lumine uoluntatis accenso. Et ideo prouocatur consiliis, non uinculis illigatur.

**14.** 82. Sed nec uidua praeceptum accipit, sed consilium. Consilium autem non semel datum, sed saepe repetitum. Nam et primo dixit: *Bonum est enim mulierem non tangere* [a]; et iterum: *Volo sic omnes homines esse sicut et me ipsum* [b]; et tertio: *Bonum est illis, si sic maneant sicut et ego* [c]; et quarto: *Bonum est propter instantem necessitatem* [d]. Et hoc placere domino [e], et hoc honestum esse [f], postremo beatiorem esse in uiduitate perseuerantiam [g], non tantum suo consilio, sed etiam dei spiritu [h] definiuit. Quaenam igitur talis consiliarii benignitatem recuset, qui et uoluntati habenas indulgeat [i], et id suadeat aliis quod in se expertus [l] utilem [m] iudicauit, non difficilis comprehendi, nec fastidiosus aequari? Quae igitur refugiat sancta fieri corpore et spiritu [n], cum supra laborem sit praemium, supra usum gratia, supra opus merces?

83. Atque hoc ita dico, non ut laqueum ceteris iniciam [o], sed ut commissi mihi ruris operarius agrum hunc ecclesiae fertilem cernam, nunc integritatis flore uernantem, nunc uiduitatis grauitate pollentem, nunc etiam coniugii fructibus redundantem. Nam

[v] Gen 3, 16.
[z] Mt 25, 4.
14. [a] 1 Cor 7, 1.
[b] 1 Cor 7, 7.
[c] 1 Cor 7, 8.
[d] 1 Cor 7, 26.
[e] 1 Cor 7, 32.
[f] 1 Cor 7, 35.
[g] 1 Cor 7, 40.
[h] Ibid.
[i] 1 Cor 7, 37.
[l] 1 Cor 7, 7.
[m] 1 Cor 7, 35 (?).
[n] 1 Cor 7, 34.
[o] 1 Cor 7, 35.

---

81, 1-6 non ego *usque* uirgo *laudat Hier. epist. 49, 14.*
3 tristitia *plerique codd. cl. α et Hier.*: *praem.* in *Maur.*
82, 7 perseuerantem α (*fort.*).
11 difficilis *conieci*: facilis *Maur.* facile *plerique codd. cl. α.*

81. Il matrimonio dunque non è come un peccato da rifuggire, ma come un fardello di una condizione servile da evitare [155]. Infatti la legge ha vincolato la moglie cosicché generi i figli nelle sofferenze e nella tristezza, e lei sia rivolta al marito, perché egli la domina. Dunque la sposata, non la vedova, è condannata alle sofferenze e alle afflizioni nella generazione dei figli, e solo la sposata è soggetta al dominio dell'uomo, non la vergine. La vergine invece è libera da tutti questi legami, lei che ha promesso il suo affetto al Verbo di Dio, che attende lo Sposo della benedizione con le fiaccole, con il lume acceso della buona volontà. E perciò è sollecitata con consigli, non legata con lacci.

**14.** 82. Ma nemmeno alla vedova è rivolto un precetto, bensí un consiglio; e tale consiglio non è dato una sola volta, ma è ripetuto spesso. Infatti in primo luogo Paolo ha detto: *È buona cosa non toccare donna*; e in secondo luogo: *Voglio che tutti gli uomini siano come sono io*; e in terzo luogo: *È buona cosa se rimarranno cosí come sono io*; e in quarto luogo: *È buona cosa per la necessità presente*. Non solo in base alla propria opinione, ma anche mosso dallo Spirito [156] di Dio ha dichiarato che questo piace al Signore e questo è degno, da ultimo che è piú beata la perseveranza nello stato vedovile. Chi è dunque colei che rifiuterebbe la benignità di un simile consigliere, il quale concede autonomia di decisione alla volontà e consiglia agli altri ciò che ha giudicato utile per esperienza personale, e non è difficile da comprendere, né è arduo da uguagliare? Chi è dunque colei che rifugge dal diventare santa nel corpo e nello spirito, dal momento che il premio supera la fatica, la grazia è straordinaria, la ricompensa supera il lavoro?

83. E dico questo non per gettare un laccio alle altre, ma perché, quale operaio della campagna a me affidata, sappia guardare con discernimento questo campo fertile della Chiesa, che ora si rinnova per il fiore dell'integrità, ora si rafforza per la gravità della vedovanza, ora sovrabbonda anche dei frutti del

[155] La condizione servile della donna nel matrimonio sconsiglia le nozze alle vedove e alle vergini: cf. *uirgb.* 1, 6, 27.

[156] Ambrogio insiste nel sottolineare che in 1 Cor 7, 40 si esprime, attraverso Paolo, lo Spirito Santo.

etsi diuersi, unius tamen agri fructus sunt; nec tanta hortorum lilia quantae aristae segetum, messium spicae, compluriumque spatia camporum recipiendis aptantur seminibus, quam redditis nouales fructibus feriantur.

84. Bona ergo uiduitas, quae toties apostolico iudicio praedicatur; haec enim magistra fidei, magistra est castitatis. Vnde et illi qui deorum suorum adulteria et probra uenerantur, caelibatus et uiduitatis statuere poenas, ut aemuli criminum multarent studia uirtutum, specie quidem qua fecunditatem quaererent, sed studio quo propositum castitatis abolerent. Nam confectis et miles stipendiis arma deponit, et relicto officio quod gerebat, ad propria ueteranus rura dimittitur, ut et ipse exercitae laboribus uitae requiem consequatur et alios spe futurae quietis subeundis faciat operibus promptiores. Agricola quoque maturior torquendam aliis stiuam committit et iuuenalia grauatus opera, prouidentiam curae senilis explorat: uitem facilis tondere quam premere, ut iuuenescentem luxuriam reprimat et adolescentem lasciuiam falce succidat, parcorum quamdam partuum castitatem docens etiam in uitibus expetendam.

85. Similis huic uidua uelut emeritis ueterana stipendiis castitatis, etsi coniugii arma deponat, domus tamen totius pacem gubernat. Etsi uehendis oneribus otiosa, maritandis tamen iunioribus prouida, ubi cultus utilior, ubi fructus uberior sit, quorum copula aptior, senili grauitate disponit. Itaque si maturioribus potius quam iunioribus committitur ager, cur putes utiliorem nuptam esse quam uiduam? Quod si persecutores fidei, persecuto-

---

84, 9 spe α *(fort.)*.
11 iuuenalia *(uel* iuuenilia*) plerique codd. cl.* α: iuuenili *Maur.*
85, 4 quarum *Maur.*

matrimonio [157]. Infatti, anche se sono diversi, sono tuttavia frutti di un unico campo; e i gigli [158] dei giardini non sono tanto numerosi quanto le reste dei campi di biade, le spighe delle messi, e per accogliere le sementi sono approntate aree di campi piú numerosi dei novali che, avendo portato frutto, riposano.

84. Buona cosa è dunque la vedovanza, che il giudizio dell'Apostolo tante volte esalta: è infatti maestra di fede, maestra di castità. Perciò quelli che venerano gli adulterii e le infamie dei loro dèi hanno sancito pene per il celibato e la vedovanza [159], per punire, da seguaci dei crimini, lo zelo per le virtú: all'apparenza per stimolare la procreazione, in realtà per eliminare il proposito della castità. Infatti anche il soldato, dopo aver compiuto il servizio militare, mette via le armi e, lasciato il compito che svolgeva, è lasciato libero di andare da veterano nelle proprie terre, affinché anch'egli ottenga il riposo per la propria vita provata dai disagi, e renda piú pronti gli altri a sobbarcarsi le fatiche nella speranza del futuro riposo. Anche l'agricoltore avanzato nell'età affida ad altri l'aratro da guidare e, sentendo il peso delle fatiche della gioventú [160], scopre la provvidenza delle occupazioni della vecchiaia: abile nel potare la vite come nel piegarla, per reprimere il rigoglio giovanile e recidere con la falce l'eccesso della crescita, insegnando che anche nelle viti bisogna ricercare pochi prodotti, una sorta di castità.

85. Simile a costui è la vedova, che, quale veterana che ha compiuto il servizio della castità [matrimoniale], anche se depone le armi del matrimonio, tuttavia governa la pace di tutta la casa. Pur senza pesi da trasportare, tuttavia premurosa verso le piú giovani da maritare, decide con senile ponderatezza dove la coltura sia piú produttiva, dove il raccolto piú ricco, con chi sia piú adatto il matrimonio. E allora, se un campo è affidato a persone piú mature, piuttosto che a quelle piú giovani, perché pensi che una donna sposata sia piú utile di una vedova? Che se i persecutori della fede furono anche persecutori della vedovanza, allora per

[157] Sul triplice frutto del campo della Chiesa si veda *uirgt.* 6, 34, ove ritroviamo non solo i medesimi concetti, ma anche analoghe espressioni; cf. anche sopra 4, 23 e nota relativa.

[158] Il giglio ha un posto di rilievo nel simbolismo cristiano a partire dall'antichità. Il versetto di Mt 6, 28 («i gigli dei campi») e diversi luoghi del Cantico dei Cantici (2, 1-2; 5, 13; 6, 2-3) hanno acceso l'interesse per questa similitudine; Ambrogio la usa piú spesso — ma non esclusivamente — per indicare la verginità, come in questo luogo. Cf. *inst. u.* 15, 93 *Christi lilia sunt, specialiter sacrae uirgines, quarum est splendida et immaculata uirginitas*; *exp. Luc.* 7, 128 (CCL 14, p. 258); *exam.* 3, 8, 36 (CSEL 32, 1, p. 83); GIROLAMO, *epist.* 125, 2 (LABOURT 7, p. 115).

[159] Cf. *exp. Luc.* 3, 18 (CCL 14, p. 85, 290 s.) *erat enim deforme liberos non habere, quod etiam legum ciuilium fuit auctoritate multatum.* La *lex Iulia et Papia Poppaea* (9 a.C.) introdusse dei privilegi, nell'ambito del diritto privato e pubblico, per coloro che avevano dei figli (*eius liberorum*). Secondo tale legge chi, avendone l'età, non fosse regolarmente sposato era considerato *caelebs* e come tale *incapax* di ereditare per testamento. Allo stesso modo i vedovi e le vedove, se pure avevano avuto figli dal precedente matrimonio, erano considerati *caelibes*. Anche la *lex Iulia de maritandis ordinibus* (18 a.C.) era stata promulgata per incoraggiare il matrimonio. Sull'argomento cf. PWRE 10, 1281 ss.

[160] Per *grauari* con l'accusativo cf. ThlL 6.2, 2314, 17 ss.

res fuerunt etiam uiduitatis, utique fidem sequentibus uiduitas non pro supplicio fugienda est, sed tenenda pro praemio.

**15.** 86. Sed fortasse aliquibus propter suscipiendos liberos coniugia iteranda uideantur. Quod si filiorum studium causa nubendi est, utique ubi fructus est filiorum, causa non suppetit. Quamquam cuiusce consilii sit iterum experiri uelle frustra tentatam fecunditatem, aut subire, quam pertuleris, orbitatem? Haec enim iterandi causa est filios non habentibus.

87. Ergo illa quae liberos suscepit et perdidit (cum ipsa enim maior contentio, quae spem generandi habet), illa, inquam, nonne sibi uidetur, inter ipsa repetitarum foedera nuptiarum, amissorum praetexere funera filiorum? Nonne iterum passura quod repetit, et ad ipsos uotorum tumultus, exceptarum orbitatum imagines, lamentorum strepitus perhorrescit? Vel cum accensis funalibus nox ducitur, nonne pompae funebris exsequias magis putat, quam thalamum praeparari? Cur igitur, filia, dolores magis quos times, repetis, quam filios quos iam non speras, requiris? Si grauis est dolor, subterfugienda causa eius est, non petenda.

88. Nam tibi quid consilii tribuam, quae liberos habes? Quae tibi causa nubendi? Forte leuitatis error et intemperantiae usus et saucii cogit pectoris conscientia. Sed consilium sobriis, non ebriis datur, et ideo apud liberam conscientiam mihi sermo est, cui utrumque integrum est: habeat saucia remedium, honesta consilium. Tu, inquam, filia, quid moliris? Cur heredes quaeris extraneos, cum habeas tuos? Non filios desideras, quod habes, sed seruitutem, quam non habes. Haec est enim uera seruitus,

---

86, 3 est fructus *Maur.*
4 cuius α.
4*s.* tentatam: temptat α.
88, 2 forte: *praem.* nisi α.

i seguaci della fede la vedovanza non è da fuggire come un supplizio, ma da abbracciare come un premio [161].

**15.** 86. Ma forse qualcuna pensa che bisogna risposarsi per avere dei figli [162]. Ma se la ragione del matrimonio è il desiderio di avere dei figli [163], allora quando ci sono dei figli, vien meno tale ragione. Quantunque, che saggezza sarebbe il volere di nuovo cercare la fecondità già invano tentata o subire la perdita che hai già sopportato [164]? Questa infatti è la ragione che spinge a risposarsi quelle che non hanno figli.

87. E cosí quella che ha avuto dei figli e li ha perduti — con lei infatti piú accesa è la discussione, perché spera di avere dei figli —, quella, ripeto, non ha l'impressione tra i patti di matrimoni ripetuti di mettere in mostra i funerali dei figli perduti [165]? Non soffrirà di nuovo per ciò che torna a cercare? E proprio durante l'agitazione della festa nuziale non prova orrore delle immagini conservate dei figli perduti e del fragore dei pianti [166]? O, quando si accendono le torce e si trascorre la notte, non pensa forse che si apprestano le esequie di un funerale, piuttosto che il letto nuziale? Perché, dunque, o figlia, ricerchi piuttosto i dolori che temi, che non i figli che non speri piú di avere? Se il dolore è grande, bisogna evitarne la causa, non cercarla.

88. E a te, che hai dei figli, quale consiglio darò? Quale ragione hai per sposarti? Forse ti spinge l'errore dovuto alla leggerezza, la consuetudine dell'intemperanza, il sentimento del cuore ferito. Ma il consiglio si dà ai sobri, non agli ebbri; e perciò alla coscienza libera rivolgo la mia parola, che possiede integre l'una e l'altra cosa: la medicina per colei che è ferita, il consiglio per colei che ha dignità. Tu — ripeto —, o figlia, che cosa stai cercando? Perché vuoi avere degli eredi estranei, quando hai i tuoi? Non desideri dei figli, che hai, ma la schiavitú che non hai.

[161] Rispunta un'idea abbastanza frequente nelle opere verginali di Ambrogio, il parallelismo fra martirio di fede e martirio di castità (cf. *uirgb.* 3, 7, 33 *a praedonibus fidei uel pudoris circumsederi* e relativa mia nota), in questo caso fra martirio e vedovanza. Il paganesimo, come fu persecutore della fede cristiana, cosí lo fu — attraverso certe leggi punitive (cf. sopra § 84) — della vedovanza, ma come i confessori della fede andavano incontro al martirio come ad un premio, cosí è anche per le vedove.

[162] Le vedove, che per risposarsi adducono il desiderio di avere dei figli, possono essere distinte in tre categorie: 1) quelle che già hanno dei figli; 2) quelle che non hanno potuto avere dei figli dal precedente matrimonio; 3) quelle che li hanno avuti, ma li hanno perduti. In nessuno dei tre casi — secondo Ambrogio — è valida la motivazione invocata.

[163] In effetti per Ambrogio l'unica buona ragione che giustifica il matrimonio, e il solo vantaggio che offre, sono i figli: cf. *exp. Luc.* 1, 45 (CCL 14, p. 29, 697 s.) *pudor est enim feminis nuptiarum praemia non habere, quibus haec sola est causa nubendi*; 2, 2 (p. 31, 34 s.) *cum coniugii praemium et gratia nuptiarum partus sit feminarum*; 10, 22 (p. 352, 227 s.) *liberi praemia nuptiarum sunt.*

[164] Tra le *molestiae nuptiarum* che sconsigliano il matrimonio, grave è quella della perdita dei figli: cf. AMBROSIASTER, *in Cor.* 1, 7, 26 (CSEL 81, 2, p. 82) *uirginitas... orbitates filiorum ignorat.*

[165] Cf. VIRGILIO, *Aen.* 4, 400.

[166] Seguo la lezione e l'interpretazione messe a punto da A.V. NAZZARO, *Ambrosiana III. "Votorum tumultus" e "funera filiorum"* (uid. *15, 87)*, in *Hestiasis*. Studi di tarda antichità offerti a S. Calderone, Messina 1989, pp. 291-297.

in qua infractior amor, quem non deflorate pignus uirginitatis, et plena sancti pudoris et gratiae aetas prima commendat, ubi offensa grauior, suspectior insolentia, concordia infrequentior, quam non temporibus inolitus amor, non uigens annis forma conciliat. Molesta pietas, ut amare liberos metuas, aspicere liberos erubescas, atque inde oriatur causa discordiae, unde solet mutuus amor mulcere affectus parentum. Generare liberos uis non fratres futuros tuorum, sed aduersarios filiorum. Quid est ergo generare alios liberos, nisi spoliare quod habes liberos, quibus pariter auferuntur et pietatis officia et compendia facultatum?

89. Lex diuina caelesti inter se coniuges auctoritate constrinxit, et difficile manet mutuus amor. Tulit enim costam de uiro et formauit feminam [a], ut sibi eos inuicem copularet, dicens: *Et erunt duo in carne una* [b]. Non hoc de secundis, sed primis nuptiis dixit. Neque enim Eua secundum accepit uirum neque sancta ecclesia secundum agnouit uirum: *Sacramentum* enim illud *magnum est, in Christo et in ecclesia* [c], et ideo custodiendum est. Sed neque Isaac aliam praeter Rebeccam sciuit uxorem [d] neque Abraham patrem cum alia nisi cum Sara sepeliuit uxore [e].

90. Nam in sancta Rachel magis figura mysterii fuit, quam ordo coniugii. Et tamen in ea quoque habemus, quod ad primi coniugii gratiam referre possimus, si quam primo sponsam habuit, plus amauit, nec fraus exclusit affectum, nec sponsae amorem coniugii interuentus aboleuit [f]. Itaque sanctus patriarcha nos docuit, quantum deferre primis nuptiis debeamus, cum tantum primis sponsalibus ipse detulerit. Cauete igitur, filiae, ne et gratiam nuptiarum tenere nequeatis et molestias augeatis.

15. [a] Gen 2, 21-22.
[b] Gen 2, 24; Eph 5, 31.
[c] Eph 5, 32.
[d] Gen 24, 67.
[e] Gen 25, 9-10.
[f] Gen 29, 25-30.

89, 9 cum[2] *om. Maur.*

Infatti, questa è la vera schiavitú, ove l'amore è debilitato e senza il pregio della verginità non violata e dell'età giovanile ricca di pudore e di grazia, ove l'umiliazione è piú grave, piú temuto l'insulto, meno frequente la concordia, che non è favorita da un amore cresciuto nel tempo e dagli anni della bellezza fiorente. Il sentimento della pietà diviene causa di fastidio, tanto che tu tema di amare i figli, ti vergogni di guardarli, e proprio da dove solitamente il reciproco amore trae motivo per blandire i sentimenti dei genitori, sorge la causa di discordia. Vuoi partorire dei figli che non saranno fratelli, ma avversari dei tuoi figli. Che cosa è dunque partorire altri figli, se non spogliare quelli che hai, i quali sono privati ad un tempo e della pietà loro dovuta e dei beni economici?

89. La legge divina con la sua celeste autorità ha legato l'uno all'altro i coniugi, e tuttavia l'amore reciproco resta difficile. Infatti Dio prese una costola dall'uomo e formò la donna per unirli insieme l'uno all'altro, e disse: *E saranno due in una sola carne.* Non ha detto questo delle seconde nozze, ma delle prime. Infatti Eva non prese un secondo marito, né la santa Chiesa conobbe un secondo sposo: infatti quello *è un grande sacramento, riguardo a Cristo e alla Chiesa,* e perciò bisogna mantenerlo [167]. Ma nemmeno Isacco conobbe un'altra moglie oltre Rebecca, né seppellí suo padre Abramo insieme con nessun'altra, se non con la moglie Sara.

90. In verità nella santa Rachele vediamo piuttosto la figura del mistero che non l'ordine [168] delle sue nozze; e tuttavia anche in lei troviamo quanto si deve attribuire alla grazia delle prime nozze, per il fatto che Giacobbe amò di piú lei che per prima fu la sua promessa sposa, né l'inganno eliminò l'affetto, né il matrimonio intervenuto eliminò l'amore per la sposa promessa. E cosí il santo patriarca ci ha insegnato quanto onore dobbiamo tributare alle prime nozze, dal momento che egli ne tributò tanto al primo fidanzamento. Dunque, o figlie, guardatevi dal pericolo e di non poter possedere la grazia del matrimonio e di accrescere i vostri disagi.

[167] Nell'argomentazione scritturistica contro le seconde nozze, notiamo due momenti: 1) secondo Eph 5, 32 il matrimonio di Adamo ed Eva è prefigurazione dell'unione di Cristo e della Chiesa; ora, come unica dovette essere l'unione di Adamo ed Eva per il rapporto con l'unica unione sacramentale di Cristo con la Chiesa, cosí deve essere il matrimonio; 2) nel medesimo versetto Paolo definisce il matrimonio *sacramentum,* che dunque deve restare inviolato: Ambrogio qui comprende in *sacramentum* anche la valenza semantica di «giuramento», per sottolineare l'inviolabilità del vincolo matrimoniale. Dunque il matrimonio di Adamo ed Eva ha un duplice valore prefigurativo: innanzi tutto in relazione alle mistiche nozze fra Cristo e la Chiesa, in secondo luogo in relazione alla inviolabilità del vincolo delle prime nozze. Cosí il termine *sacramentum* contiene un'implicita evocazione del tema della *fides* fra la vedova e il marito defunto (cf. sopra 1, 1 *cui fidem seruent* e nota relativa). In definitiva le seconde nozze sono ammissibili, ma non sono sulla linea di continuità con il modello rappresentato dal matrimonio di Adamo e Eva, il quale solo — in virtú della inviolabilità del suo vincolo — è in relazione tipologica con il mistero dell'unione di Cristo e della Chiesa.

[168] *ordo*: Giacobbe, che amava Rachele, fu indotto con inganno a sposare Lia e solo in seconde nozze poté sposare Rachele (Gen 29, 25-30).

## INDICE GENERALE

BIBLIOTECA AMBROSIANA - MILANO
CITTÀ NUOVA EDITRICE - ROMA

# OPERA OMNIA DI SANT'AMBROGIO

Edizione latino-italiana

## PIANO DI PUBBLICAZIONE

### *OPERE ESEGETICHE*

I — vol. 1
I SEI GIORNI DELLA CREAZIONE (*Exameron*)
Introduzione, traduzione, note e indici di Gabriele Banterle
Roma 1979, pp. 460

II — vol. 2
Tomo I - IL PARADISO TERRESTRE - CAINO E ABELE - NOÈ (*De paradiso - De Cain et Abel - De Noe*)
Introduzioni, traduzioni, note e indici di Paolo Siniscalco (Il paradiso terrestre - Caino e Abele) e Agostino Pastorino (Noè)
Roma 1984, pp. 584

Tomo II - ABRAMO (*De Abraham*)
Introduzione, traduzione, note e indici di Franco Gori
Roma 1984, pp. 288

III — vol. 3
ISACCO O L'ANIMA - IL BENE DELLA MORTE - GIACOBBE E LA VITA BEATA - GIUSEPPE (*De Isaac vel anima - De bono mortis - De Iacob et vita beata - De Ioseph*)
Introduzioni, traduzioni, note e indici di Claudio Moreschini (Isacco o l'anima - Il bene della morte) e Roberto Palla (Giacobbe e la vita beata - Giuseppe)
Roma 1982, pp. 466

IV — vol. 4
I PATRIARCHI - LA FUGA DAL MONDO - LE RIMOSTRANZE DI GIOBBE E DAVIDE (*De patriarchis - De fuga saeculi - De interpellatione Iob et David*)
Introduzione, traduzione, note e indici di Gabriele Banterle
Roma 1980, pp. 310

V — vol. 5
LE DUE APOLOGIE DI DAVID (APOLOGIA DEL PROFETA DAVID A TEODOSIO AUGUSTO - SECONDA APOLOGIA DI DAVID) (*De apologia*

*prophetae David ad Theodosium Augustum - Apologia David altera)*
Introduzione, traduzione, note e indici di Filippo Lucidi
Roma 1981, pp. 248

VI vol. 6
ELIA E IL DIGIUNO - NABOTH - TOBIA (*De Elia et ieiunio - De Nabuthae - De Tobia*)
Introduzione, traduzione, note e indici di Franco Gori
Roma 1985, pp. 336

VII/I vol. 7
COMMENTO AI DODICI SALMI (*Explanatio psalmorum XII*)
Introduzione, traduzione, note e indici di L. Franco Pizzolato
Roma 1980, pp. 380

VII/I vol. 8
COMMENTO AI DODICI SALMI (*Explanatio psalmorum XII*)
Introduzione, traduzione, note e indici di L. Franco Pizzolato
Roma 1980, pp. 362

VIII/I vol. 9
COMMENTO AL SALMO CXVIII/1 (*Expositio Psalmi CXVIII/1*)
Introduzione, traduzione, note e indici di L. Franco Pizzolato
Roma 1987, pp. 488

VIII/II vol. 10
COMMENTO AL SALMO CXVIII/2 (*Expositio Psalmi CXVIII/2*)
Traduzione, note e indici di L. Franco Pizzolato
Roma 1987, pp. 496

IX/I vol. 11
ESPOSIZIONE DEL VANGELO SECONDO LUCA (*Expositionis Evangelii secundum Lucam - Libri I-V*)
Introduzione, traduzione, note e indici di Giovanni Coppa
Roma 1978, pp. 454

IX/II vol. 12
ESPOSIZIONE DEL VANGELO SECONDO LUCA (*Expositionis Evangelii secundum Lucam - Libri VI-X*)
Introduzione, traduzione, note e indici di Giovanni Coppa
Roma 1978, pp. 598

*OPERE MORALI*

I vol. 13
I DOVERI (*De officiis - Libri tres*)
Introduzione, traduzione, note e indici di Gabriele Banterle
Roma 1977, pp. 380

II vol. 14
Tomo I - Verginità e vedovanza (*De virginibus* - *De viduis*)
Introduzione, traduzione e note di Franco Gori
Roma 1989, pp. 328

Tomo II - Verginità e vedovanza

*OPERE DOGMATICHE*

I vol. 15
La fede (*De fide*)
Introduzione, traduzione, note e indici di Claudio Moreschini
Roma 1984, pp. 492

II vol. 16
Lo Spirito Santo - Il mistero dell'Incarnazione del Signore (*De Spiritu Sancto, Libri tres* - *De Incarnationis dominicae sacramento*)
Introduzione, traduzione, note e indici di Claudio Moreschini (Lo Spirito Santo) e Enzo Bellini (Il mistero dell'Incarnazione del Signore)
Roma 1979, pp. 502

III vol. 17
Spiegazione del Credo - I sacramenti - I misteri - La penitenza (*Explanatio Symboli* - *De sacramentis* - *De mysteriis* - *De paenitentia*)
Introduzione, traduzione, note e indici di Gabriele Banterle
Roma 1982, pp. 336

*DISCORSI E LETTERE*

I vol. 18
Le orazioni funebri (*Orationes funebres*)
Introduzione, traduzione, note e indici di Gabriele Banterle
Roma 1985, pp. 296

II/I vol. 19
Lettere (1-35) (*Epistulae I-XXXV*)
Introduzione, traduzione, note e indici di Gabriele Banterle
Roma 1988, pp. 376

II/II vol. 20
Lettere (36-69) (*Epistulae XXXVI-LXIX*)
Introduzione, traduzione, note e indici di Gabriele Banterle
Roma 1988, pp. 248.

II/III vol. 21
Lettere (70-77) (*Epistulae LXX-LXXVII*) - Lettere fuori col-

LEZIONE (*Epistulae extra collectionem traditae*) - AVVENIMENTI DEL CONCILIO DI AQUILEIA (*Gesta Concili Aquileiensis*)
Introduzione, traduzione, note e indici di Gabriele Banterle
Roma 1988, pp. 440

*OPERE POETICHE E FRAMMENTI*

vol. 22
INNI - ISCRIZIONI - FRAMMENTI

*SUSSIDI*

vol. 23
INDICI

vol. 24
FONTI

vol. 25
BIBLIOGRAFIA

vol. 26
CRONOLOGIA RAGIONATA

*EXTRA*

vol. 27
COMMENTO «AMBROSIANO» ALLA CANTICA DI GUGLIELMO DI SAINT-THIERRY

BIBLIOTECA AMBROSIANA - MILANO
CITTÀ NUOVA EDITRICE - ROMA

# SCRITTORI DELL'AREA SANTAMBROSIANA

## COMPLEMENTI DELL'OPERA OMNIA DI SANT'AMBROGIO

Edizione latino-italiana

## PIANO DI PUBBLICAZIONE

1 Zenone di Verona
I Discorsi (*Tractatus*)
Introduzione, traduzione, note e indici di Gabriele Banterle
Roma 1987, pp. 336

2 Filastrii brixiensis diversarum hereseon liber
Gaudentii brixiensis tractatus

3/I Cromazio di Aquileia
I Sermoni (*Sermones*)
Introduzione, traduzione, note e indici di Gabriele Banterle
Roma 1989, pp. 256

3/II Chromatii aquileiensis tractatus in Mathaeum

4 Maximi episcopi taurinensis sermones

Finito di stampare nel mese
di ottobre 1989
dalla tipografia Città Nuova della P.A.M.O.M.
Largo Cristina di Svezia, 17
00165 Roma tel. 5813475/82